NARRATIVA

CHINA MIÉVILLE

EMBASSYTOWN

romanzo

**Traduzione dall'inglese
di Federico Pio Gentile**

FANUCCI EDITORE

Dello stesso autore abbiamo pubblicato:

Trilogia *New Crobuzon*
   Perdido Street Station
   La città delle navi
   Il treno degli dèi

La città e la città
La fine di tutte le cose
Gli ultimi giorni della nuova Parigi
Embassytown

Prima edizione nella presente collana: febbraio 2024
Titolo originale: *Embassytown*
Copyright © China Miéville 2011
© 2024 by Gruppo Editoriale Fanucci Srl
Sede secondaria: via Giovanni Antonelli, 44 – 00197 Roma
tel. 06.39366384 – email: info@gruppoeditorialefanucci.it
Indirizzo internet: www.fanucci.it
Proprietà letteraria e artistica riservata
Stampato in Italia – Printed in Italy
Tutti i diritti riservati
Progetto grafico: Franca Vitali

CHINA MIÉVILLE

EMBASSYTOWN

Post-umani e post-alieni:
il balletto dei Cavalli Folli

di Carlo Pagetti

È almeno dalla fine della cosiddetta 'golden age' della fanta-scienza americana e inglese, ai tempi dell'affermazione di due autori canonici come Isaac Asimov e Arthur Clarke – romanzieri, intendiamoci bene, sulla cui qualità di creatori di poderosi universi immaginari non è lecito dubitare – che la *science fiction* ha cercato nuovi percorsi non più basati sull'impiego di formule fisse e di scenari nitidamente definiti. La conquista dello spazio, l'incontro-scontro con gli alieni, la città del futuro, le macchine di un progresso tecnologico affascinante e spesso terrificante rimangono tematiche ricche di suggestioni narrative, ma cambiano i linguaggi e le strutture formali, in seguito all'interesse crescente degli scrittori più consapevoli per la disseminazione e l'ibridazione dei generi. Forse è tutto il campo della letteratura che è in movimento, conti-nuando a dis/perdere i parametri costituiti da centri e punti focali. Lo stesso Miéville ha polemizzato con il *litfic*, il romanzo che vanta pretese letterarie – quello che in passato veniva chiamato *main-stream*, a sancirne una automatica superiorità rispetto ai prodotti di genere. Per lo scrittore inglese il *litfic*, almeno in ambito anglofono, rischia all'inizio del XXI secolo di impaludarsi in un terreno psico-logico e narcisistico, oppure di impoverirsi in uno sterile impegno politico che non dovrebbe essere l'obiettivo principale dell'imma-ginazione romanzesca.

È pur vero che, nell'ambito della narrativa di genere, i confini tra fantascienza e fantastico sono stati sempre labili, come mostra l'at-tività di un altro autore di solito targato *sf*, Ray Bradbury, il quale sapeva passare con disinvoltura dall'ispirazione distopica alla Orwell (*Fahrenheit 451*) alle contaminazioni gotiche e favolistiche di *Paese d'ottobre* e di altre raccolte di racconti, dalla rivisitazione delle mitologie astronomiche applicate ai canali di Marte (*Cronache marziane*) a quella poetica degli agrodolci ricordi infantili sospesi tra stupore e ansia, che sarà recepita, ad esempio, da Stephen King. E naturalmente anche Philip K. Dick, a partire dalla seconda metà degli anni Cinquanta, si muove senza eccessive preoccupazioni tra fantastico e immaginario scientifico, e non trascura neppure la dimensione del realismo, che per molto tempo lo spinge alla ricerca del romanzo *mainstream* di successo. D'altra parte, tra l'inizio e la fine degli anni Sessanta del secolo scorso, autori americani come Kurt Vonnegut, jr. (non a caso una delle voci più rappresentative del romanzo postmoderno) e Ursula K. Le Guin cominciano a e-sprimere una volontà di sperimentazione narrativa che inevitabilmente supera l'ambito della fantascienza tradizionale e crea forme ibride, collocandosi nel campo della parodia e del *black humour* (Vonnegut), oppure esplorando l'area della *children's literature* o quella della ricostruzione pseudo-storica (Le Guin).

Aggiungiamo, per completare un quadro molto sommario, l'impegno della 'new wave' britannica, raccolta, sempre negli anni Sessanta, attorno alla rivista inglese *New Worlds*, con la sua ricerca dello 'spazio interiore' – esaltata da J.G. Ballard, altro autore che si è cimentato in un incessante lavoro di revisione e di contaminazione di generi – o con i tentativi di riscrittura della tradizione letteraria, che porteranno Brian Aldiss a mescolare la fantascienza fin de siècle di H.G. Wells e il neogotico cosmico di H.P. Lovecraft in *The Saliva Tree* (1965), o a 'pasticciare' la trama di *Frankenstein* in *Frankenstein Unbound* (1973), tra i cui personaggi compare la stessa Mary Shelley. Dalla fine del Novecento in avanti, semmai, si fa più forte una consapevolezza critica che mette in discussione certi pre-supposti ideologici e formali della fantascienza, complicandone volutamente i linguaggi. Di fronte al successo enorme del cinema *sf*, che spettacolarizza sul grande schermo il 'senso di meraviglia' delle origini (si pensi allo splendore 3D di *Avatar* di James Cameron o alla riproposta odierna della serie di *Star Wars*, resa possibile dal perfezionamento delle tecniche digitali), e dopo il trionfo delle nar-razioni *fantasy* sul grande e sul piccolo schermo (le storie tolkieniane ri-immaginate da Peter Jackson tra le montagne e le vallate della Nuova Zelanda, la serialità televisiva potente e a tratti shakespeariana di *Game of Thrones*), la necessità di abbandonare la strada della fantascienza 'popolare', di intrattenimento e di evasione, contribuisce a elaborare nuove poetiche dell'immaginario scientifico, influenzate dall'antropologia, dalla linguistica, dai *gender studies*. La materia fantascientifica va dunque aggredita, frantumata, de/composta più che ri/composta, per mezzo di una tessitura volutamente complicata e aggrovigliata, degna di un *reading public* di alto livello, addirittura più vicino all'accademia che al consumo di massa. I nomi che vengono subito in mente sono quelli di Samuel R. Delany – un altro intellettuale formatosi nell'America degli anni Sessanta, che potenzia la vocazione poetica e anti-realistica della fantascienza, pur non disdegnando prodotti vicini al gusto della *science fantasy* –, e di William Gibson, l'autore di *Neuromante* (1984), certamente l'esponente più innovativo del *cyberpunk*. L'elenco sommario di figure e di opere che viene qui offerto ai lettori non vuole stabilire le tappe di una possibile 'evoluzione' del genere *sf*, ma piuttosto sottolineare sia l'operazione di rottura con i linguaggi del passato tentata da Miéville, sia la volontà dello scrittore di mescolare spunti narrativi e generi in un intreccio intertestuale, che di fatto tende a destabilizzare – non banalmente a rievocare – le basi stesse del discorso *sf*. D'altra parte, l'ispirazione di Miéville possiede tratti inconfondibilmente britannici e, in senso lato, europei. Nel primo caso, indubbia è la presenza della psicogeografia di Iain Sinclair, un altro autore profondamente londinese, che esplora in chiave soggettiva e visionaria luoghi familiari, quelli urbani in particolare; nel secondo caso non può non venire in mente il riverbero di certe ambientazioni sospese tra allucinazione onirica e disgregazione psichica che riconducono a Franz Kafka e a P.K. Dick. Questi due romanzieri sono stati più volte segnalati come gli ispiratori di *La Città & la Città* (2011), in cui due città dell'Europa orientale, che si sovrappongono l'una all'altra coesistendo nello stesso spazio fisico, richiamano la sorte di Berlino prima della riunificazione tedesca, o di Gerusalemme lacerata dai conflitti religiosi, ma indubbiamente rimandano ancora, oltre che alla San Francisco de *La svastica sul sole* di P.K. Dick, a una Londra notturna, che potrebbe essere ritagliata da una *crime story*, da un *penny dreadful* dell'epoca vittoriana. L'estetica postmoderna della sovrapposizione e della contaminazione indiscriminata degli stili non esclude l'omaggio aperto al mondo popolare dei *pulp magazine*, come succede in *Kraken* (2012), in cui Miéville non esita a mettere in scena una creatura mostruosa di netta impronta lovecraftiana.

Miéville, che pure ha una precisa collocazione ideologica a sinistra del partito Laburista e una considerevole varietà di studi accademici alle spalle, non ha mai esitato a dichiarare in modo esplicito la sua adesione alla tradizione fantascientifica più corriva, a conferma che non è la materia narrata a contare, ma l'elaborazione di un linguaggio capace di mettere in discussione stereotipi e troppo facili soluzioni stilistiche. In ogni caso, l'utilizzo spregiudicato delle caratteristiche di un genere come la fantascienza entra a far parte del gioco narrativo, che deve spingersi al di là, piegarsi ad alcune schegge del passato *sf* e, nello stesso tempo, infrangere i confini, intrecciando un discorso intertestuale e metatestuale, che non trascura neppure la grande tradizione letteraria, a partire dai settecenteschi *Viaggi di Gulliver* di Swift e da altre cronache fittizie di viaggi per mare, e che fa esplicito riferimento, come ha dichiarato Miéville, a testi che si sono occupati di 'decodificare la città', sulle orme di Thomas de Quincey, e, nel Novecento, Michael Moorcock, Alan Moore, Neil Gaiman, Iain Sinclair. Si tratta di voci che guardano molto di più a Londra che alle metropoli americane, ma che, nello stesso tempo, non dimenticano come l'immagine di Londra si possa confondere con quella di spazi e di luoghi appartenenti a una alterità lontana e indecifrabile. Non a caso Miéville rifiuta di inchinarsi di fronte alla forza epica del *Signore degli Anelli* di Tolkien, cui rimprovera la nostalgia per una società gerarchica, feudale, e invece si dichiara affascinato dalle viscere labirintiche e potenzialmente infinite che formano il corpo colossale del castello di Gormenghast, al centro della trilogia di Mervyn Peake, che, come Ballard, aveva passato l'infanzia in Cina. Lo stesso Miéville, peraltro, ha vissuto alcuni periodi della sua vita lontano dall'Inghilterra. D'altra parte, sarebbe ingiusto dimenticare l'impatto esercitato sull'autore anche dalla cultura americana contemporanea nella sua riflessione sulla dimensione del post-umano, che compare esplicitamente nei romanzi di Octavia Butler (soprattutto nel ciclo di Xenogenesis alla fine degli anni Ottanta) e nelle recenti elaborazioni teoriche di N.

Katherine Hayles. Vorrei ribadire che la pletora di riferimenti letterari – all'interno o all'esterno della fantascienza, a livello più propriamente immaginativo o nella componente filosofico-linguistica che riconduce, ad esempio, a Wittgenstein – nulla sottrae alla densità formale dei testi mievilliani, che sono tutt'altro che derivativi, e che, anzi, esprimono una forte valenza sperimentale, metanarrativa, così da collocarsi in un universo immaginario, in cui implode ogni tentativo di creare una dimensione psicologica o una sicurezza ideologica. Sotto il segno della Babele biblica, relatività e contraddittorietà dei linguaggi annullano la contrapposizione tra 'noi' e 'loro' e i processi di comunicazione si infrangono contro le barriere misteriose e invalicabili che separano creature incommensurabilmente diverse, i loro codici retorici, le strutture culturali di comunità, che condividono solo un turbolento senso di incertezza. Ci troviamo, insomma, come accade in *Embassytown*, in un mondo dove l'individuo non esiste più nell'accezione del termine ancora largamente usata, poiché è diventato, appunto, post-umano. Postumani tutti, s'intende: anche gli alieni (post-alieni, quindi?), nel senso che non è più possibile ricondurli, attraverso i soliti procedimenti allegorici o le solite allusioni sociologiche, ai modelli di un *puzzle* da spiegare o da risolvere attraverso opportuni e convincenti meccanismi analogici.

Si pensi ai marziani de *La guerra dei mondi* di H.G. Wells (1898), le creature con cui non esiste alcun dialogo, tanto distruttivi quanto tecnologicamente avanzati e, nello stesso tempo, terrificanti nelle loro abitudini alimentari vampiriche. E tuttavia il narratore wellsiano, che segue la loro inesorabile avanzata verso Londra, arriva a conclusioni efficaci, rifiutando motivazioni etiche o religiose (i marziani come incarnazioni della malvagità cosmica o come angeli sterminatori venuti a punire l'umanità), e piuttosto trovando una risposta nelle leggi della selezione naturale formulate da Charles Darwin ne *L'origine della specie*. I marziani sono spinti all'invasione interplanetaria dalla necessità della sopravvivenza, che li ha allontanati dal loro antico pianeta, ormai inaridito. Essi hanno però trascurato il pericolo di un'epidemia mortale provocato sul loro organismo dai bacilli terrestri, gli unici vincitori della guerra dei mondi.

Nulla di tutto ciò in *Embassytown*: reazioni, motivazioni, imprevisti del contatto che avviene tra umani e Ariekei rimangono assolutamente inesplicabili, né è dato giungere a una vera comunicazione fatta di parole o di gesti, se non per quanto riguarda l'acquisizione da parte dei visitatori di manufatti di altissima perfezione tecnologica e alcuni momenti improvvisati di incontro che sembrano produrre, peraltro, conseguenze stravaganti, come la trasformazione di un certo numero di personaggi umani in similitudini atte a riempire – o così pare – i vuoti del linguaggio alieno. O, piuttosto, al plurale, dei linguaggi alieni, dal momento che il corpo composito, grottesco, degli Ariekei, li rende percepibili come possenti e vacillanti creature equine, che hanno due bocche e sovrappongono due apparati fonetici, quasi fossero concepite a imitazione di certi disegni e dipinti di minotauri, tori, cavalli, eseguiti da Picasso. Tutto è duplice sul pianeta Arieka, un avamposto cosmico sperduto negli abissi dello spazio, cosicché anche coloro che riescono a dialogare, molto parzialmente, con gli Ariekei sono uno e doppio. I rappresentanti dell'umanità del lontano futuro sono, infatti, gli Ambasciatori che si chiamano MagDa, o EdGar o JoaQuin, o CalVin, l'amante – anzi, gli amanti, perché due sono i corpi e, in una certa misura, anche i tratti psicologici sono separati – della protagonista e narratrice Avice (una Eva priva di innocenza, peccaminosa, del futuro? *Eva/Vice*? Una 'vice' delegata a rappresentare l'umanità da una posizione marginale?). E poi arriva/no EzRa, che, in piena dissociazione psichica, sembra/no paradossalmente in grado di stimolare, se non la comprensione, la reazione emotiva degli Ariekei. I quali, da parte loro, fisicamente bizzarri come il vasto territorio urbano animato e instabile da loro abitato (al cui centro si trova la zona franca e fornita di aria respirabile che costituisce Embassytown), sono impegnati nello sforzo patetico di raggiungere la comprensione e l'adozione di un linguaggio menzognero, dal momento che tutto è letterale nel loro eloquio, che quindi non conosce il termine 'menzogna', né sembra capace di inventare espressioni menzognere. Giustamente Ursula K. Le Guin ha evocato i personaggi dei Cavalli Saggi, gli Houyhnhnms, che compaiono nel quarto e ultimo viaggio di Gulliver: nei loro nitriti articolati e razionali, essi hanno cancellato la parola *evil* ('male'), e tuttavia questa assenza lessicale non impedisce loro di compiere azioni che sono malvagie e crudeli, come è il progetto di porre fine alla razza asservita degli Yahoos con un programma eugenetico di castrazione, oppure di cacciare dalla loro (finta) utopia l'adorante viaggiatore inglese, che bacia la zampa del suo Padrone nel momento dell'addio doloroso. Certo, Avice non è più Gulliver, e non solo per la sua spregiudicata sessualità, ma anche per la sua natura post-umana, mentre i Cavalli Saggi swiftiani sono trasmutati in Cavalli Folli, scatenati in uno sgangherato e cacofonico balletto. Attorno a Avice si manifesta un mondo che è comunque pienamente post-umano, dove l'uso di trapianti artificiali e di congegni elettronici ha trasformato gli esseri umani in cyborg, quando essi non siano da ogni punto di vista androidi artificiali curiosamente ricchi di doti umane, come nel caso di Ehrsul, l'amica preferita di Avice. E la stessa lingua che si parla a Embassytown si chiama – con un evidente omaggio a P.K. Dick – anglo-ubik, grazie al trionfo dei neologismi e delle invenzioni linguistiche con cui si è ottimamente misurato il giovane ma validissimo traduttore. Ogni altro principio o valore o conoscenza, a cominciare dalla sessualità, o dalle tecniche del volo interplanetario, si trasforma in un'esperienza indicibile, stimolata dagli effetti di una droga. Siamo dunque al polo opposto del realismo del futuribile, che è una delle matrici più solide della fantascienza, o del dramma degli incontri ravvicinati del terzo tipo, che tendono a cristallizzarsi lungo l'asse dell'utopia o dell'apocalisse. Senza entrare nei meandri della trama – che si sforza continuamente non di dare spiegazioni o di risolvere enigmi affascinanti, ma di procedere a singhiozzo, in modo imprevedibile, senza concedere troppo a quel minimo di spiegazioni alla fine indispensabili per cogliere qualche contorno non puramente onirico del mondo futuro (si pensi alla confusione delle sette religiose presenti a Embassytown, o anche qui si dovrebbe forse dire post-religiose) –, va sottolineato che è forse l'elemento ludico a sconfiggere nel lettore il timore di immergersi in un tessuto fin troppo evanescente e impalpabile, in cui si rispecchia il procedimento di immersione spazio-temporale che permette a Avice di essere una viaggiatrice nel cosmo oscuro e simile a un surreale paesaggio marino. Avice/Alice, forse, una bambina divenuta grande, alloggiata dentro il labirinto popolato di creature mostruose e di abitazioni viventi della Wonderland interplanetaria, nella zona oltre il confine tra Embassytown e la città degli Ariekei, dove, nell'antefatto del romanzo, Avice/Alice si è inoltrata da piccola. Lì è avvenuto l'incontro fatale che le ha cambiato la vita, trasformandola in una espressione del linguaggio, una similitudine, un espediente narrativo in carne e ossa – anzi, in carne, ossa, e componenti cibernetiche. Una volta adulta, Avice ha capito che non potrà avventurarsi più di tanto oltre la zona di contatto di Embassytown, ma cerca comunque di dare un senso alla sua esperienza post-umana, a cui partecipano, di volta in volta, l'ambiguo marito linguista Scile, l'androide Ehrsul, l'Ambasciatore al singolare e al plurale con cui va a letto (talvolta confondendo i due corpi e le due personalità), lo sconvolgente 'doppio' EzRa. Poi ci si sono loro, le divinità parodiche e grottesche dell'altrove post-alieno, con i due apparati fonetici, il corpaccione che invecchiando diventa cibo per i più giovani, le abitazioni degne delle architetture di Gaudí, i movimenti scomposti di grossi equini che non si riesce mai a mettere a fuoco, come fossero fotogrammi di una vecchia pellicola cinematografica, su cui è impressa la storia della fantascienza che si reinventa e si deteriora davanti ai nostri occhi ormai irrimediabilmente post-umani.

Carlo Pagetti

Embassytown

A Jesse.

La parola deve comunicare *qualcosa* (di altro da sé).
WALTER BENJAMIN, *Sulla lingua in generale e sulla lingua degli uomini*

Tutti i bambini dell'Ambasciata videro la nave atterrare. Gli insegnanti e i turnogenitori gliel'avevano fatta disegnare per giorni, cedendo un'intera parete al loro estro. Erano passati secoli da quando aveva smesso di sputare fuoco dai suoi propulsori – così come l'avevano immaginata –, ma era quello il modo consueto di rappresentarla. Io stessa, da giovane, amavo raffigurare le navi così.

Mi chinai ad ammirare i disegni, e l'uomo alle mie spalle fece lo stesso. Dall'oblò di una delle navicelle sulla parete faceva capolino il volto di un uomo. «Guarda,» dissi «sei tu.» L'uomo sorrise, afferrando un timone immaginario identico a quello nella figura.

«Devi scusarci» continuai, facendo cenno alle decorazioni. «Abbiamo uno stile alquanto provinciale.»

«No, no» rispose il pilota. Ero più grande di lui, ma parve gradire il mio modo di confonderlo, di raccontargli qualche storiella facendo appello al mio slang. «Tuttavia,» fece «non credo di essere io... Ad ogni modo, è davvero bello essere qui. Al confine, intendo. Solo Dio sa cosa ci sia oltre questo posto.» Sembrava già proiettato alla festa di arrivo.

Di feste se ne facevano – stagionali, di presentazione, di laurea, di fine anno, a dicembre per i tre Natali –, ma nessuna era importante come quella di arrivo. Dettato dai capricci degli alisei, il ballo si teneva raramente e a intervalli irregolari: da anni ormai non se ne organizzava uno.

La Sala della Diplomazia era gremita e il personale dell'Ambasciata del tutto preso a socializzare con addetti alla sicurezza, insegnanti, fisici e artisti locali. Erano presenti anche delegati delle comunità esterne e isolate, contadini-eremiti. I nuovi arrivati erano davvero pochi, vestiti con degli abiti che quelli del luogo avrebbero presto emulato. L'equipaggio sarebbe partito l'indomani o il giorno dopo ancora. Le feste avevano sempre luogo alla fine della visita, come per celebrare in un'unica occasione tanto l'arrivo quanto la partenza.

Un settetto di corde suonava. Tra di loro c'era anche la mia a-mica Gharda, che mi salutò accennando un'espressione di scuse per la danza non troppo elegante in cui era coinvolta. Ragazzi e ragazze si scatenarono sulla pista. In quell'occasione era loro concesso di lasciarsi andare senza imbarazzo nei confronti dei propri superiori o delle persone più anziane, che a loro volta, per il divertimento dei colleghi più giovani, tentavano anche qualche ridicola piroetta.

Vicino alla mostra temporanea dei disegni dei bambini erano esposti i quadri permanenti del salone: oli e guazzi, ologrammi e fotografie del personale, Ambasciatori, portaborse, e perfino O-spiti. Raccontavano la storia della città. Piante rampicanti raggiungevano l'altezza del rivestimento a pannelli, e si spingevano fino a un cornicione art déco, allargandosi poi in una tettoia frondosa. Il legno era progettato per sostenere i rampicanti, le cui foglie erano tempestate da VESPcam a caccia di immagini da trasmettere.

Un addetto alla sicurezza che un tempo conoscevo mi salutò, agitando la sua protesi. Notai la sua figura stagliarsi in controluce, davanti a una finestra di un metro quadro che affacciava sulla città e sulla collina di Lilypad Hill. I pendii di quest'ultima celavano una nave cargo. Più avanti, dopo chilometri di tetti, oltre i fari rotanti delle chiese, c'erano le centrali elettriche. Erano state danneggiate dall'atterraggio, e avevano continuato a funzionare in modo incostante, nei giorni a seguire. Potevo perfino distinguerne il crepitio.

«Sei stato tu» dissi al timoniere indicandole. «È tutta colpa tua.» Lui sorrise senza prestare molta attenzione. Troppe cose lo distraevano. Era la prima volta che scendeva a terra.

Riconobbi un luogotenente incontrato a una precedente festa. Ricordai l'ultima volta che era venuto, anni prima, durante quello che in Ambasciata era stato un autunno mite. Avevamo passeggiato insieme tra le fronde dei giardini ai piani alti e, da lì, avevamo osservato la città, dove non parevano essere arrivati né l'autunno né alcun'altra stagione.

Continuai a camminare, superando il fumo di resina stimolante che saliva dai vassoi da portata, e mi congedai. Qualche forestiero che aveva terminato i propri incarichi stava già ripartendo e, con lui, anche un ridotto numero di locali che aveva richiesto – e ottenuto – un permesso di uscita.

«Ti sei forse commossa, cara?» chiese Kayliegh. Non lo ero. «Ci vediamo domani, e, può darsi, anche dopodomani. Potresti...» Ma lei sapeva che comunicare sarebbe stato talmente difficile che avremmo smesso di farlo. Ci abbracciammo, finché i suoi occhi non diventarono lucidi per le lacrime, salvo poi scherzarci su: «Tu più di tutti dovresti sapere perché me ne vado.» E io le risposi: «Strega che non sei altro, sai bene quanto io sia gelosa!»

Sapevo a cosa stava pensando: L'hai scelto tu, ed era vero. Sei mesi prima ero stata sul punto di partire, finché non era arrivato l'ultimo miab, portando con sé la notizia sconvolgente di cosa, o meglio di chi stava per arrivare. Anche allora rimasi decisa ad andare, la mente proiettata verso l'esterno all'arrivo del cambio successivo. Ma in realtà non fui davvero sorpresa quando la iolla solcò il cielo con un ruggito e io, invece, restai a terra. Probabilmente Scile, mio marito, aveva intuito prima di me cosa sarebbe successo.

«Per quando è previsto l'arrivo?» chiese il pilota, riferendosi agli Ospiti.

«Presto» risposi io, ma in realtà non ne avevo idea. Non era loro che stavo aspettando.

Poi giunsero anche gli Ambasciatori. La gente si avvicinò, ma senza spingere. Attorno a loro c'era sempre un po' di spazio, un perimetro di rispetto. Fuori, la pioggia batteva sulla finestra. Non ero riuscita a chiedere nulla alle mie amiche – la mia fonte abituale – di quanto accadesse oltre la porta. Soltanto i burocrati più eminenti e i rispettivi consiglieri avevano potuto incontrare i nostri più importanti e discussi nuovi arrivati, ed era difficile che io fossi tra questi.

Le persone lanciavano sguardi verso l'entrata. Sorrisi al pilota. Altri Ambasciatori stavano entrando. Sorrisi anche a loro, finché non mi riconobbero.

Gli Ospiti sarebbero giunti a breve, insieme all'ultimo gruppo dei nuovi arrivati. Il capitano col resto dell'equipaggio, i sottoposti, i consulenti e i ricercatori, forse qualche immigrato, e infine il motivo di tutto questo: il nuovo, improbabile, Ambasciatore.

Proemio

L'immergente

0.1

Da giovani, qui a Embassytown, amavamo fare un gioco con spiccioli e scarti di dimensioni simili e a forma di mezzaluna, racimolati nelle botteghe. Ci riunivamo sempre nello stesso posto, accanto alla stessa casa, al di là del mercato che affacciava sul vicolo ripido nei pressi dei caseggiati, dove, sotto l'edera, le pubblicità risaltavano colorate. Sempre lì, alla luce fioca di quegli schermi e presso il muro designato per il nostro passatempo. Ricordo quando facevo ruotare le monete da due lire, cantando 'girati, piegati, storciti, luccica', aspettando il momento che barcollassero e cadessero. La vittoria o la sconfitta dipendeva dalla combinazione tra la faccia che mostrava la moneta e la parola a cui ero arrivata.

Rivedo il mio volto in maniera nitida, nella rugiada primaverile o in estate, con il pezzo da gioco in mano, a discutere del suo significato con gli altri ragazzi e ragazze. Non avremmo mai cambiato posto, sebbene si sentissero brutte storie in merito alla casa e a chi la abitava.

Come ogni bambino che si rispetti, girammo la città in lungo e in largo con attenzione e impegno. Al mercato, non eravamo tanto interessati alle bancarelle, quanto a una nicchia in alto nel muro, creata dal vuoto lasciato da alcuni mattoni andati persi: non riuscivamo mai a raggiungerla. Odiavo quella roccia enorme che segnava il confine della città, spaccata e poi riassemblata con la malta (ancora non conoscevo il perché), e la biblioteca, con le sue merlature e l'armatura, che reputavo poco sicure. Invece, a tutti piaceva il college, per via dell'acciottolato levigato del suo cortile, sulla cui superficie i giocattoli riuscivano a percorrere grandi distanze.

Eravamo una piccola tribù turbolenta e spesso i poliziotti di zona ci rimproveravano, ma a noi bastava dire 'È tutto okay, signore (o signora), stavamo solo...' e riprendere le nostre faccende. Correvamo via per il ripido reticolo di strade cittadine, superando gli automi senzatetto di Embassytown, affiancati da animali randagi che scorrazzavano in mezzo a noi o che ci seguivano sui tetti bassi; alle volte ci fermavamo per salire su un albero o su una pianta rampicante, ma alla fine raggiungevamo sempre l'interstizio.

Al confine di questa parte della città, gli angoli, le piazze e i viali cedevano il posto, inizialmente, ad alcune innaturali geometrie degli edifici degli Ospiti, che man mano erano divenuti sempre più numerosi, fino a sostituire anche le nostre case. Ovviamente, provammo a entrare in quella città, dove le vie avevano un aspetto del tutto diverso e dove i muri di mattoni, cemento e plasma erano stati rimpiazzati da materiali più vivaci. Ero sincera nei miei tentativi di accedervi, ma sapere che avrei fallito mi rassicurava.

Ci piaceva competere, sfidandoci l'un l'altro a chi arrivava più lontano, ognuno segnando il proprio traguardo. Ci ripetevamo 'Finiremo col farci inseguire dai lupi' oppure 'Chi arriva più lontano comanda'. Nel mio gruppo, io ero la terza miglior esploratrice della parte sud. Nel nostro posticino abituale c'era un nido dai colori alieni assicurato con corde di muscoli cigolanti a una palizzata, che gli Ospiti avevano voluto modellare in maniera ostentata come i nostri recinti di vimini. Io mi ci avvicinavo di soppiatto, mentre i miei amici, a mo' di palo, fischiettavano dall'incrocio.

Mi rivedo da bambina e non mi sorprendo affatto. Ho lo stesso volto di allora – solo un po' più definito –, la stessa smorfia di sospetto o lo stesso sorriso, e lo stesso modo di strizzare gli occhi per lo sforzo, cosa per cui in seguito talvolta sono stata presa in giro. Allora, come adesso, ero snella e irrequieta. Ero in grado di trattenere il respiro e di incedere a pieni polmoni fin dove si mischiano le correnti, su quel baratro che, pur non essendo impervio, restava sempre pericoloso: procedevo in direzione del punto in cui avviene la sublimazione e i venti scolpiscono le nanoparticelle meccaniche fino a consumare l'atmosfera, solo per scrivere il mio nome, Avice, sul legno bianco. Una volta, per compiere una bravata, tirai qualche colpo alla giuntura di pelle con cui il nido è ancorato ai pali. Era tesa come la corda di un violino. Poi tornai indietro, affannata, dai miei amici.

«L'hai toccato» dissero con ammirazione, mentre io ero presa a scrutarmi la mano. Quindi, ci dirigemmo a nord, da dove spirano gli eoli, mettendo a confronto le nostre imprese.

La casa vicino a cui giocavamo con le monete era abitata da un uomo tranquillo e ben vestito. Era una fonte d'inquietudine per quel posto. Talvolta, mentre eravamo lì, usciva, ci guardava e serrava le labbra in una smorfia che poteva essere di saluto o di rimprovero, poi si girava e andava via.

Credevamo di sapere cosa fosse. Ovviamente, ci sbagliavamo. Ci affrettavamo a raccogliere le nostre cose, considerando lui uno spaccato e la sua presenza inappropriata. «Ehi,» dissi ai miei amici in più di un'occasione indicandolo senza che se ne accorgesse «ehi.» Quando ci sentivamo coraggiosi, lo seguivamo mentre passeggiava lungo le viuzze bordate di siepi in direzione del fiume o del mercato, o verso le rovine dell'archivio o verso l'Ambasciata. Un paio di volte capitò che uno di noi sghignazzasse per il nervosismo, mentre i passanti ci facevano segno di mantenere il silenzio.

«Mostrate rispetto» disse con fermezza un altostrichiere. Poi posò il suo secchio di frutti di mare e diede un ceffone a Yohn, che aveva gridato. Il venditore vegliava su quell'uomo. Ricordo di aver capito subito, pur non sapendo come esprimermi, che non tutta la rabbia di quell'uomo era indirizzata verso di noi, così come le nostre espressioni di disapprovazione erano dirette solo in parte a lui.

«Non sono contenti del luogo in cui vive» fece presente papà Berdan, il turnopadre di quel pomeriggio, quando gliene parlai. Raccontai la vicenda più di una volta, descrivendo l'uomo che avevamo seguito in modo altalenante e chiedendo a mio padre informazioni sul suo conto. Gli domandai perché i vicini gli fossero ostili: lui mi sorrise imbarazzato e mi diede la buonanotte. Io continuai a guardare fuori dalla finestra, vigile. Osservai la luna, le stelle e il bagliore del Relitto.

Posso datare con precisione gli eventi successivi, dato che avvennero all'indomani del mio compleanno. Ero malinconica, in un modo che ora trovo divertente. Era domindì pomeriggio inoltrato del sedici-terzo settembre. Sedevo in solitudine a riflettere sulla mia età (assurdo, piccolo Buddha!), intenta a far ruotare sul muro le monete ricevute il giorno prima. Sentii una porta aprirsi, ma non mi voltai, lasciando che l'uomo mi osservasse giocare per qualche secondo. Quando me ne resi conto, alzai lo sguardo allarmata.

«Ragazzina» mi chiamò, facendomi un cenno. «Vieni con me, per favore.» Non credo di aver considerato quella di scappare un'opzione valida. Ritenni di non poter fare altro che obbedire.

La sua casa era impressionante. C'era una stanza lunga e dai colori scuri, piena di mobili, schermi e statuette. Le cose, all'interno, si muovevano come degli automi al lavoro. Anche sulle pareti della nostra nursery c'erano piante rampicanti, ma nessuna come quelle, dalle foglie nere lucide e dotate di tendini con modanature e spirali così perfette da sembrare stampate. Dipinti e schermi al plasma ovunque, a seguire ogni nostro movimento. Altri monitor, disposti in cornici antiche, mostravano informazioni sempre diverse. Dei fantasmi olografici delle dimensioni di una mano si muovevano tra le piante in vaso, come su un tavolo da gioco in madreperla.

«Il tuo amico.» L'uomo indicò il divano su cui riconobbi Yohn.

Lo chiamai. Giaceva con gli occhi chiusi e i piedi allungati sul cuscino, gli stivali ancora addosso, paonazzo e ansimante.

Mi voltai verso il padrone di casa, temendo che avrebbe fatto anche a me qualunque cosa avesse già fatto a Yohn, ma lui non lo notò, intento ad armeggiare con una bottiglia. «Sono stati loro a portarlo da me» disse. Poi si guardò intorno, come a cercare l'ispirazione per parlarmi. «Ho avvertito la polizia.»

Mi fece accomodare su uno sgabello accanto al mio compagno quasi esamine e mi porse un bicchiere di cordiale. Lo guardai con sospetto, finché non lo prese e bevve lui per primo, ingollando una sorsata e mostrandomi con un singhiozzo a bocca aperta di aver trangugiato tutto. A quel punto mi mise in mano il bicchiere, e io scrutai il suo collo, senza capire.

Sorseggiai la bevanda. «Gli agenti saranno qui tra poco» disse. «Ti ho sentita giocare e ho pensato che sarebbe stato meglio per lui avere accanto un'amica. Potresti tenergli la mano.» Così, posai il bicchiere e feci quanto mi era stato suggerito. «Potresti dirgli che sei qui, che andrà tutto bene.»

«Yohn, sono io, Avice.» Dopo un attimo di silenzio gli posai la mano sulla spalla. «Sono qui. Andrà tutto bene.» Ero davvero preoccupata. Alzai lo sguardo in cerca di ulteriori istruzioni, ma l'uomo scosse la testa e cominciò a ridere.

«Limitati a tenergli la mano, dato che non risponde» consigliò.

«Ma cosa è successo?» chiesi.

«Lo hanno trovato loro. Si era spinto troppo oltre.»

Il povero Yohn sembrava estremamente debole. Sapevo cos'aveva fatto.

Era il secondo miglior esploratore del gruppo. Non aveva speranze contro Simmon – il primo in assoluto –, ma aveva scritto il proprio nome sulla staccionata molti paletti più in là di me. Da alcune settimane stavo imparando a trattenere il fiato sempre più a lungo e i miei contrassegni si stavano avvicinando a poco a poco ai suoi. Lui, però, doveva essersi esercitato di nascosto, allontanandosi parecchio dal confine con gli eoli. Lo immaginai boccheggiare e inspirare affannosamente l'aria pungente dell'interzona, e cercare di tornare indietro, ostacolato dalle tossine e dalla mancanza di ossigeno. Doveva essere caduto a terra, svenuto, continuando a respirare quello schifo per minuti.

«L'hanno portato da me» ripeté ancora l'uomo. Mi scappò un gemito quando notai qualcosa muoversi, seminascosto da un grande ficus. Non so come avessi fatto a non vederlo prima.

Era un Ospite. Si fece avanti guadagnando il centro del tappeto. Io mi alzai subito, in un misto di rispetto – come mi era stato insegnato – e paura infantile. Questi avanzò, ondeggiando con grazia e sinuosità. Penso mi stesse guardando. Credo che la pelle che costellava quelle due orbite vuote mi stesse scrutando. Stagliandosi davanti a me, si estese e poi si contrasse nuovamente: pensai che mi stesse cercando.

«È qui per il ragazzo» disse il padrone di casa. «Se mai dovesse riprendersi sarebbe per merito suo. Dovresti ringraziarlo.»

Feci come mi era stato consigliato. L'uomo sorrise, si accovacciò vicino a me, mi mise la mano sulla spalla e rimanemmo ad ammirare quella strana presenza fluttuante. «Pulcino,» disse con tono gentile «lo sai, sì, che non può sentirti? O meglio... la tua voce gli giunge come un rumore indistinto. Ma tu sei una brava ragazza educata.» Mi offrì delle caramelle per adulti non zuccherate abbastanza, prese da una ciotola sul caminetto. Canticchiai un po' per Yohn, non solo perché così mi era stato detto, ma anche perché avevo paura. La sua pelle non sembrava più tale, e i suoi movimenti erano preoccupanti. L'Ospite ondeggiò sulle sue gambe e, ai suoi piedi, si muoveva un'altra presenza, della taglia di un cane: il suo compagno. Il padrone di casa alzò lo sguardo in direzione di quello che doveva essere il volto dell'Ospite. L'uomo mi sembrò dispiaciuto, o forse ora lo rivedo tale per via di quello che appresi in seguito.

L'Ospite parlò.

Li avevo già visti mille volte. Ce n'erano perfino alcuni che vivevano nell'interstizio dove noi osavamo insinuarci a giocare. A volte ce li trovavamo di fronte mentre si dirigevano verso i loro impegni con una precisione granchiesca, talvolta addirittura correvano e pareva stessero per cadere a ogni passo, anche se non lo facevano. Li guardavamo prendersi cura delle mura di carne dei loro nidi o di quelli che credevamo fossero i loro animali da compagnia, degli strani compagni sibilanti. In quelle occasioni, dinnanzi alla loro presenza, ci zittivamo di colpo e ci allontanavamo, imitando l'ossequiosa educazione che anche i nostri turnogenitori mostravano. Il disagio che ci veniva trasmesso era in grado di soffocare qualsiasi tipo di curiosità potesse essere scatenata da quelle strane movenze.

Nel dialogare tra loro, usavano un tono assai simile a quello delle nostre stesse voci, così che, con il tempo, qualcuno di noi avrebbe imparato a comprendere alcune delle loro parole: ma di certo non allora, e non io.

Non ero mai stata tanto vicina a un Ospite. La mia paura per Yohn mi distraeva dai pensieri causati da una tale vicinanza, ma continuai comunque a non perdere di vista l'Ospite, controllando la situazione. Tuttavia, quando mi scivolò accanto, mi scostai di scatto, smettendo anche di sussurrare parole di conforto al mio amico.

Non erano gli unici esoterriani che avevo visto. Ce n'erano altri a Embassytown: sapevo di alcuni Kedis, di una manciata di Shur'asi, e di altri ancora. Eppure, per quanto potessero essere bizzarri, nessuno era in grado di instillare la stessa astrazione e la stessa totale estraneità trasmessa dagli Ospiti. Con un negoziante shur'asi, dall'accento bizzarro ma sempre di buonumore, avremmo perfino potuto scherzarci.

Negli anni appresi che quegli immigrati appartenevano esclusivamente a quelle specie che, in varia misura, condividevano i nostri stessi modelli concettuali. Invece gli Ospiti – gli indigeni che ci avevano ammesso nella loro città, permettendoci di costruire Embassytown – erano delle presenze fredde e incomprensibili. Il loro studiarci incuriositi, come fossimo interessanti granelli di polvere cui procuravano le biomacchine, aveva un non so che di divino. Gli unici individui con cui parlavano, in privato, erano gli Ambasciatori. Spesso ci veniva ricordato che dovevamo usare loro cortesia, mostrando il dovuto rispetto quando li incontravamo per strada, prima di sparire a ridacchiare dietro l'angolo. Ciononostante, in assenza dei miei amici, non sapevo affatto camuffare la paura con lo scherno.

«Sta chiedendo se il ragazzo starà bene» disse l'uomo. Poi si sfregò la bocca. «Letteralmente, ha detto qualcosa del tipo 'tornerà a correre o diventerà freddo?'. Vuole essere di aiuto. Lui è già stato di aiuto. Forse pensa che io sia scortese.» Sospirò. «O forse pazzo. Tutto perché non gli risponderò. Mi vede così impotente. Se il tuo amico dovesse salvarsi, sarà perché lui l'ha portato da me.»

«È stato l'Ospite a trovarlo.» Credo volesse parlarmi con tono gentile, ma mi parve alquanto maldestro. «Loro possono venire qui, ma sanno che noi non possiamo andarcene. Più o meno conoscono i nostri bisogni.» Indicò l'animale da compagnia. «Hanno permesso ai loro motori di soffiare ossigeno dentro Yohn. Vedrai che il tuo amico starà bene. Presto arriverà anche la polizia. Ti chiami Avice. Dove abiti, piccola?» Io gli risposi e lui continuò: «Sai come mi chiamo?»

Lo sapevo, ma non ero sicura del modo in cui mi dovessi rivolgere a lui. «Bren» dissi.

«Bren. Non è corretto. Lo capisci, vero? Tu non sei in grado di pronunciare il mio nome. Puoi provarci, ma non ci riuscirai. D'altro canto, neppure io riesco più a pronunciarlo. Bren è quello che gli si avvicina di più. Lui...» Volse lo sguardo verso l'Ospite, il quale annuì in modo solenne. «Lui ora è in grado di farlo, ma è inutile: io e lui non siamo più in grado di conversare tra di noi.»

«Ma perché l'hanno portato qui, signore?» Casa sua era vicina all'interstizio in cui Yohn era precipitato, ma non adiacente.

«Perché mi conoscono. Hanno portato il tuo amico da me

perché, anche se sanno che sono inferiore a loro, in qualche modo mi riconoscono. Parlando con me, confidano nel fatto che io possa rispondergli. Io... io devo... confonderli parecchio. Sai cosa sono, Avice?»

Feci cenno di sì col capo. Ora, ovviamente, mi rendo conto che non avevo idea di cosa fosse. E non sono neanche certa che lo sapesse lui.

Finalmente giunsero i poliziotti, seguiti dai paramedici, e nel salotto di Bren fu improvvisata una sala operatoria. Yohn venne intubato, sedato e monitorato. Bren mi tirò da parte con gentilezza. Tutti e tre, io, il padrone di casa e l'Ospite aspettammo in piedi, mentre l'animale di quest'ultimo mi leccava i piedi con la lingua simile a una piuma. Un agente si inchinò al Governatore, che mosse il capo in risposta.

«Grazie per aver aiutato il tuo amico, Avice. È probabile che se la caverà. E vi rivedrò presto: tornerete al vostro 'girati, piegati, storciti, luccica'?» concluse sorridendo.

Un poliziotto mi fece uscire, mentre Bren restò in compagnia dell'Ospite, che lo avvolgeva con il suo arto amichevole. Non si ritrasse, e restarono entrambi a guardarmi in rispettoso silenzio.

Una volta arrivata alla nursery, i turnogenitori furono subito in ansia per me. Continuarono a sospettare che mi fossi cacciata in qualche guaio, anche dopo che il poliziotto ebbe spiegato che non avevo fatto nulla di male. Si mostrarono comunque discreti, per via dell'amore che nutrivano nei nostri confronti. Si erano resi conto di quanto fossi scioccata. Come potevo dimenticare l'immagine del corpo tremante di Yohn? Soprattutto, come avrei potuto calmarmi, dopo esser stata così vicina a un Ospite e averne sentito la voce? Ero ossessionata dal pensiero di tutte le attenzioni che questi mi aveva concesso.

«Così, qualcuno qui ha bevuto un goccetto con lo Staff, oggi, non è vero?» mi punzecchiò il turnopadre mettendomi a letto. Era papà Shemmi, il mio preferito.

In seguito, ho nutrito uno scarso interesse nel comprendere tutti i vari modi possibili per essere una famiglia. Non ricordo di alcuna gelosia, da parte mia o di altri bambini di Embassytown, nei confronti dei turnofratelli che ogni tanto ricevevano visite dai loro genitori di sangue: era una cosa piuttosto insolita. Non ero attratta da simili discorsi, sebbene, qualche anno più tardi, mi sia chiesta se il sistema di turni e asili nido operasse secondo le pratiche sociali preposte dai fondatori della città (Bremen, nel suo periodo di reggenza, si è a lungo mostrato sereno in merito all'aggiunta di ulteriori usanze e costumi) o se, invece, non sia stato organizzato in un secondo momento. Potrebbe essere il prodotto di una qualche simpatia socioevolutiva degli Ambasciatori per le istituzioni.

Non importa. Di tanto in tanto si sentivano storie raccapriccianti riguardo alle nursery, è vero, ma, una volta fuori, ho sentito altrettante storie terribili di persone allevate dagli stessi individui che le avevano generate. Nella nostra città avevamo tutti dei genitori preferiti e degli altri di cui avevamo paura, alcuni con cui ci si divertiva, mentre con altri no, alcuni da cui ci si recava per farsi consolare o per avere consigli, alcuni che avremmo derubato, e così via. Va detto, però, che i nostri turnogenitori erano brave persone. Il mio preferito era Shemmi.

«Perché la gente non vuole che il signor Bren abiti lì?»

«Non chiamarlo signor Bren, cara. Solo Bren. Diciamo che alcuni ritengono che la città non sia il posto adatto a lui.»

«Tu cosa pensi?»

Fece una pausa. «Penso che abbiano ragione. Ritengo sia una cosa... sconveniente. Esistono dei luoghi appositi per gli spaccati.» Avevo già sentito quella parola da papà Berdan. «Dei rifugi, in modo che... Non sono un bello spettacolo, Avvy. È un tipo divertente quel vecchio burbero. Mi dispiace per lui. Ma quella ferita non è un bello spettacolo.»

Successivamente, alcuni dei miei amici lo definirono disgustoso. Un modo di esprimersi appreso dai turnogenitori meno tolleranti. 'Quel vecchio storpio dovrebbe ritirarsi in una casa di cura.' 'Lasciatelo in pace,' gli avrei detto 'è stato lui a salvare Yohn.'

Yohn si riprese. La sua brutta esperienza non pose fine al nostro gioco. Settimana dopo settimana, andavo sempre un pochino più lontano, ma non riuscii lo stesso a raggiungere il suo livello. Il frutto del suo pericoloso esperimento fu un ultimo segno, svariati metri oltre gli altri, con l'iniziale del suo nome scritta in una pessima grafia. «È qui che sono svenuto» ci raccontava. «Per poco non morivo.» Dopo l'incidente non fu più in grado di spingersi così in là. Restò comunque il secondo per via di quanto gli era accaduto, ma ora sarei in grado di batterlo.

«Come si pronuncia il nome di Bren?» chiesi a papà Shemmi.

«*Bren*» mi rispose lui, facendo scorrere il dito lungo la parola: sette lettere, quattro delle quali udibili, le restanti tre impronunciabili.

0.2

All'età di sette anni salutai turnogenitori e turnofratelli e lasciai Embassytown. Vi tornai undicenne: sposata, non ricca ma con abbastanza risparmi e una piccola proprietà, con una discreta conoscenza delle tecniche di lotta, sapendo come e quando obbedire agli ordini – e quando non farlo –, e come praticare immersioni.

Ero diventata abbastanza brava in un mucchio di cose, nonostante sapessi di eccellere in una sola di esse. Non era di certo l'uso della violenza. È un rischio quotidiano nella vita di porto e, nel complesso, quando tornai, il numero delle sconfitte superava di poco quello delle vittorie ottenute. Ero meno forte di quanto dessi a vedere: la rapidità non mi era mai mancata, ma, come ogni attaccabrighe che si rispetti, avevo sviluppato l'attitudine a sembrare più abile di quanto fossi. Riuscivo a sfuggire alle risse senza mai apparire codarda.

Avevo poca dimestichezza col denaro, ma ne avevo messo da parte un po'. Neanche nella vita matrimoniale spiccavo più di tanto, ma ero migliore di molte altre. Al mio attivo, potevo vantare due ex mariti e una ex moglie. Le nostre strade si erano separate per divergenze d'opinione, ma senza rancore: come dicevo, non sono affatto una pessima moglie. Con Scile ero al mio quarto matrimonio.

In quanto a immersioni, riuscii ad arrivare ai livelli cui aspiravo: quelli in grado di garantirmi un certo prestigio e uno stipendio discreto senza assumermi troppe responsabilità. Ecco in cosa eccellevo: una tecnica di vita consistente nel mettere insieme abilità, fortuna, pigrizia e sfrontatezza, e che chiamiamo barcamenarsi.

Credo che il termine sia stato coniato dagli immergenti stessi. Ognuno di noi, nel suo piccolo, deve cavarsela come può, con un diavoletto seduto sulla propria spalla. Alcuni si cimentano nell'immersione per padroneggiarne la tecnica – sono quelli che ambiscono a diventare capitani o esploratori –, per tutti gli altri, l'unica cosa indispensabile è il sapersi arrangiare. Talvolta si scambia questo atteggiamento per mera indolenza, ma è una pratica assai più attiva e ricca di sfumature. I 'barcamenanti' non temono il lavoro: molti equipaggi lavorano sodo per essere, prima di tutto, ammessi a bordo. Io stessa l'ho fatto.

Quando penso alla mia età ragiono ancora in anni, anche dopo tutto questo tempo e i viaggi fatti. Non è questo il modo corretto di farlo, e la vita di bordo avrebbe dovuto curarmi da una simile abitudine. «Anni?» mi urlò contro uno dei primi ufficiali. «Non mi importa un accidenti di tutte le bravate siderali che hai fatto in quell'orinatoio di casa tua. Voglio sapere la tua età!»

La risposta è in ore. In ore soggettive: a nessun ufficiale interessa se, rispetto a casa tua, il tempo sia rallentato o meno, né con quale sistema di misurazione temporale tu sia cresciuta. Quindi, lasciai Embassytown all'età di circa 170 kilo/ore e vi ritornai quando ne avevo 266, sposata, con dei risparmi da parte e un po' di consapevolezza in più.

Quando realizzai che avrei potuto praticare immersione avevo quasi 158 kilo/ore: fu allora che decisi cosa avrei fatto, e lo feci.

Ormai rispondo in termini di ore soggettive, sebbene, da qualche parte nella mente, conservo il vago concetto di quelle oggettive. Tuttavia, quando penso, lo faccio in termini di anni, così come mi era stato insegnato a casa: un sistema di misurazione, a sua volta, proveniente dai ritmi organizzativi di qualche altro posto. Nessuno di questi ha niente a che fare con Terre. Una volta incontrai un giovane immergente proveniente da qualche misero postaccio isolato: il folle blaterava qualcosa a proposito di anni 'terrestri'. Gli chiesi se avesse davvero visitato il posto il cui sistema di datazione regolava la sua vita, ma ovviamente non aveva idea di dove fosse. Almeno non più di quanta ne avessi io.

* * *

Man mano che crescevo mi rendevo conto di quanto fossi prevedibile. Le mie esperienze potranno anche essere diverse da quelle di tanti abitanti di Embassytown (questo è certo), ma la storia legata a esse è un classico. Ho passato migliaia di ore della mia vita a pensare che il posto in cui ero nata coincidesse con l'universo. D'improvviso, scoprii che non era affatto così, ma che non ero in grado di andarmene. Poi ebbi la possibilità di farlo. È sempre la stessa storia, ovunque vada, e non solo tra gli umani.

Ecco un altro ricordo. Eravamo soliti dedicarci al gioco dell'immersione. Ci rincorrevamo, un pochino accovacciati per indicare che eravamo invisibili, poi balzavamo l'uno sull'altro e ci afferravamo dopo aver urlato un sonoro 'Riemergi!'. Non sapevamo quasi niente delle immersioni, e il nostro gioco – come poi avrei appreso in seguito – non era più inverosimile di molte descrizioni che gli adulti stessi facevano sull'immer.

Di tanto in tanto, nella mia giovinezza, tra un atterraggio e l'altro mi capitava di assistere all'arrivo dei miab. Nient'altro che delle piccole scatole prive di equipaggio, ma che si muovevano grazie al 'ware, e piene di rimanenze. Una gran quantità di queste si smarriva durante il tragitto: diventavano delle mine vaganti nell'immer, deformate nelle forme più contorte. Molte altre, però, riuscivano a giungere a destinazione. Crescendo, la mia eccitazione a questi arrivi cominciò ad accompagnarsi alla frustrazione e all'invidia, finché, finalmente, capii che anch'io potevo uscire fuori, nello spazio. A quel punto divennero degli indizi, dei flebili sussurri.

All'età di quattro anni e mezzo vidi un treno che trasportava un miab appena arrivato, attraversando Embassytown. Grandi e piccini sgomitavano per assistere a un simile evento, e io con loro. Così, nella nursery, sotto il controllo vigile e delicato di mamma Quiller – credo fosse lei –, formammo un gruppetto compatto, prendendoci cura, a nostra volta, dei turnoamici più piccoli. Ci sporgemmo dalle inferriate, quasi del tutto indisturbati, e cominciammo a spettegolare sulla cosa.

Come sempre, il miab era riposto su un pianale di dimensioni enormi; la biomacchina locomotrice che lo trasportava attraverso le ferrovie industriali di Embassytown era sovraccarica, e fece

39

fuoriuscire delle muscolose zampe per dare manforte al motore. Il miab era più grande dell'entrata della nursery. Un vero e proprio container, dalla forma di un proiettile a punta piatta, che scorreva sotto la pioggia leggera. La sua superficie luccicava emanando un bagliore evanescente che partiva dalla sua protezione di cristallo e che baluginava sottile fino a scomparire. Col senno di poi, devo ammettere che le autorità si comportavano da irresponsabili non aspettando che l'involucro ancora macchiato dalla materia dell'immer smettesse di brillare. Quella di certo non era la prima volta che ricevevano un messaggio ancora umido per il viaggio.

Vidi un palazzo muoversi, o almeno questo era ciò che sembrava. Un treno mastodontico e ansimante per lo sforzo, con i suoi vagomotori intenti a persuaderlo a marciare attraverso lo squarcio. Fu rimorchiato fino al castello degli Ambasciatori, circondato da concittadini allegri e festanti. La sua scorta era formata da uomini, donne e centauri, tutti appostati sul davanti dei convogli quadrupedi. Alcuni dei pochi esoterriani assistettero all'evento fianco a fianco con i loro amici oriundi: i Kedis, paonazzi, vestiti di rose, e gli Shur'asi e i Pannegetch che emettevano i loro suoni. Tra la folla si notavano anche degli automi: alcuni di loro erano delle scatolette barcollanti, altri invece erano dotati di programmi turingware così convincenti da farli sembrare realmente entusiasti.

All'interno del veicolo automatico era contenuta della merce, un regalo da Dagostin, o forse da qualche posto ancora più lontano, consistente in oggetti che noi desideravamo, libri in formato digitale e non, giornali, cibi rari, congegni tecnologici e lettere. Il veicolo sarebbe stato cannibalizzato insieme a tutto il resto. Io stessa, di anno in anno, inviai qualcosa utilizzando i nostri miab più piccoli. Questi contenevano oggetti resistenti e attrezzature – tutti rigorosamente copiati prima della spedizione, dato che nessuno poteva dirsi sicuro che sarebbero arrivati davvero alla destinazione stabilita –, lasciando sempre un po' di spazio per le lettere che gli altri bambini si scambiavano con i loro amici di penna di altri pianeti.

'Miab, miab, messaggio in bottiglia!' era la cantilena intonata da mamma Berwick ogni volta che raccoglieva la nostra posta. 'Cara classe 7, Bowchurch High, Charo City, Bremen, Dagostin,' ricordo di aver scritto 'vorrei poter venire a farvi visita e a consegnarvi la mia lettera di persona.' Scambi epistolari brevi e intensi, ma anche assai sporadici.

Vidi il miab galleggiare in uno dei corsi d'acqua che noi chiamavamo fiumi, degli stretti canali nei pressi di Stilt Bridge. Ricordo anche un gruppo di Ospiti e una delegazione dell'Ambasciata, affiancati da addetti alla sicurezza a bordo di grandissime biomacchine. Erano tutti rivolti verso il basso, a guardare attraverso i portali di vetro colorato del ponte.

Non vidi il passeggero clandestino spuntare dal miab, ma poi ebbi modo di visionare le registrazioni. Quando si cominciarono a sentire i primi spari, le impronte lasciate si perdevano nei pressi dei caseggiati nella zona est e dello zoo nella parte ovest. Se si fosse trovato solo un chilometro più avanti, tra le voliere e sotto le passerelle adiacenti all'Ambasciata, sarebbe stato ancora peggio.

Dalla gran quantità di notizie che circolavano tra la folla si capiva che qualcuno doveva già aver intuito cosa stesse succedendo. La calca cominciò a rumoreggiare, lanciando urla di avvertimento. Alcuni di quelli che avevano compreso la situazione preferirono semplicemente scappare. Noi bambini ci limitammo a restare a guardare, nonostante mamma Quiller avesse fatto del suo meglio per cercare di portarci al sicuro. Si sentiva il rivestimento ceramico del miab che si deformava in modo antinewtoniano. La gente si sporgeva a guardare verso la linea ferroviaria, ma sempre più persone si allontanavano.

Infine, la capsula si aprì scagliando in aria i frammenti della sua corazza protettiva ed emerse qualcosa proveniente dall'immer.

La sua tassonomia è imprecisa, ma la maggior parte degli esperti concorda sulla scarsa valenza di quell'apparizione, di cui poi appresi il nome: *Gasterosteidae*. All'inizio era solo un'insinuazione fatta di angoli e ombre, per poi accrescere le dimensioni, rivelandosi nello stato transiente. Il mostro marino risucchiò mattoni, lastricati, edifici, perfino gli animali dello zoo e l'energia delle rispettive gabbie, contro ogni legge della fisica. Ogni cosa nelle sue vicinanze venne fagocitata, e diede corpo al mostro. Le case furono scoperchiate e l'ardesia dei loro tetti cominciò a piovere dal cielo, prima di essere assimilata alla presenza sempre più incombente e concreta dell'essere.

* * *

Colpito dal fuoco delle quasi-pistole – che difendono con vee-menza il manchmal, la nostra materia, il nostro quotidiano, contro il 'sempre' dell'immer –, questi fu abbattuto nel giro di poco e ban-dito (o forse solo rispedito indietro), dopo una discussione breve ma accesa.

Per fortuna, non venne ferito nessun Ospite, sebbene il tram-busto si lasciò dietro una lunga scia di cadaveri. Alcuni erano morti durante l'esplosione, altri restarono mutilati, assorbiti solo in parte. Da quel momento, ogni volta che il personale entrava in possesso di un nuovo miab, stava ben attento a osservare alla lettera il proto-collo fino ad allora ignorato. Sugli schermi olografici vennero man-dati in onda a ripetizione dibattiti e scene di rabbia e di angoscia. Chiunque fosse il membro dello Staff licenziato, per sua disgrazia, era servito da capro espiatorio per l'intero sistema. Fu DalTon, gio-vane Ambasciatore affascinante e indisciplinato, a darne notizia ai media in maniera furiosa. Sentii i turnogenitori parlarne. Papà Noor azzardò addirittura un commento, sostenendo che gli ultimi accadimenti avrebbero portato alla fine dei grandi festeggiamenti ostentati all'arrivo di ogni capsula. Ovviamente si sbagliava. Era sempre stato un uomo così pessimista.

Io e i miei amici fummo assai colpiti dalla cosa, e, di lì a poco, prendemmo a simulare la stessa tragedia durante i nostri giochi, ri-producendo anche i borborigmi provenienti dall'immer, gli scoppi dei bossoli, gli spari delle dita-armate e le bastonate inferte a coloro ai quali toccava la parte del mostro. L'idea che mi ero fatta era che i *Gasterosteidae* fossero una sorta di draghi ormai estinti.

Le leggende narrano che gli immergenti non abbiano ricordi della propria infanzia. Tutte bugie. La gente inventa balle simili per ingigantire l'alone di mistero che avvolge l'immer, facendo credere che in quella fondamentale alterità esista qualcosa in grado di fot-tere la mente degli umani. Il che sarebbe anche possibile, ma non di certo nel modo in cui viene descritto.

È una falsità, eppure si dà il caso che io, così come molti altri che conosco, possieda ricordi casuali, vaghi e scombussolati in merito ai miei primi anni di vita. Non credo sia un mistero, quanto invece un corollario dei nostri schemi mentali, il nostro modo di pensare, e per nostro intendo di quelli che vogliono avventurarsi 'fuori'.

Ho ben presente i fatti, ma trovo difficoltà a disporli in ordine cronologico. Riesco a richiamare alla mente i periodi più rilevanti e fondamentali, il resto vaga alla rinfusa nella mia testa, ma solitamente non è un problema. Ecco un altro ricordo di quando ero bambina: fui convocata insieme ad alcuni Ospiti, nel terzo mesistizio di luglio.

Avevano mandato papà Shemmi a prendermi. Mi strinse le spalle, indicandomi di entrare in uno di quegli sciatti uffici della nursery, zeppi di scartoffie e documenti: lo studio di mamma Solfer. Non c'ero mai stata prima di allora. Al suo interno era quasi tutta tecnologia terriana; una biomacchina che fungeva da bidone della spazzatura stava mangiando gli scarti. Solfer era la più anziana, gentile e distratta delle mamme, e conosceva il mio nome, mentre ignorava quello di molti dei miei turnofratelli. Mi fece cenno di avvicinarmi in modo preoccupato, quindi si alzò, si guardò attorno come in cerca di un divano inesistente, e si sedette di nuovo. Accanto a lei, dietro una ridicola scrivania troppo piccola per entrambi, c'era papà Renshaw, un turnopadre relativamente nuovo, riflessivo e severo, che mi sorrideva. E con mio grande stupore, nella stanza c'era una terza persona ad aspettarmi: Bren.

Dall'incidente di Yohn era passato quasi un anno, circa 25 kilo/ ore, e, da allora, nessuno di noi si era avvicinato alla casa. Ero cresciuta, più di molti dei miei fratelli, ma lui mi riconobbe non appena ebbi varcato la soglia e sorrise. Non era cambiato di una virgola. Perfino i suoi abiti sembravano gli stessi.

Mamma si spostò accanto a loro su un lato della scrivania, mentre io restai su quello opposto, seduta su una poltrona rigida costruita per qualcuno più grande di me. Dal modo in cui mosse le sopracciglia guardandomi, capii che eravamo tutte e due nella stessa, surreale, situazione.

Mi disse che sarei stata pagata (un upload di dimensioni consistenti, scoprii in seguito), che era una cosa abbastanza sicura, e che era un onore. Le sue parole non avevano molto senso. Papà Renshaw la interruppe con garbo, invitando Bren a parlare.

«È stato richiesto il tuo aiuto. Questo è quanto.» Mi mostrò i palmi delle mani come se il loro essere vuoti fosse la testimonianza di qualcosa. «Gli Ospiti hanno bisogno di te e, chissà perché, per l'ennesima volta ci sono andato di mezzo io. Stanno provando a organizzare qualcosa. C'è una riunione in corso. Molti di loro sono convinti di poter dimostrare la cosa attraverso un... confronto.» Aspettò di vedere se lo stessi seguendo. «Diciamo che... ne hanno compreso il concetto... ma non sono riusciti a concretizzarla. Comprendi? Vorrebbero esprimerla verbalmente, dunque hanno bisogno di aiuto. Proprio così. Hanno bisogno di una ragazza, di un'umana.» Sorrise ancora. «Questo è il motivo per cui ho chiesto di te.» Credo non conoscesse altri bambini.

Sembrava compiaciuto del modo in cui muovevo le labbra. «Volete... volete una... *similitudine*?» conclusi.

«Ne saremmo onorati» disse papà Renshaw.

«Onorati» fece eco Bren. «Vedo che hai capito.» Poi scosse la testa come a dire 'Be', sì e no'. «Non ho intenzione di mentirti. Farà male. Non sarà affatto piacevole. Ma ti riprenderai. Te lo prometto.» L'uomo si chinò verso di me: «Come accennava la mamma, ci sarà una ricompensa se accetterai. E, inoltre, ti verranno fatti i ringraziamenti da parte di tutto il personale. E dagli Ambasciatori.» Renshaw alzò lo sguardo. Ero abbastanza grande da conoscere il valore di un simile ringraziamento. Avevo già riflettuto su cosa fare una volta adulta, e quel tipo di benevolenza mi sarebbe servito molto.

Acconsentii alla richiesta, anche perché ero certa che l'operazione si sarebbe svolta all'interno del territorio degli Ospiti. Mi sbagliavo. Furono loro a venire da noi, in una parte della nostra città che non avevo mai visto. Vi giunsi a bordo di un corvide; fu il mio primo volo, ma ero troppo nervosa per godermelo. La scorta era formata non da semplici poliziotti, ma dagli addetti alla sicurezza dell'Ambasciata: figure dai corpi nodosi e pieni di estensioni e supporti.

Non c'era nessun altro con me eccetto Bren, sebbene questi non avesse alcun ruolo ufficiale all'interno di Embassytown (ma allora non lo sapevo). Ciò avvenne prima che decidesse di ritirarsi da questa sua carica informale. Cercò di mantenere un tono gentile nei miei confronti. Ricordo che costeggiammo i confini della città e lì vidi per la prima volta le enormi gole dalle quali fuoriuscivano biomacchine e rifornimenti. Era una struttura flessibile, le cui estremità umide e calde dei sifoni si estendevano per chilometri, terminando ben oltre i nostri confini. Al di sopra della città notai vari tipi di veicoli: alcuni azionati da tecnologia terriana, altri biomeccanici e altri ancora chimerici.

Scendemmo fino a raggiungere un quartiere isolato, cui nessuno si era preoccupato di staccare l'alimentazione elettrica, con le strade deserte ma costantemente illuminate da neon inesauribili, mentre ologrammi danzanti, a mezz'aria, segnalavano la presenza di ristoranti ormai chiusi da tempo. Gli Ospiti attendevano in uno di questi locali. Quando Bren mi lasciò, ero già preparata al fatto che sarei dovuta rimanere da sola con loro.

Mi fece un cenno con la testa, come concordassimo sull'assurdità della faccenda. Mi sussurrò che non sarebbe stata una cosa lunga e che mi avrebbe aspettato fino alla fine.

Quanto accadde all'interno di quella mensa fatiscente non fu comunque la cosa peggiore che mi sia mai accaduta, né la più dolorosa o disgustosa. Sopportabile. Eppure, fu una delle situazioni più incomprensibili che avessi e abbia mai vissuto. Una cosa sconcertante.

Per parecchio tempo nessuno degli Ospiti mi degnò di un briciolo di attenzione, compiendo dei gesti molto precisi. Sollevarono le loro ali prensili, si fecero avanti, quindi tornarono indietro. Inebriarono la stanza del loro odore dolciastro. Ero pietrificata. Tuttavia, avevo ricevuto istruzioni al riguardo: dovevo interpretare alla perfezione il mio ruolo per la buona riuscita del procedimento. Dissero qualcosa, ma io riuscii a comprendere solo qualche termine base. Quando captai quel sussurro confuso che mi avevano insegnato significasse 'lei', mi alzai e feci ciò che mi era stato richiesto.

Oggi so che la parola corretta per definire il mio operato di allora è dissociazione. Mi osservai insieme a loro, impaziente di finire. Tra me e gli Ospiti non sentii instaurarsi alcuna sensazione o connessione speciale. Mi limitai a guardare. Durante le operazioni necessarie per formulare la similitudine di cui avevano bisogno, il mio pensiero andò a Bren. Il suo compito era terminato. Qualunque cosa stesse accadendo, era stata organizzata dall'Ambasciata e supposi che gli Ambasciatori, i suoi ex colleghi, fossero stati felici che lui vi partecipasse. Mi chiedo se non gli dessero anche dell'altro da fare.

Una volta concluso il tutto, i miei amici pretesero ogni dettaglio. Eravamo delle teste calde, come la maggior parte dei bambini della città. «Hai visto gli Ospiti? Che figo, Avvy! Giura! Dicci qualcosa nella loro lingua!»

«Qualcosa nella loro lingua» ripetei con tono solenne, in rispetto del giuramento richiesto.

«Non scherzare. Cosa ti hanno fatto?» Mostrai i lividi. Ero combattuta sul fatto di parlarne o meno, finché non decisi di raccontare tutto, ricamandoci sopra. Me ne vantai per giorni.

Seguirono ulteriori e più importanti sviluppi. Due giorni dopo, papà Renshaw venne a prendermi per portarmi a casa di Bren. Era la prima volta che ci tornavo dopo l'incidente di Yohn. Il padrone di casa mi diede un benvenuto sorridente; lì dentro incontrai i miei primi Ambasciatori.

I loro abiti erano i più belli che avessi mai visto. Le cuciture luccicavano e le luci su di esse si accendevano e spegnevano a intermittenza per via dei campi energetici che generavano. Ero intimorita. Erano in tre e la stanza era affollata. L'automa, un computer androide dal volto femminile ed espressivo, si muoveva da un lato all'altro a parlare ora con Bren, ora con un Ambasciatore. Provarono tutti a essere calorosi con me senza sapere esattamente come riuscirci, proprio come lo stesso padrone di casa aveva già fatto.

La più anziana chiese con voce grandiosa: «Avice Benner Cho, giusto? Entra pure. Siediti. Siamo qui per ringraziarti. Pensiamo tu debba sapere come sei stata canonizzata.»

Si rivolgevano a me nella lingua degli Ospiti. Parlavano con me, di me. Mi fecero presente che la traduzione letterale della similitudine sarebbe stata inadeguata e fuorviante. 'La ragazzina umana che, sofferente, mangiò ciò che le venne offerto nella vecchia sala da pranzo in cui nessuno mangiava da tempo.' «Impareranno esercitandosi» mi disse Bren. «Presto diranno che sei 'la ragazza che mangiò ciò che le venne offerto'.»

«Cosa significa tutto questo, signori?»

Scossero la testa, severi. «Non importa, Avice» fece una di loro, dicendo qualcosa al computer, che annuì con la sua espressione artificiale. «E in ogni caso, non sarebbe corretto.» Provai a riformulare la domanda, ma non avevano più intenzione di rispondere. Continuarono soltanto a congratularsi con me per i miei progressi con la Lingua.

Per tutto il resto della mia adolescenza sentii pronunciare il mio nome, la mia similitudine, solo in un paio di occasioni: la prima da parte di un Ambasciatore, la seconda da un Ospite. Anni più tardi, migliaia di ore dopo, finalmente riuscii a ottenere una specie di spiegazione. Fu qualcosa di abbastanza crudo, ma la ritengo ancora una giustificazione tesa a provocare stupore e ironia, una sorta di risentito fatalismo.

Non parlai più con Bren per il resto della mia giovinezza, ma venni a sapere di almeno un'altra occasione in cui fece visita ai miei turnogenitori. Sono certa che siano stati la mia similitudine e una qualche intercessione da parte di Bren ad aiutarmi a superare l'esame dinanzi alla commissione. Per quanto avessi studiato, non sono mai stata un'intellettuale. Possedevo i requisiti necessari per l'immersione, ma non più di molti altri e, anzi, meno di alcuni che non l'avevano superato. Erano davvero pochi i civili a cui fosse garantita una licenza che certificasse l'idoneità ad attraversare l'immer al di fuori di uno stato catatonico. Non esisteva alcuna apparente ragione per cui, mesi più tardi, seppur dopo aver sostenuto quei test e acquisito una maggiore conoscenza, riuscissi davvero a ottenere il lasciapassare per l'oltremondo, verso l'esterno. Ma così fu.

0.3

Ogni anno scolastico terminava con i giudizi, il secondo mesistizio di dicembre. Ci veniva chiesto soprattutto di rendere conto di quanto avevamo imparato dalle lezioni, ma, alle volte, mettevano alla prova alcune altre nostre capacità più atipiche. Non erano in molti a eccellere in queste ultime, nelle svariate attitudini apprezzate altrove, all'esterno. Ci dissero che lì a Embassytown partivamo con un deficit: avevamo mutageni ed equipaggiamenti sbagliati, nonché mancanza di ambizioni. In parecchi preferivano disertare del tutto gli esami più ostici che io, invece, fui incoraggiata a sostenere. È probabile che insegnanti e turnogenitori avessero visto in me qualcosa di buono.

Ero davvero brava in molte attività, come la retorica, alcune branche della letteratura performativa che amavo maggiormente, e nel leggere poesia. Tuttavia, senza nemmeno rendermene conto, venne fuori che le cose in cui spiccavo di più erano delle pratiche di cui ignoravo l'utilità. Mi ritrovai a fissare uno strano schermo-inquisitore, dovendo reagire in modi diversi a seconda dei vari tipi di plasma che lo componevano. Ci volle quasi un'ora ma non mi annoiai affatto, grazie anche alla maestria con cui l'esercizio era stato pianificato. Passai ai successivi. Nessuno richiedeva alcun tipo di conoscenze. Si trattava soltanto di reazioni, intuizioni e controlli dell'orecchio interno e dei livelli di stress. Erano tutti esercizi volti a misurare l'attitudine all'immersione.

A presenziare la sessione una giovane donna, compita e con addosso uno di quegli abiti eleganti tanto alla moda nell'oltremondo – probabilmente preso in prestito, barattato o elemosinato a qualche Bremeniano –; corresse insieme a me il mio test per poi spiegarmene l'esito. Devo ammettere che la lasciai alquanto impressionata. Sottolineò che quello non era il traguardo, ma solo una tappa del mio percorso: non intendeva essere crudele, ma solo preservarmi da eventuali shock successivi. Tuttavia, man mano che la discussione proseguiva, diventavo sempre più consapevole della mia futura carriera da immergente. Avevo iniziato da poco ad avvertire la ristrettezza dei confini di Embassytown, a lamentare una sensazione di claustrofobia, ma una volta venuta a conoscenza dei risultati del test, la mia divenne impazienza.

Una volta raggiunta l'età, riuscii a rimediare degli inviti per i balli di benvenuto e a socializzare con uomini e donne provenienti da altri luoghi. Ammiravo e allo stesso tempo invidiavo la noncuranza con cui parlavano dei pianeti che avevano visitato.

Fu solo dopo kilo/ore – o anni, che dir si voglia – che compresi che non ero affatto una predestinata. Che una miriade di studenti di gran lunga migliori di me aveva fallito; che avrei potuto fallire anch'io. La mia storia era il cliché, ma la loro era di gran lunga la più comune e veritiera. Una tale contingenza mi fece sentire male, come se, nonostante fossi già all'esterno, corressi ancora il rischio di fallire.

Persino chi non ha mai fatto immersioni pensa di sapere – più o meno – come sia fatto l'immer. Non sanno un bel niente. Una volta discussi anche con Scile per questo motivo. Fu la nostra seconda conversazione (la prima aveva riguardato la Lingua). Lui mi spiegò la sua opinione, e io lo interruppi, dicendogli che non mi interessavano le idealizzazioni dell'immer di un suolo dipendente. Continuò a stuzzicarmi dall'alto della sua ignoranza anche quando andammo a letto.

«Di cosa stai parlando?» chiese. «Non ci crederai davvero? Sei più intelligente di così. Piantala con queste stronzate immeriane. Cose simili accadono solo nei sogni. 'Nessuno ne sa più di noi. Né gli scienziati, né i politici, né la gente comune!' Sempre la stessa storia. Siamo tutti degli incompetenti.»

Le sue impressioni mi facevano ridere. Non facevo altro che dirgli che l'immer è qualcosa di indescrivibile, ma non accettava neanche questo. «Chi vuoi prendere in giro? Pensi forse che non ti abbia sentita? Lo so, lo so, non sei una che parla tanto per parlare, sei solo una barcamenante, *bla bla bla*. Come se anche tu non leggessi poesie; come se prendessi il linguaggio per scontato» scosse la testa. «Ad ogni modo, con questi discorsi fai sembrare inutile il mio lavoro. 'Non ci sono parole.' Non esistono cose simili.» Lo zittii mettendogli una mano sulle labbra. Insistetti che era davvero come dicevo. «Lo ammetto,» disse con un tono perentorio smorzato dalle mie dita «le parole non possono considerarsi davvero dei referenti. Ecco la vera tragedia della lingua. Gli sforzi asintotici per ordinarle in una frase compiuta non sono niente a confronto.»

«Taci,» gli dissi «è tutto vero. Questo è il modo in cui ne parlano gli Ospiti.»

«Va bene» mi rispose. «Mi dichiaro sconfitto davanti alla verità.»

Per quanto avessi studiato l'immer, la mia prima immersione fu sconcertante tanto quanto avevo tentato di fargli capire. Raggiunsi la mia imbarcazione a bordo di un ketch, insieme a una manciata di nuovi membri dell'equipaggio, emigranti e personale dell'Ambasciata bremeniana che avevano terminato i loro doveri. Il mio primo incarico fu sul Vespaio di Kolkata. Era una nave-città quasi autonoma che batteva la propria bandiera, ma per quella traversata era stata subappaltata da Dagostin. Ricordo che rimasi nella coffa insieme a tutti gli altri novellini. Arieka era un muro che attraversava il cielo, in cui stavamo navigando con amabile cura verso il punto di immersione. Da qualche parte, al di sotto della nuvola dall'aspetto immobile che si stagliava sul pianeta, doveva trovarsi Embassytown.

I timonieri ci portarono nei pressi del Relitto. All'inizio fu difficile da avvistare, simile a un mucchio di linee tracciate lungo l'orizzonte. Poi prese una forma corporea e trasandata, rifluendo, solido, avanti e indietro. Distava ancora qualche centinaio di metri e roteava, mostrando tutte le sue estrusioni funzionanti, in un complesso vortice di gemme coagulate e travi maestre in filigrana.

La sua struttura era simile a quella del Vespaio, ma assai più grande e antica. La nostra nave, in confronto, sembrava solo un modello in scala, finché, di colpo, i suoi ponti si fecero sempre più piccoli o, forse, solo più lontani. Era quello il suo posto ma, di tanto in tanto, si spostava.

Gli ufficiali, con i loro supporti scintillanti sottopelle, ricordarono a noi novizi l'impresa cui stavamo prendendo parte e i pericoli dell'immer. Il Relitto stesso ci fece rendere conto che, dopo la prima catastrofe, Arieka era diventato un avamposto poco collegato, sottosviluppato e privo di satelliti. Avrei agito in modo professionale. Stavo per effettuare la mia prima immersione e avrei seguito gli ordini alla lettera; e senza commettere errori, credo. Gli ufficiali, poi, ricordarono l'emozione tipica dei principianti e decisero di portarci tutti sul ponte di osservazione. Lì, ogni neoimmergente reagì come doveva, ma le abilità acquisite con la pratica non erano una garanzia contro il dolore della prima immersione. Lì, ogni neoimmergente poteva restare solo con il proprio timore e sperimentarlo, ognuno a modo suo. L'immer è sempre preda dei venti e delle tempeste. Alcuni tratti dell'universo richiedono ingenti sforzi e una gran quantità di tempo per essere attraversati. Erano le tecniche apprese, i controlli somatici, la riflessività mantrica e la conoscenza delle strumentazioni disponibili a fare di me un'immergente e a permettermi di restare cosciente e vigile.

Sulla mappa, non era altro che qualche bilione di chilometri da Dagostin o da qualche altro porto trafficato. Tuttavia, quel tipo di carte euclidee ormai vengono usate solo dai cosmologi, da qualche esoterriano con leggi fisiche tutte sue, o da nomadi religiosi alla deriva di qualche deprimente andatura subluminosa. La prima volta che ne vidi una mi scandalizzai: l'uso di mappe era fortemente scoraggiato a Embassytown e, comunque, era inutile per i viaggiatori del mio stampo.

Le carte dell'immer erano tutt'altra cosa. Piene di un'enorme e fluttuante quidditas. Bisognava sollevarle, ruotarle ed esaminare le proiezioni cartografiche di quegli spettri luminosi in ogni modo possibile, e pur essendo consapevoli che non erano altro che riproduzioni a due o tre dimensioni di un posto che si ribellava ai nostri schemi, la situazione era completamente diversa.

I confini dell'immer non corrispondono affatto alle dimensioni del manchmal, lo spazio in cui viviamo. La miglior spiegazione possibile definisce l'immer come qualcosa che sovrasta o soggiace, che pervade; le fondamenta che reggono ogni cosa; la *langue* di cui la nostra realtà è *parole*, e così via. Qui, dove la quotidianità si estende in decenni/luce e peta/metri, Dagostin è molto più distante da Tarsk e da Hodgson's che da Arieka. Ma nell'immer, tra Dagostin e Tarsk ci sono solo un centinaio di ore col vento a favore, Hodgson's è al centro di abissi calmi e popolati, e Arieka molto lontano da ogni cosa.

Il nostro pianeta si trova al di là di una convulsione violenta di venti spaziali che infuriano l'uno contro l'altro, con acque basse, sporgenze pericolose e banchi di materiale spaziale proveniente dall'infinito. Gravita solitario, sul bordo dell'universo conosciuto, inaccessibile per chiunque sia sprovvisto di esperienza, coraggio e capacità di immersione.

Di colpo, una volta trovatami di fronte a una di quelle carte nautiche, l'intransigenza dell'esame finale acquistò un senso. Una naturale predisposizione alla materia non può bastare. È ovvio che vi fosse una certa politica di esclusione: l'intento di Bremen era quello di instaurare un controllo accurato su noi cittadini di Embassytown, ma restava il fatto che solo i navigatori più dotati fossero in grado di raggiungere o lasciare Arieka. Alcuni di noi furono muniti di prese per connetterci alla routine della vita di bordo. Il materiale da immersione e gli altri supporti potevano essere di aiuto, ma da soli non bastavano.

Il modo in cui gli ufficiali parlavano delle rovine del Pioniere – dovevo smettere di chiamarlo Relitto e cominciare a pensare a esso come alla tomba di molti miei colleghi – sembrava essere un monito alla prudenza. Una parabola piuttosto ingiusta. Esso non si era arenato in modo orribile nell'intermezzo tra due stati per colpa di un equipaggio superficiale: a distruggerlo era stata un'esplorazione cauta e rispettosa delle regole. Fu adescato come tante altre imbarcazioni che navigavano lungo le varie tracta cognita, durante le prime esplorazioni; la cosa fu scambiata per un messaggio, un invito.

La prima volta che gli immergenti fecero breccia nel menisco dell'universo, tra tutti i fenomeni incredibili cui assistettero, e nonostante le rozze strumentazioni in loro possesso, captarono segnali dal protospazio, echi regolari e prove evidenti dell'esistenza di esseri senzienti. Provarono a raggiungerne la fonte, convinti che ciò che persisteva a mandare alla deriva le loro navi fosse una mancanza di abilità, una tecnica di immersione ancora da principianti.

Naufragarono più e più volte, emergendo rovinosamente solo per metà dall'immer, nel manchmal corporeo. Il Pioniere fu una vittima di quel periodo, prima che gli esploratori comprendessero che quelle pulsazioni provenivano da semplici fari. Non erano affatto dei richiami, ma degli avvertimenti di tenersi alla larga.

Sparpagliati nell'immer ci sono addirittura dei fari. Sono tanti, sebbene non riescano a segnalare ogni singola zona di pericolo. Pare siano vecchi quanto questo universo, che, a sua volta, non è il primo esistito. La preghiera che spesso viene recitata prima di immergersi è un ringraziamento agli sconosciuti che li hanno piazzati lì: 'Oh, potente Pharotekton, veglia su di noi.'

In quella prima spedizione non vidi subito il faro di Arieka, ma solo migliaia di ore più tardi. A essere precisi, non ci riuscii davvero, né mai ci riuscirei, non essendoci la quantità di luce richiesta, potere riflettente e altre leggi fisiche che laggiù non contano. Tuttavia, ne ho apprezzato le rappresentazioni riprodotte dagli oblò delle imbarcazioni.

Il 'ware presente su quei vetri raffigura l'immer e tutto ciò che l'equipaggio deve conoscere. Mi è capitato di vedere fari simili a dei coaguli complessi, tratteggi incrociati contornati e sagomati a seconda delle informazioni che dovevano annunciare. Al mio ritorno in città, il capitano – credo fosse un regalo diretto a me – azionò gli schermi in modalità tropeware: mentre ci avvicinavamo alle distorsioni dell'immer, tra le turbolenze pericolose che circondavano Arieka, vidi una luce nell'oscurità frattale, come un faro puntato. Quando prese forma, vi riconobbi una torretta di mattoni sormontata da un globo di vetro e bronzo fluttuante nel nulla.

Prima ancora che ci sposassimo, parlai a Scile di ciò che avevo visto, e lui volle ascoltare la storia della mia prima immersione. Ovviamente, anche lui aveva viaggiato nello spazio – non era un indigeno del pianeta in cui ci eravamo conosciuti –, ma nell'attraversata era rimasto per tutto il tempo dormiente, come tutti i passeggeri dal reddito modesto e privi di immunità particolari. Tuttavia, mi disse che una volta aveva pagato per farsi svegliare un po' prima dell'arrivo, così da saggiare il sapore di un'immersione.

(Avevo già sentito di storie simili, ma nessun equipaggio dovrebbe permetterlo, se non sul pelo di qualche acquitrino.) Disse di aver provato da subito il mal di immersione.

Che avrei potuto dirgli? Perfino la prima volta che il Vespaio si infranse contro le onde per immergersi, con tutti noi avvolti dal suo costante campo protettivo, non fu comunque come avvertire l'universo contro la propria pelle. A dire il vero, sentii una connessione maggiore con l'immer quando, ancora apprendista in quel di Embassytown, mi incollai alla lente di un telescopio puntato verso l'infinito, come il fondo piatto di un bicchiere tenuto premuto dentro l'acqua. Quell'esperienza diretta e ravvicinata mi cambiò. Non riuscirei mai a descrivere ciò che vidi quella volta.

Il Vespaio incalzò deciso, mentre io, inesperta, faticai a trattenere la nausea provata nonostante l'addestramento. Nemmeno una volta coccolata dalla dolcezza del campo manchmaliano riuscii a ignorare gli scossoni di quella strana velocità; ci spostavamo in quelle che non possono definirsi propriamente direzioni, con la bolla antigravitazionale che avevamo portato con noi che lavorava al massimo. In quell'occasione fui troppo ansiosa di non perdere la faccia per cedere allo sbalordimento, che tuttavia si manifestò al termine del nostro supplizio, dopo aver adempiuto a tutti i doveri iniziali, una volta raggiunta la profondità di crociera.

Il nostro compito – in qualità di immergenti – non è solo quello di mantenerci in equilibrio, vigili, in salute, camminare, pensare, mangiare, defecare, obbedire e dare ordini, prendere decisioni, esaminare il materiale e i paradati e approssimare le distanze e le condizioni senza essere sopraffatti dal malessere, anche se non è impresa facile. Alcuni (non tutti) dicono che a impedire all'immer di basilischizzarci sia la nostra totale mancanza di immaginazione. Al contrario, sebbene non si finisca mai di imparare, viaggiandovi attraverso, abbiamo avuto modo di apprenderne i capricci.

All'interno del manchmal, le navi – intendo quelle terriane, non essendo mai stata a bordo di altre, né conoscendone il funzionamento – sembrano delle mere scatolette zeppe di cose e persone. Nell'immer, invece, dove la traslazione delle loro linee sgraziate acquisisce un senso, diventano dei gestalt di cui facciamo parte anche noi, ognuno con la propria funzione. Ebbene, non siamo un equipaggio come tutti gli altri. I nostri propulsori sono in grado di spingerci oltre l'approssimazione, ma siamo noi a doverli azionare e a dirigere la nave dove vogliamo ci porti. Siamo noi a virare di bordo e a tracciare involuzioni nel protospazio, i cui cambiamenti noi chiamiamo maree. I civili non ne sarebbero mai capaci, neanche quelli svegli che non siano impegnati a vomitare e frignare. Il fatto è che molte delle stronzate che raccontiamo dell'immer corrispondono al vero, e noi ci divertiamo a punzecchiarvi dicendovi che la realtà è già abbastanza avvincente senza bisogno di mentire.

«È il terzo universo» dissi a Scile. «Prima di questo ce ne sono stati altri due. Giusto?» Non sapevo quanti civili fossero a conoscenza di queste cose; per me erano diventate pane quotidiano. «Tutti nati in maniera diversa e con le proprie leggi. Nel primo, per esempio, la luce viaggiava al doppio della velocità di quello attuale. Ognuno di loro si è generato, espanso, invecchiato e collassato. Tre diverse approssimazioni accomunate da un'unica, vera, costante: l'immer.»

Capii che Scile sapeva già tutto, eppure lo osservai, dall'alto dei miei gradi da immergente, pendere dalle mie labbra come un bambino.

Ci trovavamo in uno squallido hotel nei sobborghi di Pellucias, una cittadina turistica rinomata per le sue cascate di magma. È la capitale di un piccolissimo Paese su un pianeta di cui non ricordo il nome. Nello spazio, questo posto non si trova nella nostra galassia, ma è distante secoli/luce da qui; tuttavia, è vicino a Dagostin, se si viaggia attraverso l'immer.

All'epoca ero già abbastanza esperta. Ero stata in un sacco di posti. Quando incontrai Scile ero in licenza, in attesa di un nuovo incarico. Correvano voci su un carico di tecnologia immeriana avanzata, altre esplorazioni e missioni imprecisate. Il bar dell'hotel era pieno di immergenti e gente proveniente da ogni porto, viaggiatori in cerca di ristoro e, cosa insolita, accademici. Non avevo affatto confidenza con questi ultimi. Nell'ingresso campeggiava la pubblicità di un corso sul 'potere curativo della storia', su cui ebbi da ridire non poco. Nel bel mezzo del corridoio c'era uno schermo galleggiante sul quale le parole scorrevano e mutavano in altre, dando il benvenuto agli avventori, ora per l'incontro inaugurale del convegno sui circuiti oro e argento, ora per la convocazione dei filosofo-burocrati shur'asi, ora per la clue, ossia la Conferenza dei Linguisti Umani Esoterriani.

Io ero seduta al bancone a ubriacarmi insieme a dei compagni di bevute temporanei di cui, a oggi, conservo un ricordo assai vago. Ci comportammo in modo riprovevole. Di mio, rammento che tentai un approccio con il barista, deridendo gli studenti seduti al tavolo della conferenza, altrettanto sbronzi e molesti. Ci ritrovammo tutti a origliare le loro conversazioni, per poi irrompere in quei discorsi con aria da immergenti spacconi e dirgli che non sapevano niente della vita, delle lingue straniere e di tutto il resto.

«Avanti, chiedimi qualcosa» esordii con Scile la prima volta che lo vidi. So esattamente come devo essergli sembrata, stravaccata sullo sgabello con la schiena contro il bancone e la testa tirata all'indietro a osservarlo. Di sicuro lo indicavo con entrambe le mani, con un sorrisetto smorfioso che non gli avrebbe dato alcuna soddisfazione. Di contro, il mio futuro marito fu l'ultimo a lasciare il tavolo, arbitrando le provocazioni provenienti da ambo i lati. «Sulle stranezze linguistiche ne so più io di tutti voi mocciosetti messi insieme» continuai. «Vengo da Embassytown.»

Quando alla fine credette alle mie parole, non vidi mai un uomo più esterrefatto e deliziato di lui. Non smise di darci corda, ma il suo sguardo nei miei confronti era differente, soprattutto dopo aver appreso che nessuno di quei compagni era mio concittadino. Gli piaceva l'idea che fossi l'unica persona proveniente da lì.

Non furono solo le attenzioni che mi rivolse a colpirmi: gradii molto il modo in cui quel ragazzo massiccio e dall'aspetto burbero seppe tenermi testa, mantenendo un clima di sguaiata allegria nel pormi domande su vari argomenti importanti. In seguito, ci intrattenemmo insieme per un po' e passammo una notte e un intero giorno cercando di goderci il sesso e il riposo, ripetendo entrambe le cose svariate volte, senza successo ma almeno di buonumore. Dopo la colazione riprese a importunarmi, adulando e supplicando, finché io, fingendomi sdegnosa mentre in realtà ero divertita, acconsentii ad accompagnarlo alla conferenza, stanca ma, lo derisi, non abbastanza dolorante.

Mi presentò ai suoi colleghi. La clue si occupava dello studio terriano di tutte le lingue esoterriane, sebbene i suoi membri mostrassero una forte predilezione soltanto per le più curiose. Notai dei monitor alla buona che pubblicizzavano i programmi delle sessioni, in merito ai segnali cromatofori interculturali, ai metodi di comunicazione tattile utilizzati dalle comunità non vedenti di Burdhan, e a me.

«Al momento lavoro su Homash. Lo conosci?» mi disse una giovane donna balzata fuori dal nulla. Parve molto contenta del mio no. «Interagiscono mediante dei rigurgiti di boli avvolti da diverse combinazioni enzimatiche che i loro interlocutori devono poi mangiare, al fine di comprendere ciò che dicono.»

Alle mie spalle, anch'io avevo il mio schermo personale. 'Invitato speciale proveniente da Embassytown! Vivere a contatto con gli Ariekei.' «È sbagliato» feci presente a uno degli organizzatori. «Il loro nome è Ospiti.» La risposta che ottenni fu: «Questo è il nome con cui li chiamate voi.»

I colleghi di Scile si mostrarono ansiosi di parlare con me: nessuno di loro aveva mai incontrato una cittadina di Embassytown. Né tantomeno un Ospite.

«Sono ancora in quarantena,» risposi «ma, in ogni caso, non smaniano affatto per uscirne. Non sappiamo nemmeno se sarebbero idonei all'immersione.»

Avrei tanto voluto essere la rarità che speravano, ma dovetti deluderli. Anche Scile era stato avvisato che sarebbe finita così. Quando realizzarono che non sarei stata in grado di dire loro niente di specifico sul linguaggio cui erano interessati, la discussione prese una piega vaga, sociologica.

«Io stessa faccio fatica a capirli» dissi. «Noi di Embassytown – tranne quelli dello Staff e gli Ambasciatori – abbiamo imparato solo pochissime parole.»

Uno dei partecipanti tirò fuori la registrazione della voce di un Ospite, facendo un ripasso di qualche termine. Fui soddisfatta nel riscoprirmi in grado di dargli un paio di definizioni, sebbene nella stanza ci fossero almeno due persone che capirono tutto meglio di me.

Ciò che potei fare fu raccontare degli aneddoti sulla vita nell'avamposto. Non sapevano cosa fossero gli eoli, le correnti scultoree grazie alle quali la mia città manteneva la sua cupola di aria respirabile. Alcuni di loro avevano intravisto le componenti di qualche biomacchina esportata, ma potei parlargli per filo e per segno degli schermi obsoleti che avevano confrontandoli con più ampie infrastrutture, della moltitudine di case e del time-lapse di un piccolo molo instabile maturato fino a diventare il ponte che, per qualche inspiegabile motivo, collega i territori della città. Scile mi fece domande riguardo alla religione e risposi che, per quanto ne sapessi, gli Ospiti non professavano alcun tipo di culto. Poi menzionai il Festival delle Bugie, e Scile non parve l'unico interessato. «Credevo non potessero» commentò qualcun altro.

«È questo il bello» feci. «Tentare l'impossibile.»

«Che tipo di feste sarebbero?» A quel punto sorrisi, aggiungendo che non potevo saperlo, non essendo mai stata nella città degli Ospiti.

Cominciarono a discorrere tra di loro sulla Lingua. Mi domandai quale aneddoto raccontare per ripagarli della loro ospitalità, finendo per parlargli di quanto accaduto all'interno del ristorante abbandonato. Di colpo, tornarono attenti. Scile mi fissò con la sua precisione maniacale. «Hai assistito a una similitudine?» chiesero.

«Io *sono* una similitudine» risposi.

«La storia di cui parli sei tu, dunque?»

Fui contenta di potergli dare qualcosa di cui stupirsi, notando che la mia esperienza aveva avuto più effetto su loro che su me.

Di tanto in tanto, mi piaceva provocare il mio sposo dicendogli che mi amava soltanto per la mia conoscenza della lingua degli Ospiti o perché io stessa facevo parte di un vocabolario.

Aveva terminato gran parte del suo lavoro. Si trattava di uno studio comparato di una particolare gamma di fonemi entro un dato numero di lingue appartenenti a specie e mondi diversi, ma non riuscivo a capirne l'utilità. «Cosa stai cercando?» domandai.

«Oh, segreti» rispose. «Lo sai, no. Essenze. Implicazioni.»

«Bravo. Quante belle parole. Che altro?»

«E il fatto che non c'è niente di tutto questo.»

«Mmm» continuai. «Complicato.»

«Che commento disfattista. Ne caverò sicuramente fuori qualcosa. Uno studioso non può permettersi errori nella formulazione delle proprie teorie.»

«Bravo di nuovo» mi congratulai.

Restammo in hotel più a lungo di quanto avessimo progettato, finché io, non avendo altri piani o affari da svolgere, trovai lavoro su una chiatta che lo avrebbe riportato a casa. Non fu difficile trovare un impiego, essendo dotata di esperienza e referenze. Si trattava di un viaggio breve, pressappoco quattrocento ore. Quando mi resi conto dell'incompatibilità tra Scile e le immersioni mi sentii commossa dalla sua scelta di restare cosciente durante il nostro primo viaggio insieme. Rimase comunque un gesto insensato, che lo costrinse a sopportare i miei cambi di turno nauseato e in solitudine, riuscendo a malapena a scambiare qualche parola nei momenti morti, nonostante i farmaci assunti. Malgrado l'irritazione per le sue condizioni di salute, fui colpita e lusingata.

Da quanto riuscii a capire, non gli ci sarebbe voluto molto per finire di riordinare i suoi ultimi capitoli, i documenti, le registrazioni e gli ologrammi ma, di punto in bianco, mi annunciò la sua decisione di non consegnare la tesi.

«Dopo tutta la fatica che hai fatto, ti fermi davanti all'ultimo ostacolo?»

«Che si fotta» rispose in maniera alquanto teatrale. Non riuscii a trattenere una risata. «La rivoluzione si è fermata!»

«Povero piccolo rivoluzionario fallito.»

«Sì, be'... sono stufo.»

«Ma, aspetta...» provai a obiettare. «Sul serio sei deciso a lasciar perdere? Ne vale davvero la pena...»

«Capitolo chiuso. È una storia morta e sepolta. Dimentica tutto. Ho altri progetti in mente, cara la mia similitudine. A cos'è che somigli, di preciso?» Si piegò in due per la sua battuta infelice, salvo poi cambiare argomento con uno schiocco di dita. Riprese a fare domande su Embassytown in maniera sempre più coinvolta, ma diluendo la sua eccitazione con dell'autoironia. Interpretai il suo comportamento ossessivo come parte dello spettacolo.

Non ci trattenemmo molto nella sua piccola cittadella universitaria. Disse che non avrebbe smesso di seguirmi e assillarmi finché non avessi ceduto, portandolo con me 'io sapevo dove'. Lì per lì non gli diedi peso, ma poi lo vidi imbarcarsi come passeggero durante il mio incarico successivo.

Nel corso del viaggio, una volta che le acque si furono calmate, destai Scile dalla sua trance per fargli ammirare un branco di hai, dei predatori marini immeriani. Molti dei capitani e degli scienziati con cui avevo parlato non li ritenevano delle forme di vita, ma dei semplici aggregati di materiale spaziale, i cui attacchi, precisi e fulminei, dipendevano dalle pressioni caotiche a cui le nostre menti manchmaliane non erano abituate, non potendone comprendere la casualità. Per quanto mi riguarda, ho sempre creduto fossero dei mostri. Io e Scile, che era ancora sotto l'effetto dei narcotici, restammo a guardare le nostre asserzioni scuotere lo spazio e quegli esseri sfrecciare davanti a noi.

Ovunque ci trovassimo, che la nave dovesse consegnare o prelevare il suo carico, Scile si recava nelle biblioteche del posto, mettendo mano a vecchie ricerche per partire con il suo nuovo progetto. Non ci perdemmo neanche uno dei panorami offerti dal viaggio, condividendo il letto ma rinunciando ben presto al sesso.

Imparava con feroce concentrazione la lingua di ogni posto visitato, dedicandosi allo slang nelle occasioni in cui era già a conoscenza del vocabolario più formale. Avevo viaggiato molto più di lui, eppure ero capace di leggere e parlare soltanto in anglo-ubiq. Mi piaceva la sua compagnia, spesso lieta e sempre stimolante. Provai anche a metterlo alla prova, accettando impieghi che ci portassero, di volta in volta, a centinaia di ore di distanza: viaggi tranquilli, ma comunque lontani. Superò tutte le prove e io, in base alla mia confusa situazione emotiva, compresi che ormai non mi accontentavo più di controllare soltanto che ci fosse ancora, ma confidavo nel fatto che non se ne sarebbe andato.

Ci sposammo su Dagostin, a Bremen e Charo City, i posti in cui avevo spedito le mie lettere infantili. Mi dissi (ed era vero) che un giorno sarebbe stato importante per me emergere nel porto della mia capitale. Nemmeno la lentezza dei servizi postali interplanetari aveva impedito a Scile di scrivere ai ricercatori locali, né a me – che non ero mai stata una solitaria – di mantenere contatti e stretti legami di amicizia con altri immergenti, quindi avremmo avuto un buon numero di invitati. Nella capitale, un luogo che molti miei concittadini non avevano mai visto, ebbi modo di iscrivermi al sindacato, depositare i risparmi sul mio conto principale, ottenere una gran quantità di notizie riguardanti la giurisdizione di Bremen. Possedevo un appartamento situato in un quartiere della città fuori moda ma gradevole: nei dintorni di casa mia capitava di rado di incrociare individui agghindati in quegli abiti tecnologici, stravaganti e lussuosi importati da Embassytown. Una volta sposati secondo le leggi locali, per Scile sarebbe stato più facile visitare le province e i possedimenti bremeniani. Continuai a rispondere a lungo alle sue richieste assillanti – che non erano uno scherzo, come invece aveva voluto far credere all'inizio –, informandolo del fatto che non avevo alcuna intenzione di tornare a Embassytown. Tuttavia, da sposati, pensai di essere pronta a concedergli il piacere di portarlo nel mio Paese di origine.

Non fu così semplice. Bremen controllava il traffico in entrata in alcuni dei suoi territori in maniera accurata quasi quanto quello in uscita. Avevamo intenzione di sbarcare lì e, quindi, non firmai per una nuova tratta commerciale. Alla frontiera, degli ufficiali perplessi mi mandarono dai propri superiori. Me l'aspettavo, ma provai ugualmente una leggera sorpresa nel verificare quanto in là si era spinto questo scaricabarile, sempre ammesso che il mio radar burocratico non fosse guasto.

«Dunque, lei vorrebbe tornare a Embassytown?» disse una donna, il cui grado era di poco inferiore a quello del principale dell'ufficio. «Dovrà convenire con me che è una cosa alquanto... insolita.»

«Non è la prima a farmelo notare.»

«Ha nostalgia di casa?»

«Non proprio» risposi. «Lo faccio più che altro per amore.» Mi concessi un sospiro melodrammatico, ma lei non era in vena di scherzi. «Non è che impazzisca all'idea di restare bloccata in un posto così sperduto.» Mi guardò senza emettere fiato.

Poi mi chiese cosa avevo in mente di fare una volta a Embassytown, su Arieka. Le dissi che mi sarei arrangiata ma, nonostante fosse la verità, la risposta non divertì nemmeno lei. La domanda successiva riguardò la persona a cui avrei fatto rapporto all'arrivo. Spiegai che lì non avevo un superiore cui comunicare alcunché e che ero una civile. Poi mi ricordò che Embassytown era un porto bremeniano e mi domandò in quali posti fossi stata. Evidenziò la sua necessità di conoscere i posti che avevo visitato e i nomi delle persone che potevano confermarlo, qualora li ricordassi. Così, dovetti fare ricorso ai miei incartamenti e ai nastri digitali, sebbene sono certa che lei sapesse che simili documenti non fossero poi tanto attendibili. Lesse la mia lista completa di quei capolinea e delle soste brevi che io stessa non ricordavo. Mi interrogò sulla situazione politica di un paio di quei Paesi e io non potei far altro che sorridere, del tutto impreparata a rispondere. Lei continuava a osservarmi mentre farfugliavo.

Non sapevo cosa sospettasse, ma, alla fine, in quanto nativa di Embassytown, immergente, membro di un equipaggio e garante per il mio fidanzato, riuscire a fare ritorno a casa e far sì che Scile potesse acquisire il diritto a entrare richiese soltanto un po' di tenacia. Il mio compagno si era preparato al lavoro che l'aspettava leggendo, ascoltando le tracce audio ed esaminando le immagini e i video a disposizione. Aveva perfino deciso il titolo che avrebbe avuto il suo libro.

«Solo un turno» gli dissi. «Rimaniamo fino al prossimo cambio, poi basta.» A Charo City, in una cattedrale del Cristo Trasmesso – come richiesto da Scile, con mia sorpresa – lo sposai, nel rispetto delle leggi di Bremen, con un rito di secondo livello, registrandolo come un 'non coniugale matrimonio d'amore'. Quindi, lo portai a Embassytown.

Parte prima

Nuovi arrivi

Ricordo recente, 1

La Sala della Diplomazia era gremita. Di solito la usavano per i balli e le feste di benvenuto o di commiato per i visitatori, ma non era mai stata affollata come quella sera. Tuttavia, la cosa non mi sorprese poi tanto, data la grande aspettativa. Lo Staff tentò di mascherare la cosa insistendo sul fatto che fosse un arrivo del tutto ordinario, ma tutti noi sapevamo che stava mentendo.

Tentai di farmi largo tra gli abiti da sera. Indossavo dei gioielli, e i miei supporti creavano un'aura graziosa attorno alla mia figura. Mi appoggiai al muro, tra il fitto fogliame delle piante ornamentali.

«Ma guardala lì» esordì Ehrsul, dopo avermi scovata. «Taglio corto. Mosso. Mi piace. Sei andata a salutare Kayliegh, non è vero?»

«Grazie per i complimenti. Sì, comunque. Non posso credere che abbia ottenuto i visti per partire.»

«Be'» fece cenno in direzione della mia amica, sottobraccio con Damier, una delle impiegate addette alla documentazione. «Credo abbia fatto una richiesta *orizzontale*.» Risi.

Ehrsul era un'automa. Il suo rivestimento quella sera era adornato da piume di pavone acriliche e aveva dei gioielli olografici che le orbitavano attorno. «Sono così stanca» disse, e fece crepitare il suo volto come se l'elettricità statica lo avesse interrotto. «Resto ancora per vedere il nostro nuovo Ambasciatore all'opera: non posso perdermelo. Poi vado.»

Usava sempre un unico corpus, nel rispetto di una qualche legge terrefila; penso sapesse che relazionarci con individui dalle caratteristiche fisiche variabili ci avrebbe messo in difficoltà. Era stata importata, ovviamente, e non era chiaro né il suo luogo di provenienza né quando fosse arrivata, ma era a Embassytown da più tempo di chiunque altro conoscessi. Disponeva di un turingware molto più avanzato delle tecnologie locali e di quelle che avevo potuto osservare altrove. Trascorrere del tempo con un automa, in genere, è come accompagnarsi a una persona pesantemente danneggiata dal punto di vista cognitivo, ma Ehrsul era un'amica. «Salvami da questi bifolchi» mi diceva spesso, dopo aver scaricato i propri aggiornamenti fianco a fianco ad altri automi.

«Ti trastulli mai, quando nessuno ti guarda?» le chiesi una volta. «Che importa?» rispose, quasi rimbrottandomi. Ero stata brusca e puerile a chiederle qualcosa riguardo alla sua personalità e alla sua apparente coscienza, e a voler sapere se questo fosse a mio vantaggio. Era risaputo che a una tale domanda non avrebbe risposto nessuno dei pochi automi abbastanza umani da suscitarla.

Quella macchina era la mia migliore amica, ed era anche piuttosto conosciuta, vista la sua singolarità. La prima volta che la incontrai, ero certa di averla già vista. Sulle prime non ricordai dove, ma quando lo capii le chiesi di getto (come se avessi potuto coglierla di sorpresa): «Per quale motivo c'eri anche tu? A casa di Bren, intendo, quando gli Ambasciatori pronunciarono la mia similitudine? Eri tu, non è vero? Ricordi?»

«Avice» rispose con un gentile tono di rimprovero, scuotendo il viso in segno di disapprovazione. Fu tutto quello che riuscii a cavarle, e non insistetti.

Ci stringemmo l'una accanto all'altra sotto l'edera che si trovava all'interno dell'edificio e osservammo le piccole telecamere che guizzavano nella stanza, mentre registravano. Delle biomacchine decorative diffondevano colori dai loro carapaci.

«Lo hai già visto?» mi chiese Ehrsul. «L'ospite stimato che stiamo aspettando? Io non l'ho mai incontrato.»

La cosa mi sorprese. Era disoccupata e non doveva pagare alcun tipo di tasse ma, in quanto computer, rappresentava un elemento utile per i membri del personale e aveva lavorato per loro in più di un'occasione. Per me era stato lo stesso – la mia condizione di insider-outsider gli era stata utile –, finché non avevo perso la loro benevolenza. Credevo che lei fosse chiamata a prendere parte a qualunque discussione ma, dall'arrivo del nuovo Ambasciatore, lo Staff era diventato una sorta di cerchia ristretta.

«Una rissa» fece. «Li ho sentiti parlare di una rissa.» Le persone riferivano a Ehrsul varie cose, forse perché era quasi umana. Credo anche che riuscisse ad accedere al localnet e avesse decifrato abbastanza frammenti di conversazioni da rappresentare una buona fonte di notizie per gli amici. «La gente è spaventata. Ma mi sembra che altri si stiano divertendo... Guarda MagDa. Wyatt sta cercando di mettersi in mezzo.»

«Wyatt?»

«Si è messo a citare le vecchie leggi nel tentativo di incontrare l'Ambasciatore da solo. Grazie tante. Cose del genere insomma.»

Wyatt, il rappresentante di Bremen, era arrivato insieme al suo piccolo entourage con il battello precedente per sollevare dall'incarico Chettenham, il suo predecessore. Avrebbe dovuto mantenere l'incarico per un altro turno. Bremen aveva fondato Embassytown circa due mega/ore addietro: eravamo un loro protettorato. Ma gli Ambasciatori, che formalmente governavano in nome di Bremen, erano nati qui, così come lo Staff e noi che ne costituivamo il cantone. Wyatt, Chettenham e gli altri funzionari per i loro interminabili incarichi dovevano fare tutti riferimento allo Staff riguardo a rotte commerciali, suggerimenti, accesso alla tecnologia e agli Ospiti. Di norma, l'unico ordine che si sentiva da loro era: 'Continua così.' Ricoprivano il ruolo di consiglieri dello Staff, utili a calibrare la politica della capitale. Ero intrigata dal modo in cui Wyatt esercitava il proprio potere, in una maniera che poteva essere definita vigorosa.

Da che io ricordi, questa era la prima volta che si assisteva all'insediamento di un Ambasciatore straniero. Se i festeggiamenti non li avessero costretti, dato che la nave stava già ripartendo e il party non poteva più essere rimandato, forse i membri dello Staff avrebbero tenuto più a lungo in quarantena il nuovo arrivato, perpetrando i loro intrighi ancora per un po'.

«C'è anche CalVin» mi avvisò Ehrsul, il display del suo volto sbirciò oltre la mia spalla. Io evitai di girarmi, ma lei mi guardò con un'espressione interrogativa che lasciava intendere che volesse ancora sapere cosa fosse successo in quell'occasione. Io scossi la testa.

Fece il suo ingresso anche Yanna Southel, la scienziata e ricercatrice senior del luogo, accompagnata da un Ambasciatore. Sussurrai alla mia amica: «Bene, è EdGar. È ora di fare incontri importanti. Farò subito rapporto.» Quindi, mi feci strada tra la folla. Tra le risate, spintonata in parte da coloro che danzavano, sollevai il bicchiere e feci in modo che EdGar si girasse verso di me. «Ambasciatore» chiamai. Le due metà simbiotiche si voltarono sorridenti. «Dunque, ci siamo?»

«Dio del faro, no» rispose Ed (o forse Gar). «Non ho la minima idea di cosa stia succedendo, Avice» fece l'altro, quindi chinai la testa. Io e EdGar amavamo flirtare sempre in modo esagerato. Gli piacevo. Entrambe le metà simbiotiche erano loquaci, pettegole, sempre un po' più arrendevoli del dovuto. Le anziane figure e- leganti si guardarono attorno, poi sollevarono le sopracciglia al- larmate come se qualcuno avesse potuto fare irruzione per inter- rompere il discorso. Quel tipo di cospirazionismo era tipico del loro ruolo. È probabile che negli ultimi mesi fossero stati messi in guardia contro di me, ma continuavano a rivolgermisi in maniera cortese. Lo apprezzavo molto. Sorrisi, ma poi esitai vedendo che le loro facce erano adombrate dalla vena di serietà che quel clima festoso non era riuscito a nascondere.

«Non avrei mai creduto fosse...» «...possibile» disse EdGar. «Stiamo assistendo a delle cose...» «...che non riusciamo a capire.»

«Dove sono gli altri Ambasciatori?» chiesi.

Ci guardammo intorno, scoprendo che molti dei loro colleghi erano finalmente arrivati. Notai EsMé vestita con un abito iride- scente, ArnOld intento a tormentare i colletti stretti e bloccati in modo fastidioso sotto le giunture, e JasMin e HelEn alle prese con un dibattito acceso. Ogni Ambasciatore interrompeva l'altro; ogni metà finiva le frasi del suo doppio. Tutte quelle figure nello stesso posto creavano una situazione surreale. I diodi colorati e una mol- titudine di ornamenti ne collegavano i colli.

«A dire il vero,» disse EdGar «sono tutti preoccupati.» «Ma in modi diversi.» «Alcuni di loro ritengono che siamo...» «...esagerati. RanDolph pensa che avremmo solo da guadagnarci.» «Ad acco- gliere un membro nuovo che ci dia una smossa. Tuttavia, nessuno di noi è ottimista.»

«Dove sono JoaQuin e Wyatt?»

«Stanno facendo fare un giro al novellino. Insieme.» «Nessuno dei due ha voluto perdere di vista l'altro.»

Lo Staff stava facendo un po' di spazio di fronte all'entrata della sala per accogliere il presidente degli Ambasciatori JoaQuin, il funzionario bremeniano Wyatt, e il nuovo Ambasciatore. C'era un mucchio di persone che non conoscevo. Avevo perso di vista il pilota, così non potei chiedergli se facessero parte dell'equipaggio, fossero immigrati o visitatori.

Nella maggior parte di questi eventi, i nuovi arrivati – permanenti o occasionali che fossero – erano sempre circondati dai locali, senza mai mancare di intrattenitori con cui chiacchierare o concedersi scappatelle. I loro abiti, attrezzature e supporti venivano venerati come il Graal e ogni loro conoscenza saccheggiata, così che il localnet potesse twittare algoritmi esotici per settimane. Quella volta, a nessuno importò di nessun altro al di fuori dell'Ambasciatore appena sbarcato.

«Chi sono gli altri nuovi arrivi? Qualcuno di utile?» L'Ambasciatrice JasMin era a portata d'orecchio, così rivolsi la domanda a lei piuttosto che a EdGar. Sapevo di non andarle troppo a genio, e quelle erano le mie occasioni per dimostrare che non mi facevo intimidire. Non ricevendo risposta, continuai a camminare fino a salutare Simmon, un addetto alla sicurezza. Ci eravamo allontanati da anni, ma non avevamo mai smesso di piacerci in modo sincero, al punto da avvertire una leggera sensazione di disagio nell'incontrarci, nonostante io mi trovassi lì come ospite (probabilmente sgradita) e lui stesse lavorando. Mi strinse la mano con la protesi biomeccanica che aveva da quando, al poligono di tiro, una pistola aveva sparato portando via la carne.

Procedetti attraverso la calca parlando con amici, ammirando lo sfavillio dei supporti intenti a comunicare tra loro, tentando di carpire lo slang immeriano per rispondere con le poche parole che conoscevo dello stesso dialetto, e mostrare, per il loro divertimento, il distintivo dell'ultima nave su cui avevo prestato servizio per un saluto veloce, prima di passare oltre.

Più di ogni altra cosa però – come chiunque altro – stavo cercando il nuovo Ambasciatore.

Alla fine, fece il suo ingresso durante quello che poteva essere il momento peggiore, più deludente. Fu Wyatt ad aprire le porte, cauto ed esitante più del solito. JoaQuin sorrideva al suo fianco e apprezzai la sua abilità a nascondere l'ansia che sicuramente provava. Calò il silenzio. Io stessa trattenni il respiro.

Ci fu qualche attimo di trambusto tra le figure al seguito delle guide, ma poi entrarono nella Sala della Diplomazia. La tensione era palpabile.

Uno dei due era alto, magro e stempiato: un uomo giallastro, ma dal sorriso timido e luminoso. L'altro era tozzo e muscoloso, di due spanne più basso del primo. Sorrise anche lui, guardandosi attorno e portandosi la mano tra i capelli. Il suo corpo era costellato di supporti scintillanti, mentre quello del compagno ne era del tutto sprovvisto. Il più basso dei due aveva un naso aquilino, quello alto camuso. Avevano occhi e pelle di colori diversi. Parevano completamente differenti.

Perfino i loro sorrisi non si assomigliavano. Il nuovo, assurdo Ambasciatore se ne stette lì intontito.

Ricordo datato, 1

Kilo/ore prima, mentre ci preparavamo per il viaggio, Scile giunse a un accordo con i suoi principali e supervisori. Non mi sono mai sforzata più di tanto per comprendere il funzionamento del mondo accademico. Da quello che avevo capito, era riuscito a farsi accordare un periodo sabbatico molto lungo e, tecnicamente, anche la sua residenza in quel di Embassytown era parte del progetto sovvenzionato dall'università. Gli fornivano un piccolo onorario, oltre al mantenimento delle funzionalità dei suoi account, soprattutto nell'ottica della pubblicazione di *Linguaggi doppi: la sociopsicologia linguistica degli Ariekei*.

Prima di allora, in città erano già venuti altri ricercatori interessati alle scoperte biologiche degli Ospiti; un paio erano ancora lì, in attesa di un sostituto. Tuttavia, a memoria d'uomo, sul nostro pianeta non era mai arrivato un linguista straniero o, almeno, non dopo gli sforzi dei primi pionieri di decifrare la Lingua, circa tre mega/ore e mezzo addietro.

«Devo tutto a loro» mi disse. «Hanno dovuto iniziare da zero per trovare una giustificazione al fatto che noi riusciamo a capire gli Ariekei, ma non il contrario. Ora lo sappiamo.»

Mentre ci preparavamo all'arrivo a Embassytown, durante la nostra luna di miele, Scile si dedicò a una ricerca approfondita nelle biblioteche di Charo City. Con il mio aiuto tentò perfino di venire a capo di alcune tradizioni immeriane riguardo il posto e i suoi abitanti, e quando arrivammo consultò anche gli archivi locali di Embassytown, ma non trovò nulla di interessante sul tema. La cosa lo rese euforico.

«Perché nessuno ha mai trattato l'argomento?» gli domandai. «Perché non c'è nessuno che venga fin qui» rispose. «È troppo lontano. Siamo nel bel mezzo del nulla. Senza offesa.» «Figurati.» «Per giunta, è anche un posto pericoloso. Ed è anche controllato dalla burocrazia di Bremen. E poi, tanto per essere onesti, è del tutto privo di senso.» «Ti riferisci alla loro lingua?» «Sì. La Lingua.»

Embassytown aveva dei propri linguisti, ma per la maggior parte erano degli studiosi solo di nome a cui era stata negata la licenza, sempre che si fossero scomodati quantomeno a farne richiesta. Erano studiosi e insegnanti di francese antico e moderno, mandarino e panarabo, e amavano discorrere nelle lingue che conoscevano solo per tenersi in esercizio; era un hobby come un altro. Altri, fisiologia permettendo, si dedicavano all'apprendimento di lingue esoterriane. I Pannegetch residenti a Embassytown, ormai, avevano dimenticato la loro lingua madre in favore del nostro anglo-ubiq, ma in città si parlavano anche cinque lingue kedis e tre dialetti shur'asi, ma eravamo in grado di approssimarne non più di quattro in tutto.

Gli esperti locali preferivano non dedicarsi alla lingua degli Ospiti, un tabù che non sortì effetto su Scile.

Lui non veniva da Bremen, dai suoi avamposti, né da nessun'altra nazione di Dagostin. Il mio compagno proveniva da una luna urbana di nome Sebastapolis, di cui avevo vagamente sentito parlare. Era cresciuto da poliglotta, tanto che non ho mai capito quale fosse la sua lingua madre, se mai ne avesse una. Nei nostri viaggi mi ritrovavo spesso a guardare con invidia alla sua spensieratezza e al completo disinteresse con cui parlava del fatto di non conoscere le proprie origini.

La nostra rotta alla volta di Embassytown non era diretta e le navi su cui salimmo popolate da equipaggi di immergenti che non avevo mai visto. Riconobbi le affollate immer cognita delle mappe di Bremen: un tempo avrei saputo dire i nomi delle nazioni al centro di quei mondi, e alcune delle persone con cui avevo lavorato non provenivano da nessuno di quei posti. C'erano dei

Terriani provenienti da regioni remote dell'universo, tanto che mi prendevano in giro, dicendo che i loro mondi si chiamavano Fata Morgana, o Fiddler's Green.

Se mi fossi imbarcata verso altre destinazioni, avrei potuto raggiungere delle aree dell'infinito in cui perfino Bremen sarebbe sembrato una favola. Non è raro perdersi nei meandri caotici dell'universo conosciuto. Gli equipaggi delle navi esoterriane che hanno imparato a convivere con la pressione causata dai loro propulsori seguono traiettorie ancora più improbabili e fuorvianti, fatte di secche e insenature nascoste, un misto di tecnologia e stregoneria. È stato così per mega/ore, prima che l'umanità fosse partita alla scoperta dell'immer dando vita alla nostra nuova specie: l'Homo diaspora.

Trovavo stimolante l'interesse di Scile nei confronti della Lingua. Dal momento che non solo non era nativo di Embassytown ma proveniva da un luogo situato fuori Bremen, non so se Scile fosse in grado di apprezzare appieno quello stesso fremito che produceva in me la parola Ariekei – in luogo del nostro, ben più rispettoso, Ospiti – ogni volta che mi spiegava cosa avessero detto, dopo esser riuscito a decodificare le loro frasi. Sono certa sia davvero ironico il fatto che quasi tutto ciò che so sulla lingua di quella parte della città in cui sono nata l'abbia imparato da mio marito, un ricercatore straniero.

Fu lui a spiegarmi che il cla – il Contatto Linguistico Accelerato – era un misto di pedagogia, ricettività, programmazione e crittografia utilizzato dai primi studiosi ed esploratori bremeniani per velocizzare la comunicazione con gli indigeni in cui si imbattevano.

Nei diari di bordo di quei primi viaggi, l'eccitazione provata da coloro che utilizzavano il cla è commovente. Esso fu in grado di registrare i primi atti comunicativi con i diversi esemplari di fauna esoterriana di mondi e continenti diversi, e recepire linguaggi tattili, lingue bioluminescenti e ogni varietà fonetica prodotta da quegli organismi. Fu capace di decifrare dialetti fino ad allora comprensibili solo in qualità di palinsesti contenenti referenze su cose già note, aggettivi volgari e verbi esecrabili. Mi capitò perfino di leggere il diario olografico di un utilizzatore di cla barricato nella sua cabina in seguito all'abbordaggio della sua nave da parte di un gruppo di quelli che poi scoprimmo chiamarsi Corscani; era il primo contatto. Aveva paura – così come era ovvio che fosse – di quei grossi esseri che battevano alla sua porta, ma non smise di registrare nemmeno per un attimo, eccitato per aver compreso le strutture tonali dei loro discorsi.

Quando questi equipaggi approdarono su Arieka, muniti delle loro tecnologie di traduzione, seguirono circa 250 kilo/ore di sbigottimento. Non fu tanto per la complessità della lingua degli Ospiti, così mutevole e variabile. La sorpresa consistette nel trovare un numero assai esiguo di nativi, sparpagliati nell'unica città e tutti accomunati da una sola lingua. Con l'ausilio di dispositivi e abilità intuitive, i linguisti non dovettero faticare a collezionare un database di parole sonore (i nuovi arrivati le consideravano delle parole separate, sebbene gli Ariekei forse non riconoscono nessuna frattura nell'eloquio). Gli studiosi formularono in fretta uno schema di quelle strutture sintattiche, stupefacenti come in ognuna delle lingue esoterriane che avevano incontrato. Niente fu in grado di sfuggire alle loro macchine.

Gli Ospiti si mostrarono pazienti e interessati, almeno per quello che si poté dedurre dalle loro gentili figure opache e ospitali. Non avevano accesso all'immer e non disponevano di attrezzature particolari o motori subluminosi; non avevano neanche mai lasciato la loro atmosfera, eppure erano un popolo assai avanzato. Mostravano una finissima attitudine alla manipolazione della vita, e non furono per niente sorpresi dell'esistenza di altri esseri senzienti.

Non impararono l'anglo-ubiq. Non sembrarono nemmeno provarci. Tuttavia, qualche migliaio di ore dopo, i linguisti terriani furono in grado di comprendere un gran numero dei loro enunciati, sintetizzando domande e risposte nel linguaggio ariekeiano. Le strumentazioni dei pionieri si mostrarono capaci di riprodurre con precisione e accuratezza la struttura fonetica delle loro frasi, le vocali e il ritmo consonantico.

Gli Ospiti si limitarono ad ascoltare, senza comprenderne un solo suono.

«Quanti di voi sono fuggiti?» chiese Scile.

«Così la fai sembrare un'evasione» risposi.

«Be', più o meno. Ricordo che tu stessa, più di una volta, hai detto di essere riuscita a 'scappare'. Mmm, se ben ricordo, mi dicesti che non ci saresti mai voluta tornare» insistette malizioso.

«*Touché*» ammisi. Ormai eravamo all'ultimo tratto del nostro viaggio.

«Dunque? Quanti?»

«Non tanti. Intendi di immergenti, giusto?»

«Intendo chiunque.»

Scrollai le spalle. «Di tanto in tanto capita che qualche non-immergente ottenga un permesso di uscita. Perfino quelli che superano il test, spesso, evitano di fare domanda.»

«Sei ancora in contatto con i tuoi compagni di classe?»

«Compagni? Ti riferisci agli immergenti del gruppo con cui sono partita? Quasi per niente.» Gesticolai per sottolineare che ci eravamo persi di vista. «Ad ogni modo, eravamo solo in quattro, e non eravamo nemmeno amici.» Non avremmo mantenuto i contatti neanche se avessimo avuto più dimestichezza con i miab: nessuno di noi avrebbe provato a inviare una sola lettera agli altri. È una sorta di tacito accordo tra chi va via da una piccola città. Mai guardarsi indietro, mai essere l'àncora di qualcun altro, non c'è spazio per la nostalgia. Non mi aspettavo di veder tornare nessuno di loro.

Durante la tratta, Scile cambiò i termini pattuiti per la sua trance per assumere dei geroni, così da invecchiare durante lo stato di incoscienza. È un gesto toccante quello di assicurarsi che il sonno del viaggio non ti mantenga giovane mentre il tuo partner, lavorando, è costretto a invecchiare.

Difatti, mio marito non dormì per tutto il tragitto. Con l'aiuto dei farmaci e di qualche supporto riuscì a restare sveglio per un po', a studiare – immer permettendo –, aiutandosi con dei rimedi chimici per tenere a bada conati di vomito e attacchi di panico, quando la situazione lo richiedeva. «Senti questa» disse prima di iniziare a leggere. La nave procedeva su acque assai calme e noi eravamo seduti al tavolo. Mi concessi un po' di frutta essiccata e quasi del tutto priva di odore, in rispetto del suo mal di mare. «Di certo saprai che ogni Uomo è dotato di due bocche o due voci distinte. Qui dice perfino che fanno sesso cantando l'un l'altro.» Mi mostrò cosa aveva per le mani. Era un libro antico che parlava di un territorio pianeggiante.

«Sono tutte chiacchiere senza senso. Perché lo leggi?»

«Sto cercando delle epigrafi» rispose. Si fiondò in altre vecchie storie, cercando lontani cugini inventati degli Ospiti. Mi mostrò le descrizioni di Choriani, Tucani, Ithoriani, Wess'har e di altre immaginarie bestie bilingui. Non riuscivo a capire il perché di tanto entusiasmo verso quegli esseri grotteschi.

«Sembra di trovarsi nel mezzo del *Libro dei Proverbi*, 5,4» disse, con lo sguardo concentrato sullo schermo. Non gli chiesi alcuna spiegazione in merito: talvolta, ci piaceva sfidarci in quel modo. Quando fui sola, scaricai il file della Bibbia per informarmi sul versetto citato: 'Ella è amara come l'assenzio, e affilata come una lama a doppio taglio.'

Gli Ospiti non sono i soli esoterriani polivocali. A quanto pare, esistono altre razze che per parlare emettono un numero indefinito di suoni simultanei. Gli Ariekei sono individui relativamente semplici. I loro discorsi sono un intreccio di due sole voci, troppo complesse e variegate per essere classificate come toni bassi o acuti. Sono due suoni inestricabili provocati dalla coevoluzione di una bocca finalizzata all'ingestione e all'articolazione di parole, e quello che un tempo, con tutta probabilità, era un organo di allarme specializzato. Questi esseri non sono capaci di scindere le voci e parlare utilizzandone una sola.

Già i primi studiosi, utilizzando il cla, furono in grado di registrarli e comprenderli. «Oggi parlavano dei nuovi edifici» ci ripeté l'ologramma proiettato dal vecchio schermo. «Oggi, invece, parlavano di biomeccanica.» «Oggi dei nomi delle stelle.»

Vedemmo gli ologrammi di Urich, Becker e altri loro colleghi di allora, quando ancora non erano famosi, intenti a riprodurre la lingua locale ripetendo agli indigeni le loro stesse frasi. «Sappiamo che si tratta di un saluto. Lo abbiamo capito.» Rimanemmo lì a osservare l'immagine di una linguista morta da tempo che pronunciava dei suoni improbabili a un Ariekeo paziente. «Sappiamo che possono sentire» disse. «Sappiamo che si comprendono attraverso l'ascolto. Sono certa che se uno dei suoi amici ripetesse le mie parole esatte, si capirebbero alla perfezione.» Poi l'ologramma scosse la testa, seguito da Scile.

Le uniche prove di questa epifania sono le testimonianze scritte dei due studiosi. Altri loro colleghi, in seguito, denunciarono l'inesattezza delle registrazioni, ma il manoscritto Urich-Becker fece la storia. Ricordo di aver visto anche la versione per bambini, tanto tempo fa. Ho ancora in mente il disegno che campeggiava sulle sue pagine: Urich, i cui tratti si prestavano alla caricatura, seguito dal volto più delicato di Sura Becker, entrambi raffigurati a fissare con gli occhi fuori dalle orbite un Ospite. Non avevo mai visto il manoscritto non censurato prima che Scile me lo mostrasse.

[Leggo] Abbiamo appreso un gran numero di termini ed espressioni. Conosciamo il loro saluto principale: *sunhaill* | *jarr*. Lo sentivamo dire ogni giorno e tentavamo di ripeterlo, ma senza sortire effetto.

Programmammo i nostri traduttori per dire la parola a ripetizione, ma gli Ariekei continuarono a ignorare anche quelli. Alla fine ci guardammo frustrati pronunciando una parola a testa, come per maledirci. Per puro caso, parlammo all'unisono. Urich urlò sunhaill, e Becker jarr.

Quindi, l'Ariekei si voltò verso di noi e parlò. Non ci fu bisogno di alcun macchinario per capire cosa disse.

Ci chiese chi fossimo.

Ci chiese cosa fossimo e cosa avessimo detto.

Non aveva inteso il nostro saluto, ma aveva capito di trovarsi in presenza di qualcosa degno di essere compreso. Prima di allora aveva sentito soltanto un rumore generato da voci sintetizzate: in quell'occasione seppe che avevamo cercato di comunicare, pur se in modo poco accurato.

Mi era capitato più volte di sentire le varie versioni di quell'improbabile storia. A partire da quel momento – o da quanto era veramente accaduto –, attraverso errori di valutazione e decisioni sbagliate, i nostri predecessori compresero nel giro di settantacinque kilo/ore la strana natura di quella lingua.

«È una cosa unica?» chiesi a Scile, avvertendo per la prima volta la sensazione di essere io stessa un'estranea, vedendolo annuire.

«In tutto l'universo non c'è niente di simile» rispose. «Nieeen-te. Capisci? Non si tratta soltanto di suoni. Non è in quelli che risiede il significato di una parola.»

Ci sono popoli esoterriani che parlano senza parlare. In questo universo non esistono telepati, credo, ma ci sono gli empatici, dotati di lingue talmente silenti da riuscire quasi a leggersi nel pensiero. Gli Ospiti non sono così. Loro hanno un diverso tipo di empatia. Per gli umani, l'aggettivo rosso non comunica niente di per sé: a esprimere il colore è la combinazione dei fonemi che compongono la parola. Funziona così, sia che a dirlo sia io, Scile, uno Shur'asi o un programma irrazionale che non conosce il significato di ciò che articola in maniera meccanica. Questa regola non vale per gli Ariekei.

Il loro linguaggio è costituito da un insieme di rumori organizzati, così come lo è anche la nostra lingua, ma per questi indigeni ogni parola funge da imbuto: per noi le parole *significano* qualcosa, mentre loro le ritengono un semplice mezzo attraverso il quale il suono dischiude al pensiero le porte per accedere al suo referente.

«Se programmo il mio traduttore per pronunciare una parola in anglo-ubiq, tu sei in grado di capirla» disse. «Eppure, se faccio lo stesso con la Lingua degli Ariekei, l'unico a capirla sono io. Per loro è solo un suono privo di senso, perché, per significare qualcosa, deve essere prodotto da una mente pensante.»

La mente degli Ospiti non può prescindere dalla loro lingua doppia. Non sono in grado di imparare altri tipi di linguaggio, o concepire le loro esistenze, o immaginare che i rumori che noi emettiamo in modo frastornante siano parole. Non sono in grado di recepire alcun termine detto in una lingua diversa dalla loro, a dispetto della volontà di comunicare espressa dal parlante senziente che hanno davanti. Ecco spiegato il motivo della perplessità mostrata dai primi pionieri muniti di CLA: ogni vibrazione fuoriuscita da quelle macchine veniva recepita dagli Ospiti come un vacuo latrato.

«Non ci sono lingue che funzionino in modo simile» continuò Scile. «'La voce umana acquisisce consapevolezza di sé ascoltando il suono della propria anima.'»

«Chi l'ha detto?» chiesi, immaginando fosse una citazione.

«Non me lo ricordo. Qualche filosofo. Comunque, è una falsità, e lo sapeva anche quello che l'ha detta.»

«O quella.»

«O quella. La voce umana non funziona affatto in questo modo. Per gli Ariekei il discorso è diverso... Quando parlano, loro sentono davvero il suono dell'anima. È lì che risiede il significato della Lingua. Le parole sono...» Scosse la testa, incerto se fosse il caso di usare quel termine religioso. «...sono dei tramiti per l'anima. È lì che deve stare il senso: per essere considerato come parte del linguaggio, deve corrispondere al vero. È la ragione per la quale operano mediante similitudini.»

«Come me» aggiunsi.

«Non soltanto come te. Le loro similitudini sono iniziate molto tempo prima che voi arrivaste qui. Le applicarono a ogni cosa su cui riuscissero a mettere le mani. Gli animali. Le loro stesse ali. Questo è anche il motivo di quella spaccatura nella roccia.»

«Spaccata e poi riassemblata, per la precisione.»

«Be', sì. Hanno dovuto farlo per poter dire che 'è come la roccia spaccata e poi rimessa insieme'. E dicono così per qualsiasi cosa gli assomigli.»

«Non credevo ne avessero già fatte così tante. Prima del nostro arrivo.»

«No» rispose. «Voglio dire... no.»

«C'è bisogno di pensare a qualcosa di assente per operare la prima similitudine. È ovvio» replicai. «Io faccio così. Per loro deve essere lo stesso.»

«Non... esattamente. Gli schemi mentali degli Ospiti non prevedono alcuna supposizione» mi corresse. «Tutt'al più, ciò di cui parlano deve corrispondere quantomeno allo spettro di qualcosa di cui possiedono già un'immagine mentale. Il loro linguaggio è una rivendicazione di verità. Hanno bisogno delle similitudini per comparare e comprendere cose reali che non si trovano davanti ma di cui devono parlare. Ciò non vuol dire che siano in grado di pensare a esse: è la Lingua che le pretende. L'anima di cui parlo è la stessa che leggono anche negli Ambasciatori.»

I linguisti inventarono delle annotazioni paragonabili a partiture musicali per interpretare i flussi intrecciati dei loro discorsi, applicando alle due sezioni le nomenclature suggerite in qualche vecchia nota perduta: 'inciso' ed 'eco'. La nostra versione della Lingua di Arieka era assai più flessiva dell'originale, della quale era una copia fonetica grezza. Poteva essere riprodotta dalle strumentazioni, poteva essere scritta, ma in entrambi i modi gli Ospiti non erano in grado di comprenderla, perché per loro la Lingua è solo quella parlata da una cosa pensante.

Scile disse che non saremmo stati in grado di impararla. Tutto ciò che avremmo potuto fare sarebbe stato esercitarci a riprodurre gli stessi rumori in modi diversi. Così, normativizzammo una metodologia: le nostre menti ragionavano secondo schemi diversi dai loro e, per capire la Lingua, avevamo bisogno di fraintenderla.

Quando Urich e Becker parlavano in coro, condividendo le stesse sensazioni, uno con l'inciso e l'altra con l'eco, riuscivano a comunicare quel barlume di significato che gli zettabyte dei computer non avevano saputo trasmettere.

Io e Scile continuammo a osservare gli ologrammi dei due esperti che perseveravano a provare, duettando con i loro colleghi per articolare parole di saluto o di invito alla chiacchiera. Li ascoltammo imparare le loro battute. «A me sembra perfetto» disse Scile: perfino io riconobbi la frase che gli Ariekei non riuscivano a comprendere. «Ma U e B non avevano la stessa mente» proseguì. «Dietro quelle parole non c'è un pensiero coerente.»

Eppure, gli Ospiti non reagirono a quegli stimoli con la stessa vacuità mostrata nei confronti delle voci sintetizzate. Perlopiù, continuavano a mostrarsi disinteressati, ma parvero prestare ascolto ai balbettii delle coppie di ricercatori. Non li capivano, ma era ormai chiaro che gli esploratori stessero tentando di dire qualcosa.

Linguisti, cantanti e psicospecialisti analizzano i binomi dagli impatti più evidenti. I più grandi ricercatori avevano dovuto sudare non poco per ottenere qualche risultato, portando alla nascita del MDEC, il Monitoraggio Diadico-Empatico Cittadino. Una volta raggiunta una soglia stabile nella curva di apprendimento della reciproca comprensione, pensavano che, dopo aver azionato, sincronizzato e collegato le macchine a delle connessioni cerebrali, una specifica coppia di esseri umani sarebbe riuscita a convincere gli Ariekei che quei rumori di sottofondo erano, in realtà, portatori di un significato.

Tuttavia, a distanza di mega/ore dal primo contatto, la comunicazione rimaneva un punto irraggiungibile. Fu solo molto tempo dopo quelle scoperte che gli studiosi portarono le loro ricerche a una svolta. Pochissime coppie di individui ottennero un punteggio soddisfacente nel test e furono in grado di replicare l'operato di una mente unificata dietro quei tentativi di ventriloquio della Lingua: ciò corrispondeva ai requisiti minimi per permettere l'interazione tra le specie.

Qualcuno ironizzò sul fatto che la colonia avesse bisogno di individui spaccati in due. Porre le cose in quel modo parve suggerire una soluzione. I primi interlocutori degli Ospiti furono delle coppie di gemelli monozigoti istruiti a dovere. Alcuni di loro riuscirono a fare meglio di noi, ma furono comunque una minoranza, di poco più grande di quelle presenti in qualsiasi altro gruppo di controllo. Ora sappiamo che parlavano in modo pessimo e causavano un numero esorbitante di equivoci, ma rappresentavano comunque uno scambio, e una sfida all'apprendimento.

In tutta la mia vita, al di fuori di Embassytown, ho incontrato solo un altro paio di entità bipartite in un porto di Treony, una luna fredda. Erano dei danzatori che si stavano esibendo in uno spettacolo. Erano nati così, non erano stati fabbricati. Fui impressionata da quegli esseri, simili tra loro ma non identici. Differivano per i capelli e per gli abiti, per le voci, per gli angoli della stanza da cui provenivano e per le persone con cui parlavano.

Per tutta la durata delle ultime due mega/ore, su Arieka i rappresentanti dei coloni non erano mai stati gemelli, ma solo doppi, cloni. Era l'unica via praticabile. Venivano generati in coppia negli allevamenti degli Ambasciatori e modificati per accentuare determinate qualità psicologiche. I gemelli di sangue sono stati ritenuti fuorilegge per molto tempo.

Due individui distinti potevano essere istruiti su come condividere una parte della propria empatia o essere sottoposti a cicli di farmaci e tecnologie connettive in grado di appaiarli, ma non era abbastanza. Gli Ambasciatori erano stati creati e allevati per esistere come dei singoli dalle menti unificate. Disponevano tutti dello stesso codice genetico, il codice che educava i loro cervelli, così che gli Ospiti potessero comprenderli. Se tirati su nel modo corretto, abituati a pensare a sé stessi come due metà simbiotiche, e collegati a dovere, questi potevano parlare la Lingua in modo abbastanza buono da farsi intendere dagli Ariekei.

Il MDEC fu ripetuto anche da altri studiosi di lingua e psicologia, al di fuori del pianeta. Non fu di nessuna utilità, dato che potevamo allevare i nostri Ambasciatori all'interno della città stessa, senza il bisogno di individuare il potenziale prezioso tra altre coppie di gemelli. Personalmente, ho sempre ritenuto quel test un metodo obsoleto di ricerca linguistica.

Ricordo recente, 2

«Prego.» Non riuscii a capire chi stesse annunciando a gran voce i nuovi arrivi presso la Sala della Diplomazia. «Unitevi al saluto all'Ambasciatore EzRa.»

Gli si precipitarono subito tutt'intorno. Non vidi nessuno dei miei amici in quel momento, né qualcuno con cui condividere la tensione o uno sguardo cospiratorio. Aspettai che l'Ambasciatore finisse il suo giro. Perfino il modo in cui lo faceva era indicativo della sua stranezza (credo immaginasse ciò che pensavamo di lui). Quando JoaQuin e Wyatt lo presentarono alla folla, Ez e Ra si separarono, discostandosi in qualche modo. Di tanto in tanto, continuavano a lanciarsi qualche occhiata come una vera coppia, ma, già da subito, furono a metri di distanza l'uno dall'altro: non sembravano affatto dei doppi, non sembravano più nemmeno un Ambasciatore. Osservando i loro piccoli meccanismi, caratterizzati da design differenti, ricordo di aver pensato che il loro collegamento dovesse funzionare in maniera diversa dagli altri. La cosa non avrebbe dovuto sorprendermi. In seguito, JoaQuin e Wyatt si presero cura di scortare ciascuna delle due metà, mascherando il disagio con il loro aplomb da funzionari.

Ognuna delle due parti del nuovo Ambasciatore si ritrovò al centro di una folla curiosa. Per molti di noi, quella fu la prima occasione per incontrarli. Per alcuni membri dello Staff e per altri Ambasciatori l'interesse nei confronti dei nuovi arrivati era perdurato anche dopo il loro primo incontro. LeNa, RanDolph e HenRy risero con Ez, quello basso, mentre Ra rispose intimidito alle domande di AnDrew, mentre MagDa era abbastanza vicina da toccarlo.

Poi la festa si spostò verso di me. Notai lo sguardo di Ehrsul nel momento in cui Ra mi si avvicinò e ammiccai in risposta. Wyatt si lasciò sfuggire un 'aaah', mi porse le mani e mi baciò sulle guance. «Avice! Ra, ti presento Avice Benner Cho, una delle nostre... Be', lei è un sacco di cose.» Si chinò ossequioso. «È una dei nostri immergenti. Ha passato molto tempo nello spazio, acquisendo una vasta esperienza cosmopolita e di viaggio.» Mi piacevano molto Wyatt e i suoi simpatici giochetti di potere. Si potrebbe dire che, quando eravamo vicini, facevamo faville.

«Ra» feci io, porgendogli la mano per nascondere la mia esitazione. Non potevo apostrofarlo con alcun titolo, dato che, legalmente, non era un uomo ma la metà di qualcosa. Fosse stato in compagnia di Ez, lo avrei chiamato Ambasciatore. Salutai anche AnDrew, Mag e Da, rimasti indietro a guardare.

«Timoniere Cho» rispose pronto. Notai un po' di esitazione anche in lui, subito prima che mi stringesse la mano.

«A quanto pare sono appena stata promossa.» Sorrisi. «Avice può bastare.»

«Avice.»

Rimanemmo in silenzio per qualche attimo. Era una figura alta e slanciata, con capelli scuri intrecciati. Parve alquanto ansioso ma, alla fine, riuscì a riprendere il controllo e dirmi: «Ammiro la tua capacità di immergerti. Io non ne sono mai stato capace. Può darsi sia perché non ho mai viaggiato più di tanto.»

Non ricordo cosa gli risposi ma, qualunque cosa fosse, mise di nuovo entrambi a tacere. Dopo circa un minuto gli consigliai: «Dovrai abituarti a questo, sai. Fare conversazione. È il tuo lavoro, ora.»

Sorrise. «Non credo sia solo questo.»

«No» replicai. «In effetti è un lavoro che prevede anche di bere vino e firmare documenti.» Sembrò divertito. «È per questo che sei ad Arieka e ci resterai per sempre.»

«Be', no. Non per sempre» rispose. «Mi tratterrò per settantaottanta kilo/ore. Credo fino... non al prossimo cambio, ma a quello successivo. Poi farò ritorno a Bremen.»

Ne fui sbalordita. Senza parole. Ovviamente non avrei dovuto sorprendermi. Tuttavia, l'intera situazione non aveva senso per me: giudicavo contraddittorio nominare per un simile ruolo un individuo che presto sarebbe dovuto tornare a casa.

Wyatt mormorò qualcosa a Ra, mentre, alle loro spalle, l'Ambasciatrice MagDa mi sorrise. Mi piaceva anche lei: non aveva cambiato atteggiamento nei miei confronti dopo la storia del mio fallimento con CalVin. «Io vengo da Bremen» riprese Ra. «Ma mi piacerebbe tanto viaggiare come te.»

«La tua voce è l'inciso o l'eco?» chiesi.

Compresi subito che non aveva apprezzato la domanda: «L'eco.» Notai che non doveva essere di molto più grande di me.

«Come avete fatto?» insistetti. «Tu ed Ez, intendo. So che ci vogliono anni... Per quanto tempo avete dovuto esercitarvi?»

«Avice. Avrai modo di sapere tutto nel momento opportuno...» mi bloccò Wyatt, sollevando le sopracciglia in un gesto di rimprovero. Io lo ripagai con la stessa espressione. Si fermò a guadare Ra per un po', prima che questi riprendesse a parlare.

«Eravamo amici già da molto tempo» rispose. «Fummo testati anni fa. Perdonami, kilo/ore. Fu una cosa del tutto casuale, frutto di una dimostrazione del metodo MDEC.» Il rumoreggiare degli ospiti in sala lo interruppe. Mag – o forse Da – disse qualcosa ridendo, per poi frapporsi tra me e Ra in cerca di attenzione, che lui gentilmente le concesse.

«Sembra teso» sussurrai a Wyatt.

«Non credo affatto sia una cosa piacevole» ribatté. «Tu come ti sentiresti a essere l'attrazione principale dello zoo? Pover'uomo.»

«Pover'uomo?» sottolineai. «È strano sentirti parlare di lui così.»

«Eh, sono tempi strani.» Ridemmo entrambi, incalzati dalla musica. L'odore dei vini e dei profumi si fece più persistente. Ci voltammo in direzione di EzRa, o meglio di Ez e di Ra. Il primo chiacchierava in modo amabile ed estroverso. Poi incrociò il mio sguardo e venne verso di me, dopo essersi congedato dai suoi interlocutori.

«Salve» disse. «Vedo che hai già incontrato il mio collega.» Mi porse la mano.

«Il tuo collega? Direi di sì» scossi la testa. Salutai anche JoaQuin; ognuna delle metà teneva Ez per un braccio, come fossero dei genitori anziani. «Il tuo collega. Stai davvero cercando di dare scandalo, Ez» scherzai.

«Ti prego, no. Non è mia intenzione.» Accennò un sorriso di

scuse ai doppi che lo accompagnavano. «È... solo un modo leggermente diverso di fare le cose.»

«Sarà un apporto inestimabile» disse con entusiasmo Joa (o Quin: parlavano a turno). «Ci dici sempre che siamo troppo...» «... legati alla routine, Avice. La cosa farà...» «...bene tanto a noi, quanto alla città.» Uno di loro diede una pacca a Ez. «L'Ambasciatore EzRa è un linguista e burocrate eccezionale.»

«Una ventata di aria fresca, giusto, Ambasciatore?» dissi.

JoaQuin rise. «Perché no?» «Perché no!» «È esattamente ciò che è.»

Io e Ehrsul dovevamo apparire davvero sgarbate. Ogni volta che si presentava un evento simile, ce ne stavamo in disparte, a cincischiare tra di noi e metterci in mostra. Così, quando mi fece segno con una mano olografica per richiamare la mia attenzione, mi ricongiunsi a lei, credendo volesse divertirsi. Quella volta, però, mi bloccò in modo brusco per dirmi: «C'è Scile.»

Non mi voltai. «Ne sei certa?»

«Non credevo sarebbe venuto» rispose.

«Non so cosa...» Era passato molto tempo dall'ultima volta che avevo visto mio marito e non volevo dare spettacolo. Mi mordicchiai le unghie, poi mi alzai. «È con CalVin, vero?»

«Mi toccherà forse separarvi, ragazze?» Era di nuovo Ez. Mi fece sussultare. Era riuscito a districarsi dall'assistenza ansiogena di JoaQuin. Mi offrì un drink; poi manovrò qualche dispositivo, facendo lampeggiare i supporti per modificare il colore della propria aura. Credo che la sua tecnologia gli avesse permesso di ascoltare i nostri discorsi. Tentai di concentrarmi su di lui e non su Scile. Era più basso e muscoloso di me. Aveva i capelli rasati.

«Ez, ti presento Ehrsul» esordii. Con mia grande sorpresa, lui la guardò, non disse nulla, poi tornò a guardare me. Quella maleducazione mi fece sussultare.

«Ti stai divertendo?» chiese. La mia attenzione fu catturata dalle piccole luci che scintillavano nelle sue cornee. La mia amica si allontanò. Io accennai a seguirla, ignorando Ez in maniera arrogante, ma lei mi mostrò di soppiatto la scritta RESTA E IMPARA su un piccolo schermo alle spalle di lui.

«Dovrai fare meglio di così» gli dissi con garbo.

«Cosa?» Era sorpreso. «Cosa? La tua...»

«Non è mia» dissi. Lui mi fissò.

«L'automa? Mi spiace. Non volevo.»

«Non è con me che devi scusarti.» Piegò la testa.

«Cosa stai monitorando?» chiesi, dopo un minuto di silenzio. «Riesco a vedere i tuoi display.»

«Nulla di particolare. È l'abitudine. Temperatura, purezza dell'aria, inquinamento acustico. Cose perlopiù inutili. Più un altro paio di cose: ho lavorato per anni nel campo del... be', del controllo di ologrammi, telecamere, orecchie e cose del genere.» La mia e-spressione si fece inquisitoria. «Ormai mi risulta automatico entrare in modalità traduzione.»

«No!» risposi. «Tutto molto bello. Ora, però, dimmi la verità. Hai dei supporti acustici? Stai forse registrando?»

«No.» Rise. «Ho smesso di fare queste cose. Non lo faccio più da... almeno una o due settimane.»

«Perché ti occupi di quei programmi di traduzione? Tu...» A quel punto lo presi sottobraccio con un'aria a dir poco colpita. «Tu parli la Lingua, vero? Oh, caro, c'è stata una qualche terribile incomprensione.»

Lui scoppiò a ridere di nuovo. «Diciamo che me la cavo con la Lingua. Non è per quello che lo faccio.» Tornando serio: «Il problema è che non spiccico una parola di shur'asi, kedis o di...»

«Tranquillo, non ci sono esoterriani stasera. Tralasciando gli Ospiti, s'intende.» Fui sorpresa dal fatto che lo ignorasse: Embassytown era una colonia di Bremen, le cui leggi relegavano i pochi esoterriani presenti alla posizione di lavoratori stranieri.

«Che mi dici di te?» chiese. «Non vedo supporti. Quindi, anche tu conosci la Lingua?»

Per un attimo rimasi interdetta, non capendo dove volesse andare a parare. «No. Ho lasciato che le prese per i miei supporti si chiudessero. Una volta anch'io ero dotata di bit e altre estensioni. Possono tornare utili durante le immersioni. Inoltre,» aggiunsi «sai, so bene quanto sia necessaria la tecnologia in grado di far capire ciò che dicono... gli Ospiti. Tuttavia, ho avuto modo di incontrarli. Sono così... È una cosa invadente.»

«È questo il punto» rispose.

«Giusto, e potrei anche tollerarlo, se servisse a qualcosa. Ma qui siamo ben oltre» conclusi. «A sentir parlare un Ospite si rimedia solo una gran quantità di nonsense. 'Ciao-slash-domanda: come va?Aperta parentesi: inchiesta sull'idoneità della scansione del tempo-slash-insinuazioni sul calore umano sessanta percento e insinuazioni sulla convinzione che l'interlocutore abbia argomenti di cui discutere quaranta percento.' *Bla, bla, bla.*» Sollevai un sopracciglio: «È del tutto privo di senso.»

Ez mi guardò. Sapeva che stavo mentendo. Doveva essere a conoscenza del fatto che anche solo l'idea di utilizzare il 'ware come strumento per codificare la Lingua sarebbe stata inappropriata per un abitante di Embassytown. Non era illegale, ma di certo era un atto di orribile impertinenza. Non sapevo nemmeno perché avessi detto una cosa simile.

«Ho già sentito parlare di te» disse. Se l'Ambasciatore EzRa fosse stato un minimo capace di fare il proprio lavoro, si sarebbe preparato qualcosa di personale da dire a ognuno degli ospiti che avesse potuto incontrare nell'arco della serata. Ciò che Ez disse dopo mi sconvolse. «È stato Ra a ricordarmi dove abbiamo sentito il tuo nome. Tu sei la similitudine, giusto? Ne deduco che sei stata anche all'interno della città, oltre i confini di Embassytown, è così?» Qualcuno gli passò davanti, ma lui non distolse lo sguardo da me.

«Sì» affermai. «Ci sono stata.»

«Mi spiace. Non avrei dovuto... Non intendevo... So che non sono affari miei.»

«Non importa. È solo che sono sorpresa.»

«Non devi esserlo. È normale che io abbia sentito parlare di te. Noi tutti facciamo le nostre ricerche. In pochi hanno fatto ciò che hai fatto tu.»

Io rimasi muta, non ero in grado di spiegare come mi sentivo al pensiero di essere finita nei rapporti di Bremen su Embassytown. Mossi il bicchiere verso di lui in segno di saluto e mi congedai, tornando da Ehrsul, intenta a procedere tra la folla con il suo ingombrante telaio.

«Dunque, che hai da dirmi?» chiesi. Lei diede una scrollata allo schermo che le faceva da spalle.

«Ez è un incantatore!» disse l'automa. «Ra sembra un po' meglio, ma è troppo timido.»

«Trovato niente online?» Immaginavo avesse tentato di hackerare quanti più dati possibili.

«Non molto» rispose. «Wyatt ha fatto il colpaccio a portare qui l'Ambasciatore. Il galletto sta alzando la cresta a tal punto da far eccitare tutto il pollaio. È il motivo per cui lo Staff è così nervoso. Ho decriptato la parte finale di un messaggio... Sono piuttosto certa che lo Staff abbia fatto sostenere un test a EzRa. È la prima volta da dio solo sa quanto tempo che hanno a che fare con un Ambasciatore proveniente dall'esterno e, suppongo, abbiano voluto verificare la sua capacità di cogliere le sfumature della Lingua. La sua nomina deve averli infastiditi.»

«Non dimenticare che, tecnicamente, hanno tutti ricevuto la nomina» precisai. La cosa doveva bruciare all'intero Staff: al suo arrivo, Wyatt, come ogni rappresentante, aveva dovuto autorizzare formalmente ogni Ambasciatore a parlare in nome di Bremen. «Comunque, hai capito se sa parlare la Lingua? Parlo di EzRa.»

Ehrsul scosse la testa di nuovo. «Be', non sarebbe qui se fosse altrimenti» mi liquidò.

All'improvviso, accadde qualcosa nella sala. Una sensazione, un attimo in cui, malgrado l'aria festosa, si avvertiva la necessità di concentrarsi. Questo accadeva ogni volta che un Ospite entrava in una stanza, proprio come in quel momento.

I convenuti si sforzarono di mostrarsi cordiali nei loro confronti, ignorando che per gli Ospiti non ci sarebbe stata alcuna differenza – giudicavano l'educazione con parametri diversi dai nostri. La maggior parte delle persone, però, continuò con i propri discorsi senza prestare attenzione. Gli unici a comportarsi diversamente furono i membri dell'equipaggio, i quali, vedendo gli Ariekei per la prima volta, si voltarono a fissarli in maniera esplicita. Adocchiai l'espressione sulla faccia del mio timoniere dall'altro lato del salone. Una volta sentii una teoria creata ad hoc per giustificare il fatto che non importa quanto un individuo abbia viaggiato, sia cosmopolita o aperto alla mescolanza razziale: nessuno può restare impassibile durante il primo contatto con una qualsiasi specie esotica. Questa teoria sosterrebbe che noi tutti siamo programmati secondo il bioma terriano, quindi ogni accenno a qualcosa che non discende dalla nostra stessa isola felice viene visto come un'assurdità dalla nostra mente.

Ricordo datato, 2

Non sapevo se Scile si sarebbe trovato bene. Di certo non era il primo estraneo portato in città da un emigrante rimpatriato, ma io non ne avevo mai conosciuti altri.

Avevo passato parecchio tempo sulle navi dell'immer o in porti di pianeti la cui durata del giorno è nociva per gli esseri umani. Il giorno in cui tornai a Embassytown fu la prima volta, dopo migliaia di ore, che potei fare a meno degli impianti circadiani e reimpostarmi sul ritmo del nostro sistema solare. Per abituarci alle giornate ariekeiane di diciannove ore – secondo la scansione temporale tradizionale –, passammo la maggior parte del tempo a girovagare.

«Ti avevo avvisato» gli dissi. «È un posto molto piccolo.»

Ora conservo un bel ricordo di quei momenti. Continuavo a rammentare a Scile quale grande sacrificio avessi dovuto compiere per accettare di tornare a infilarmi in quel posticino 'insignificante, rispetto all'infinito!'. Tuttavia, dopo essere riemersa dal treno a tenuta stagna, mi riscoprii assai più entusiasta di quanto avessi immaginato nel respirare di nuovo l'aria eolica e nel sentire gli odori della mia città. Fu quasi come tornare bambina. Anzi, no: quella dei bambini non è vita. È pura esistenza. Dopo, quando ci ripensiamo, lo consideriamo come l'essere giovani.

Quelli erano giorni in cui non facevo altro che pavoneggiarmi per la mia fama da immergente esterofila e per i risparmi che ero riuscita a mettere da parte. I vecchi amici (che mai avrebbero pensato di rivedermi) accolsero il mio rientro con gioia e sorpresa: il miab che mi aveva preceduta portando loro la lieta notizia, infatti, li aveva lasciati dubbiosi.

Non ero affatto ricca, ma possedevo denaro in eumarchi bremeniani. Per quanto la valuta di Bremen fosse quella ufficiale, a Embassytown era raro vederla: dato che ricevevamo visite dalla metropoli circa una volta ogni trenta kilo/ore – che corrispondono a oltre un anno locale –, la nostra era un'economia autonoma. Nel rispetto dell'eumarco, da noi, come in tutte le colonie, il denaro circolava in ersatz. Questi avevano un valore irrisorio, ogni città aveva i suoi ed erano completamente inutili una volta superati i confini del sistema governativo. I risparmi che avevo portato con me – che mi avrebbero permesso solo qualche mese di vita a Bremen – a Embassytown sarebbero stati sufficienti per vivere almeno fino al cambio successivo o a quello ancora dopo. Non credo che le persone si siano infastidite più di tanto della cosa – dato che i miei introiti me li ero guadagnati – quando dichiarai che sarebbe stata mia intenzione barcamenarmi un po'. In realtà non era del tutto corretto – non c'erano lavori ad attendermi che mi avrebbero permesso di cavarmela con il minimo sforzo, semplicemente non stavo lavorando –, ma a loro piaceva così tanto lo slang spaziale che pensai di usare quel termine. Tutti parvero riconoscere che l'ozio di cui parlavo mi spettasse di diritto.

I miei turnogenitori – quelli non ancora andati in pensione – diedero una festa in mio onore, e mi sorpresi nel sentirmi così felice di essere tornata, di trovarmi nella nursery, dei baci e degli abbracci dispensati alle conoscenze di un tempo, alcune invecchiate in modo impressionante, altre rimaste immutate. «Te l'avevo detto che saresti tornata!» mi disse papà Shemmi nel bel mezzo di un ballo. «Te l'avevo detto!» Poi scartarono i souvenir che avevo portato. «Ma non dovevi, tesoro!» disse mamma Quiller, ammirando un braccialetto ornato con dei supporti decorativi. Padri e madri, insieme, accolsero timidamente mio marito. Lui se ne stette tutta la serata al centro del salone addobbato di stelle filanti a rispondere a ripetizione alle stesse domande con un sorriso di circostanza, mentre io ero alle prese con la mia sbronza.

Incrociai di nuovo alcuni dei ragazzi con cui ero cresciuta, come Simmon. Anche se un po' me l'aspettavo, non rividi mai più Yohn. Mi feci nuovi amici, appartenenti ai ceti più insoliti. Fui invitata agli eventi dello Staff. Pur non essendo in quel giro di frequentazioni prima della partenza, Embassytown era un posto troppo piccolo per me, aspirante immergente, per non esserci entrata neppure in contatto. Di colpo, mi ritrovai ad avere confidenza con persone, membri dello Staff e Ambasciatori che, tempo addietro, conoscevo solo di vista o per fama. Alcuni che speravo di incontrare, tuttavia, ormai se n'erano andati.

«Che fine ha fatto Oaten?» chiesi, riferendomi all'uomo apparso più volte sugli schermi in qualità di portavoce. «Dov'è papà Renshaw? E GaeNor?» L'ultima era una delle Ambasciatrici più anziane: quella che, registrandomi come similitudine della Lingua, aveva fatto il mio nome in un modo così splendidamente ampolloso da entrare a far parte del mio idioletto profondo. Da quel momento, ogniqualvolta mi presentassi, sentivo risuonare la sua voce nella mia mente. «DalTon?» chiesi poi. Si trattava di un altro Ambasciatore, le cui metà simbiotiche erano note per essere uomini intelligenti e con attitudine all'intrigo, che non si lasciavano impensierire dall'insolita quantità di dispute tra colleghi che dovevano, sovente, mettere a tacere. Avevo sempre sognato di incontrarlo, fin da quando venni a sapere che la voce rabbiosa che sentii indignarsi tra la folla in occasione della rottura della capsula protettiva del miab, durante la mia infanzia, era la sua.

Oaten si era ritirato a godersi il suo modesto patrimonio locale. Renshaw era morto giovane. La cosa mi dispiacque. Anche l'Ambasciatrice GaeNor era deceduta: prima una metà, l'altra subito dopo, uccisa dal dolore della perdita. Per quello che riuscii a capire, DalTon era scomparso (o fatto scomparire) in seguito a un periodo di dissidenza continua e di irrequietezza nei confronti dei suoi collaboratori, una lotta intestina dello Staff rimasta volutamente in ombra. Affascinata, pungolai per sapere qualcosa di più, ma non ottenni altro. In quanto rimpatriata potevo permettermi di chiedere cose simili in modo diretto, talvolta anche inappropriato, ma sapevo anche quando era il momento adatto per espormi e quando era meglio evitare.

Sebbene non corrispondesse al vero, avevo la percezione che il tempo passato fuori casa mi avesse migliorato in quanto a velocità, sarcasmo e acume. Le persone si mostravano gentili nei confronti di Scile, affascinate dalla sua presenza, e lui le ripagava con gli stessi sentimenti. Aveva visitato un gran numero di Paesi, ma riemergere a Embassytown era come passare attraverso una specie di breccia nel muro. Si mise a esplorare. Il nostro stato non era affatto un segreto: a Embassytown, i matrimoni come il nostro erano accettati, pur rappresentando una rarità. La cosa ci eccitava. In principio, passavamo molto tempo insieme ma, man mano che la sua cerchia di conoscenze si estendeva, cominciammo a vederci sempre meno.

«Sta' attento» gli dissi, dopo che a una festa un uomo di nome Ramir flirtò con lui utilizzando dei supporti per rendere il proprio volto provocante, secondo i canoni estetici del luogo. Prima di allora, ignoravo l'interesse di mio marito per il genere maschile. Gli spiegai che da noi l'omosessualità rappresentava un crimine lieve, eccetto che per gli Ambasciatori.

«E che mi dici della donna di nome Damier?» ribatté.

«Lei fa parte dello Staff» la giustificai. «Ad ogni modo, ti ho detto che è un crimine lieve.»

«Alquanto bizzarro.»

«Be', sì, caro.»

«Quindi, non sanno che anche tu, una volta, eri sposata con una donna?»

«Io ho viaggiato nello spazio, tesoro» gli risposi. «Posso fare tutto quello che voglio.»

Gli feci vedere il posto in cui giocavo da bambina; presenziammo a mostre ed esposizioni olografiche. La sua attenzione ricadde sugli automi senzatetto di Embassytown, delle macchine mendicanti e dall'aspetto malinconico. «Sono mai entrati nella città degli Ospiti?» domandò. Era così ma, se anche fosse riuscito a chiederlo direttamente a quelle macchine, le loro menti artificiali restavano comunque troppo deboli per descriverla.

Nonostante si trovasse lì per studiare la Lingua, non poteva ignorare tutte le altre stravaganze. Le biomacchine ariekeiane lo sconvolsero. Ogni volta che andavamo a trovare dei nostri amici, osservava come fosse un perito i loro artefatti quasi vivi, la filigrana degli elementi architettonici delle loro case e le protesi mediche che talvolta indossavano. Ce ne stavamo spesso fianco a fianco, su ponti e balconi al limite della cupola d'aria eolica, ad ammirare i branchi di piante energetiche e il pascolare delle fabbriche. Lui, poi, fermava lo sguardo in direzione della città da dove proveniva la Lingua, della quale, però, apprezzava anche gli edifici. Una volta si sbracciò a salutare come fosse un ragazzino e, nonostante fosse impossibile che qualcuno ci vedesse, ci parve di scorgere un segnale di risposta nel movimento ondulatorio delle antenne di una stazione.

I resti del primo archivio si trovavano nel cuore di Embassytown. Il sito era stato ripulito dalle macerie e poi lasciato così com'era, fino al momento del crollo definitivo: aveva retto per una mega/ora e mezza, più di un cinquantennio locale. È possibile che gli urbanisti che progettarono la città pensarono che, agli umani, quelle rovine sarebbero piaciute. La struttura, ormai ricoperta di vegetazione, fungeva da dimora per animali e altre creature che erano in grado di sopportare l'aria che respiravamo, oltre che per i bambini che, come noi, andavano a curiosare. Anche in quel caso, Scile volle trattenersi a osservare tutto per un bel po'.

«Cos'è quello?» Un essere rosso, scimmiesco e con la testa da cane si stava arrampicando su per una tubatura.

«Le chiamano volpi» spiegai.

«Ha subito qualche mutazione?»

«Non saprei. Può darsi, ma molto tempo fa.»

«E quello, invece?»

«Una taccola. Un gatto-spinarello. Un cane. Un animale autoctono di cui non conosco il nome.»

«I cani sono diversi nel posto da cui vengo io» disse. «Tac-co-la» ripeté, facendo attenzione alle lettere. Ciò che lo incuriosiva di più erano gli oggetti ariekeiani.

Un giorno ce ne restammo ore sotto il sole cocente a parlare e a tenerci per mano così a lungo che, infine, animali e abflora parvero smettere di pensare a noi in quanto esseri animati per trattarci come fossimo parte integrante del panorama. Osservammo due bestioline della grandezza del mio avambraccio lottare sul prato. «Guarda» lo chiamai in silenzio. «*Sssh.*» Non molto lontano dai due animali, un piccolo bipede goffo si stava allontanando lasciandosi dietro una scia di sangue.

«È ferito.»

«Non proprio.» Sapevo bene cosa fosse, come ogni bambino della città. «Guarda» continuai. «Quello è il predatore.» Indicai il piccolo e feroce altotasso dalla pelliccia striata bianca e nera. «Quello con cui sta lottando si chiama trunc. Così come quella cosa che vedi fuggire. So che sembrano due animali diversi. Riesci a vedere la parte posteriore ferita laggiù? E la testa alle prese con il suo aggressore? Non sono altro che il capo e la coda di uno stesso animale. Si separa in due quando subisce un attacco: la coda tiene lontani i cacciatori, mentre il capo scappa per cercare di accoppiarsi un'ultima volta.»

«Sembra diverso da ciò che ho visto qui finora» osservò Scile. «Non è una bestia terriana, vero?» Il corpo del trunc riuscì a sconfiggere l'altotasso, abbattendolo. «Prima di separarsi aveva otto zampe e, come sai, non esistono ottopodi terriani in superficie. Forse si trovano sott'acqua, ma...»

«Non è niente di terriano, né ariekeiano» spiegai. «Giunsero per errore sul pianeta kilo/ore fa, a bordo di una nave kedis. Devono per forza emanare un odore particolare o qualcosa del genere: sono le prede preferite di un sacco di cose. Come se non bastasse, se pure dovessero perdere la battaglia, il sapore disgustoso della loro carne farebbe vomitare gli assalitori. Forse potrebbe anche ucciderli. Poveri, piccoli profughi gitani.»

La testa dell'autotroncatore si era rifugiata all'ombra di un masso a osservare il trionfo dei suoi arti posteriori, che barcollavano come un suricata o un cucciolo di dinosauro. Poiché la parte superiore si era portata via gli unici occhi dell'animale, alla coda era toccato combattere alla cieca, fiutando nuovi nemici contro i quali difendere l'altra sua metà.

Mosso da un'incomprensibile sdolcinatezza e con un po' d'impegno, Scile schivò gli artigli della coda per impossessarsi della bestia e portarsela a casa: fu un'impresa non indifferente, dato che l'unico comando dettato dai flebili pensieri di tale parte dell'animale era proprio quello di continuare a combattere. Riuscì a mantenerlo in vita per diversi giorni in una gabbia. Gli diede da mangiare, e l'animale, sebbene non fosse più dotato di un cervello da tutelare, continuò a scalciare e azzannare grossi bocconi, senza abbassare mai la guardia. Continuò ad azzuffarsi con qualsiasi spazzola o straccio gli agitassimo davanti, finché non morì, avvizzendo in fretta come una lumaca cui era stato sparso sopra del sale e lasciandoci soltanto un gran casino da ripulire.

Portai mio marito fino al muro della casa di Bren su cui, da bambina, avevo giocato con le mie monete. Mi irritai, accorgendomi di provare una certa reticenza a portarcelo e raccontargli la storia, ma lo feci. Lui si fermò a lungo a guardare la casa.

«È ancora lì?» chiesi a un ambulante del posto.

«Sì. Anche se non lo si vede molto spesso.» L'uomo fece un gesto scaramantico.

Tutti questi eventi permisero a Scile di rivivere la mia infanzia. Una mattina che eravamo usciti per colazione, gli indicai un gruppetto di giovani aspiranti Ambasciatori sul bordo della piazza in cui ci eravamo seduti; erano alle prese con una delle loro escursioni controllate, compatte e protette all'interno della cittadella per la quale, un giorno, avrebbero dovuto intercedere. Cinque o sei di loro sembravano del tutto identici, insieme a circa una dozzina di bambini a cui mancava qualche kilo/ora per entrare nella pubertà, tutti scortati da insegnanti, addetti alla sicurezza e due Ambasciatori adulti, un uomo e una donna, che, da lontano, non riuscii a identificare. I collegamenti degli apprendisti scintillavano in modo frenetico.

«Che stanno facendo?» domandò.

«Una caccia al tesoro. Una lezione. Non saprei dirtelo» risposi.

«Gli staranno mostrando i loro possedimenti.» Con mio imbarazzo – ma col divertimento degli altri commensali –, Scile si alzò da tavola, ancora intento a masticare i corposi toast di Embassytown che diceva di amare tanto (inconsistenti, a mio giudizio), per osservarli passare.

«Succede spesso di vederli?»

«Non più di tanto» risposi. La maggior parte delle volte che mi era capitato d'imbattermi in gruppi simili ero ancora una bambina. Fosse successo quando ero in compagnia dei miei amici, avremmo tentato di incrociare lo sguardo di quei quasi Ambasciatori, per poi correre via a ridere del nostro eventuale successo, forse perfino inseguiti dalla scorta. Li avremmo presi in giro, fatto scherzi piuttosto snervanti continuando a seguirli, ostentando la cosa per alcuni minuti. Decisi di concentrarmi sulla mia colazione e aspettare che mio marito si sedesse.

Quando ebbe ripreso il suo posto, chiese: «Che ne pensi dei bambini?»

Mi voltai a guardare in direzione della strada imboccata dai giovani doppi. «È una catena di pensieri interessante» feci. «Qui non sarebbe come...» Nel Paese in cui era nato, in un altro mondo, i figli venivano di norma allevati da un numero compreso tra i due e i sei adulti, tutti geneticamente interconnessi. Scile accennò più volte a suo padre, a sua madre e alle sue zie-padri (non sono certa si chiamassero così) con affetto. Ormai era passato tanto tempo dall'ultima volta che li aveva visti: questi legami tendono ad allentarsi quando c'è di mezzo lo spazio.

«Lo so» disse. «È solo che...» proseguì, rivolgendosi alla città «è bello qui.»

«Bello?»

«Questo posto ha qualcosa di particolare.»

«Qualcosa. Devo ammettere che sai misurare bene le parole che usi. Ad ogni modo, farò finta di non aver sentito. Questo buco si meriterebbe davvero...»

«Oh, smettila.» Sorrise, con un pizzico di stizza. «Sì, lo so, tu hai viaggiato tanto. Questo posto ti piace più di quanto vuoi dare a vedere, Avice. Non saresti mai tornata a casa solo per me, se davvero lo considerassi il purgatorio di cui parli. Non ti piaccio così tanto.» Sorrise ancora. «Quale sarebbe il problema, dunque?»

«Non hai dimenticato niente? Ti do un indizio: questo non è lo spazio. La maggior parte delle cose che facciamo qui – tolte le biomacchine, e ciò che tiriamo fuori dalla grazia di tu sai chi, a Bremen la considerano un'accozzaglia di esperimenti medici criminosi. Incluso il sex-tec. Ricordi come nascono i bambini, vero? Io e te non facciamo proprio le stesse cose che...»

Lui esplose in una risata. «Hai centrato il punto» disse. Poi mi prese la mano. «Siamo compatibili in tutto, tranne che sotto le lenzuola.»

«E chi ti dice che io voglia farlo sotto le lenzuola?» lo provocai. Intendeva essere solo uno scherzo, non un tentativo di seduzione.

A ripensarci, quello fu il preludio di quanto sarebbe seguito. La prima volta che vidi delle specie esoterriane diverse da quelle a cui ero abituata fu in una chiassosa cittadina di un planetoide di nome Sebzi. Fui presentata a un gruppo di esseri sciamanti. Non ho idea di cosa fossero, né da quale posto fossero arrivati. So solo che, da allora, non ne ho mai più visti. Ricordo che uno di loro si fece avanti a bordo di uno pseudopode, si sporse verso di me con il suo corpo a clessidra e mi parlò in perfetto anglo-ubiq attraverso il ventricolo dentato: «Signora Cho. Piacere di conoscerla.»

La reazione di Scile a Kedis, Shur'asi e Pannegetch fu, senza alcun dubbio, assai più contenuta di quanto non abbia fatto io all'epoca. Tenne delle conferenze sul suo lavoro e i suoi viaggi nella parte est della città; fui impressionata dalla sua abilità nel raccontare la verità, facendo sembrare la sua vita coerente e precisa. Una troica di Kedis agghindate con dei fronzoli di colorcellule brillanti si avvicinò a noi, dando modo alla portavoce – una figura bisessuata – di ringraziarlo utilizzando la sua dizione curiosa, per poi scuotergli la mano con i suoi genitali prensili.

In seguito, si presentò al negoziante shur'asi che noi chiamavamo Gusty – Scile si compiacque a riferirmi l'intera stringa di nomi – e per un po' furono amici. In città furono tutti incantati nel vedere Scile abbracciato in modo socievole al corpo principale dell'alieno, impegnato a muovere le sue ciglia in maniera frenetica per tenerne il passo. Si scambiavano aneddoti. «Continui a parlarmi dell'immer» diceva l'essere. «Dovresti provare un viaggio concentrico. Accidenti, che esperienza!» Non riuscii mai a capire se la sua mente fosse come la nostra. Di certo, però, in fatto di conversazioni se la cavava bene, perfino quando azzardava la parodia dell'anglo-ubiq parlato dal suo vicino Kedis, con una battuta complessa.

L'obiettivo finale del mio compagno restava quello di incontrare gli Ariekei, continuando a studiarli anche di notte, quando si prendeva una pausa dalla mondanità. Erano gli unici che continuavano a sfuggirgli.

«Non è possibile che non riesca a trovare niente su di loro» disse. «Non so cosa siano, cosa pensino, cosa facciano, come lavorino. Perfino il materiale scritto dagli Ambasciatori sul modo in cui operano e interagiscono è del tutto... inutile.» Mi guardò come volesse chiedermi qualcosa. «Sanno che cosa fare,» continuò «ma non sanno in cosa consiste quello che stanno facendo.»

Ci misi un po' per capire a cosa si stesse riferendo. «Non spetta agli Ambasciatori comprendere gli Ospiti» risposi.

«A chi, allora?»

«A nessuno.» Credo fu la prima volta che mi accorsi della distanza che c'era tra noi.

Fino a quel momento, avevamo conosciuto Gharda, Kayliegh e le altre, lo Staff e i loro collaboratori. Avevo stretto amicizia con Ehrsul. Quest'ultima mi punzecchiava facendomi notare la mia mancanza di professionalità (a differenza di molti nostri concittadini, lei sapeva bene cosa significasse essere una barcamenante prima ancora che glielo spiegassi), e io la ripagai sottolineando che lei non fosse da meno. In qualità di automa, non aveva diritti né doveri ma, da quello che riuscii a capire, il suo proprietario – un ricco possidente della schiera dei primi colonizzatori – era morto senza fare testamento e lei, da allora, non era più appartenuta a nessuno. Secondo delle varianti nelle leggi di recupero, qualcuno, in teoria, avrebbe potuto reclamarla, ma ormai sarebbe sembrata una cosa abominevole.

«Non è altro che un ammasso di circuiti» si sfogò Scile in sua assenza, pur ammettendo che era il turingware meglio riuscito che avesse mai visto. Era divertito dal nostro modo di interagire, sebbene non mi piacesse affatto il suo comportamento: decisi di sorvolare sull'argomento, dato che, in sua presenza, le si rivolgeva con lo stesso rispetto che avrebbe riservato a una persona. L'unica volta che le aveva prestato un briciolo di attenzione era stato quando, riflettendo sul fatto che non respirasse, si rese conto che avrebbe di sicuro potuto accedere senza problemi alla città degli Ospiti. In seguito, gli spiegai ciò che la mia amica aveva già detto a me quando mi era capitato di porle la stessa domanda, ossia che non ci aveva mai provato, né era minimamente interessata a farlo, e che io non sapevo quale potesse essere il motivo, ma che, dopo tale risposta, non mi ero preoccupata di indagare oltre.

Di tanto in tanto, capitava le chiedessero di aggiustare le altre menti artificiali e gli automi di Embassytown, entrando in contatto diretto con lo Staff. Non era raro che ci ritrovassimo a partecipare ai medesimi eventi. La mia esperienza dello spazio era più fresca di quelle dei miei superiori e le uniche volte che lo Staff aveva lasciato il pianeta era stato per dei viaggi ufficiali verso Bremen e ritorno. Rappresentavo una fonte di notizie aggiornate sulla politica e sulla cultura di Charo City.

Ricordo che, la prima volta che lasciai la città, papà Renshaw mi prese da parte, portandomi fin sulla soglia della stanza in cui si stava tenendo una festa per la mia partenza. Mi aspettavo qualche luogo comune paterno fatto di chiacchiere e dicerie sulla vita nell'infinito, ma ciò che mi sentii dire fu che, semmai avessi deciso di tornare, sarebbero stati tutti molto interessati alle informazioni che avrei portato con me. Le sue parole furono molto gentili e realistiche, tanto che, di fatto, mi ci volle un po' per capire che mi era stato chiesto di fare da spia per il mio Paese. Ciononostante, migliaia di ore più tardi, rientrata a Embassytown, una volta compreso che stavo facendo esattamente quello che, tempo addietro, mi era stato chiesto di fare, il sorriso per quella situazione improbabile scomparve dalle mie labbra.

Io e Scile continuammo a stimolare la curiosità della gente qualunque cosa facessimo. Lui era un estraneo affascinante, una stranezza. Io, parte integrante della Lingua e un'immergente rimpatriata, ero una celebrità di minor conto. Dato che fornivo ragguagli riguardanti il nostro centro governativo, io e mio marito – due cittadini comuni – fummo accolti senza intoppi nei club più in vista. Gli inviti alle feste continuarono anche dopo che il circolo mediatico cittadino ebbe smesso di mandare in onda interviste e storie che riguardassero questo raro esemplare di immergente prodigo.

Tutto cominciò poco dopo il mio ritorno. Non furono gli Ambasciatori a contattarmi, ovviamente, ma dei funzionari e altri pezzi grossi, che mi chiesero di presenziare a una riunione in cui si parlò con una vaghezza tale da rendermi incomprensibile la maggior parte delle loro osservazioni. A un certo punto mi tornarono in mente le intercessioni di papà Renshaw e, di colpo, intuii che quelle domande impronunciabili a proposito delle tendenze politiche di Bremen, degli uomini al potere e dei loro vizi e virtù altro non erano che richieste dell'intelligence. Si stavano offrendo anche di ricompensare i miei servigi.

Quest'ultima cosa mi parve una sciocchezza. Non pretesi alcuna somma di denaro in cambio delle poche fandonie che avrei potuto riferirgli. Accolsi in silenzio la spiegazione diplomatica sugli interessi politici in ballo: non mi interessava. Mostrai loro le capsule e i download contenenti le notizie che reputai in grado di chiarire un minimo la posizione del partito cosmopolita democratico della capitale. Avevo sempre mostrato indifferenza verso le guerre, le ingerenze e le esigenze bremeniane, eppure, per quegli individui, le mie parole avrebbero potuto essere fondamentali per fare il punto della situazione sulle recenti vicissitudini governative. In tutta sincerità, dubito che quanto appresero da me fosse qualcosa di diverso da ciò che i loro computer e analisti avessero già immaginato o predetto.

Non può di certo definirsi una storia di alto spionaggio. Qualche giorno dopo, feci la conoscenza di Wyatt, il nuovo funzionario cittadino da cui i miei interlocutori ebbero il piacere di mettermi velatamente in guardia. Questi mi chiese subito dell'incontro a cui avevo assistito. Scherzando domandò se avessi predisposto una microspia nella sua camera da letto o qualcosa del genere e risi. Apprezzavo le nostre scaramucce. Mi lasciò il suo numero personale.

Fu in questo tipo di circoli dell'alta società di Embassytown che incontrai l'Ambasciatore CalVin e divenni la sua amante. Di entrambe le metà. Uno dei favori che ricevetti in cambio fu quello di offrire a Scile l'opportunità di incontrare gli Ospiti.

Cal e Vin erano alti e dalla pelle grigiastra, un po' più grandi di me, con l'aria allegra e l'arroganza da incantatore tipica del migliore degli Ambasciatori. Mi invitarono in città con loro, permettendo a mio marito (su mia richiesta) di unirsi a noi, di tanto in tanto, fin dove quelle figure erano solite spingersi a passeggiare, attirando l'attenzione di tutti nel constatare l'assenza del loro entourage al seguito.

«Ambasciatore,» Scile si armò di coraggio per chiedere, seppur con cautela «avrei una domanda riguardo ai vostri scambi... con gli Ospiti.» Il suo tono si fece minuzioso e specifico, come volesse indagare un arcano. La mia dimostrazione di gratitudine fece sì che l'Ambasciatore si mostrasse paziente, sebbene le sue risposte fossero senza dubbio deludenti.

Accompagnandomi a loro ebbi modo di vedere, notare e sentire alcuni dettagli sulla vita del nostro avamposto che altrimenti non avrei mai appreso. Colsi ogni piccolissimo segnale, insinuazione e divagazione dei miei amanti. Non riuscendo a ottenere una risposta concreta a tutte le mie domande pressanti, spesso dovevo limitarmi a origliare frammenti di conversazioni in merito a dei loro colleghi andati alla deriva o alle fazioni ariekeiane, senza approfondire alcunché.

Gli chiesi anche di Bren. «Non lo vedo da parecchio» esordii. «Non mi sembra nemmeno abbia preso parte alle ultime riunioni.»

«Mi ero dimenticato del vostro legame» disse CalVin; entrambe le metà simbiotiche mi fissavano, ma ognuna in maniera leggermente diversa. «No, comunque. Direi che ha deciso di autoesiliarsi. Non che possa davvero andarsene da qualche parte, lo sai.» «Non sarebbe appropriato per il ruolo che lui crede di ricoprire, nei nostri confronti.» «Ha avuto la possibilità di farlo. Sarebbe potuto andar via...» «...dopo essere diventato uno spaccato.» «Invece...» Scoppiarono a ridere. «È il nostro disperato di fiducia.» «Sente tutto quello che gli accade intorno. I suoi occhi vedono lontano: sa davvero molte più cose di quanto dovrebbe.» «Non è uno che potrebbe definirsi leale. Ma è un individuo utile.» «Tuttavia, te lo ripeto, semmai avesse saputo cosa sia la lealtà, è certo che ormai lo ha scordato.» Scile ascoltava, avido di conoscenza.

«Com'è?» chiese mio marito. «Voglio dire, anch'io sono stato con due persone diverse, e sono certo che anche per te non sia la prima volta. Eppure, non credo sia...»

«No, per tutti i fari, no. Dio mio. Sei orribile. Non è affatto la stessa cosa.» All'epoca risposi in maniera irremovibile, oggi avrei qualche dubbio.

«Si concentrano entrambi su di te?» continuò. Ridacchiammo tutti e due: lui per un senso di ridicola lascivia, e io per ciò che ritenni quasi una bestemmia.

«Non direi. È tutto molto egualitario. Io, Cal e Vin facciamo tutto insieme. Tanto per essere onesti, Scile, non sono la prima persona a cui un Ambasciatore abbia mai...»

«Be', però, sei l'unica a cui ho accesso io.» Allora, non ero certa fosse la verità. «Eppure, credevo che l'omosessualità fosse scoraggiata» disse lui.

«Stai esagerando, ora» lo fermai. «Non è questo quello che fanno. Né CalVin, né nessun altro Ambasciatore. Sai di cosa parlo. Mi riferisco alla... masturbazione.» Fu una descrizione tanto comune quanto scandalosa e, solo a parlarne, mi sentii come una bambina. «Immagina due Ambasciatori, insieme.»

Mio marito passò molte ore a riascoltare le registrazioni delle conversazioni degli Ariekei e a guardare video e ologrammi dei loro incontri con i nostri rappresentanti. Lo osservai muovere la bocca per ripetere a sé stesso ciò che notava e muovere le dita a scrivere delle note inesistenti, inviando input alla sua memoria dati con una sola mano. Imparava con una rapidità estrema e la cosa non mi sorprese. Quando finalmente l'Ambasciatore CalVin ci invitò a una festa in compagnia degli Ospiti, Scile dimostrò di comprendere la Lingua quasi alla perfezione.

Si trattò di una delle discussioni tra Ambasciatori e Ospiti che si tenevano a intervalli di qualche settimana l'una dall'altra. Gli esponenti del commercio interplanetario potevano recarsi da noi solo una volta ogni migliaio di ore, ma l'incontro era sostenuto e basato su una minuziosa e attenta negoziazione. L'approdo di ogni nave transimmeriana era seguito da un accordo tra lo Staff e gli Ospiti (tramite l'imprimatur di un rappresentante proveniente da Bremen), i cui termini sarebbero stati comunicati alla ripartenza dell'imbarcazione stessa, arricchita di beni e tecnologie ariekeiane. Essa, poi, sarebbe tornata ancora per rifornire i locali del materiale pattuito. Erano un popolo paziente.

«C'è un carico in arrivo» disse una delle metà di CalVin. «Vi va di venire?»

Tuttavia, non ci fu permesso di assistere alle negoziazioni vere e proprie. Scile non ne fu affatto contento. «Che ti importa, scusa?» gli dissi. «Sarà una noia mortale. Conversazioni d'affari? Nient'altro che un mucchio di 'vuoi questo, vuoi quello'...»

«Vorrei solo sapere cosa vogliono, ecco tutto. Sai almeno che cosa scambiamo con loro?»

«Perlopiù competenze che riguardino l'IA, menti artificiali e simili. Tutto ciò che non sanno fare da soli...»

«Lo so, per via della Lingua. Non sai quanto vorrei sapere in che modo si approcciano a quella tecnologia, una volta che se la sono procurata.»

Gli Ariekei e i computer non potevano andare d'accordo: la scrittura gli risultava una pratica incomprensibile e con la comunicazione orale andava ancora peggio. Secondo il parere degli esopsicologi, questa popolazione non sarebbe mai stata in grado di interagire con le macchine, dato che dietro le parole di quest'ultime non c'era alcun essere senziente.

I nostri designer riuscirono ad assemblare dei computer che lavorassero come spie. Il loro prototipo si basava su biomacchine semplici, come gli animali-megafonici e gli animali-telefonici. Le bestie in questione, infatti – sebbene nessuno si sia mai spiegato come –, riuscivano a riconoscere la voce dei loro simili e perfino degli Ambasciatori attraverso altoparlanti e registrazioni. Ciò avveniva perché il significato di un enunciato non si degrada né col tempo, né con la distanza, ma resta del tutto comprensibile, sempre che a pronunciarlo sia un cervello pulsante dove risiede quella che Scile chiamava, in modo provocatorio, anima. Così partimmo da questi piccoli mediatori e cercammo di portarli a livelli superiori, talvolta alterandoli, talvolta sostituendoli del tutto con la tecnologia comunicativa che loro non potevano creare. Le voci degli Ospiti vennero incanalate nelle nostre menti artificiali.

I programmi erano stati ideati per funzionare tra gli interlocutori e formulare delle proprie istruzioni tramite allusioni. Ogniqualvolta le conversazioni degli Ospiti avessero toccato determinati argomenti teorici, i nostri sistemi informatici sarebbero stati lì ad ascoltare, calcolare, alterare la produzione e adempiere a lavori automatizzati. Non so se gli Ariekei avessero compreso cosa stava succedendo, ma di certo avevano capito che li avevamo dotati di qualcosa per la quale, dopotutto, avevano pagato.

«Cosa abbiamo ottenuto in cambio?» mi chiese Scile.

CalVin indicò il lampadario sopra di noi, che ci precedeva lento, con grazia, attraverso le aree meno illuminate della stanza emanando e riassorbendo le luci poste alla fine dei suoi viticci. «Biomacchine. Ovviamente» disse. «Le conosci.» «Anche a Bremen ce ne sono. Oltre a delle scorte di cibo, gemme, pezzi meccanici e supporti.» Come per il resto degli abitanti di Embassytown, neanche io conoscevo appieno i dettagli dei loro baratti. «E oro.»

Durante la prima festa a cui partecipammo, l'Ambasciatore non si sottrasse a fare gli onori di casa, sebbene fosse in servizio. Scile si intrattenne accanto al tavolo del buffet, pieno di specialità umane e ariekeiane. «Fraternizzate con i locali, dunque?» esordì Ehrsul alle mie spalle. La sua voce improvvisa mi fece sobbalzare e ridere.

«È davvero molto educato» feci io, in direzione di mio marito.

«È una persona paziente» ribatté. «Tu, però, non hai motivo di esserlo. Hai già incontrato gli Ospiti.»

Mi spiegò di non potersi trattenere, presumibilmente impegnata a svolgere qualche commissione. Ruotò su sé stessa, sussurrò qualcosa a Scile, che rispose al saluto e la osservò andar via. «Sai cosa mi ha detto CalVin?» disse con voce sommessa. Fece cenno all'automa con il suo bicchiere. «Che parla in modo impeccabile. Tutti gli Ambasciatori la capiscono alla perfezione, ma, se ci prova con un Ospite, questi non capisce una sillaba.» Incrociammo lo sguardo. «Non è davvero in grado di parlare la Lingua.»

Continuò a sforzarsi di mascherare l'impazienza mantenendo il suo savoir faire. CalVin lo presentò allo Staff e agli Ambasciatori presenti che non conosceva ancora, e infine, quando ebbero fatto il loro ingresso nella sala mutando come al solito l'atmosfera presente, agli Ospiti.

Erano passate migliaia di ore dall'ultima volta che ero stata così vicina a uno di loro. Ce n'erano quattro. Tre di essi erano nel fiore degli anni, al loro primo stadio, con lo slanciato profilo che fremeva per via delle loro vibrisse. Il quarto, più anziano e allo stadio finale, aveva degli arti affusolati e un addome imponente e pendulo. Camminava con fermezza, ma in modo meccanico. I suoi fratelli l'avevano portato con sé in uno slancio caritatevole. Questi li seguiva per istinto, affidandosi alla scia di tracce chimiche. Il fatto che l'ultima incarnazione di un animale costituisse un'ingente riserva proteica per gli esemplari più giovani era una strategia evolutiva condivisa da diversi phyla su Arieka. Potevano nutrirsi per giorni degli strati del suo addome senza nemmeno ucciderlo. Gli Ospiti, tuttavia, da generazioni avevano rinunciato a quella che – da ciò che avevamo compreso – ritenevano una barbarie. Il penultimo stadio del loro ciclo vitale, quello durante il quale la mente moriva, veniva vissuto come un lutto, e gli altri Ospiti accompagnavano la carcassa ancora deambulante del loro compagno finché si reggeva in piedi.

Il non-morto sbatté contro il tavolo rovesciando il vino e i canapè, e HenRy, LoGan, CalVin e gli altri Ambasciatori risero educatamente, come fosse uno scherzo.

«Permettetemi di presentarvi.» CalVin fece avanzare mio marito in prossimità degli indigeni onorati. Non riuscii a leggere l'espressione sulla sua faccia. «Scile Cho Baradjian, questo è il loro portavoce...» Le due metà simbiotiche dissero il nome dell'Ospite, inciso ed eco all'unisono.

Questi si piegò a guardarci dall'alto delle sue estrusioni coralline disseminate di bulbi oculari.

«*kora | shahundi*» risuonò il nostro mediatore. Soltanto gli Ambasciatori potevano pronunciare i nomi di quelle figure.

L'essere mormorò qualcosa con la bocca dell'eco, incredibilmente simile alle labbra umane, facendo ondeggiare lo stelo della sua gola. Allo stesso tempo, all'altezza di quello che per noi è il petto, dove il suo corpo mostrava un rigonfiamento, anche l'inciso tossì un suono tondo e vocalico: *Tao dao thao*.

Attorno al collo, avvolti a formare una spirale, indossava gli organi di animali microscopici. Attorcigliato tra i piedi a spillo, il suo animaletto da compagnia. Ognuno degli Ariekei ne aveva uno, tranne quello più vecchio, cerebralmente deceduto. Erano grandi come un neonato; delle specie di larve con moncherini al posto delle zampe, antenne in filigrana e pori sulla schiena, alcuni dei quali erano ornati con metallo intarsiato. I loro movimenti erano un misto di scorrazzamenti e convulsioni. Erano delle zelle, delle bestie biomeccaniche a batteria, dove potevano essere alloggiati fili e collegamenti, e attraverso le quali scorrevano differenti tipi energia, che variava a seconda del cibo che il padrone forniva. La città degli Ospiti era piena di simili sorgenti di energia.

kora | *shahundi* avanzò a quattro zampe come un ragno, lungo, fin troppo snodato, con i capelli scuri, poi distese le sue ali. Quelle acustiche variopinte e a forma di ventaglio si trovavano sulla sua schiena; sul davanti, al di sotto della bocca più grande, quelle utili all'interazione e alla manipolazione.

«Vorremmo poterti stringere le ali» disse CalVin nella Lingua, mentre mio marito, imbambolato accanto a me, stese il braccio senza emettere fiato. L'Ospite gli afferrò la mano per un saluto, per lui privo di senso. Poi afferrò la mia.

Finalmente Scile ebbe modo di veder parlare la Lingua. Ascoltò. Pose solo delle brevi domande a CalVin che, con mia sorpresa, trovarono risposta.

«Non mi è chiaro. Sta dicendo che non riuscite a mettervi d'accordo su... qualcosa?»

«No. È...» «...più complicato di così.» «Aspetta.»

A quel punto, l'Ambasciatore tornò a parlare con l'indigeno. «*sunhaish* | *ko*» lo sentii chiedere. 'Per favore.'

«Ho capito quasi tutto ciò che si sono detti» mi disse in seguito Scile. Pareva molto eccitato. «Hanno usato tempi diversi. Gli Ariekei, intendo» disse. «Per parlare dei negoziati hanno usato il presente interrotto, ma poi si sono messi a parlare al presente-passato concluso. Significa che...» Tentai di interromperlo per dirgli che sapevo anch'io cosa volesse dire, ma volle spiegarmelo comunque. Come potevo non sorridere? Sarei stata ad ascoltarlo per centinaia di ore con affetto, sebbene non sempre con interesse. «Pensi mai che sia una lingua impossibile da parlare, Avice?» mi domandò. «Im-pos-si-bi-le. Non ha senso. Tra di loro non esiste polisemia. Non sono le parole a significare, perché esse sono solo dei referenti. Ma come possono definirsi delle creature senzienti e non avere un linguaggio simbolico? Come fanno a enumerare le cose? Non ha alcun senso. E gli Ambasciatori sono gemelli. Non c'è una mente unica dietro le loro parole...»

«Non sono gemelli, tesoro» risposi.

«Sì, certo. Hai ragione. Sono dei cloni. Dei doppi. Gli Ariekei pensano di sentire discorsi prodotti da un unico cervello, ma non è così.» Vedendomi incerta, continuò: «Non è così. Riusciamo a parlare con loro solo per via di un mutuo fraintendimento. Ciò che noi definiamo parole, in realtà non lo sono. Non sono portatrici di significato. Neanche le nostre menti sono delle menti.» Parve non apprezzare il mio divertimento. «È una cosa spettacolare» fece. «Non trovi? Come fa lo Staff ad allenare due persone e istruirle a pensare all'unisono?»

«Lo capisci, vero, che non sono due persone?» tentai di spiegargli. «È questo il segreto degli Ambasciatori. La dimostrazione che ti sbagli.»

«Ma avrebbero potuto esserlo. Avrebbe dovuto esserlo... quindi, che cosa hanno fatto?»

A differenza dei monozigoti, perfino le impronte digitali dei doppi erano modellate per combaciare alla perfezione. Un principio unico. Ogni sera e ogni mattina, gli Ambasciatori si correggevano. La microchirurgia delle menti artificiali scovava i segni e le abrasioni che una delle due metà aveva sviluppato rispetto all'altra durante il giorno o la sera precedente, replicandoli anche nella seconda, qualora non potessero essere sradicati dalla prima. Scile ci credeva davvero. E c'era dell'altro. Voleva vedere i bambini: i piccoli doppi tenuti nel nido. Dopo tutto quel tempo, riusciva ancora a scandalizzarmi parlando di cose simili. Le sue domande non trovarono alcuna risposta, ma si disse determinato a voler capire come venivano allevati.

***

Gli Ambasciatori e lo Staff entravano nella città degli Ospiti con regolarità, ma i soli a chiedere ulteriori dettagli erano i più giovani o i più sfacciati. Come bambini disobbedienti, hackerammo le comunicazioni e reperimmo disegni e annotazioni che reputammo segreti (molto pochi, ovviamente), a suggerirci il quadro della situazione.

«Qualche volta» esordì CalVin «capita che ci convochino in quelli che noi chiamiamo dibattiti. Non pronunciano alcuna parola, almeno nessuna che conosciamo: cantano.» «Poi, una volta che hanno terminato, noi, a turno, rispondiamo allo stesso modo.» «A quale scopo?» chiesi, e contemporaneamente CalVin mi rispose sorridendo: «Non lo sappiamo.»

Ognuno di noi si era messo in ghingheri per la festa successiva, molto diversa dalle precedenti. Giunto il momento, io indossai un abito ornato di giade cremisi e Scile uno smoking con una rosa bianca all'occhiello. Venne a prenderci una biomacchina ibrida, creata dalla tecnologia ariekeiana ma con gli interni su misura per le necessità terriane, pilotata dalla nostra mente artificiale.

Fummo esterrefatti quando il mio amante ci riferì che avremmo potuto accompagnarlo. Non si trattava di un ricevimento all'interno dell'Ambasciata, ma di un evento organizzato nella città degli Ospiti in occasione del Festival delle Bugie.

Avevo passato migliaia di ore a navigare nell'immer. Ero stata in un gran numero di porti e mondi differenti. Avevo perfino provato sulla mia pelle lo shock che noi barcamenanti chiamiamo déjà vu: quando, dopo esserci preparati ad affrontare le alterità celate da un mondo ignoto, ci ritroviamo a camminare in una capitale priva di esseri umani e a scrutare gli indigeni che ci passano accanto con il forte sospetto di esser già stati in quel luogo. Tuttavia, la sera in cui fummo chiamati a partecipare al ricevimento mi sentii più nervosa di quanto non fossi mai stata.

Sorvolai la città, ammirando l'edera e i tetti del mio piccolo ghetto dagli oblò della nave. Quando raggiungemmo la zona in cui le architetture urbane della mia giovinezza, costituite da foreste di edera e mattoni, mutarono in quelle più nuove, polimeriche e biomeccaniche degli Ospiti, trattenni il fiato: lì, i grovigli di viuzze si trasformarono in strade tutte analoghe. Costruzioni simili a edifici venivano abbattute per essere rimpiazzate. I cantieri parevano un'accozzaglia di mattatoi, aziende zootecniche e cave.

Il nostro gruppo era composto da circa venti persone: oltre a noi due e cinque Ambasciatori, per il resto erano tutti membri dello Staff. Io e Scile ci sorridemmo attraverso i nostri respiratori eolici portatili. Il viaggio durò poco e ben presto atterrammo sul tetto di un palazzo, per poi discendere al seguito dei nostri accompagnatori.

La città mi stupì con la sua struttura complessa e piena di multilocali. Chiunque conoscesse il mio portamento avrebbe riso, quella volta, vedendomi barcollare all'indietro in quella stanza. Soffitto e pareti non smettevano di girare, in un meccanismo di riposizionamento che faceva pensare al frutto di una unione tra granchi e catene. Un membro dello Staff fu così gentile da farci strada. Alla festa non notai neanche un'accompagnatrice ariekeiana. Sentii crescere la tentazione di fiondarmi a toccare le pareti. Ricordo che potevo sentire il battito del mio cuore. Li sentii arrivare e, in un attimo, ci trovammo in mezzo a una quantità impressionante di Ospiti.

Ogni camera era viva e faceva risplendere le sue cellule iridescenti al nostro passaggio. Gli indigeni conversavano parlando a turno, corrisposti dalle cantilene educate degli Ambasciatori. Vidi un gruppo di Ariekei all'ultimo stadio vagare nel corridoio con dignitosa incoscienza. Un ponte fischiò un saluto.

Per la prima volta nella mia vita, vidi degli Ospiti giovani, intenti a cucinare una minestra zampillante di anguille. Più distante, ci venne mostrato il nido da combattimento dove i feroci esseri al secondo stadio evolutivo lottavano tra di loro fino alla morte. Nell'ingresso, dove si intersecavano passerelle tenute da tendini e palchi che si adagiavano su strutture muscolari, c'erano centinaia di Ariekei radunati per il Festival delle Bugie, le ali prensili dispiegate e le ali acustiche decorate con inchiostri e pigmenti naturali.

Per gli Ospiti, parlare equivaleva a pensare. Per loro era inconcepibile riuscire a dire o affermare qualcosa che già si sapeva non corrispondere al vero, così come per me era impossibile credere a ciò che reputavo falso. Gli era difficile riuscire a comprendere concetti che la Lingua non poteva descrivere, facendoli rimanere più astratti dei sogni. Qualunque scenario immaginario fossero in grado di evocare era destinato a restare confuso e intrappolato nella mente del proprio ideatore.

Tuttavia, i nostri Ambasciatori erano esseri umani, capaci di mentire nella lingua degli altri tanto quanto lo erano nella propria. Gli Ospiti furono assai deliziati dalla scoperta. Tali celebrazioni di mendacità non si erano mai viste su Arieka prima dell'avvento dei Terriani. Si poteva dire che il Festival delle Bugie fosse nato insieme alla stessa Embassytown e rappresentasse uno dei primi regali alla popolazione locale. Ne avevo sentito parlare nel corso degli anni, ma mai avrei creduto di assistervi.

Gli Ambasciatori, dunque, si avvicinarono alle centinaia di A-riekei scalpitanti, mentre io, Scile e lo Staff – ovvero quelli che non sapevano parlare la Lingua – restammo a guardare. La sala era così gremita di ventricoli che riuscivo a sentirli respirare.

«Ci stanno dando il benvenuto» disse mio marito. «Anzi, stanno dicendo che, mmm, stiamo per assistere a dei miracoli, credo. Hanno chiesto al nostro primo 'qualcosa' di farsi avanti. È una parola composta, mmm, dovrebbe essere...» Parve concentrarsi: «Il nostro primo 'mentitore'.»

«Come fanno a dire quella parola?» chiesi.

«Be', sai» rispose. «Letteralmente hanno detto qualcosa del tipo 'quello che dice cose che non esistono'.»

Vennero tolti i mobili dalla stanza, che si riorganizzò in una sorta di anfiteatro. MayBel, una donna anziana ed elegante, si andò a posizionare di fronte a un Ariekeo, il quale sollevò un grosso fungo fibroso con le sue ali e collegò le fibre che penzolavano alle prese della zelle che saltellava tra le sue gambe. L'oggetto risuonò, poi emise un bagliore e cambiò colore fino a diventare di un blu madreperlaceo.

L'Ospite parlò. «Ha detto 'descrivilo'» sussurrò Scile. L'Ambasciatrice rispose: a May toccava l'inciso, a Bel l'eco.

Gli Ariekei si alzarono in piedi per ripiombare tutti quanti seduti, all'unisono, lasciando trapelare una forte eccitazione. Cominciarono a fremere e parlottare tra loro.

«Cosa hanno detto?» chiesi. «MayBel? Cosa...?»

Mio marito mi guardò incredulo. «Hanno detto che è rosso.»

La mentitrice fece un inchino e lasciò il posto al collega LeRoy, mentre il frastuono alieno continuò imperterrito. I loro strani interlocutori percossero le loro zelle e l'oggetto a cui erano connessi cambiò forma e colore, trasformandosi in una grande goccia verde. «Descrivilo» ripeté Scile, traducendo.

Le due metà simbiotiche di LeRoy si guardarono l'un l'altra, poi l'Ambasciatore iniziò a parlare. «Ha detto: 'È un uccello'» tradusse per me mio marito. Gli Ospiti ripresero a mormorare. Il termine era la forma abbreviata per indicare una specie volatile del posto, e indicava anche gli uccelli di Embassytown. L'Ambasciatore continuò a parlare e molti Ariekei urlarono, fuori controllo. «LeRoy dice che se ne sta volando via» mi sussurrò Scile oltre l'elmetto protettivo. Sarei pronta a giurare che tutti gli astanti allungarono i propri occhi corallini per verificare che quella massa plasmatica senza vita non stesse davvero per prendere il volo. Il nostro rappresentante decise di donare loro un'altra perla. «Sta dicendo che...» Il mio compagno corrucciò la fronte, poi continuò. «Sta dicendo che è diventato una ruota» proseguì, malgrado il pandemonio che si stava scatenando tra la folla.

Ogni Ambasciatore, a turno, fu chiamato a mentire. Gli Ospiti si fecero sempre più chiassosi, finché, di colpo, e con mia grande preoccupazione, parvero tutti intossicati: si erano ubriacati di bugie. Scile era inquieto. L'intera sala riecheggiava dell'entusiasmo degli Ariekei.

Poi toccò a CalVin, che iniziò a declamare: «'Le pareti stanno scomparendo'» tradusse ancora una volta Scile. «'L'edera di Embassytown ci sta avvolgendo le gambe...'» Gli Ospiti si piegarono a controllare i propri arti. «'...La stanza è diventata di metallo e, sia io che lei, stiamo diventando più grandi. Ci stiamo fondendo insieme.'»

Basta, pensai. Credo non fui l'unica. Qualcuno sussurrò qualcosa all'Ambasciatore, il quale fece un inchino e tornò a posto.

Pian piano, gli Ariekei si calmarono. Ero certa che la festa fosse finita, quando un gruppo di Ospiti si fece avanti a parlare.

«È una sfida» mi spiegò Cal – o forse Vin –, avvicinandosi sudaticcio. «Uno sport estremo» precisò l'altro. «Sono anni, ormai, che cercano di emularci.» «Alcuni di loro non se la cavano neanche troppo male.» Li osservai.

«Di che colore è?» chiesero gli esaminatori agli Ariekei decisi a competere. Tentarono di mentire uno dopo l'altro.

Quasi nessuno riuscì a farlo. Lo sforzo non produsse altro che pochi gemiti e schiocchi.

«Rosso.» Scile mi riportò le parole di uno di loro. Tuttavia, il bulbo era davvero rosso e l'interlocutore ariekeiano espresse il suo disappunto con un lamento. «Blu» disse un altro, ma anche in quel caso era la verità. A ogni tentativo, l'oggetto cambiava. «Verde.» «Nero.» Alcuni dei temerari non furono in grado di pronunciare neppure una parola, producendo solo una manciata di rumori, schiocchi e rantoli di fallimento.

Ogni più piccolo accenno di successo venne celebrato con gioia. Quando il bulbo colorato divenne giallo, un Ospite, un Ariekeo con le ali acustiche a forma di forbici, provò a mentire; prese a far tremare e ritrasse più di uno dei suoi occhi, raccolse tutte le forze, e disse qualcosa come 'giallo-beige'. Si trattò soltanto di una mezza verità, ma gli spettatori si mostrarono euforici.

Un gruppo di indigeni si avvicinò a noi. «Avice, questo è...» L'Ambasciatore pronunciò a turno i loro nomi.

Non capii mai il motivo di tanta carineria tra i miei simili e gli Ariekei. Essendo in grado di comprendere soltanto coloro capaci di parlare la Lingua e dotati di una mente pensante, dovevano ritenere alquanto strano che gli Ambasciatori continuassero a presentargli esseri muti e dimezzati. A parti invertite sarebbe stato come se un Ariekeo avesse insistito a farci salutare il suo animaletto a batteria.

Tuttavia, a quanto pare, mi sbagliavo. Seppur dietro suggerimento di CalVin, gli esseri non esitarono a stringermi la mano con le loro ali prensili. La loro pelle era fresca e asciutta e io serrai la bocca nel tentativo di reprimere ogni emozione (ancora oggi non so bene cosa abbia provato in quel momento). Quando la nostra guida disse il mio nome, gli Ospiti parvero appuntarsi qualcosa. Parlarono tra di loro e, subito, Scile fu al mio fianco a tradurre.

«Hanno detto: 'Lei?'» mi riportò. «'È lei la ragazza?'»

Ricordo recente, 3

Esistono più modi per distinguere un Ospite dall'altro: ogni ala acustica è dotata di impronte uniche (ogni osservazione riguardo a questo era solitamente seguita da noiosi commenti sul fatto che Embassytown restasse il solo luogo di Terre dove le impronte digitali erano tutte diverse). Ci sono sottili differenze in merito alla forma del carapace, agli aculei presenti negli arti o alla forma delle corna oculari. Devo ammettere di non aver prestato molta attenzione in quei giorni, né di aver imparato i nomi degli Ariekei incontrati, eccetto alcuni. È per questo motivo che non posso affermare con assoluta certezza di non aver mai incontrato prima quella delegazione di Ospiti che si unì a noi per rendere omaggio a EzRa, il nuovo improbabile Ambasciatore, nella Sala della Diplomazia, kilo/ore più tardi.

A giudicare dal loro aspetto, mi parvero tutti esseri senzienti di mezza età, credo al terzo stadio. Alcuni di loro indossavano delle fasce su cui erano indicate – in modo per me incomprensibile – la posizione ricoperta e le preferenze. Altri fecero il proprio ingresso adornati di gioielli orrendi dove il loro strato di chitina era più spesso. Gli Ambasciatori più anziani, MayBel e JoaQuin, li scortarono per tutta la stanza, offrendo a ciascuno di loro un bicchiere di champagne adeguatamente modificato per renderlo gradevole agli ospiti. A loro volta, questi afferrarono con garbo i calici e sorseggiarono la bevanda con le bocche che pronunciavano l'inciso. Mi accorsi che Ez li fissava.

«Sta arrivando Ra» mi avvertì Ehrsul.

«Come dobbiamo chiamarlo?» chiesi. «Cosa sono Ez e Ra? Certo, non dei doppi.»

Ovunque si trovasse e chiunque fosse la persona accanto a lui, sono certa che Scile stesse vivendo quella strana situazione con il mio stesso stato d'animo. Ez e Ra si ricongiunsero e cambiarono il loro portamento, quasi mutando sembianze.

Com'era possibile?

L'intero sistema era rimasto immutato, nel corso di migliaia di ore, anni. Gli anni in vigore a Embassytown, il sistema con cui sono cresciuta, sono formati da lunghi mesi – i nomi ricordano con sciocca nostalgia quelli di un calendario più antico –, e sono a loro volta composti da un gran numero di settimane della durata di dodici giorni. Da circa un secolo locale a questa parte, ovvero da quando Embassytown era stata fondata, ogni cosa era rimasta in ordine. Gli allevamenti per i cloni avevano continuato a produrre. I sistemi educativi avevano trasformato semplici doppi in Ambasciatori dotati delle abilità governative richieste. Tutto sotto l'egida di Bremen, ovviamente: era la nostra potenza guida, gli orologi e i calendari dei nostri uffici pubblici erano scanditi dal fuso orario di Charo City. Tuttavia, essendo così distanti, nell'immer, ogni cosa era sotto il controllo dello Staff.

Una volta CalVin mi disse che le aspettative di Bremen sulle riserve auree ariekeiane, sui loro beni di lusso e su altre particolarità erano state sopravvalutate. Ciononostante, la loro tecnologia era senz'altro preziosa. Assai più elegante e funzionale di ogni altra rozza chimera o disonesta connessione particellare messa in atto su Terre, era estratta dal plasma e modellata dalla maestria degli Ospiti, in un modo che non eravamo in grado di riprodurre e che la nostra scienza riteneva addirittura impraticabile. Era sufficiente? In ogni caso, non ci si sbarazza mai di una colonia.

Ma perché a Charo City si erano presi il disturbo di istruire un tale improbabile Ambasciatore? Avevo sentito parlare, come tutti gli altri del resto, della storia di quell'esperimento e del suo stravagante risultato: un altissimo livello di empatia secondo i parametri del MDEC. Tuttavia, pur riconoscendo a questi due amici un simile legame (in base a chissà quale contingenza psichica), perché mai proclamarli addirittura Ambasciatori?

«Wyatt è eccitato» mi fece notare Ehrsul.

«Lo sono tutti» osservò Gharda, sopraggiunta dopo aver riposto il suo strumento, al termine del concerto. «Perché non dovrebbero?» domandò.

«Signore e signori.» Le voci di JoaQuin risuonarono negli altoparlanti nascosti. Lui e MayBel presero a elogiare gli Ospiti. Una volta finito, diedero il benvenuto al nuovo Ambasciatore.

Avevo già partecipato a delle feste di presentazione, ovvero quando gli Ambasciatori diventavano maggiorenni (giovani doppi, strani, arroganti e affascinanti allo stesso tempo, che salutavano la folla). Questa volta, però, era tutto diverso.

JoaQuind disse: «Oggi è un giorno straordinario. Ci troviamo tutti qui per assolvere a un compito...» «...invidiabile, strano...» «...un nuovo tipo di benvenuto. Qualcuno di voi ha forse già sentito che abbiamo un nuovo Ambasciatore?» Seguirono delle risate sommesse. «Negli ultimi giorni abbiamo passato parecchio tempo insieme...» «...per conoscerci.» «Oggi è una giornata particolare.» «Senti, senti» disse RanDolph. «Essere qui, in questo giorno, è un privilegio, un evento che, converrete con me...» «...entrerà nella storia. È un momento speciale.» «Signore e signori...» «...Ospiti...» «...e tutti voi in sala. Embassytown è lieta di accogliere...» «...l'Ambasciatore EzRa.»

Non appena gli applausi cessarono, JoaQuin si voltò verso gli Ospiti che gli stavano accanto per riferirgli il nome del nuovo rappresentante nella Lingua: «*ez | ra*.» Gli Ospiti allungarono gli occhi corallini.

«Grazie, Ambasciatore JoaQuin» ribatté Ez. Questi si consultò con Ra a voce bassa e poi riprese: «È davvero un piacere essere qui.» Fece un paio di ringraziamenti di rito. Il mio sguardo si posò sull'altro elemento della coppia. La presentazione di Ra non fu molto più lunga del suo stesso nome.

«Non sappiamo dirvi quanto ci sentiamo onorati» fece il primo. «Embassytown è uno degli avamposti più importanti di Bremen, nonché una vibrante comunità. Le parole non sono in grado di esprimere tutta la nostra gioia. Speriamo ardentemente di integrarci al meglio con voi, così da poter lavorare insieme per il futuro della comunità di Embassytown e nell'interesse della capitale.» Ez aspettò la fine degli applausi.

«Siamo ansiosi di metterci al lavoro» ripeté Ra. Staff e Ambasciatori cercarono di nascondere il nervosismo, altri l'entusiasmo.

«Sappiamo che avete delle domande» disse Ez. «Prego, non esitate a chiedere. Sappiamo bene di non rappresentare la normalità, al momento...» Sorrise. «Saremo felici di parlarvene, sebbene non siamo del tutto consapevoli del motivo e del modo in cui riusciamo a farlo. La nostra situazione è un mistero anche per noi.» La battuta non ottenne l'esito sperato. «Se volete scusarci, ora vorremmo fare una cosa per cui ci siamo allenati tanto. Siamo un Ambasciatore – sono davvero orgoglioso di dirlo –, e abbiamo un lavoro da svolgere. Vorremmo ringraziare i nostri amati Ospiti.» L'applauso, questa volta, parve genuino.

Le VESPcam cominciarono a sciamare e sugli schermi a parete vennero trasmesse le immagini – riprese da tutte le angolature – di Ez e Ra mentre si dirigevano verso gli Ospiti, scortati dai loro nuovi colleghi. Gli Ariekei si disposero a semicerchio. Non so che idea si fossero fatti della situazione ma, se non altro, avevano appreso che quello davanti a loro era il nuovo Ambasciatore *ez | ra*.

Le due metà simbiotiche di EzRa si consultarono tra loro come qualsiasi altro dei nostri Ambasciatori, sussurrandosi l'un l'altro le parole da dire per prepararsi. Gli Ospiti allungarono gli occhi un'altra volta. Ogni cosa, su Terre, sembrò raccogliersi nella stanza e trattenere il respiro. Con una mossa teatrale, EzRa si voltò e iniziò a parlare in Lingua.

Ez era l'inciso e Ra l'eco. Avevo sentito spesso parlare quella lingua e posso dire che la loro dizione era bella ed elegante. Anche l'accento e la prosodia erano buoni. Le due voci, insieme, ben assortite. Dissero agli Ospiti che era un onore fare la loro conoscenza: «*suhail | shurasuhail.*» Davvero un bel saluto.

In quell'istante ogni cosa cambiò. Le due metà simbiotiche di EzRa si guardarono a vicenda e si sorrisero. Era stato il loro primo discorso ufficiale. Sono certa che tutti avremmo applaudito, se non fosse stato fuori luogo. Penso che la maggior parte dei presenti non credeva affatto nella loro riuscita.

Troppo impegnati a sentirli parlare e a mettere alla prova le loro abilità, non ci accorgemmo del cambiamento. Nessuno fece caso alle reazioni degli Ospiti.

Parte seconda

Festività

Ricordo recente, 4

Tutti gli occhi erano puntati sul nuovo Ambasciatore. Ez parve quasi mettersi sulla difensiva, aprendo e chiudendo i pugni. Sono certa la cosa gli piacesse. Alzò lo sguardo verso gli Ospiti, accigliato. Ra, invece, li guardò di traverso, ergendosi in tutta la sua altezza, tanto che sembrò vacillare in parte. La differenza tra i due era così marcata da assumere i contorni di una pantomima perpetrata da ormai troppo tempo: vederli l'uno accanto all'altro mi faceva pensare a Stanlio e Ollio, a Merlo e Rattleshape, a Don Chisciotte e Sancio Panza.

Finito di parlare, l'intera Sala della Diplomazia si trovò immersa in un'atmosfera strana, così tangibile che parve scuotere l'edera presente nella stanza. Mi voltai verso Ehrsul con fare interrogativo. Capimmo subito l'importanza della cosa, ma impiegammo qualche secondo prima di renderci conto della tragedia.

Gli Ospiti ondeggiavano come in preda a una burrasca. Uno di loro cominciò a dimenare le sue ali in modo spasmodico. Un secondo parve pietrificato. Un altro ancora prese ad aprire e chiudere ossessivamente le membrane.

Tre di loro erano connessi alle proprie zelle attraverso un groviglio carnoso che iniziò a grondare sostanze chimiche o energia. Lo strano comportamento dei padroni infettò anche i rispettivi animali da compagnia, i quali, a loro volta, cominciarono a vacillare ed emettere suoni mai sentiti.

Poi, con fare lento e inquietante, tutti gli Ariekei emersero dal loro stato di trance, all'unisono. I loro occhi corallini tornarono a vedere. Si stiracchiarono e sgranchirono le gambe, come appena svegli. Le due metà simbiotiche di EzRa aggrottarono la fronte, bisbigliarono tra loro, e poi tornarono a parlare.

«Per caso, i corpi e le menti degli Ospiti sono affetti da un morbo di origine biologica o da reazioni allergiche alle condizioni ambientali?» chiesero. «Avete riportato danni? State tutti bene?» Sembrò quasi che Ez stesse balbettando strofe di un poema mentre Ra riproduceva il canto degli uccelli. A sentirli parlare, tutti gli Ariekei insieme alle loro zelle sobbalzarono di nuovo, orrendamente. Questa volta l'alterazione si fece più intensa e rumorosa quando uno di loro levò un gemito dalla bocca che produceva l'inciso.

JoaQuin e MayBel si consultarono tra loro, agitati. MayBel si avvicinò agli Ariekei che, poco a poco, diedero cenni di ripresa. Per la prima volta dopo tanto tempo, io e CalVin tornammo a guardarci l'un l'altro, dai lati opposti della stanza. Nei suoi occhi non lessi altro che paura.

Lo Staff si riversò nella sala insieme agli altri Ambasciatori per scortare gli Ospiti via da quel luogo. Una volta ripresa coscienza, gli Ariekei cominciarono a declamare a gran voce, interrompendosi a vicenda, in modo caotico. Le domande riguardavano tutte il nuovo arrivato. Nonostante la mia limitata conoscenza della Lingua, riuscii a capire che non facevano altro che chiedere dove fosse ez | ra.

«Signore e signori, è tutto a posto.» La voce proveniva da una delle metà di JoaQuin. Qualcun altro suggerì ai musicisti di riprendere a suonare e questi eseguirono. A dire il vero, non mi ero nemmeno accorta che avessero smesso. I camerieri cominciarono nuovamente a circolare affaccendati tra gli astanti. Simmon, con fare misurato ma in evidente stato di allerta, si defilò insieme agli ufficiali della Sicurezza.

«Ci scusiamo per l'imprevisto» continuò l'Ambasciatore JoaQuin. «I nostri invitati, gli Ospiti, sono stati costretti a...» Fece una pausa per riflettere. «C'è stato un piccolissimo qui pro quo...» «...

niente di grave...» Vidi LoGan, CharLott, LuCy e AnDrew allontanare gli Ariekei. «Niente di cui preoccuparsi. Colpa nostra...» ironizzò. «Ce ne stiamo già occupando.» «Come abbiamo detto, non c'è niente di cui preoccuparsi!» «Brindiamo. La festa continua.»

Molti abitanti del posto non videro l'ora di essere tranquillizzati, mentre i nuovi arrivati e gli ospiti di passaggio non conoscevano la gravità effettiva della situazione. Alzammo i calici.

«Alla salute del capitano della Tolpuddle Martyrs' Response e del suo equipaggio di immergenti...» riprese JoaQuin. «Alla salute dei nostri immigrati e dei nuovi concittadini...» «...E, soprattutto, dell'Ambasciatore EzRa. Possa avere una lunga e felice carriera qui a Embassytown.» «A EzRa!»

Ripetemmo tutti il suo augurio. Nell'impeto del gesto, perfino le bevande si sollevarono dai bicchieri per brindare con noi. L'Ambasciatore si voltò a guardare in direzione della porta da cui gli Ospiti erano usciti. Fu merito dello Staff se la festa proseguì. Nel giro di dieci minuti la maggior parte delle persone prese a comportarsi come se nulla fosse accaduto.

«Che diavolo è successo?» sussurrai a Gharda.

«Non ne ho la più pallida idea» ribatté lei.

Non riuscivo a vedere Scile. Nella stanza c'era ancora un discreto numero di Ambasciatori e membri dello Staff. Mi avvicinai a EdGar che, con mia grande sorpresa, mi evitò. Lo chiamai così forte che non poté fingere di non aver sentito. Si voltò solo per liquidarmi con un secco: «Non è il momento, Avice.»

«Non sai nemmeno cosa voglio» insistetti.

«Davvero, Avice.» «Non adesso.» E si congedò senza neanche voltarsi a guardarmi, continuando a sorridere alle persone che lo salutavano.

Per un attimo, la folla si separò, permettendomi di scorgere la figura di Cal (o Vin). Il suo sguardo era ancora fisso su di me. Fui paralizzata dallo spavento: l'altra metà simbiotica non era con lui. Di colpo, la calca si ricompattò, nascondendolo.

Gharda tornò nuovamente in sala al braccio del pilota, mi vide ed esitò. Nonostante la strana espressione inquisitoria sul suo volto, non trattenni un gesto di saluto. Non importava quanti viaggi avessi compiuto in più rispetto alla classe al potere, né quanto fossi stata utile condividendo le informazioni in mio possesso, o con quanta avidità loro le avessero recepite: quando EdGar mi voltò le spalle mi sentii una nullità. Le decisioni in merito all'accaduto e a ciò che ne sarebbe conseguito spettavano ai soli Ambasciatori, riuniti in una sessione a porte chiuse. Erano loro a fare le leggi.

Ricordo datato, 3

È passato molto tempo dal giorno in cui fui chiamata a partecipare a quello strano rituale all'interno del ristorante abbandonato. In alcune occasioni Staff e Ambasciatori mi riferirono che, sebbene io non fossi presente, gli Ariekei avevano tenuto una festa in mio onore. Tuttavia, la cosa non mi impensierì più di tanto; questo fino al momento in cui, dopo la gara di bugie, gli Ospiti scoprirono chi fossi.

Parlarono con rapidità, allungando i loro bulbi corallini. Scile mi riferì che, discutendo con CalVin, gli avevano confessato di parlare di me ogni giorno. «Senza di lei,» disse un Ospite all'Ambasciatore «non avrei mai potuto riflettere su ciò a cui bisognava pensare.»

Lei? Ecco ciò che definivamo un 'mistero da risolvere'. Per gli Ospiti, gli Ambasciatori erano da considerare come dei binomi corporei dotati di una sola mente? E, se così fosse stato, pensavano a noi come a dei semplici esseri a metà, insignificanti, delle macchine? Nient'altro che marionette nelle mani di chi era al potere? La volta in cui interpretai la similitudine mi fu chiesto di tornare, ma non sapevo se sarei stata loro ospite, un oggetto da esposizione o quant'altro. Quando arrivammo, gli Ospiti si presero cura di noi, anche se non credo avessero capito che eravamo persone.

Accettai l'invito sapendo che Scile sarebbe stato al mio fianco. Per lui era come un regalo, e si mostrava affettuoso nel riceverlo, sebbene credo avesse più voglia di me di parlare e fare rapporto sugli eventi delle varie serate. Ci condussero nella Sala degli Ospiti. Come al solito, c'erano Ambasciatori, ministri e altre figure, tutti impegnati a chiacchierare di quei piccoli segreti che mi avevano accompagnato per tutta la vita e per i quali il personale era costretto a fare avanti e indietro dalla città. Ogni cosa, in quell'occasione, parve disturbarmi. Per tutto il tempo, continuai a tenere d'occhio gli Ambasciatori, intenti a conversare con gli Ariekei nei loro corridoi carnosi, luoghi in cui nessun essere umano si sarebbe sentito a proprio agio.

I miei amici, estranei a questo tipo di eventi, accolsero con eccitazione la notizia. «Una festa? Una festa delle bugie?» fece Gharda al ricevimento seguente. «Gli Ospiti hanno chiesto di te?» incalzarono gli altri, radunandomisi attorno, desiderosi di ottenere dettagli sulla città. Alcuni si fecero scappare un 'Che figo!', proprio come quando eravamo bambini, e la cosa mi fece sorridere.

So per certo che la mia presenza occasionale nella città fosse un fastidio per gli Ambasciatori. A nessuno di loro piaceva avermi intorno. Era questo il loro segreto. Dopo ognuna di quelle visite, lo Staff prendeva a interrogarmi in maniera estenuante chiedendomi cosa avessi visto e sentito.

La seconda volta che mi recai nella città degli Ospiti fui portata in un salone diverso dal precedente e in compagnia di altri quattro umani con le luci enzimatiche che fluivano dalle loro maschere e-oliche. Ricordo che passai accanto a una collezione di oggetti a me ignoti e animali ariekeiani narcotizzati. Tra i miei compagni c'erano le due metà simbiotiche dell'Ambasciatrice LeNa, che mi ignorarono. Gli altri due erano dei civili come me.

«Ciao» disse il primo salutandomi. Mi sorrise entusiasta, ma io non ricambiai. «Sono Hasser: sono un esempio. Davyn è un argomento. Tu sei Avice, non è vero? La similitudine.»

Né questo, né gli altri eventi a cui partecipai furono minimamente paragonabili al primo, dimostrandosi assai più caotici e (come ebbi modo di apprendere) carenti nell'organizzazione. Per un po', la tendenza degli Ospiti era stata quella di organizzare convegni, celebrazioni della Lingua che andassero oltre la rara capacità del mentire. In simili occasioni, tentavano di raccogliere quanti più elementi e parlanti possibile, tutti utili a costruire situazioni comunicative: gli oggetti in questione erano esseri animati e inanimati, senzienti e non. Ognuno di noi veniva esaminato, utilizzato, teorizzato, anche senza consenso. Non dovevamo far altro che restarcene seduti a sopportare gli affanni, i balbettii e le cantilene dei discorsi in cui parlavano di noi. Trovai la cosa molto meno coinvolgente della devozione osservata la prima volta nei confronti delle bugie.

Scile tentò di tradurre i ruggiti degli incisi e i sussurri delle eco che cullarono il mio nome durante i loro dialoghi. Gli Ospiti continuarono a muoversi irrequieti, dividendosi in fazioni avversarie. A quanto ne so, ci fu una polemica tra coloro che mi reputavano una figura retorica utile e coloro che credevano il contrario.

Fu una discussione strana, viziata. Alcuni Ariekei osservarono che avrebbero potuto ottenere parole e di conseguenza pensieri migliori di quelli messi loro a disposizione, se io stessa fossi stata creata per uno scopo diverso da quello mostrato fino ad allora. Affermarono che sarei stata una similitudine utile a chi avesse voluto parlare di qualcosa di specifico, ma che non sarei stata in grado di descrivere cose diverse da me. Ovviamente, i nomi di queste cose vennero taciuti nel corso della diatriba, perché nessun Ospite era capace di nominare niente che non potesse conoscere e, dunque, pensare.

«Però...» esordì Scile, scontento.

«Quei pensieri devono pur essere da qualche parte, nei meandri delle loro menti» lo interruppi. «È per questo che sono arrabbiati? Si rifiutano di accettare la cosa.»

«Aspetta» disse. «Uno sta parlando di te: è un paragone, è... è qualcosa di nuovo. Non capisco. Non riesco a capire.»

«Va tutto bene, tesoro, è soltanto...»

«Ehi» bisbigliò. «Stanno usando anche le altre figure retoriche.» Indicò i nostri compagni e concittadini. Gli Ospiti li stavano fissando. Mio marito si voltò stupefatto. «Se ho capito bene, quell'uomo, Hasser, ci ha mentito. Non è affatto un esempio: è una similitudine proprio come te.»

Nonostante le ultime rivelazioni, credetti comunque di non aver perso la mia efficacia, dato che nel corso delle settimane seguenti gli Ospiti continuarono a convocarmi alle loro riunioni.

Tra me e CalVin si era insinuato qualcosa. Per settimane, durante i nostri incontri amorosi, mi divertivo a stuzzicarlo dicendo che riuscivo a distinguere le due metà simbiotiche già dal modo in cui mi toccavano. Probabilmente sapeva che in fondo era vero. La prima volta che facemmo sesso, manifestai un entusiasmo da ragazzina all'idea di 'dormire con un Ambasciatore'. Ad ogni modo, quella vertigine non durò a lungo.

Ricordo le sensazioni che provai, il freddo degli anelli di collegamento posti sui loro colli, gioielli minimalisti in grado di amplificare la trasmissione del pensiero da uno all'altro. Ricordo di averli osservati toccarsi a vicenda in un insolito e curioso atto di erotismo. In seguito, sul mio viso apparve un sorriso lascivo, quando riuscivo a distinguerli. Si trattò solo di una provocazione. «Cal» indicai il primo, e poi «Vin» il secondo. «Cal... Vin.» A volte reagivano con una risata, a volte distogliendo lo sguardo. Il momento ideale per carpirne le differenze era il mattino, grazie ai segni lasciati dalla notte, come la faccia premuta sul cuscino o le borse sotto gli occhi. L'abluzione di CalVin non durava mai molto. Si chiudeva a chiave nella stanza della correzione per poi riemergerne con tutti quei piccoli segni rimossi o replicati.

Nemmeno a lui andava a genio la mia continua presenza a riunioni e conferenze. Eppure, era difficile che lo Staff rifiutasse una richiesta fatta dagli Ospiti. Una volta, a proposito di qualche sciocchezza che avevo notato, una delle due metà simbiotiche di CalVin sbottò in modo furioso, dicendomi che gli Ambasciatori non contavano un cavolo, che erano lo Staff e i loro collaboratori a prendere tutte quelle dannate decisioni, e che lui aveva meno voce in capitolo di chiunque altro.

Di tanto in tanto, litigavamo. Dopo un alterco che non ero stata io a cominciare, Cal o Vin si fermò sulla soglia a fissarmi con un'espressione che non riuscii a decifrare, mentre uno dei due imboccò la porta e andò via. Sono quasi certa che non mi sarebbero piaciuti, se fossero stati in grado di immergersi, ma dubito anche che mi sarebbe importato.

«Non è la stessa cosa» dissi a quello rimasto. «Sarai anche in grado di parlare la Lingua, ma io ne faccio parte.»

Alcuni Ospiti sembrarono voler presenziare a ogni evento in cui fossi presente, dimostrando di preferire la mia similitudine alle altre. Esaltarono l'utilizzo della mia similitudine rispetto a tutte le altre allegorie e formulazioni retoriche impersonate, in differenti maniere, da uomini, donne o altri oggetti presenti. «Sembra che tu abbia dei fan» disse Scile. Questi furono i miei mesi di gloria.

Mi capitò più volte di incontrare Hasser. Ce ne stavamo entrambi in piedi, in attesa, mentre quegli esseri si lanciavano in aspre discussioni. Alcuni oppositori della Lingua spinsero per ottenere una riformulazione delle figure inscenate da me e dal mio collega. Un esperimento cognitivo di questo tipo era giudicato di cattivo gusto, stando alle reazioni degli altri Ospiti. Più tardi, chiesi a Scile se avesse sentito qualcosa riguardo a Hasser e di cosa si trattasse.

Mio marito capiva la Lingua tanto quanto un Ambasciatore, ma la sua risposta fu: «Non ho capito un accidenti di come funzioni la cosa. Non vedo alcun tipo di legame tra il vostro significato e gli argomenti di cui stanno parlando, tra la cosa cui vi paragonano e quello che è il vostro utilizzo. Mi chiedi cosa pensano di Hasser? Be', la risposta è che non lo so.»

«Non ti ho chiesto questo.»

«Vuoi sapere letteralmente cosa significhi?»

«Esatto. Ti sto chiedendo l'espressione che usano per riferirsi a lui. Tipo 'la ragazza che mangiò'... e tutto il resto.»

Scile esitò. «Non ne sono certo,» disse «ma credo sia qualcosa come... hanno detto che è 'come il ragazzo che è stato aperto in due e poi richiuso'.» I nostri sguardi si incrociarono.

«Mio dio» esclamai.

«Sì. Non posso dirlo con certezza, ma... credo sia corretto.»

«Cristo.»

Quando il corvide ci ebbe riportati a Embassytown chiesi a Hasser perché mi avesse mentito riguardo alla similitudine.

«Mi spiace» rispose. «Dunque, hai sentito?» Sorrise. «È complicato. Penso spesso al fatto di essere una similitudine. Non so come ti senta tu, ma... per alcuni di noi, se tu volessi... se volessi parlare dell'accaduto,» parve guardingo ed eccitato al tempo stesso «insomma, alcuni di noi la ritengono una cosa importante.»

«Parli della similitudine?» chiesi. «Tu... Sputa il rospo, forza.»

Così mi spiegò che lui e i suoi amici erano a conoscenza di altri tropi e atti linguistici, ma che le uniche ad aver costituito una comunità a parte erano proprio le similitudini. Nel momento esatto in cui mi rivelò il suo segreto sentii di odiarli tutti.

«Non so perché tu sia stata estromessa» continuò. «Gli Ospiti parlano di te, ma sembrano essersi dimenticati di renderti partecipe di questi eventi per parecchio tempo. Hai idea del motivo?»

«Suppongo sia perché far parte della Lingua non è mai stata una mia priorità» risposi. Potrebbe darsi che Hasser abbia percepito un po' del mio disappunto in quell'occasione. Se non avessi preferito imparare a immergermi e viaggiare nello spazio, forse li avrei incontrati in qualche bar, sala o osteria in cui avrei senz'altro cominciato a passare il mio tempo libero. Uno strano stile di vita e di notorietà, ma pur sempre qualcosa. Volli scusarmi per quel ghigno. Gli chiesi cosa significasse quell'esperienza per lui. All'inizio si mostrò riluttante, ma poi mi rispose: «Ne faccio parte! Io sono la Lingua.»

Ricordo recente, 5

Nessuno dei presenti dotati di buonsenso credette minimamente che la festa fosse tornata alla normalità. «Ehrsul» chiamai con tono sommesso, ma quando la mia amica mosse le gambe robotiche del suo telaio fu per venire a riferirmi di non essere riuscita a hackerare nessuno dei sottufficiali e a capire così cosa fosse accaduto.

Intercettai le ultime due rappresentanti che non avevano ancora lasciato la stanza, MagDa ed EsMé. «Che sta succedendo?» domandai. «MagDa. Per favore.»

«Dobbiamo...» disse EsMé. «Si tratta di...» «È tutto sotto controllo.»

«MagDa, che succede?»

Mag e Da ed Es e Mé si guardarono tra loro come sul punto di dire qualcosa. A EsMé non ero mai piaciuta. La sua opinione su di me coincideva con il luogo comune che circolava tra gli Ambasciatori: ai loro occhi non ero altro che una fuggiasca pentita e un'immergente che amava barcamenarsi. Nonostante questo, esitò.

Fui sorpresa dal vedere Scile comparire alle mie spalle. Ci guardammo per un attimo, entrambi senza nemmeno tentare di nascondere il senso di indifferenza reciproca. «MagDa,» disse «devi venire a parlare con Ra.»

Mancai di tempismo. I cinque si scambiarono un cenno di intesa e poi fecero per avviarsi. Afferrai Scile per il braccio cercando di mostrarmi impassibile e lui si voltò con la mia stessa espressione. Non mi sorprese affatto che fosse più informato di me in merito a quanto si era verificato. Aveva passato molto tempo a parlare con lo Staff e a fare comunella con gli Ambasciatori, da sempre concentrati sui metodi di impiego della Lingua. Da quando le cose a Embassytown erano cambiate e discorsi simili avevano acquisito maggiore importanza, anche gli atteggiamenti nei confronti delle sue teorie erano mutati profondamente. Il lavoro aveva reso mio marito un personaggio di gran lunga più utile di me.

«Allora?» gli chiesi, con una sfacciataggine che sorprese anche me: i barcamenanti erano abituati a fare ciò che dovevano. «Cos'è successo?»

«Avvy» rispose. «Non posso dirtelo.»

«Scile! Sai cosa sta succedendo?»

«No. Non lo so. Mi hanno... Davvero, non lo so. Di certo, non è ciò che mi aspettavo.» Due persone vicino a noi fecero tintinnare i loro calici come fossero campanelle. I musicisti, ormai ubriachi, lasciarono che le loro melodie andassero alla deriva. Molti degli abitanti del luogo avevano approfittato di quell'unica occasione utile per incontrare l'equipaggio di immergenti. Vidi dei gruppetti di persone abbandonare la festa e mi tornò in mente il sex appeal preso in prestito dall'immer. Anch'io ne avevo goduto appena ritornata: una manciata di settimane inebrianti.

«Devo andare ora» disse lui. «Hanno bisogno di me.»

Poi EsMé lo prese sottobraccio, un doppio per ogni lato. Sono certa sapesse che i rapporti tra me e Scile erano tutt'altro che idilliaci e probabilmente ne conosceva anche la ragione. Tuttavia, dubito andassero a letto insieme. I flirt di Scile erano brevi e occasionali. Sebbene ogni tipo di matrimonio bremeniano fosse legale nel nostro avamposto, i locali non esitavano a reclamare il diritto di rapporto esclusivo, sul modello della proprietà privata. Provavo invidia nei suoi confronti, pensando a ciò che era diventato e ai segreti che aveva appreso.

Il mio appartamento distava mezz'ora da lì ed Ehrsul mi accompagnò. Avevo viaggiato in un mucchio di posti e, ovunque fossi stata, avevo notato che ogni persona disponeva di un veicolo personale. Eppure, anche le strade più larghe di Embassytown erano troppo strette – e a volte troppo scoscese – per avere dei veicoli. Per fare alcune rotte c'erano animali da trasporto e carrozze biomeccaniche, che cambiavano le ruote in zampe, quando necessario. La maggior parte dei miei concittadini, tuttavia, preferiva andare a piedi.

Il nostro era un avamposto piccolo e affollato, la cui popolazione aumentava a seconda delle possibilità scandite dalla cappa di aria respirabile fornita dagli eoli. La città degli Ospiti si stagliava tutt'intorno, tranne nel punto più a nord, dove iniziavano le pianure a-riekeiane. L'abusivismo edilizio era tollerato: incorrere in vere e proprie stanze suturate alle pareti di quelle già esistenti, adagiate sui tetti o a ridosso dei vicoli come fossero delle gronde era all'ordine del giorno. Stanze sempre pronte a essere abbandonate. Una simile massimizzazione degli spazi trovava spesso il tacito consenso anche dello Staff. Sparpagliati ovunque, si vedevano mucchi di circuiti e pezzi biomeccanici semiesauriti. I vicoletti più nascosti brulicavano di tecnologie terriane tenute insieme dalla sola fortuna, a ricreare ciò che alcuni avrebbero definito un contesto domestico.

Sopra Embassytown si inarcava la stessa Ambasciata, che si e-stendeva verso le pianure, e, circa cento metri sopra, svettava la costruzione più alta del luogo: un gigantesco pilastro che ai lati si ramificava in tutta una serie di piattaforme impiegate di frequente per l'atterraggio e il decollo di corvidi bioluminescenti. La sede dei nostri rappresentanti pareva fondersi pian piano per poi rinsaldarsi alle sue fondamenta, divenendo parte integrante delle strade, circondate dal suo abbraccio pietrificato. Solo il cinquanta percento delle aree interne dell'Ambasciata e dei quartieri dello Staff era battuto dalle strade. Io e la mia amica scendemmo utilizzando un a-scensore a pannelli per poi proseguire attraverso vialetti, corridoi che in seguito si trasformavano in camminamenti a metà tra un corridoio e una strada, portici semiaperti dotati di finestre prive di vetri, e infine nelle strade vere e proprie, all'aria aperta.

«Siamo fuori, finalmente» esclamai.

«Be', non proprio» ribatté Ehrsul. «Siamo ancora sotto la cupola eolica.» La nostra bolla d'aria.

Riflettei sul fatto che Ehrsul si era rifiutata di lasciare Embassytown, sebbene fosse in grado di sopravvivere all'esterno. Giustificai la sua scelta pensando che non fosse stata programmata per provare interesse nei confronti della città degli Ospiti. Smisi di pensarci. Una volta arrivate al mio appartamento, sorseggiai un altro po' di vino in compagnia dell'automa, che per solidarietà si

accinse a imitarmi facendo bere alla sua immagine digitale un o-
logramma del mio stesso bicchiere. Si connesse al localnet dal mio
router, ma non riuscì a trovare nulla su quanto successo durante
la serata.

«Ci riproverò più tardi» disse. «Non offenderti, ma il tuo computer... ha la stessa utilità di un sasso.»

Ero stata a casa sua più di una volta e la ricordavo piccola e di-
sordinata ma con le pareti piene di quadri, una cucina e mobili utili
ai suoi ospiti umani e non; c'era perfino un tavolino shur'asi tanto
bello quanto osceno. L'intero appartamento e il suo gusto nello scegliere l'arredamento dovevano essere stati concepiti per mettere a
proprio agio chiunque andasse a trovarla. I dipinti, il tavolino da
fumo e il tappeto di importazione erano tutte componenti di un
sistema operativo che rendevano Ehrsul un'automa facile da usare.
Ma queste divagazioni erano inutili: tornai a pensare a quanto successo con EzRa.

Ricordo datato, 4

Ricevetti una chiamata da Hasser. «Chi ti ha dato il mio numero?» esordii.

«Non ti agitare» rispose. Il suo tono non parve affatto intimidito, sebbene avessi fatto sfoggio dei miei modi rozzi da spaccona. «Non è difficile rintracciarti. Vediamoci per un drink.»

«Perché mai dovrei accettare?»

«Non farti pregare» continuò. «Devo presentarti qualcuno.»

Le similitudini si erano date appuntamento presso le rovine, nella parte più fatiscente della città. Il posto non era affatto vicino, e mi ci volle quasi tutta la mattinata per raggiungerlo. Passai davanti a molti automi senzatetto. La strada per arrivarci costeggiava il muro delle monete: come tutte le volte che passavo di lì, non mi trattenni dal lanciare un'occhiata furtiva alla porta.

In passato, mi era già capitato di essere stata costretta a trascorrere più tempo del dovuto nei quartieri malfamati di Charo City. La maggior parte dei porti in cui sono sbarcata o da cui sono ripartita si trova in zone come quella: sembra quasi che il degrado sia la diretta conseguenza di qualche morbo portato dalle navi. Ogni volta che mi ritrovavo a una festa, accanto a un riformatore che amava riempirsi la bocca con temi simili, solitamente mi intromettevo nella discussione: «Ah, parlate di bassifondi? Be', amici miei, sapete tutti in quali postacci sono stata. Postacci di ogni tipo. Credetemi, non abbiamo niente del genere: i bassifondi sono ben altra cosa.»

Nei nostri porti non c'erano bambini vestiti di stracci e intenti a giocare con le loro barchette di carta in qualche pozzanghera di acqua stagnante, né persone in cerca di cibo disposte a vendere il corpo a immergenti e turisti stranieri o a biocorsari bramosi di porzioni di carne o DNA. Da noi non esistevano capanne di canne e fango pronte a oscillare a ogni partenza o attracco delle navi, e che crollavano dopo pochi atterraggi. Lo spread dei nostri grafici restava del tutto piatto, evidenziando un differenziale minimo in termini di rapporto tra la moneta e il potere d'acquisto. L'unica eccezione era costituita da Staff e Ambasciatori.

Gli schermi e i proiettori delle aree meno sviluppate continuavano a mostrare in loop le pubblicità di merci e beni di lusso provenienti dallo spazio e fuori produzione ormai da tempo. Anche qui, come nel resto di Embassytown, le pareti degli edifici erano avvolte da edere, piante rampicanti e bryopsida che adombravano i video e gli annunci con le loro foglie.

In alcuni punti, celati dalla fitta vegetazione, era possibile imbattersi in tubature installate tra i mattoni e i ciottoli, atte a rubare informazioni o a fornire gli schermi di opinioni pericolose o illecite. In questo modo riuscii a recuperare delle denunce da parte di Bremen e segnalazioni di abusi e violenze a carico di Wyatt e del suo personale, mentre uno spettro olografico con fare demagogico blaterava ancora qualcosa in materia di libertà, democrazia e tassazione. Persino lo stesso Wyatt non avrebbe dato troppo peso a un simile guazzabuglio di radicalismi, sebbene sia disposta a giurare che avrebbe scuoiato vivi gli agenti di polizia che avevano fallito nell'eliminare dal muro quei graffiti.

Mi trovavo in una strada piena di negozi specializzati in cuoio e pellame. Si sentiva il tanfo della conciatura e delle frattaglie provenienti dai locali di un negozio, in cui da un albero biomeccanico si raccoglievano le borse mature. I macellai lavoravano gli intestini per prepararli alla vendita, eviscerandoli tramite fessure a cui poi applicare delle fibbie e infine rendendoli impermeabili. Nel retro dell'esercizio commerciale si estendeva una coltivazione di ombrelli ancora acerbi: delle coperture vespertilie, lussuose, leggere e flessibili. I beni in questione erano stati ottenuti da esseri semplici e privi di orifizi, creature destinate a non sopravvivere. Ogni negoziante riversava le viscere scartate e inutili nei propri canali di scolo.

Ero diretta alla vineria Cravat. Un'insegna tridimensionale ne segnalava la presenza in maniera insistente: raffigurava una silhouette nell'atto di annodare una cravatta al collo, ripetutamente. Lì mi attendeva almeno una dozzina di similitudini. Varcata la soglia, mi ritrovai in una stanza interamente riempita con ologrammi capaci di cogliere di sorpresa gli avventori.

«Avice» mi chiamò Hasser con tono gioioso. «Facciamo le presentazioni... Darius, che indossò attrezzi al posto dei gioielli; Shanita, che fu tenuta sveglia e al buio per tre notti; Valdik, che nuota con i pesci ogni settimana.» Ognuno di loro aveva una descrizione tutta sua. «Questa è Avice,» continuò «che mangiò ciò che le venne offerto.»

È ovvio che non fossimo le uniche similitudini espresse dagli Ariekei. Altre riguardavano animali o esseri inanimati. A Embassytown si parlava di una casa che, anni or sono, gli Ospiti avevano svuotato del proprio contenuto, salvo poi rimettere tutto a posto, solo per farne una figura retorica. La pietra, separata in modo da poter dare voce al loro pensiero, non era altro che 'la roccia spaccata e poi rimessa insieme'. La maggior parte delle similitudini però era rappresentata da uomini e donne: c'era qualcosa, in noi, che facilitava il loro compito.

A molte similitudini non importava ciò che avevano subìto. Venni a sapere che ce n'erano alcune perfino tra i membri dello Staff e degli Ambasciatori, ma che preferirono non esporsi.

«A loro non interessa questo aspetto della Lingua» spiegò Hasser. «Li fa sentire vulnerabili: gli piace parlarla, non farne parte. Come se non bastasse, dovrebbero abbassarsi a socializzare con i civili.» Il suo modo di descrivere la cosa mi parve la contorta unione di rispetto e risentimento già avvertita nei suoi discorsi, e che avrei continuato ad avvertire.

Discutemmo della questione e di cosa significasse essere ciò che eravamo, anche se, perlopiù, mi limitai ad ascoltare. Provai a tenere per me l'irritazione scaturita dalle loro chiacchiere: dopotutto, ero stata io a decidere di andare. Tra di loro c'era un nutrito gruppo di indipendentisti, alcuni più alcuni meno. Si lasciarono andare ai commenti più disparati in merito all'arretratezza di Bremen e all'efferatezza della sua forza pubblica. In quel preciso istante mi venne in mente Wyatt e sbuffai.

«Vedo che nessuno di voi tocca l'argomento miab» osservai.

«No,» rispose uno di loro «e comunque dovremmo occuparci di affari, anziché blaterare di queste dannate tasse e richieste di aiuto.»

Hasser mi confidò sottovoce qualche informazione sui miei interlocutori, come fossimo un Ambasciatore e il suo consigliere. «È arrabbiata perché non la invitiamo molto spesso alle nostre riunioni. La sua similitudine è un mistero» disse di una. «Lui, invece, a essere onesti, è più un esempio che una similitudine. E sa bene che è così.» Ripensando alla serata, nell'intimità del mio appartamento, venni scossa da un moto di rabbia per ognuno di loro. Raccontai a Scile di quanto erano ridicoli quegli incontri, e nonostante questo continuai ad andare. Pensai spesso al perché, senza mai riuscire a darmi una spiegazione sensata.

La seconda volta che ci vedemmo, Valdik raccontò l'aneddoto legato al suo processo di similitudinizzazione. Il suo stato era una costante: non era per qualcosa che aveva fatto o subìto in passato, ma per la sua abitudine. 'Come l'uomo che nuota con i pesci ogni settimana' rappresentava una di quelle espressioni oscure utilizzate dagli Ospiti per indicare qualcosa e che, per poter essere articolata, doveva essere vera. Da quel momento, per lui, nuotare era diventato un dovere.

«C'è una piscina di marmo negli alloggi dello Staff» mi raccontò il nostro piccolo tritone; guardò verso di me, poi distolse lo guardo. «Se la sono fatta spedire dall'altra parte dell'immer appositamente per me e l'hanno riempita con una manciata di pesci capaci di sopportare la presenza del cloro. Ci nuoto ogni sopradì.» Dai racconti diede l'idea di essere uno che passava gli undici giorni della settimana che intercorrevano tra una nuotata e l'altra preparandosi alla successiva. Ignoravo quali fossero gli sforzi accurati messi in atto dagli Ariekei per assicurare che la sua routine procedesse senza interruzioni. Mi domandai se quel lieve fastidio che gli Ambasciatori nutrivano nei nostri confronti non dipendesse proprio da situazioni del genere: la paura costante che, da un momento all'altro, la similitudine decidesse di scioperare.

Giunto il mio turno, illustrai ai miei nuovi compagni la vicenda del ristorante, evidenziando l'odio per le cose spiacevoli che fui costretta a subire e maturando un po' di credibilità. Alcuni di loro presero a fissarmi, mentre un altro paio, Valdik incluso, decise di evitare il contatto visivo. «Bentornata a casa» ironizzò qualcuno a bassa voce; la sua battuta mi stizzì e abbandonai il tono compassato che avevo deciso di mantenere, per esprimere così tutto il mio disprezzo. Continuai a mostrare ostilità anche quando arrivò il turno di Hasser, che prese a descrivere le cose orribili patite durante il processo che lo portò a essere parte della Lingua. Non mostrai alcun cenno di compassione nei confronti del ragazzo che era stato aperto in due e poi richiuso. Questi modulò il tono della sua voce, facendo delle pause, rendendo la cronaca vera dei fatti una storia degna di essere narrata.

Ricordo recente, 6

Chiunque non frequentasse in modo assiduo l'Ambasciata non avrebbe notato che c'era qualcosa di strano: ogni posto di blocco era controllato, lo Staff e gli apprendisti sembravano ovunque, e ogni schermo e ologramma continuava a proiettare informazioni. Per chi conosceva il posto, invece, l'inquietudine in seguito alla festa era palpabile.

Da allora, sebbene i festeggiamenti sfarzosi legati alle partenze restassero irrinunciabili, nessuna nave era stata più salutata con lo stesso caos dell'ultimo arrivo. Nonostante i pochi ancora in preda ai brindisi scompigliati, poco dopo il ballo incriminato gli immergenti, tornati sulla loro nave, vennero salutati da un gruppo di Ambasciatori, membri dello Staff e civili come la sottoscritta, cittadini di Embassytown che continuavano a rimanere col fiato sospeso, finché, una volta soli, non avrebbero tentato di affrontare quello che stava succedendo. Difatti, nessuno, me compresa, stava cercando di affrontare la situazione. In seguito, venni a sapere che alcuni dello Staff avevano insistito affinché la nave non partisse.

Io, Avice Benner Cho, immergente, amante e poi ex di CalVin (c'era chi pensava fosse una menzogna, ma io sapevo la verità) e consigliere del personale in materia di affari esteri, fui bloccata all'entrata da un poliziotto nervoso. In fin dei conti, non ci volle poi molto. Dovetti barcamenarmi un po' utilizzando frasi del tipo 'credo ci sia un errore, agente', oppure 'sono qui proprio per questo: hanno chiesto il mio aiuto', ma riuscii a entrare. Non mi ero fatta illusioni sulla mia reale utilità agli occhi degli addetti ai lavori, ma era il modo più semplice per accedere all'interno.

Dentro, la situazione non era meno tesa. Mi feci largo a spintoni per ascoltare le discussioni sussurrate dai funzionari. Mi voltai in cerca di EdGar o di qualsiasi altro volto conosciuto con cui avrei potuto parlare. «Che ci fai qui?» mi chiese uno dei doppi di AgNes, scuotendo la testa. Le due metà simbiotiche, in atteggiamento da *grandes dames*, non prestarono attenzione alla mia risposta stentata. «Certo. Ora devo andare, ragazzina.» «Dovresti...» «...toglierti di torno.» Gli altri si mostrarono meno sprezzanti (RanDolph mi salutò sorridendo e mimando spossatezza, e un consigliere di alto rango con cui una volta mi capitò di alzare il gomito mi fece perfino l'occhiolino), ma lei aveva ragione: ero di impiccio.

All'ultimo piano, lo skyline offerto dalla sala da tè definiva il profilo della città. Lì trovai Simmon, che faceva parte della Sicurezza, e lo bloccai. Dopo le proteste di rito e i tentativi volti a farmi capire che non sapeva o poteva dirmi niente di quanto stesse succedendo, finalmente gli cavai di bocca che non aveva più visto EzRa dopo la festa. «Non so dove sia andato. Il programma prevedeva che prendesse parte alla riunione ufficiale mezz'ora fa, ma non si è fatto vivo. E non è il solo. L'agenda di oggi è andata a farsi fottere e non ho la più pallida idea di dove siano andati a cacciarsi gli Ospiti.»

Bella domanda. Per quanto importanti, gli incontri tra gli Ariekei e la gente di Embassytown erano occasionali – tutte celebrazioni incentrate sul diritto, l'economia, lo sviluppo e la Lingua –, mentre le questioni burocratiche erano cavilli quotidiani da cui risultava impossibile esimersi. I corridoi erano sempre popolati da una manciata di Ospiti che chiedevano qualche tipo di negoziazione. Il pavimento dell'Ambasciata era stato concepito per resistere al peso dei loro piedi appuntiti.

«Non sono qui» insistette il capo della Sicurezza, massaggiando la carne attorno alla protesi biomeccanica del suo braccio. «Nessuno di loro. C'è voluta una vita per fargli capire l'importanza di questo dannato tipo di appuntamenti e sapevano bene che avrebbero dovuto essere qui stamattina, come sempre. Ma non ci sono. Né hanno risposto alle nostre chiamate o contattato qualcuno.»

«Devono essersi sentiti davvero offesi» dissi io.

«Così sembra» rispose.

«Per quale motivo?»

«Il perché lo sa solo il Pharotekton. O EzRa.» Rimanemmo in silenzio per un attimo. «Conosci qualcuno di nome Oratee?» chiese. «O forse Oratees?»

«No. Chi sarebbe?» Quel nome, così privo di ambivalenze, non sembrava appartenere a un Ambasciatore.

«Non lo so. Ho sentito CalVin e HenRy che ne parlavano. Sembravano sapere cosa sta succedendo. Ho pensato che tu sapessi chi fosse: conosci tutti qui.» Fu gentile a dirmelo, ma non ero in vena. «AgNes e un altro paio di Ambasciatori hanno dato la colpa a Wyatt.»

«La colpa di cosa?»

«Di qualunque cosa. Per ciò che sta succedendo. Li ho sentiti parlare. Dicevano che era tutta colpa sua e di Bremen. 'Sapevamo fin dal principio che ci avrebbero danneggiati, e questo è il risultato...'» Simmon aprì e chiuse la mano artificiale per mimare il gesto di una bocca che blatera.

«Quindi, loro sanno di che si tratta?»

Scrollò le spalle. «E chi lo sa? Spesso non c'è bisogno di sapere le cose per incolpare qualcuno» disse. «Ad ogni modo, hanno ragione. Non c'è dubbio che si tratti... di una macchinazione. EzRa non è altro che... l'arma designata dalla capitale.»

Se AgNes avesse avuto ragione? Questo avrebbe significato che mi ero giocata la mia ultima carta con qualcuno rivelatosi essere nient'altro che un traditore. Poi mi tornarono in mente Scile e CalVin, e decisi di far luce sulla questione. Chiamai Wyatt. Cercai di parlare in modo strategico, tentando di eludere le sue difese professionali per cercare un punto debole da attaccare, così da carpirgli qualcosa di utile o spronarlo a divulgare le informazioni in suo possesso. Poi, tutta la concentrazione venne meno, in una sorta di anticlimax.

«Avice» rispose. «Grazie al cielo mi hai chiamato. Non riesco a contattare nessuno da qui. Porca miseria, Avice, che sta succedendo?»

Era perfino più all'oscuro di me. All'interno dell'Ambasciata disponeva ancora di una manciata di assistenti e funzionari, ma erano in molti a incolparlo della vicenda o a tagliarlo fuori da ulteriori sviluppi. Tutti, comunque, erano d'accordo a estrometterlo dalle assemblee. Per farlo furono addirittura disposti a infrangere quello stesso sistema legale al quale avrebbero dovuto sottostare e che aveva rivestito Wyatt della sua carica.

Come d'obbligo, fecero circolare la lista fitta degli impegni del giorno. Wyatt inviò i suoi delegati a quelli più importanti e prese parte, di persona, all'incontro dal titolo *Riunione di emergenza*, per poi scoprire che tutti gli incontri non erano altro che eventi secondari, discussioni dettate dall'apprensione riguardo a problemi come il rifornimento di materiale da cancelleria a cui partecipavano i membri meno importanti dello Staff. Le questioni più rilevanti, l'autopsia della festa e le ipotesi sul silenzio mantenuto dagli Ospiti, erano già state dibattute durante le sessioni precedenti tenutesi al Comitato per i lavori pubblici.

«È un oltraggio, Avice!» esordì. «È proprio questo il genere di cose che ho cercato di fermare; questo è il genere di cose per cui sono stato mandato qui, a stroncarle sul nascere. Non hanno fatto altro che cospirare alle mie spalle. Io sono il loro superiore! Non voglio neanche parlare di quanto stanno facendo a EzRa. Stanno ostracizzando i loro stessi colleghi. È una disgrazia.»

«Wyatt, aspetta. Dove è EzRa?»

«Ra era nella sua stanza, quando l'ho sentito. Ma non so dove sia Ez. I tuoi colleghi...»

«Non sono i miei...»

«I tuoi colleghi lo hanno buttato fuori. Sono certo che se avessero potuto, lo avrebbero arrestato. Ez non risponde alle chiamate. Non riesco a trovarlo...» Ero ancora sbigottita per il fatto che le due metà del nuovo Ambasciatore avessero camere separate.

«Ci sarà qualcuno che sa cosa sta succedendo?»

«Credi davvero che me lo direbbero?» ribatté. «Chi sta cercando di farmi fuori non è una persona qualsiasi, si tratta dei tuoi amati Ambasciatori. Stanno covando qualcosa...»

«Wyatt, calmati adesso. Qualsiasi cosa sia, come vedi, al momento il personale non ha molto più controllo di quanto ne abbia tu.» Credo sapesse che l'Ambasciata aveva perso i contatti con la città dopo quella notte. «Gli Ospiti tacciono. È possibile...» proseguii «...è possibile che EzRa... o forse noi abbiamo... fatto qualcosa che li abbia offesi...»

«Stronzate» tagliò corto. Io sbattei gli occhi. «Non si tratta di una delle nostre storielle sul capitano Cook che offende i locali usando la mano sbagliata, Avice. È bastato un lapsus o qualche parola tagliente e *boom*, l'hanno messo al rogo. Ti rendi conto di quanto si sia gonfiata la cosa? Tutte fandonie travestite da mea culpa sulla mancanza di intesa tra culture diverse. 'Ops, abbiamo detto la cosa sbagliata.' Ma alla fine, tutto gira intorno alla reazione eccessiva di questi assurdi indigeni.» Rise. «Avice, abbiamo fatto migliaia di cazzate del genere in questi anni. Pensaci. Accadde la stessa cosa con i nostri primi visitatori su Terre. E non è di certo successo tutto questo casino. Mi sbaglio? Gli Ariekei – così come i Kedis, gli Shur'asi, i Cymar e, più o meno, ogni altra specie esoterriana – sono perfettamente in grado di discernere tra un insulto detto con dolo e un'incomprensione. Ogni mito costruito sulle figure di Ku e Lono... nasconde storie di ruberie e cannonate. Credimi» fece lui, con tono sarcastico. «È il mio lavoro.» Poi mimò con le dita il gesto di rubare qualcosa. Era proprio per questo suo modo di esprimersi che mi piaceva.

«C'è sempre qualche discussione, Avice» continuò, sporgendosi verso lo schermo. «In lavori come il mio. Non mi sono espresso male, vero?» Di colpo assunse un tono alquanto lamentoso. «Loro, però... A tutto c'è un limite, Avice. JoaQuin, MayBel e molti altri devono ricordarsi cosa rappresento.»

Bremen era una vera e propria potenza, spesso in guerra con gli altri Paesi di Dagostin o di altri mondi. Ma che cosa sarebbe successo se i suoi nemici avessero inviato le proprie flotte da guerra verso di noi? Se avessero attaccato la capitale a partire dalle sue colonie? Avremmo forse dovuto imbracciare i fucili e armare i cannoni biomeccanici contro il cielo? Se avessimo avuto bisogno di rinforzi per contrastare il piccolo genocidio che i nostri avversari erano pronti a commettere con totale disinvoltura, sarebbe toccato proprio a Bremen decidere se valesse o meno la pena dispiegare le sue forze per noi. Zuffe nel vuoto del quasi-spazio, oppure strani e terribili scontri a fuoco nell'immer. L'unico deterrente agli attacchi (di qualsiasi portata essi fossero) era costituito da un trattato e dall'isolamento di Arieka, oltre che da un'altra motivazione inespressa: la mancanza di interesse nei nostri confronti. Tuttavia, i piani marziali della capitale si basavano su fattori ben diversi.

Mi raccontò che gli Ariekei non erano affatto dei pacifisti e che, nelle loro faide intestine, erano stati additati spesso come dei sordidi assassini. Qualunque cosa mi disse Wyatt e qualunque fosse il motivo, restava il fatto che i primi anni di contatto tra le nostre specie erano stati segnati da scontri violenti e massacri. I protocolli che regolamentavano i nostri rapporti erano molto rigidi e, per anni, non c'erano più stati problemi. Proprio per questo, sembrava assurdo immaginare che la popolazione nativa che abitava la città si sarebbe sollevata contro Embassytown. Ciononostante, dovevamo tenere presente il fatto che noi raggiungevamo solo poche migliaia, mentre i nostri potenziali rivali erano armati e di gran lunga più numerosi.

Il mio interlocutore non era un semplice burocrate, ma rappresentante di Bremen, nonché nostro protettore ufficiale e, in quanto tale, doveva essere armato. Perfino il suo Staff sembrava essere – in un modo che destava sospetto – più atletico di quanto ci si sarebbe aspettato da un gruppo di scribacchini. Ognuno di noi sapeva bene che Embassytown disponeva di depositi di armi a cui Wyatt era il solo ad avere accesso: giravano voci in città che parlavano di silos ricolmi di polvere da sparo che andavano ben oltre le nostre misere pistole. Tutto, neanche a dirlo, era per il nostro bene. Il nostro centro governativo si era preoccupato di inviarci dei nuovi ufficiali dotati di chiavi di accesso criptate nei supporti, e il fatto che Wyatt dall'altro lato dello schermo dichiarasse in modo così esplicito la presenza di armi e la natura militare dei subalterni di cui lui era il comandante in capo sembrò una mossa politica scorretta e paurosa perfino per me, una persona estranea ai fatti, un'amica.

Fra le sue doti, tuttavia, c'era la pazienza. Non si curava del peculato dilagante a Embassytown, che si ripresentava all'arrivo di ogni miab, o durante il periodo della riscossione delle tasse per conto di Bremen. Tendeva a incoraggiare i propri dipendenti a socializzare con i membri dello Staff e con i civili, trovandosi spesso nella condizione di dover approvare i matrimoni misti. Ogni avamposto coloniale era munito di una figura destinata a compiere un lavoro difficile come il suo, dovendo fare affidamento sui criteri vitali di flessibilità e iniziativa personale, per via dell'impossibilità frequente di fare rapporto ai propri superiori. Prima di lui, era già capitato che quel ruolo fosse stato ricoperto da uomini e donne alquanto invadenti e incapaci di gestire la situazione nel modo appropriato. Wyatt credeva di meritarsi qualcosa per via della sua politica morbida. Gli Ambasciatori, quindi, erano ingiusti nei suoi confronti.

Mi piaceva molto il suo modo di fare, ma era piuttosto ingenuo: una volta che i giochi sono fatti, è all'uomo di Bremen che puntano tutti. Io avevo compreso e assimilato la cosa, mentre lui pareva ancora ignorarla.

Ricordo datato, 5

Capitava ancora di avvistare degli Ospiti – soli o in piccoli gruppetti e con le zelle appresso – strisciare, con la tipica fretta rallentata che li contraddistingueva, attraverso i vicoli di Embassytown. Nessuno sapeva il motivo di tali visite. Era possibile che stessero facendo un semplice giro turistico o fossero in cerca di qualche scorciatoia che sbucasse direttamente nei nostri quartieri, seguendo le strane topografie della città. Alcuni di loro si spinsero fino al limite della corrente eolica, nei dintorni di Embassytown, nel tentativo entusiastico di reperire nuove similitudini.

Ogni due o tre giorni, assistevamo all'arrivo di un paio di Ariekei – o di un piccolo conclave – scandito dal loro passo aggraziato e chitinoso. Entravano al Cravat sbattendo le loro ali e indossando abiti per mettersi in mostra: fasce ornate di pinne e filigrane tutte diverse per il colore e per il suono che producevano, quando il vento le lambiva.

«Il nostro pubblico ci reclama» disse qualcuno la prima volta. A dispetto della battuta, andava riconosciuto che il sopraggiungere di spettatori di quel tipo non era cosa da poco. Nell'unica occasione in cui riuscii a persuadere Ehrsul a venire con me – apparentemente per raccogliere aneddoti che, più tardi, ci avrebbero permesso di ridere alle spalle delle mie nuove conoscenze – notai che la vista degli Ospiti l'aveva scombussolata. In quella situazione parve ignorare ogni parola le rivolgessi, rispondendo soltanto con delle frasi sconnesse, brevi e educate. Per quanto mi riguardava, ero già stata in compagnia di quegli esseri, ma mai in un contesto così informale, secondo i loro capricci incomprensibili, e non nei termini imposti dai pezzi grossi della città. Lei, però, preferì non tornare.

I proprietari del locale e gli habitué ignorarono con discrezione quegli strani avventori, intenti ad allungare i loro occhi corallini e mostrare i denti, esaminandoci ogni volta che distoglievamo lo sguardo. Camerieri e clienti continuarono a passargli intorno come se niente fosse, mentre questi mormoravano qualcosa senza smettere di osservarci.

«Chiedono di quello che ha bilanciato il metallo. Sei tu, Burnham. Su, alzati! Fatti avanti» tradussero. «Stanno parlando dei tuoi vestiti, Sasha.» Poi ancora: «Quello lì ha affermato che io sono più utile di te: dice che non fa altro che parlare di me.» Tuttavia, qualcun altro lo corresse: «Non è affatto ciò che ha detto. Stupido imbroglione...» E così via. A volte, quando gli Ospiti mi si disponevano intorno, mi capitava di dover combattere per reprimere quei ricordi di infanzia legati al ristorante.

Ormai ero in grado di riconoscere i visitatori abituali dalla conformazione dei loro bulbi oculari e dalle trame delle loro ali. In attimi di ilarità blasfema, decidemmo perfino di battezzarli a seconda di quei particolari: Tarchiatello, Croissant, Pezzo da Cinque, e via dicendo. D'altro canto, gli Ariekei sembravano riconoscerci con metodi simili.

Infine, riuscimmo anche a capire quali fossero le similitudini apprezzate dai più. Uno degli Ospiti che utilizzava regolarmente la mia similitudine era alto e dotato di un paio di ali rosse e nere, sgargianti, che somigliavano a un abito da flamenco: lui era Ballerina Spagnola.

«Quando parla di te,» mi disse Hasser «lo fa in modo davvero brillante.» Sapeva della mia scarsa capacità nel comprendere quella Lingua di cui lui riusciva a cogliere le sfumature. «In riferimento al parlato,» disse «dicono di assomigliarti molto. Tuttavia, devono scegliere le parole con cui rivolgersi a te. Lui è un virtuoso.» Scrollò le spalle in risposta alla mia espressione interrogativa, disposto a chiuderla lì, ma io insistetti affinché si spiegasse meglio.

In genere, la mia similitudine era utile a descrivere una sorta di costrizione. Ballerina Spagnola e i suoi compari, però, forse per via di qualche strana retorica o per l'enfasi sottolineata da qualche sillaba, attribuivano alla mia descrizione un potenziale cambiamento. Una tale ricercatezza di significato era ciò che mandava in estasi tutti gli Ospiti. Non sapevo se fossero stati da sempre affascinati dalla cosa o se quest'ossessione fosse, invece, il risultato dell'interazione con gli Ambasciatori e con il nostro popolo di Senza Lingua. Scile era sempre in cerca di dettagli, curioso di sapere cosa fosse successo, quali di loro avessi visto e cosa avessero detto. «Non è corretto» ribattei. «Non hai mai voglia di accompagnarmi, ma guai a me se dovessi scordarmi di riportarti una sola delle loro parole...» «Sai bene che non sarei il benvenuto.» Era vero. «E poi, perché continui ad andarci se è davvero così noioso?»

La sua osservazione era calzante: ero sempre a dir poco irritata dalle reazioni eccitate delle altre similitudini all'arrivo di un Ariekeo o, in assenza di questi, dalla monotonia dei loro discorsi. Ciononostante, avevo la sensazione che quello fosse il posto in cui potevano verificarsi degli eventi importanti.

Ballerina Spagnola era sempre in compagnia di un altro suo simile di età avanzata, più ingobbito di tutti gli altri, con gambe nodose e un ventre oltremodo pendulo. Chissà perché, ogni volta mi sfuggiva il nome che gli avevamo dato: Alveare.

«L'ho già visto in passato» disse Shanita. Era un tipo loquace, sebbene i suoi discorsi sembrassero un'accozzaglia di frasi lasciate a metà: stavamo tutti a sentirlo senza mai riuscire a dare un senso ai suoi sproloqui. Lo avevo visto competere con gli altri Ospiti al Festival delle Bugie: aveva dimostrato un'insolita capacità nel non descrivere correttamente l'oggetto e gli aveva attribuito il colore sbagliato.

«È il bugiardo.» Enfatizzai la mia esclamazione con uno schiocco di dita. «Lo conosco anch'io.»

«Mmm» proseguì Valdik con fare sospettoso. «Che sta dicendo?» Alveare stava girando intorno a noi, osservandoci e graffiando l'aria con le ali prensili.

«Ecco, ecco» tradusse Hasser. Scosse la testa per indicare la sua incertezza. «Sono simili. Diversi. Non sono uguali. Uguali.»

Il Cravat non era l'unico posto in cui ci incontravamo, ma di sicuro era quello dove andavamo più spesso. Saltuariamente, ci capitava di vederci in un ristorante nei pressi della via dello shopping o sulle panchine vicino al canale, ma questo avveniva solo se l'avevamo deciso con un certo anticipo, come fosse un vago tentativo di mantenere un certo decoro. Tuttavia, era al Cravat che gli Ospiti sarebbero venuti a cercarci, certi di trovarci lì.

Le similitudini pensavano a sé stesse come a un salotto in cui si poteva discutere, ma lo spazio per il disaccordo non era poi molto. Ricordo una volta in cui intervenni per salvare dal pestaggio un tale che provò a coinvolgerci in una discussione che, partita dal tema dell'indipendenza, si era poi trasformato in un discorso sedizioso, una spinta eversiva contro lo Staff.

Lo portai fuori e gli intimai di andarsene. Tutt'intorno si radunò un gruppo di similitudini che lo derisero e lo sfidarono a tornare indietro e ad attaccare ancora gli Ambasciatori.

«Credevo fossero dei radicali» si giustificò l'uomo, con un'aria talmente affranta che per poco non lo abbracciai.

«Ti riferisci ai miei compagni? Diciamo che dipende a chi lo chiedi» risposi. «Bremen li considererebbe dei traditori, ma sono fedeli allo Staff più dello Staff stesso.»

A Embassytown era impensabile assistere a un plebiscito politico, e nessuno di noi poteva parlare con gli Ospiti. Inoltre, pur volendo ignorare il destino nefasto cui sarebbe andata incontro la nostra Ambasciata senza quelle figure, la combriccola in questione sapeva bene che, senza gli Ambasciatori, perfino il proprio orglioso ruolo non avrebbe avuto alcun senso, non essendoci più motivo, per gli Ariekei, di esprimersi mediante similitudini.

Ricordo recente, 7

Non riuscimmo in alcun modo a contattare gli Ariekei. Durante le ore di blackout delle comunicazioni accarezzai spesso l'idea di chiamare CalVin o Scile e pretendere spiegazioni: tra tutte le persone che conoscevo, probabilmente erano le due da cui potevo ottenere qualcosa. A fermarmi non fu la paura del confronto, ma la convinzione che, con le buone o con le cattive, non sarei stata capace di cavargli un bel niente.

Con la primavera, il freddo ormai stava finendo. Mi ritrovai in cima all'Ambasciata a guardare i tetti delle case dall'alto, avvistando la fauna oltre le architetture scintillanti. Qualcosa stava cambiando: forse c'era un colore in più o uno in meno; forse un movimento nuovo o una paralisi improvvisa.

Vidi un corvide decollare da una delle piattaforme dell'edificio e sorvolare il nostro spazio aereo da parte a parte per poi tornare al punto di partenza, non avendo trovato luogo migliore su cui atterrare: gli Ambasciatori a bordo avevano lanciato messaggi a tutti gli stabili che avevano sorvolato, ma senza ottenere risposta.

Era probabile che molti cittadini di Embassytown fossero ancora ignari della situazione. La stampa ufficiale era troppo leale al potere, o del tutto inefficiente. Tuttavia, le persone presenti alla festa avevano cominciato a diffondere la notizia.

Il sole non aveva smesso di sorgere, i negozi di vendere e la gente di lavorare. La catastrofe se l'era presa decisamente comoda. Contattai il numero che mi aveva lasciato Ehrsul, la quale era riuscita a scovarlo grazie alla nuova, sebbene imperfetta, rete informatica, e mi aveva assicurato fosse quello di Ez. Chiunque avessi chiamato non rispose, ma io non mi persi d'animo e continuai a riprovare, imprecando a ogni fallimento.

In seguito venni a sapere che tutti gli Ambasciatori, estenuati, avevano deciso di raggiungere a piedi la città. Coppie disperate di doppi si accostavano a ogni Ospite incontrato, cercando di parlargli nella loro lingua attraverso le maschere eoliche senza ottenere alcuna risposta, ma solo incomprensione o inutili accenni sul disastro in atto.

Bussarono alla porta. Quando aprii, la persona che si stagliava sulla soglia di casa mia era Ra e la mia reazione fu quella di restare a guardarlo in silenzio per una manciata di secondi.

«Sembri sorpresa» esordì.

«A dir poco» risposi, poi mi feci da parte per farlo entrare. Mi accorsi che il mezzo Ambasciatore continuava a tirare fuori il suo videotelefono e ad accenderlo e spegnerlo in continuazione. Alla fine decise di lasciarlo acceso. «Stanno provando a contattarti?» gli chiesi.

«Soltanto Wyatt» spiegò.

«Davvero? Nessun altro? Nessun Ambasciatore? Credi ti abbiano seguito?»

«Come stai?» cambiò discorso. «Credevo che...» Sedemmo a lungo l'uno di fronte all'altra. Notai che più volte si voltò indietro a controllare, ogni volta senza trovare altro che la parete.

«Dov'è Ez?» ripresi l'argomento.

Lui scosse le spalle. «È uscito.»

«Non dovreste muovervi insieme?» Mi rispose di nuovo con lo stesso gesto. «Nell'Ambasciata? Ra, come hai fatto a uscire? Ero certa ti tenessero sottochiave.» Se al comando ci fossi stata io, EzRa sarebbe stato incarcerato in un baleno per tenere sotto controllo la situazione o arginare i rischi. Forse ci avevano provato, ma, se Ra non stava mentendo, erano entrambi riusciti a scappare.

«Be', sì» disse. «Lo sai. Abbiamo dovuto farlo. Abbiamo dovuto... separarci.» Ci sarebbe stato da divertirsi a sapere com'era andata.

«Allora» conclusi. «Ti piace la nostra cittadina?» Scoppiò a ridere.

«Gesù» disse, come alla vista di qualcosa di bello e inaspettato. Udimmo il garrire dei gabbiani all'esterno. Si librarono in volo e virarono diretti verso il mare che avevano intravisto a chilometri di distanza, per poi essere rispediti indietro dagli eoli e dalle correnti scultoree. Di rado, capitava che uno di loro riuscisse a uscire fuori della cupola, morendo soffocato dall'atmosfera del pianeta.

«Devi aiutarmi» implorò. «Ho bisogno di capire cosa sta succedendo.»

«Vuoi scherzare?» ribattei. «Cosa dovrei sapere più di te? Cristo santo, mi sembra una commedia degli errori. Cosa credi che sia riuscita a scoprire? Per l'amor del cielo, è per questo che sei venuto?»

«Ho parlato con ogni singola persona della festa che ho trovato...»

«Non devi esserti sforzato molto, se già ti presenti qui da me...»

«Lo Staff e tutti gli altri dell'Ambasciata... i pezzi grossi non hanno detto niente di utile. Solo alla fine, un paio di persone... mi hanno detto di venire da te.»

«Be', non so perché ti abbiano consigliato una cosa simile. Io stessa credevo che fossi coinvolto nell'intera faccenda... credevo che tu...»

«Qualunque cosa sappiano lassù, non hanno certo intenzione di dirla a me. A noi. Ma gli altri, loro... Ho saputo che conosci qualcuno, Avice. Conosci degli Ambasciatori che sarebbero disposti a spiegarti.»

Scossi la testa. «Sono fuori dal giro.» Sospirai. «Credevi di potermi usare per fare qualche passo avanti? Chi te lo ha detto, lo ha fatto perché sono un'immergente. E perché sono stata l'amante di CalVin per un po'. Ma non è una cosa che è andata avanti per mesi. Mesi locali, intendo, non quelli bremeniani. Mio marito, uno straniero, ne sa molto più di me e si rifiuta di parlarmi.» Lo osservai. «Mi stai dicendo che davvero non hai idea di cosa stia accadendo? Wyatt sa che sei qui?»

«No. Mi ha aiutato a scappare, ma... Nemmeno Ez ne sa niente. Non è affar loro.» Si morse le labbra. «O meglio, ufficialmente, lo sarebbe. Cioè... dico solo che...» Dopo un attimo di silenzio, Ra sollevò lo sguardo, poi si alzò in piedi. «Vedi» fece con calma improvvisa. «Ho bisogno di scoprire cosa sta succedendo. Wyatt è del tutto inutile. Ez sta cercando di farsi valere: vedremo dove arriverà. Per quanto mi riguarda, ho sentito che tu potresti conoscere qualcuno che sa qualcosa.» In quel momento, Ra parve essere tutt'altro che un peso morto per il suo doppio; aveva piuttosto l'aspetto di un ufficiale o un agente di grosso calibro della colonia.

«A questo punto,» indugiai «dimmi cosa sai. Cos'è successo. Dimmi ciò che hai sentito e cosa sospetti.»

Dopo un paio di giorni di silenzio, gli Ospiti erano tornati all'Ambasciata in un drappello di presenze ingombranti che ondeggiava sulla piattaforma di atterraggio. «Saranno stati almeno quaranta» disse. «Solo dio sa come diamine ci fossero entrati tutti su quel corvide. Chiesero di me ed Ez.»

Dal modo in cui lo disse capii che gli Ariekei avevano quasi ignorato le domande e i saluti degli Ambasciatori per arrivare subito al punto. Con fare insistente e perfino sgarbato, pretesero di conferire con EzRa.

«Ero preparato ad affrontarli» proseguì Ra. «Ho passato molto tempo a studiare loro e la Lingua. Eppure, hai visto com'è andata a finire alla festa? Non è stata una cosa normale. Avevo capito che c'era qualcosa di strano. E anche questa volta è successa la stessa cosa, ma amplificata. Erano... agitati. Dicevano solo cose senza senso. Io ero già lì, ma è stato dopo l'ingresso di Ez che ci hanno riconosciuti e hanno preso a dire: 'Prego, buonasera, Ambasciatore EzRa, oh, sì, prego, prego.' Nient'altro per tutto il tempo.»

Poi continuò: «Altri ancora, compreso il tuo amico CalVin, provarono a mettersi in mezzo e a farci smettere. Dissero che 'avevamo parlato troppo'.» Scosse la testa. «Gli Ospiti si erano avvicinati sempre di più e io ed Ez non sapevamo dove scappare. Erano enormi. Mi sentii come... Potemmo solo... schiarirci la voce e parlare. Gli augurammo una buona serata e ci dichiarammo onorati. Non appena lo facemmo...»

Non appena aprirono bocca successe esattamente la stessa cosa accaduta durante la festa, ma stavolta il numero di Ospiti coinvolti fu ancora maggiore. Ero certa ci fossero delle vespcam nelle vicinanze, avrei potuto cercare dei video o degli ologrammi che mostrassero l'accaduto, ma Ra mi assicurò che non avrei fatto fatica a immaginarlo. La folla si irrigidì, barcollò e crollò a terra facendo cozzare i carapaci. Il frastuono che ne conseguì, dettato dai toni bivocalici ariekeiani, fu qualcosa di sconosciuto, dissonante. Stavano delirando? Le voci che si erano elevate in risposta alle parole di EzRa cambiarono la propria frequenza a intervalli. «Provammo ad andare avanti» spiegò Ra. «Continuammo a parlare. Alla fine, però, Ez cedette e io feci lo stesso.» Quand'ebbero smesso, gli Ospiti tornarono in sé, riaprirono gli occhi e si sporsero all'indietro verso i propri compagni senza voltarsi, esclamando: «Te l'avevo detto.»

Il cielo era gremito di uccelli. Gli Ariekei stavano lì a barcollare nel salone di rappresentanza con le sue pareti di legno, lontano dal cemento del resto dell'Ambasciata. Gli Ambasciatori e lo Staff rimasero a guardare, a metà tra l'attenzione e lo sconcerto.

Pensavamo agli Ariekei come a qualcosa proveniente da un mondo antico, ma i nostri Ospiti suggerivano più l'idea di mosche cavalline di corallo che le chimere che noi stessi avevamo contribuito a creare. Rimasero lì a canticchiare a bocca chiusa, in un coro di fantasticherie polifoniche.

«Alla fine se ne andarono. Alcuni Ambasciatori provarono a fermarli senza riuscire davvero nel loro intento. D'altronde, cosa avrebbero potuto fare? Li invitarono a restare e parlare. EdGar e LoGan urlarono addirittura. JoaQuin e AgNes provarono... a essere ancora più persuasivi. Gli Ospiti non accennarono a fermarsi. Io ed Ez continuammo a parlare, mentre CalVin e ArnOld ci spiegarono che avevamo già fatto abbastanza.» Si coprì il volto con le mani. «Ora, nemmeno MagDa ha più voglia di parlare con noi. Non la vedo da giorni. Non vuoi sapere anche tu cosa sta succedendo?»

«Certo che lo voglio» ribattei. «Non essere stupido.»

«Gli animi si sono infiammati parecchio.»

«Conosci un certo Oratees?» domandai.

«Non so chi sia» rispose. «Perché?»

«Ne stavano parlando CalVin e HenRy» gli dissi. Era stato Simmon a riferirmelo, origliando una delle loro discussioni. «Credo siano le persone giuste a cui chiederlo. Pensavo che tu lo conoscessi...»

«Quando dici che sono le persone giuste, ti riferisci a Oratees, a CalVin o a HenRy?»

«Non lo so» risposi. «...Sì.» Alzai le spalle, pensando: Sì, perché no?

«Pensavo mi saresti stata d'aiuto» disse. «La gente confida molto nelle tue capacità.»

«Ti hanno detto che sono abbastanza brava a barcamenarmi?» sottolineai. «Vorrei non avergli mai insegnato quella cazzo di parola. Pensano sia la risposta a tutto. E tuttavia, nemmeno loro ci credono davvero: sono solo in cerca di una scusa per usare quel termine.»

«Stanno parlando con gli esoterriani ora» proseguì Ra. «Gli Ambasciatori ritengono che i Kedis e gli altri abbiano il diritto di saperlo. Speravano di mantenere l'ordine, ma...» Fu interrotto dal campanello. «Aspetta.» Tentò di bloccarmi quando ormai ero fuori dalla stanza.

Aprii la porta agli agenti della Sicurezza. Alcuni di loro erano più giovani di me; sembravano intimiditi.

«La signora Benner Cho?» chiese uno. «Ci dispiace disturbarla. Credo che, mmm... Ra è qui da lei?» Notai in lui una certa difficoltà con il linguaggio formale.

«Avice, è qui?»

Conoscevo quella voce. «MagDa?» Cercai la figura dell'Ambasciatrice tra la scorta.

Questa si fece avanti. «Dobbiamo parlare con lui.» «È urgente.»

«Salve.» Ra fece capolino alle mie spalle. Non mi voltai.

«Ra.» Credevo fosse furiosa nei suoi riguardi, ma MagDa lo guardò con un'espressione sollevata. Era emozionata. «Sei qui.» «Devi tornare indietro con noi.»

«Siamo qui per proteggerla, signore.» Esclamò uno dei poliziotti. MagDa parve infastidita da quella frase, ma non lo interruppe. «È per la sua sicurezza. Finché non tornerà tutto sotto controllo. Per favore, ci segua.»

Ra si alzò in piedi in tutta la sua altezza, incrociando lo sguardo con quello dell'ufficiale, poi mi fece un cenno col capo e, un attimo dopo, permise agli agenti di prenderlo in custodia. Risposi al suo gesto, sebbene un po' contrariata.

Lo portarono via senza ammanettarlo, camminando al suo fianco nel rispetto delle parole che avevano usato: il loro ruolo era quello di proteggerlo. Fu una sorta di cortesia nei suoi confronti, anche se credo che nessuno in possesso di una conoscenza seppur minima della politica di Embassytown, passandogli accanto, avrebbe frainteso il fatto che fosse più o meno in arresto. Lo osservai allontanarsi per andare a ricongiungersi a Ez e, forse, a Wyatt: ero certa che ad attenderlo c'erano stanze custodite con scrupolo, chiuse a chiave e sorvegliate dall'esterno.

Ricordo datato, 6

Per quanto riguarda le leggi in fatto di religione, Embassytown non era altro che un distaccamento di Bremen. Non era dotata di una fede ufficiale, ma, come nelle colonie più piccole, tra i fondatori era presente una discreta minoranza di fedeli. La Chiesa del Dio Pharotekton era quanto di più simile a una congregazione ufficiale fossero riusciti a creare. Il faro, simbolo della dottrina, svettava sui tetti dell'avamposto, facendo ruotare il suo occhio luminoso per diffondere il verbo nell'oscurità.

Esistevano anche altri gruppi: piccole sinagoghe, templi, moschee e chiesette con uno sparuto numero di fedeli. Ognuna di quelle fedi contava una manciata di ultraortodossi contrari a qualsiasi tipo di innovazione che andasse contro la religione, al fine di garantire la sopravvivenza del calendario religioso di stampo bremeniano, basato su giornate di trentasette ore, o sui princìpi folli e nostalgici legati alla presunta concezione temporale e ai presunti cicli stagionali di Terre.

Esattamente come gli Ospiti, anche i Kedis non avevano dèi. Il loro credo professava che le anime dei propri antenati e delle generazioni future fossero unite dalla gelosia nei confronti dei vivi, ingaggiando un'eterna lotta: tuttavia, l'atteggiamento da loro mostrato era assai meno tetro e cruento di quanto non voglia far credere la loro teologia. Per quanto riguardava gli Shur'asi, gli unici a essere religiosi erano dei dissidenti. La maggior parte di loro infatti era atea: forse perché la specie in questione non moriva per cause naturali ed era raro assistere alla nascita di nuovi individui.

I cittadini di Embassytown erano liberi di credere o meno, e io stessa non ero abituata a riflettere sull'esistenza del male.

Il nome di quello che noi chiamavamo Alveare era *surl | tesh echer*. Lo avevamo scoperto ascoltandolo conversare con un altro Ospite. Lo riferii anche a CalVin, storpiandolo, vista l'impossibilità di pronunciare la lingua ariekeiana senza l'ausilio di una seconda voce, emettendo l'inciso e l'eco uno di seguito all'altra. «Riusciresti a scoprire quando gareggerà in un altro Festival delle Bugie?» chiesi. «È uno dei miei fan più accaniti e mi piacerebbe... ricambiargli il favore.»

«Vorresti partecipare...» «...a un altro festival?»

«Sì. Insieme a un paio di similitudini che conosco.» Poteva sembrare un capriccio o una mera curiosità nei confronti del mio osservatore, ma non avevo intenzione di abbandonare l'idea. Quando ne discussi con Hasser e gli altri, si mostrarono entusiasti: «Pensi davvero che potremmo farcela? Sai come farci entrare di nuovo?» Era da un bel po' di tempo che nessuno ci convocava più a una festa che celebrasse la Lingua e nessuno dei miei colleghi del Cravat si sarebbe sognato di rifiutare l'invito, sebbene fossi l'unica che continuava ancora a interessarsi più alle menzogne che al mio impiego come similitudine.

Seppur controvoglia, CalVin riuscì nell'impresa. Mi chiesi perché avesse accettato di accontentarmi, dato che, almeno uno di loro, era sempre stato scontroso nei miei confronti. Le differenze di comportamento tra le due metà simbiotiche erano impercettibili, ma io ero abbastanza abituata agli Ambasciatori da riuscire a notarle, osservando che spesso si divertivano a recitare a turno la parte del poliziotto buono e di quello cattivo.

All'interno della vineria capitava di frequente che le nostre conversazioni sugli Ospiti mettessero in luce delle divergenze. Le loro convinzioni si basavano su teorie e segreti politici. Alcuni parevano adorarci (è ovvio che non dovrei usare parole simili) come fossimo delle vere e proprie attrazioni. Altri passavano il tempo a valutare le nostre virtù: quelli erano i critici. «L'uomo che nuota con i pesci è semplice» disse uno. «La ragazza che mangiò ciò che le venne offerto è piuttosto comune.» Valdik rise per mascherare l'amarezza dell'aver appreso che il tropo che lo riguardava non era niente di speciale. Alveare, che ormai avevo cominciato a chiamare Surl Tesh-echer – questo era quanto di più simile al suo nome riuscissi a pronunciare –, era il guru di un altro gruppo. Il campione dei bugiardi.

I suoi migliori amici erano Ballerina Spagnola, un altro che chiamavamo Fuso, e Longjhon, per via dello zoccolo biomeccanico simile alla gamba di legno del pirata. Per quanto ci sforzassimo di capire ciò che dicevano quando si esprimevano in anglo-ubiq, il risultato era sempre molto approssimativo. Ogni volta pareva di trovarsi nel mezzo della calca che affolla una galleria per fermarsi a fissare un pezzo da esposizione e giudicarlo, di tanto in tanto, con una sola parola frammentaria o una breve frase – del tipo 'incompleto', 'potenziale', o ancora 'intricato e poco chiaro' –, o altri enunciati più lunghi e più oscuri.

«Gli uccelli volano in circolo come la ragazza che mangiò ciò che le misero davanti» tradusse Hasser. «Gli uccelli sono come la ragazza che mangiò ciò che le misero davanti, come l'uomo che nuota con i pesci e come la roccia spaccata...»

Gli altri Ariekei, quelli che non facevano parte della combriccola, replicarono a quelle affermazioni ingarbugliate con eccitazione e agitazione, in presenza di *surl | tesh echer* e dei suoi compagni. Al contrario di quanto pensassimo, né *surl | tesh echer*, né Ballerina Spagnola o gli altri parvero apprezzare il valore di quelle critiche. Per questo motivo, prendemmo a riferirci al nostro gruppo di Ospiti preferito come al gruppo dei Professori.

surl | tesh echer sembrò voler frammentare la logica di quelle analogie: gli uccelli non potevano essere come me, la ragazza che aveva mangiato il cibo che le avevano offerto, come la maggior parte degli Ariekei aveva potuto constatare. «Credono che sia irrispettoso affermare il contrario» disse Hasser. Parve rattristarsi. «Gli uccelli sono come la ragazza che mangiò ciò che le venne offerto» ribadì uno dei Professori. Lo disse balbettando, ne storpiò le parole, quindi si fermò e ricominciò da capo.

Ricordo un giorno in cui mi recai al Cravat di buon mattino. Era inverno. Ancora non hai smesso di frequentare questo posto, dissi tra me e me con fare sarcastico. Lungo il tragitto mi sporcai con le foglie marce e la polvere dei viali di Embassytown. L'unica altra similitudine era Valdik, che non fu troppo felice di rimanere solo con me e se ne stette seduto ancora più taciturno del solito. Mi chiesi se il motivo del suo atteggiamento fosse legato a qualche brutta notizia riguardante la sua vita, di cui non conoscevo e non volevo conoscere nulla. Restammo lì senza dire una parola. Quasi non ci conoscessimo.

Finito il mio caffè, sul punto di andarmene, vidi arrivare Shanita e Darius. Il sorriso di lei mi aveva sempre dato l'impressione di nascondere una sorta di soggezione nei miei confronti, mentre lui aveva un aspetto sincero e ingenuo, non troppo intelligente. Mi salutarono entrambi con slancio.

«Perché Scile era qui?» disse Darius, sedendosi. Valdik, ancora accanto a me, non tradì alcuna reazione.

«Scile?» chiesi.

«È stato qui di nuovo, stamattina presto» ripeté. «C'era anche un Ospite. È stato strano vederlo. Tuo marito, intendo, non l'altro. L'ho visto bighellonare in giro lasciando...» Gesticolò in cerca delle parole giuste. «L'ho visto disseminare piccoli dadi e bulloni per tutti i tavoli. Sapresti dirmi il perché?»

«*Di nuovo*? Di nuovo qui?»

A quanto pare, era già stato lì senza di me a tarda notte, insieme a tre Ospiti. Fu Hasser a vederlo, riferendolo a Darius. In quell'occasione, mio marito si era agghindato in modo particolare, con abiti di un colore solo. Shanita confermò quanto detto dall'amico: anche la prima volta Scile aveva provveduto a disseminare nel locale gli stessi oggetti.

«A che scopo?» chiese la similitudine.

«Non lo so» risposi con cautela.

Valdik non accennò a parlare, ma io interpretai la sua immobilità come il segno che, in realtà, si fosse fatto un'idea di quanto era successo. Scile, con il suo rituale per attirare l'attenzione, stava cercando di rimanere impresso nelle loro menti. Stava tentando di essere uno strumento con cui pensare, di essere evocativo. Di diventare una similitudine.

Che diavolo credeva di voler 'significare'?, mi ritrovai a pensare; poi tornai in me: non mi importava.

Il corvide ci fece sbarcare al centro della città, in mezzo a delle stanze a dir poco sbalorditive, in delle catacombe di pelle, le alcove domestiche suturate di organi.

I ritmi intrecciati delle loro parole erano udibili già dall'ingresso. Fu la prima volta che mi trovai dinanzi a un tale numero di esemplari giovani, appena entrati nel loro terzo stadio evolutivo, e neoiniziati alla Lingua. Erano simili ai genitori per forma e dimensione, ma si intuiva non fossero altro che infanti dal colore dell'addome e dal modo di ondeggiare della loro andatura. Erano tutti avidi spettatori dei bugiardi intenti a mentire.

La maggior parte di coloro che gareggiavano non poté fare altro che tacere, sconfitta dalla verità. Insieme a me c'erano Hasser, Valdik e pochi altri, scelti tra i nostri membri più assidui secondo non so quale criterio. Il nostro accompagnatore era ArnOld, scontento del suo ruolo di baby-sitter, dal momento che era venuto per esibirsi. Gli Ospiti lo salutarono dicendo il suo nome: «*old | arn.*»

Tra di noi c'era anche Scile, il quale, imperterrito, provava a chiacchierare con i miei compagni. Era passato molto tempo dall'ultima volta che aveva ascoltato la Lingua parlata nel suo ambiente naturale, quindi chiesi di poterlo portare con noi: mio marito era consapevole del favore che gli avevo fatto e mostrò un misto di gratitudine e imbarazzo. Non eravamo più intimi come la volta precedente e credo che il mio regalo lo avesse sorpreso. Ormai lui aveva smesso di parlarmi dei suoi sforzi di indottrinamento linguistico, e io di chiederglielo.

«Per gli umani questa non è la prima volta.» A parlare, scoprii, era uno degli aspiranti mentitori, un Ospite del gruppo dei Professori.

«Prima dell'arrivo degli umani...» Poi si bloccò, lasciando che uno dei suoi compagni terminasse la frase per lui: «Prima dell'arrivo degli umani, non parlavamo tanto di queste cose.» Poi, l'intera sala fu pervasa da una sensazione nuova, seguita da un ulteriore enunciato. «Prima dell'arrivo degli umani, non parlavamo tanto...»

A quel punto, ne sapevo abbastanza da conoscere il loro trucco, una mendacità falsa e collaborativa. L'Ospite successivo non faceva altro che ripetere la frase del precedente affievolendo la voce sul finale fino a renderla impercettibile. «Di queste cose» disse uno, ma lo disse così a bassa voce che il pubblico non poté sentire. Questo era estro artistico, una farsa ben riuscita e studiata ad hoc per compiacere il pubblico.

ArnOld si irrigidì e le due metà simbiotiche dissero all'unisono: «*surl* | *tesh echer*.»

Gli Ariekei conoscevano due modi per riuscire a mentire, almeno un minimo. Il primo era quello di parlare lentamente e tentare di elaborare una frase falsa. Tale pratica era quasi impossibile, dato che la loro mente reagiva a un tale controsenso privo di significato – anche se solo pensato – come colta da anafilassi. Che riuscissero o meno a strutturarla nella mente, poi avrebbero dovuto fingere di aver dimenticato la natura della stessa. Si sarebbero comunicati l'un l'altro le singole parole costituenti mantenendo una certa velocità di eloquio e scandendo l'enunciato in battute separate a tal punto da giungere a costituire, nella mente di ogni parlante, un concetto a sé stante e dotato di un significato proprio. Per la riuscita della messa in scena sarebbe bastato mantenere un ritmo e una velocità tali che ogni frammento sarebbe stato riassemblato dal cervello degli ascoltatori e acquisito come una frase intera, comprensibile e menzognera. Finora i bugiardi che avevo visto coronati da qualche successo erano bugiardi che parlavano lenti.

La seconda tecnica era meno arzigogolata e più dinamica, ma di gran lunga più difficile. Presupponeva che ogni parlante fosse in grado di far collassare i significati individuali delle parole nella propria mente per costringersi ad articolare i suoni necessari. L'obiettivo era quello di forzarsi a esclamare qualcosa. Al contrario del primo metodo, questo era repentino: si trattava di sputare una raffica di suoni prima che la falsità sottraesse all'oratore la capacità stessa di pensarli.

surl | *tesh echer* aprì le sue bocche.

«Prima dell'arrivo degli umani,» disse con tono irrequieto e discontinuo «non parlavamo.»

Seguì un lungo silenzio. Poi un gran fermento, una rivolta.

Avrei tanto voluto essere capace di comprendere il linguaggio del corpo degli Ariekei. Non capivo se *surl* | *tesh echer* stesse trasudando trionfo, pazienza o niente di tutto questo. Non aveva nemmeno sussurrato la seconda parte di una verità qualsiasi né arrancato a completare una frase frammentaria a ritmo metronomico: il suo enunciato era una bugia bella e buona.

Il pubblico rimase sbigottito. Io stessa ero esterrefatta.

* * *

Gli Ospiti si risvegliarono al terzo stadio già fluenti e consci della funzione della Lingua. «Millenni fa doveva esserci qualche vantaggio adattivo nell'avere la certezza di sapere che ciò che gli veniva comunicato era reale» mi disse Scile l'ultima volta che avanzammo delle ipotesi su questa storia. «La selezione fece in modo di coinvolgere solo le menti che potessero esprimere qualcosa di vero.»

«Un tipo di evoluzione basato sulla fiducia...» osservai.

«Non c'è affatto bisogno di fiducia, stando così le cose» mi interruppe. Il caso, le lotte, i fallimenti, la sopravvivenza, il caos darwiniano della grammatica innata, gli assalti di un animale dotato di un cervello più grande all'interno di un ambiente ostile, la selezione dei tratti distintivi: tutte queste cose hanno creato una razza di parlanti sinceri. «La Lingua è un miracolo» aggiunse. Per qualche oscuro motivo, provai repulsione: la cosa strabiliante era il fatto che gli Ariekei fossero sopravvissuti *nonostante* il loro linguaggio. Così, pensai che forse era questo ciò che mio marito intendeva e concordai con lui.

Se l'evoluzione fosse coincisa con la moralità, nessuno di loro – come due delle tre scimmie sagge – sarebbe stato in grado di ascoltare la più piccola bugia, ma si trattò di qualcosa di più bello e imprevedibile: fu solo il caso a decidere quali individui riuscissero a piegare la verità con le loro stesse dichiarazioni. Scollegate dai loro relativi significati, le falsità non erano altro che rumori prodotti dagli stessi mentitori, una testimonianza della pigrizia biologica: se fosse stato possibile descrivere soltanto la realtà, a cosa mai sarebbe servito saperla discernere dal suo opposto? Ogni cosa sarebbe stata davvero come da definizione? Nonostante un simile deficit adattivo (non erano predisposti a mentire), gli Ospiti riuscivano lo stesso a capire un enunciato falso. O ci credevano (credere era un dato di fatto privo di senso), oppure, quando la falsità era appariscente, la vivevano come qualcosa di impossibile e frastornante, un enunciato impensabile.

Qui sono io a essere monomaniacale: non è giusto insinuare che tutti gli Ariekei siano interessati alla Lingua, ma non riesco a smettere di pensarlo. È vero, mi sto dicendo, ma sono io stessa a dirmelo, e questo implica alcune cose. A ogni modo: a quel popolo interessava ogni cosa, ma, più di tutte, la Lingua.

Così tanto deciso e testardo, *surl | tesh echer* permise al mondo di assistere alla nascita di una nuova bugia, un rigurgito fonemico contro la sua stessa natura.

Il pubblico ne fu rapito, io deliziata, l'Ambasciatore ArnOld stupito, Hasser sconcertato, Valdik e Scile shoccati: avevamo assistito a uno spettacolo raro.

Ricordo recente, 8

I Kedis furono condotti all'Ambasciata in gruppi di tre o quattro dallo Staff di livello intermedio insieme agli Shur'asi, rappresentati da qualcuno dei loro leader pensanti. Il tutto fu osservato dalle VESPcam dei notiziari.

I veicoli della scorta solcarono il cielo sopra i tetti, le antenne e le travi delle nostre costruzioni, passando attraverso il fumo bianco dei camini. Ricordo un fotogramma mandato a ripetizione sul bollettino, che mostrava un giovane membro dello Staff intento a schiacciare la cimice che li riprendeva. Credo fosse davvero irrequieto per arrivare a compiere un gesto così poco professionale.

Nonostante i giornali, le registrazioni e gli articoli mostrassero sconcerto, gli abitanti del posto non parvero allarmati dalle adunanze esoterriane in corso: stormi di navicelle andavano e venivano dalle piattaforme dell'Ambasciata, seguiti da telecamere grandi quanto un pugno.

La stravaganza di quei movimenti sembrò estendersi anche al di là dei confini cittadini.

Ehrsul, RanDolph e Simmon non risposero, quindi, dopo un po' di esitazione, tentai di contattare Wyatt, ma nemmeno lui risultò raggiungibile.

Era passato tanto tempo, eppure il mio ricevitore aveva ancora in memoria il numero di Hasser, Valdik e delle altre similitudini. Considerai l'idea di chiamare uno di loro. Che importa, ora come ora?, riflettei, ma alla fine evitai.

Cominciai a prepararmi, in attesa di ciò che stava per accedere, certa di non essere stata l'unica. Copiai i dati più importanti, nascosi gli oggetti preziosi e riempii lo zaino con l'essenziale. Amavo il modo in cui il mio corpo reagiva allo stress: sebbene il cervello paresse agonizzare, gli arti continuavano a fare il loro dovere.

Si fece notte senza che me ne accorgessi. La brezza degli eoli era ancora fresca. Ricordo che, in quel momento di cruciali cambiamenti, udii il vociare caotico degli uccelli notturni e della fauna del luogo. Non era tardi, non c'era traffico e io mi sentivo ancora in forze. I telegiornali continuavano imperterriti, sebbene i servizi proiettati dallo schermo non avessero senso per me. Il commentatore, un umano, disse: «Non siamo sicuri di cosa... di cosa... È possibile vedere qualcosa nei dintorni della città... Ah... c'è del movimento...»

Le telecamere mostrarono i profili degli Ariekei. Stavano avanzando. Sugli schermi vidi dei corvidi agitarsi frenetici in ogni direzione, così come fuori dalla mia finestra. Sentii i rumori più disparati, quindi mi sporsi dal davanzale e ne intercettai la fonte. Gli Ospiti stavano uscendo dalla città per procedere verso Embassytown.

Mi precipitai nell'interzona al confine tra la nostra città e la loro. L'intero avamposto si illuminò man mano che gli abitanti vennero svegliati dagli schiamazzi. Mi trovai in mezzo a una marea di concittadini assonnati, e mi sentii ugualmente sola. Udii i lampioni sfrigolare per le falene che vi si posavano sopra e passai sotto quelle arcate che conoscevo fin da bambina, accorgendomi che l'aria era sempre più rarefatta. Sapevo di trovarmi a un paio di isolati dal limite della cittadella, a Beckon Street, un viale che corre giù per la collina oltre la nostra enclave.

Si trovava nella parte vecchia della città. C'erano grifoni di gesso ai bordi delle grondaie. Poco più in là, le nostre architetture erano oscurate, e l'edera che ci si era attaccata veniva a sua volta soffocata da foglie carnose e altre materie ariekeiane. I viali e i mattoni erano strati sondati dai filamenti biomeccanici.

Gli Ospiti riempirono le strade spintonandosi l'un l'altro per via delle loro strane andature. Presi singolarmente sembravano avere delle movenze aggraziate, ma in massa non erano altro che un gregge lento e disordinato. Non ne avevo mai visti così tanti. Riuscivo a sentire lo sfregamento delle corazze, il ticchettio dei loro piedi e il muoversi frenetico delle zelle.

Una volta giunti in prossimità del nostro insediamento, gli schermi e i lampioni li fecero brillare in maniera psichedelica. Le vie si riempirono di schiere di uomini e donne in pigiami sgualciti, allineati come a salutare la parata di quei visitatori notturni, mentre le telecamere sfrecciarono sulle loro teste simili a dei minuscoli ficcanaso.

Vidi passarmi davanti una moltitudine di creature in stadi evolutivi diversi, dai più vispi a quelli meno coscienti (avrei voluto poter osservare dall'alto i colori cangianti di quelle migliaia di ali che vibravano), e li seguii.

Un gran numero di Terriani presenti era in grado di comprendere la Lingua, ma nessuno di noi poté parlarla. Alcuni comunque non riuscirono a evitare qualche domanda in anglo-ubiq, chiedendo il motivo della visita e dove fossero diretti. Li seguimmo verso nord, valicando i pendii dell'Ambasciata, camminando lungo le carreggiate o sui cigli delle strade, in mezzo alla sanguinella sottile e ai detriti. Poi sopraggiunsero anche i poliziotti, muovendo le braccia per farci segno di procedere, come per proteggere le mura antiche dalla folla. Dissero qualcosa di sconnesso, del tipo: 'Andiamo. Forza!' oppure 'Allontanatevi da lì!'

I bambini umani si erano precipitati a guardare. Li osservai giocare a fare gli Ambasciatori, parlando in coro in un insieme di rumori privi di senso e annuendo con fare saggio agli Ariekei, fingendo che questi ultimi rispondessero. Gli Ospiti ci guidarono in un percorso a spirale, radunando sempre più curiosi. Gatti e felidi scapparono di fronte agli alieni. Superammo le rovine.

Una serie di Ambasciatori – tra cui RanDolph, MagDa e EdGar – emersero dall'ombra scortati da altri poliziotti e membri dello Staff. Articolarono dei saluti, gridando, senza che i loro destinatari si fermassero a replicare.

«*ursh | hesser!*» dissero i funzionari, attendendo una risposta. Niente. Attesero ancora, ma non ci fu altro che silenzio.

«Amici,» li esortarono «diteci come possiamo esservi d'aiuto. Perché siete qui?» Poi si ritirarono, ignorati. Qualcuno aveva provveduto ad accendere la luce del faro roteante di una chiesa, quasi fosse utudì. D'un tratto, cominciarono a parlare, a urlare, ognuno di loro con entrambe le voci. All'inizio sembrò una cacofonia, un misto di suoni e parole confuse che poi si trasformò in un canto. Non riconobbi molti di quei termini, ma uno mi fu del tutto chiaro: «*ez | ra... ez | ra... ez | ra.*»

Giunti dinanzi alla scalinata di pietra nera dell'Ambasciata, gli Ariekei si sparpagliarono, lasciandomi passare in mezzo a loro. Si spostarono per farmi spazio, pur seguendomi con i loro occhi corallini. Celata nel groviglio dei loro arti acuminati e dalla lucentezza plastica dei loro fianchi rigidi, notai il panico che stavano provando i nostri rappresentanti. «*ez | ra*» ripeterono gli Ospiti. Perfino la gente tutt'intorno si sforzò di pronunciarlo allo stesso modo: «EzRa...» Involontariamente si levò un canto unico – un solo nome – ma in due lingue diverse.

JoaQuin e MayBel si misero a discutere furibondi. Poi scorsi CalVin, affranto, far capolino alle spalle di JasMin, ArnOld e MagDa. Anche lo Staff pareva nel bel mezzo di una discussione accesa, mentre i poliziotti sembravano sull'orlo di una crisi di panico, pericolosamente pronti ad armare le carabine e le pistole psichiche.

Uno degli alieni si fece avanti. «*du kora eshin | u shahundi qes*» disse. «Io sono *kora | shahundi.*» Era uno di quelli che avevano incontrato EzRa alla festa di arrivo.

«Salve» disse *kora | shahundi*. «Siamo qui per *ez | ra*. Portateci *ez | ra.*» E così via. A quel punto, JoaQuin e MayBel provarono nuovamente a parlare, senza che nessuno prestasse loro attenzione. Al contrario, altri Ospiti si unirono alla richiesta del loro simile. Si avvicinarono con lentezza, facendo ondeggiare gli arti coriacei e mostrandosi in tutta la loro maestosità.

«...Non abbiamo scelta!» sentii dire Joa, o Quin. Pensai si stesse rivolgendo a MayBel, ma appresi con stupore che la frase era rivolta all'altra metà simbiotica. Gli Ambasciatori si separarono fino a far emergere EzRa come per magia.

Ez parve alquanto ansioso; lanciò uno sguardo di odio ai suoi colleghi, separatisi apposta per metterlo in evidenza. Ra, invece, indossò la maschera dell'impassibilità. L'Ambasciatore osservò la congrega dalla cima della scalinata.

Gli Ariekei allargarono i rebbi degli occhi cornuti per guardare la coppia nella sua interezza.

«*ez | ra.*»

kora | shahundi tornò a parlare in maniera fluente, così da rendere subito comprensibile il suo intento.

«EzRa» disse. «Parla.»

«EzRa parlerà con noi o noi costringeremo lui a parlare.»

«Non potete farlo» disse qualcuno tra le file dello Staff o dei funzionari. Qualcun altro replicò: «Cosa possiamo fare?» Le due figure si guardarono a vicenda e mormorarono qualcosa per prepararsi. Ez sospirò; il volto di Ra restò immobile.

«Amici» dissero: la metà tozza articolò il suono *Curish* quella slanciata *Loah*. Si udì lo schiocco di qualche torace o fianco alieni.

«Amici, vi ringraziamo per questa visita» prese a dire EzRa, mentre gli Ospiti barcollavano, strattonandomi. «Amici, apprezziamo i vostri saluti» e questo li estasiò.

Ra proseguì a sussurrare qualcosa di tanto in tanto, ma Ez ormai aveva deciso di fare silenzio, così la Lingua si disintegrò. La reazione dei loro interlocutori fu turbolenta: alcuni dispiegarono le ali prensili per poi avvolgersi al loro interno, altri le intrecciarono con quelle dei compagni.

kora | shahundi intimò loro di parlare e *ez | ra* eseguì, concedendogli espressioni di cortesia, vacuità e vari saluti educati.

Gli Ariekei si concentrarono, entrando in uno stato paragonabile al dormiveglia o a un processo digestivo. Il mio sguardo si soffermò ancora sulla piazza gremita di miei concittadini e di telecamere che si libravano in aria senza emettere alcun suono.

«Stupidi! Stupidi bastardi» disse una persona dalle scale dell'Ambasciata. Tali parole furono ignorate al pari delle piante che ci circondavano. Ognuno di noi rimase concentrato sugli Ospiti che stavano rinvenendo dalla trance.

«Bene» disse uno. Questa volta non era stato *kora | shahundi* a parlare. «Bene» disse di nuovo, e si voltò per andare via. Anche *kora | shahundi* fece lo stesso. Tutti gli Ariekei si girarono per tornare da dove erano venuti.

«Aspettate! Aspettate!» Era MagDa a parlare. «Oh, dio del faro!» «Dobbiamo...» Uno di loro fece segno a EzRa di restare zitto. Quindi MagDa riprese a esprimersi nella Lingua: «Dobbiamo parlare.»

Forse per pietà, cortesia, curiosità o chissà che altro, *kora* | *shahundi* e gli altri leader – se questa era la loro qualifica – allungarono gli occhi corallini e si voltarono indietro. Sentii una voce urlare: «La metta via, agente. Cristo, la...»

«Abbiamo altro di cui discutere» proseguì MagDa. «Per favore, unitevi a noi. Possiamo chiedervi di entrare?»

I poliziotti e la Sicurezza attraversarono la folla. «Andate via.» Una figura femminile mi si parò davanti armata di una pistola dalla forma tozza, rivolgendomi lo stesso monito brusco usato con il resto della calca: «Circolare, prego. Stiamo cercando di mettere l'area in sicurezza. Per favore.»

Obbedii agli ordini come tutti, senza fretta. Gli Ariekei erano arrivati lì stranamente compatti, ma ora si dispersero in maniera casuale, lasciandosi dietro il loro profumo e le loro impronte caratteristiche. Un ragazzino dall'espressione alquanto pressante e in uniforme mi bisbigliò di andare a farmi fottere alla svelta, così accelerai un po'. Gli Ambasciatori cercarono di scortare dentro la cittadella i pochi Ospiti che si erano mostrati esitanti, ma non parvero affatto riuscirci.

Parte terza

Probabilità

Ricordo datato, 7

Scile scomparve subito dopo il festival. Sapevo che non a-
vrebbe risposto alle mie chiamate o, se l'avesse fatto, mi avrebbe
rifilato solo commenti concisi insieme alla promessa di tornare:
ovunque si trovasse, avrebbe continuato a far finta che io non
esistessi, ma temevo si fosse consultato con le persone sbagliate.
Il giorno successivo ero con Shanita e Valdik. Quest'ultimo ricevette una chiamata e rispose in modo secco, salvo poi ammuto-
lirsi e voltarsi a guardarmi con gli occhi sgranati. In un istante
intuii che dall'altro capo del ricevitore dovesse esserci mio marito.

Quando Scile si ripresentò a casa dopo un paio di giorni, demmo
sfogo alla lite che covavamo da tanto. Come per la maggior parte
di queste situazioni, i particolari della discussione non sono interessanti, né utili a centrare il punto. Il suo atteggiamento fu aspro e
scontroso, ricolmo di frecciatine sul mio modo di passare il tempo
e di battute taglienti tanto ansiose quanto maligne, alle quali non
avevo intenzione di dare alcun peso. Decisi che ne avevo abbastanza di questa sua recente propensione a esprimersi attraverso
aforismi e del suo pessimo carattere.

«Chi pensi abbia organizzato quel viaggetto, Scile?» lo rim-
brottai, mentre lui non si degnò nemmeno di rispondere o di guardarmi in faccia. Io stessa evitai di assumere pose di superiorità e
di gesticolare, restando con le braccia incrociate, appoggiata allo
schienale della sedia e intimidendolo con lo sguardo come la prima
volta che lo incontrai. «C'è chi sprecherebbe almeno un ringrazia-

mento, anziché rimanere incazzato per giorni. Chi ti dà il diritto di comportarti così? Dove cazzo sei stato?»

Mio marito fece qualche cenno per puntualizzare che si era intrattenuto con gli Ambasciatori. A quel punto, bloccai a metà la mia risposta. Per tutto l'immer!, pensai. Chi è così stupido da squagliarsela nel bel mezzo di una lite per andare a una riunione dei piani alti?

«Ascolta» disse Scile. Capii che stava riflettendo su qualcosa provando a calmare l'impeto di rabbia. «Ascolta. Devi farmi il piacere di ascoltare, ora.» Poi sventolò un documento. «So cosa ha in mente. Mi riferisco a Surl Tesh-echer. Sta facendo pratica per istruire la sua cricca. È di questo che parlavano.» Non menzionò come aveva ottenuto quelle trascrizioni. «Voi similitudini...» continuò. «Gli Ospiti non sono come noi, giusto? Non sono in molti a eccitarsi nell'incontrare una... locuzione aggettivale, un participio passato o quant'altro. Tuttavia, nessuno si sorprende del fatto che *loro* ambiscano a fare la conoscenza di una similitudine. Gli servite per pensare. I cultori della Lingua lo adorerebbero.

«Ma chi potrebbe mai essere tanto interessato a mentire? Un truffatore, ecco chi. Avice, ascolta. Esiste chi vi stima, ed esistono anche i bugiardi. Gli unici a essere entrambe le cose, però, sono Surl Tesh-echer e i suoi.» Spiegò la carta del suo documento. «Sei pronta a darmi retta? O credi che sia stato rannicchiato in quell'armadietto solo per diletto? Qui è riportato ciò che hanno detto.»

«Prima dell'arrivo degli umani non parlavamo tanto di certe cose. Prima dell'arrivo degli umani non parlavamo tanto. Prima dell'arrivo degli umani non parlavamo.» Mi guardò. «Non camminavamo grazie alle nostre ali. Non camminavamo. Non mangiavamo la terra. Non mangiavamo.» Il ritmo con cui Scile leggeva lo scritto si fece più incalzante.

«C'è un Terriano che nuota con i pesci, una che non indossava vestiti, una che mangiò ciò che le venne offerto, uno che cammina all'indietro. C'è una roccia spaccata e poi rimessa insieme. Prima combatto con me stesso, poi mi ci metto d'accordo: proprio come la roccia spaccata e poi rimessa insieme. Cambio opinione. Sono come la roccia spaccata e poi rimessa insieme. Non è vero che non ero come la roccia spaccata e poi rimessa insieme.

«Faccio sempre le stesse cose: sono come il Terriano che nuota con i pesci. Non sono diverso dal Terriano. Sono come lui. Non sono acqua. Non sono acqua. Sono acqua.»

Nessuna traduzione dei discorsi degli Ospiti è mai stata perfettamente comprensibile, ma lì c'era qualcosa di differente. Mi resi conto di una sorta di affinità controintuitiva. Nella sua stravaganza, il tutto suonava un po', un tantino, più simile e meno dissimile all'anglo-ubiq che alla Lingua. Smise di avere la sua solita precisione ed esattezza nelle sfumature.

«Non si comporta affatto come gli altri competitori che si sforzano a mentire» osservò Scile. «È molto più sistematico. È come se si stesse allenando alla falsità. Utilizza questi strani costrutti linguistici in modo da dire la verità, interrompersi e sfociare in una bugia.»

«Ha lasciato in sospeso moltissime frasi» notai.

«Si è allenato» rispose. «Abbiamo sempre saputo quanto gli Ospiti avessero bisogno di te, giusto? Di tutti voi. Hanno bisogno della roccia spezzata e di quei due poveri gatti cuciti insieme per farne una borsa. Per dire determinate cose hanno bisogno delle similitudini! Hanno bisogno di poterle pensare. E, per farlo, devono riprodurle all'interno del mondo reale, così da poter operare un confronto.»

«Sì, ma...» Guardai il foglio e lessi attentamente. *surl | tesh echer* stava imparando a mentire.

«'Sono come la roccia spezzata'» disse Scile «poi 'no, non lo sono'. Sebbene ancora non ci riesca, sta cercando di passare dal 'io sono come la roccia' al dire 'io sono la roccia'. Capito? La stessa comparazione, ma detta in maniera diversa. In modo da non essere più un paragone.»

Mi mostrò una serie di vecchi libri sia in formato cartaceo che digitale sulle teorie di Leezenberg, Lakoff, u-senHe e Ricœur. Quelle sue passioni, che un tempo contribuirono a farmi innamorare di lui, ormai mi facevano sentire a disagio.

«Una similitudine» spiegò «è vera solo per chi la ritiene tale. È un atto di persuasione: tutto è come sembra. Tuttavia, non è più sufficiente. Le similitudini non bastano più.» Mi osservò. «Vogliono far diventare voi stesse una sorta di bugia. Per sovvertire ogni cosa.

«Una similitudine è portatrice di un argomento: ogniqualvolta questo viene espresso, diventa una questione attuale, esplicita e, a sua volta, portatrice di una verità. Tu non hai bisogno... di alcun logos, come lo definivano i filosofi. Giudizio, insomma. Non hai bisogno... di rapportare ciò che è incommensurabile. Tuttavia, se volessi farlo, diventerebbe una verità, sebbene sia palese il contrario. Questo è ciò che facciamo. Responsabile di tali scambi e di queste metafore è ciò che noi tutti chiamiamo ragione: il suo nome autentico, però, è menzogna. Lo scopo di Surl Tesh-echer è far diventare il mondo intero una bugia. Farlo sprofondare nella falsità.» Mio marito parlò con estrema calma. «Sta cercando di dischiudere le porte al male.»

«Sono preoccupata per Scile» confidai a Ehrsul.

«Avice» bloccò i miei tentativi di spiegazione. «Devi perdonarmi, ma non sono certa di aver capito cosa intendi.» Non stava affatto dicendo di non voler sentir parlare di quelle cose: rimase ad ascoltarmi. La mia amica prestò orecchio, anche se non so a cosa di preciso. Sapevo di non poterne avere la certezza.

«Sono preoccupata per Scile» tentai anche con CalVin. «Sta diventando un po' fanatico.»

«Ti riferisci alla sua religione?» domandò una delle sue metà.

«No. Non parlo della chiesa. È...» Ebbi modo di scoprire qualcosa in più del nuovo lato teologico di mio marito, nonostante lui si ostinasse ad affermare di non credere in alcun dio. «Vuole proteggere gli Ariekei. Vuole impedirgli di cambiare la Lingua.» Parlai all'Ambasciatore dei sospetti di Scile. «Pensa ci sia in ballo qualcosa di grosso» continuai.

Gli dissi che ero ancora innamorata di mio marito e che avevo paura che gli accadesse qualcosa. «Puoi aiutarmi? Non riesco a capire il motivo per cui sta facendo tutto questo. Le sue stesse preoccupazioni stanno cominciando ad assalire anche me.»

«Lascia che gli parli» mi rassicurò una delle due metà simbiotiche, mentre l'altra rimasta in silenzio guardò il suo doppio con fare sbigottito, poi sorrise e si voltò verso di me.

Ricordo datato, 8

Come promesso, l'Ambasciatore parlò con Scile. Le ricerche di mio marito erano intense e lo portavano a essere asociale; ogni stanza era invasa di promemoria incomprensibili così come il nostro archivio dati, colmo di file sparpagliati alla rinfusa. A dire il vero, ero spaventata. Non avevo idea di come reagire al nuovo Scile. Era sempre stato un individuo appassionato ma, per quanto cercasse di nascondere la cosa (dopo quell'unica discussione non mi parlò più delle sue ansie), notai che quel lato del suo carattere stava crescendo a dismisura.

Il suo tentativo di dissimulare mi confuse e mi fermai a riflettere sul fatto che forse reputava i suoi atteggiamenti più adeguati ad affrontare i cambiamenti riscontrati nelle abitudini degli Ospiti e che, al contrario, l'unico punto debole della faccenda fosse la mancanza di agitazione da parte di noi Terriani. Magari pensava che il mondo fosse popolato da pazzi scriteriati che lo costringevano a una dissimulazione forzata. Quindi provai a studiare i suoi appunti, frugare nella sua agenda e leggere le annotazioni a cui avevo accesso, quasi in cerca di una chiave di volta, aprendo gli occhi verso le sue teorie, sebbene la mia conoscenza rimanesse parziale e confusa.

«Cosa ne pensi?» chiesi a CalVin. Parve irritato dalla mia richiesta insolita e mi rispose che era chiaro che Scile stesse esaminando le cose da un punto di vista atipico e che la sua concentrazione avesse raggiunto livelli altissimi. Tuttavia, non dovevo preoccuparmi. Un monito completamente inutile.

* * *

Mi sorprese la decisione di Scile di venire al Cravat con me. Ero certa che, dopo gli ultimi avvenimenti, avremmo passato meno tempo insieme e non il contrario. Non gli dissi che sapevo che era già stato lì per conto suo, né trovai altre prove in grado di dimostrare ulteriori tentativi da parte sua di persuadere gli Ospiti a parlare attraverso di lui. Quello che fece fu dare il via a una specie di sottile tiro alla fune con gli altri del gruppo. Prese parte alle nostre discussioni esponendo alcune delle sue teorie, tra cui quelle in cui affermava che le similitudini fossero, al contempo, il culmine e il limite della Lingua. Una sorta di comunicazione volta a plasmare la verità. Fui stupita dal fatto che nessuno gli si fosse mostrato ostile, facendogli pesare il suo essere estraneo. Anzi, successe l'esatto opposto: Valdik non era un tipo troppo sveglio e mi preoccupai per lui, ma notai che non era il solo ad ascoltare mio marito.

Senza esagerare, devo dire che la concentrazione eccessiva di Scile non fece altro che farlo apparire ancora più distratto. Ormai ero certa che non potevamo più stare insieme, ma ci tenevo comunque a sapere che stesse bene.

Per me, invece, non era affatto un brutto momento. Ci trovavamo nel tempo che intercorre tra un cambio e l'altro. La vita a Embassytown era sempre più raccolta, tanto che la città parve chiudersi in sé stessa, avendo smesso di vivere in attesa che accadesse qualcosa o di celebrare ciò che era già successo. Definimmo quei giorni come malinconici. Ovviamente conoscevamo tutti l'utilizzo appropriato di quel termine, ma, insieme a una manciata di altre parole misteriose, per noi aveva assunto anche l'accezione opposta al suo significato convenzionale. Durante quei giorni statici e scialbi passati ai margini dell'immer, isolati da tutto il resto e lontani dall'ultima volta in cui era arrivato un miab, amavamo essere più intimisti.

In occasione delle festività e degli spettacoli, al termine dei nostri lunghi mesi, si sentivano musiche provenire dai tortuosi viali intrecciati di nastri, i bambini ballavano, agghindati con dei costumi olografici ricoperti di luci abbaglianti e cristalline, e c'erano feste ovunque, formali e non, alcune in costume e altre in cui bisognava andare nudi.

Tuttavia, questa cultura della malinconia era parte integrante del nostro sistema economico. A ogni visita ci ritrovavamo con nuovi beni di lusso e tecnologie con cui rinvigorire i nostri negozi e le catene produttive. Una volta giunti qui, c'era una corsa all'acquisto e all'innovazione, in preda all'ebbrezza e alla consapevolezza che i prodotti di lì a poco sarebbero cambiati: le merci di stagione e- rano una moda costosa. Tra una visita e l'altra, però, nei giorni ma- linconici, la vita si fermava – senza disperazione – come pizzicata da qualcosa, e le celebrazioni di quel tipo divenivano sporadiche, nient'altro che piccolissimi segnali di svago.

Ricordo una notte in cui ero a letto con CalVin: uno di loro dor- miva, mentre l'altro mi accarezzava il fianco sussurrandomi qual- cosa. Era raro che mi trovassi sola con una delle due metà simbio- tiche e sentii crescere in me la voglia di chiedergli il suo nome (ora credo di sapere chi dei due fosse). Giocherellai col dito accarez- zandogli la nuca per poi passare al loro bellissimo collegamento, nell'incavo in corrispondenza della sporgenza del cranio. A quel punto, lo sguardo passò al suo gemello, la metà dormiente dello stesso Ambasciatore.

«Faccio bene a preoccuparmi per Scile?» chiesi. La parte di lui addormentata si mosse e rimanemmo immobili per un secondo.

«Non credo dovresti» rispose il mio compagno. «Sai bene che è impegnato.»

Non capii cosa intendesse. «Non temo che si stia sbagliando» chiarii. «Ho paura che lui... che...»

«Sta' certa che non si sbaglia. A ogni modo, riuscirà a giungere alla conclusione di qualcosa.»

Passai da sdraiata a seduta e, infine, mi alzai. «Stai forse dicendo che...?» I miei movimenti svegliarono l'altro doppio, il quale aprì gli occhi e mi guardò in modo assente. Cal e Vin bisbigliarono tra loro dando l'impressione di mancare di intesa. «Cosa stai di- cendo?» domandai.

«La sua tesi ha degli argomenti convincenti» disse quello ap- pena sveglio.

«Non posso credere che tu mi stia dicendo che...»

«Non è così, infatti. Non ti sto dicendo un bel niente» disse, con un'espressione impassibile. Il doppio lo fissò, poi il suo sguardo cadde su di me: era a disagio. «Sei stata tu a chiedere di tenerlo d'occhio, e lo sto facendo. Sto facendo il mio dovere. Sto tenendo d'occhio anche una delle sue ricerche. Si tratta di una teoria eccentrica, ma Scile non è uno stupido e non ci sono dubbi sul fatto che quell'Ospite...» Si voltarono l'uno in direzione dell'altro e dissero in coro: «*surl | tesh echer.*» Quindi, la metà che stava parlando riprese a discorrere. «...sta tramando qualcosa di strano.»

Io rimasi impalata a guardarli dal bordo del letto, nuda: uno di loro stette sdraiato sulla schiena e ricambiò il mio sguardo, l'altro sollevò le ginocchia.

Ammetto la sconfitta: ho cercato di dare una struttura narrativa agli eventi, ma mi rendo conto di non conoscere affatto l'ordine cronologico con cui sono avvenuti. Forse perché non ci ho prestato molta attenzione o forse perché si tratta di cose che non si prestano ad alcun tipo di racconto, ma, qualunque sia il motivo, non riesco a rendere nessuno dei miei ricordi come vorrei.

Riconobbi la figura di Valdik al centro di una piccola folla radunatasi in strada, impegnato a esporre quelle teorie. Nonostante la sua ossessione, mio marito era sempre stato un uomo cauto.

«Valdik Druman è diventato un oratore, dunque?» osservò CalVin. «Davvero? Proprio lui?»

«Sembra strano anche a me, lo so...» risposi.

«Be', è grande e vaccinato. È giusto che faccia le sue scelte.»

«Non è così facile» ribattei. Sapevo che l'Ambasciatore aveva torto e ragione allo stesso tempo.

La maggior parte dei cittadini di Embassytown o non sapeva niente o non era interessata a dibattiti del genere. Per di più, anche quelli che vi assistettero li considerarono come delle discussioni di poco conto, certi del fatto che gli Ospiti non fossero davvero in grado di mentire, nonostante l'insistenza delle poche similitudini convinte del contrario. Per coloro che sapevano dei festival, una manciata di Ospiti determinati a far avanzare i limiti imposti dalla Lingua non era altro che un fenomeno troppo oscuro per poter rappresentare un problema di alcun genere, eccetto che morale. Il che ridusse i creduloni a un numero piuttosto esiguo, sebbene in continua crescita.

Valdik tenne anche dei discorsi al Cravat riguardo alla natura di noi similitudini e al ruolo della Lingua. Le sue argomentazioni restarono confuse, ma appassionate e toccanti.

«Non esiste niente di paragonabile da nessun'altra parte» dichiarò. «Né tantomeno una lingua simile, dove ogni cosa detta corrisponde al vero. Riuscite a immaginare quale grande perdita sarebbe se le cose cambiassero?»

«È ingiusto quello che stai facendo a Valdik» dissi a Scile, durante una delle sue rare visite in quella che, una volta, definivamo casa nostra.

«Non è un poppante, Avice» mi liquidò, senza smettere di rovistare in giro per radunare i suoi vestiti e gli appunti. Non mi guardò nemmeno. «Sa badare a sé stesso.»

Nei pressi delle rovine mi consegnarono un volantino di carta nanotecnologica ma a buon mercato che proiettò un ologramma non appena lo dispiegai. Rimasi sbigottita: mi ritrovai tra le mani lo spettro della faccia del mio amico, grande quanto una mela.

La voce che ne fuoriuscì parlò di 'Druman e la lotta alle bugie', come fosse il titolo di una storia. Fornì anche un orario e un luogo, che non corrispondeva al Cravat, ma a una piccola sala. La mia attenzione, quindi, si spostò sui dettagli del foglietto e sulle sue somiglianze con i messaggi cifrati di guerriglia che si insinuavano, abusivi, sugli schermi pubblicitari. Decisi di andare, certa che vi avrei trovato anche mio marito, ma mi sbagliai. Rimasi ad ascoltare dal fondo della sala.

Il mio compagno di bevute indossava un proiettore che riproduceva la sua immagine in ogni angolo del tempio, ma senza un reale criterio e con il segnale disturbato dalle scariche. Tra le prime file del pubblico riconobbi anche Shanita, Darius, Hasser e altre similitudini e tropi. L'oratore fece la sua predica con un discorso tanto mediocre che mi chiesi come fosse riuscito a radunare tutto quel seguito, e ripensai ai famosi giorni malinconici. Sentenziò una serie di follie religiose deliranti: «Una coppia di voci per una sola verità. Una verità unica eppure duale, biforcuta. Due forme non conflittuali della stessa realtà» e così via.

La sala era riempita per tre quarti. C'erano amici indulgenti, curiosi ed esuli provenienti da altri culti. Nient'altro che un'adunanza di persone annoiate e prive di speranza. Ritornata a casa, Scile era al trasmettitore; vedendomi entrare mi sorrise e mi salutò in maniera poco convincente, dandomi le spalle così da impedirmi di sentire ciò che diceva o di leggergli le labbra. Riflettei sulla possibilità che quella mania sarebbe terminata una volta che il suo strumento, Valdik, fosse stato requisito e rimosso dal ruolo che da solo si era assegnato.

«Cosa posso fare?» esordì CalVin. «Questo tipo di incontri non è mica illegale.»

«Puoi agire come meglio credi.»

«Be'...» «Potrei fare in modo che Druman venga preso in custodia dal nostro centro investigativo...» «...Ma tu sei certa che sia davvero ciò che vuoi?»

«Sicurissima!» mi affrettai a dire, ma ovviamente non lo ero, e CalVin non avrebbe messo in atto quel provvedimento.

«Ascolta» rispose. «Non devi preoccuparti.» «Terrò Scile sotto controllo.» «Baderò che non gli succeda nulla.» Avrebbe tenuto fede alle sue promesse, anche se non nel modo esatto che mi aveva assicurato.

Ricordo datato, 9

Animato dall'ossessione predicata da Valdik, qualcuno rilasciò un virus nel sistema informatico degli automi senzatetto di Embassytown. Lo stratagemma rese le macchine degli evangelizzatori al soldo della sua nuova Chiesa, nonostante le loro abilità di eloquio restassero proporzionate al grado di avanzamento dei processori di cui erano dotati. Furono in pochi a manifestare da subito capacità teologiche, mentre gli altri apparvero poco più che affascinati. Questi continuarono a muoversi a passo lento, ma ora si accostavano alle persone per esortarle a difendere la Lingua prelapsaria che noi, poveri peccatori (tanto per mantenere il cattivo gusto della retorica), eravamo destinati a pronunciare in eterno secondo una struttura profonda articolata sulla menzogna ma comunque al servizio di una verità superiore biforcuta.

I patch di aggiornamento furono programmati e rilasciati così da svolgere il proprio lavoro, ma il virus era tenace. Il proselitismo di quei preti erranti si protrasse per settimane, finché l'effetto catechizzante scemò insieme al deperimento dei loro software, i quali vomitarono un tipo di protestantesimo che andò a configurarsi in una serie di sette collaterali. «Siamo dei tramiti angelici» mi disse uno di quei computer con l'insistenza tipica dei questuanti. «Siamo tramiti con il dovere di diffondere il verbo degli angeli, la parola del Signore.» Nel momento esatto in cui le teorie dei predicatori cominciarono a spingersi troppo in là rispetto all'ortodossia drumaniana, il virus venne rimosso.

Chiesi a Ehrsul se fosse preoccupata della situazione e se avesse ravvisato i sintomi del morbo ma lei, in tutta risposta, preferì bollare gli altri automi come delle macchine dalla mente debole e mi confidò che aveva avvertito la sensazione di cui parlavo, senza però essersi sentita minimamente in pericolo. Era ovvio che i maggiori indiziati fossero Valdik e i suoi seguaci più ferventi, ma nessuno riuscì a produrre delle prove che potessero dimostrare chi fosse il programmatore incriminato, anche se, in ultima analisi, l'impressione generale rimase la stessa. Se non avessi saputo che Scile non aveva le capacità necessarie per un hackeraggio simile, sarei stata portata a additare lui.

La ragione per cui tornai al Cravat era legata a una personale diagnosi sociale. Gran parte degli avventori di un tempo ora e-vitava di riunirsi lì a bere, organizzandosi in altri luoghi dove le similitudini, in qualità di obiettori di coscienza, potessero a-lienarsi dalle dichiarazioni profetiche di Valdik. Altre, invece, e-rano ancora lì al loro posto. Andai ad assistere a una delle sue omelie, che giudicai un'accozzaglia pornografica di cose scontate; magari avrei scovato delle motivazioni per una richiesta d'intervento. Valdik lodò gli Ambasciatori (che considerava gli ierofanti da prendere a modello per le sue intercessioni), e rese grazie per essere lui stesso una figura retorica, portatore di verità e incarnazione della Lingua.

All'ultima riunione cui presi parte c'erano anche *surl | tesh echer*, Ballerina Spagnola e gli altri. La presenza dell'Ospite ammassò un pubblico assai numeroso, e mi convinsi che, negli ultimi tempi, a-vesse raffinato la sua tecnica divenendo un bugiardo ancora più esperto. Si osservarono l'un l'altro, poi lo sguardo di Valdik si fece torvo. Non fui in grado di capire se l'Ariekeo avesse compreso la sua ostilità. C'era anche Hasser – l'unico che annoverasse ancora tra i suoi amici membri provenienti da entrambi gli schieramenti nati dallo scisma delle similitudini –; notai l'espressione indecifrabile sul suo volto dopo avermi riconosciuta. Mi ricordò me stessa. La sensazione che provai in quell'istante fu simile al disagio.

«Non sei preoccupata, dunque?» insistetti.

«Te l'ho detto: sono immune» ribadì Ehrsul.

«No, voglio dire... che ne pensi? Ci hai riflettuto? Hai notato qualche cambiamento, se gli Ospiti stanno imparando... be', se hanno capito come piegare la verità?» La mia amica rimase in silenzio, e io non demorsi: «Se sanno mentire.»

Ci trovavamo all'interno di un bar lungo una delle vie dello shopping e la fama – seppur di modeste proporzioni – dell'automa attirò le occhiate di quelli più giovani e danarosi. Le nostre chiacchiere proseguirono a bassa voce, sormontate dalla musica e dal tintinnio dei bicchieri, ma lei continuò a non rispondere. «Qualcosa sta cambiando e non è ancora chiaro se in bene o in male» terminai.

Ehrsul mi guardò da dietro il suo schermo, imperscrutabile e ambiguo perfino nel design. Tacque. Quel silenzio enigmatico mi innervosì a tal punto che preferii cambiare discorso e, solo allora, riprese a rispondermi in tutta normalità e con la confidenza tipica della nostra amicizia.

Il fatto che fossi una similitudine non aveva mai significato molto per me. Non mi importava niente delle prediche di Valdik. È per Scile che temo, dissi tra me e me; in realtà, sebbene mi preoccupassi per lui, non era solo per quello. Non riuscii mai a capire appieno la mia irrequietezza.

«Allora, che si fa?» mi rivolsi a CalVin. Ebbi l'impressione che perfino gli Ambasciatori avessero cominciato a preoccuparsi. La nuova corrente di pensiero non aveva più di una ventina o una quarantina di adepti, ma quel fervore stava diventando inquietante. Anche gli Ariekei dovevano aver subodorato qualcosa e presero a circolare in città in numero sempre crescente, sotto la cappa eolica del nostro quartiere.

«Stiamo discutendo la cosa con gli Ospiti» mi rispose. «Dobbiamo organizzare...» «...un altro festival.» «Qui, a Embassytown.» «E dare anche a loro la possibilità di prendere la parola.»

«Okay» dissi lentamente. Fu la prima volta che sentii parlare di un evento come quello all'interno della cittadella. «Ma non dovrebbe... Come la mettiamo con Valdik?»

Cal, o Vin, mi fissò, l'altro guardò altrove. Uno di quegli atteggiamenti mi fece adirare e cercai di capire quale. Scile si rifugiò da qualche parte insieme alle similitudini più radicali o allo Staff: in quel momento non si sarebbe mai scomodato a rispondermi, ma sembrò non importare a nessuno. Io invece mi ritrovai intrappolata tra caste e segreti senza riuscire a comprendere se fossi più perspicace o paranoica.

«È colpa della malinconia, Avvy» disse Ehrsul in seguito. «Capita, quando ci si fa prendere la mano da questo genere di discorsi apocalittici. Io credo che...» Fece una pausa. «Credo che tu stia così per via di tuo marito. Sei in pensiero per lui, mentre quello ha pensato bene di sparire.» Si impappinò nel discorso, esattamente come farebbe un essere pensante.

All'arrivo delle rappresentanze ariekeiane all'Ambasciata per organizzare questo festival ibrido, io stavo bighellonando all'interno dell'edificio – come spesso accadeva –, e scrutai ognuno di loro. Ne vidi uno alto e tarchiato con una macchia su una delle sue ali a ventaglio, simile a un uccellino appollaiato in un nido di foglie: lo soprannominai Pero.

«È di questo che abbiamo bisogno» affermò CalVin. «Siamo tutti troppo tesi.» «Faremo una parata, un banchetto e qualche gioco per i Terriani...» «...nonché un Festival delle Bugie in onore degli Ospiti.»

«E Valdik?» mi ostinai a chiedere. «E Scile?»

«Valdik non ci interessa.» «Tuo marito, invece, non lo vedo da un paio di settimane.»

«Quindi, dov'è...?»

«Sta' tranquilla.» «Va tutto bene.» «A essere onesto, credo che questo evento risolverà un bel po' dei nostri problemi.»

Reputai le sue parole assurde, ma nessuno fu d'accordo con me. In tutta la mia vita non mi sono mai sentita così sola.

L'evento si sarebbe tenuto al centro della piazza al confine sud di Embassytown e venne battezzato con il nome di Festa della Bugerità: una crasi ottenuta fondendo le parole bugia e verità, sebbene non abbia mai capito perché inserirci un riferimento anche al secondo termine. Da quel momento, quel nome idiota campeggiò su ogni cartellone insieme alla sua spiegazione.

Valdik viveva nella parte est, in una casa con un balcone all'entrata che si affacciava su un canale dalla vista piacevole e su un giardino fiorito popolato da ogni tipo di volatili e fauna locale.

«Avice» disse con lentezza, aprendo la porta. Se la mia visita lo sorprese, si dimostrò capace di nasconderlo.

«Valdik» dissi io. «Puoi aiutarmi? Ho bisogno di trovare Scile.» Il suo sollievo fu evidente. «Va tutto bene?» chiese.

«Sì» ribattei. «No. È solo che... non lo vedo da giorni...» L'esitazione mostrata era genuina, sebbene il motivo della venuta non fosse mio marito quanto l'esigenza di osservare di persona la similitudine e saggiarne la teologia. Valdik mi fece entrare e io potei constatare i segni del suo credo. L'appartamento era invaso di fogli su cui erano riportati gli insegnamenti della cabala scellerata e del rigore scriteriato alla base della sua setta.

«Nemmeno io» tagliò corto. «Mi spiace. Non so che fine abbia fatto. Può darsi sia ancora con CalVin e gli altri.»

«Anche CalVin non lo vede da tempo» risposi.

«Sì, invece. L'ho visto insieme a lui qualche giorno fa.» La notizia mi zittì. «È venuto a trovarlo al Cravat» precisò.

«Quando?» incalzai. «Chi?»

«CalVin e qualche membro dello Staff.»

«CalVin?» ripetei. «Ne sei certo?»

«Sì.» Questa volta rispose senza alcun cenno profetico. Dovevo andare: in quel momento concentrarmi sulla sua religione sarebbe stato quasi impossibile.

Finalmente riuscii a incontrare di nuovo l'Ambasciatore e mi assicurai di essere di buona compagnia. Dopo mangiato, rimasi ad ascoltarlo parlare della festa. Rimanemmo insieme per tutto il giorno, la notte e ancora la mattinata seguente. Dopo l'abluzione, le due metà simbiotiche riemersero identiche, avendo fatto sparire ogni imperfezione o avendola replicata sull'altro come al solito. Rimasi in silenzio.

Lo osservai dormire e studiai i movimenti inconsci delle mani e i segni differenti lasciatigli sulla pelle dal cotone delle lenzuola. Avrei aspettato fin quando una delle due metà fosse semisveglia. Avrei sussurrato, valutando quello che avrebbe detto Cal o Vin. Fu strano provare a fare qualcosa che non credevo di poter nemmeno immaginare.

Infine, riconobbi il sorriso caldo e la gentilezza usata nell'invocare il mio nome da quello alla mia sinistra. Era difficile da dire, grazie soltanto a quei brevi attimi di dormiveglia, ma conclusi che quello che mi aveva chiamata, fosse Cal o Vin, era la metà che mi piaceva di più. Gli poggiai il dito sulle labbra e lo svegliai in silenzio. Il mezzo Ambasciatore aprì gli occhi.

«Cal» sussurrai. «O Vin. Dimmelo. So che lui non lo farà mai.» Indicai l'altro, ancora dormiente. «So che hai visto Scile. Lo so. Dove si trova? Cosa sta succedendo?»

Mi accorsi dell'errore nel momento esatto in cui mossi le mani.

«Tu» disse a bassa voce, sebbene riuscissi a leggerne la furia. Avevo provato a carpire segreti; avevo provato a farlo con l'inganno. L'espressione di intimità, ormai fuori luogo, rimase pietrificata sul mio volto. «Come osi...»

Imprecai. Lui si alzò, trascinando il suo doppio.

«Che razza di stronza» continuò quello che avevo svegliato. «Come osi. Se ho visto Scile o meno non sono affari tuoi...»

«È mio marito!»

«Non sono affari tuoi. Me ne sto occupando. Così come avevi chiesto. E poi ti presenti qui e mi tratti come... come... Come ti permetti?»

Alle nostre spalle, anche l'altro doppio stava cominciando a svegliarsi. Lo guardai negli occhi e provai vergogna. Come avevo fatto a scambiarli? Il segno che avevo creduto di aver individuato nel fratello era proprio lì.

«Pensavi fossi lui?» esclamò. Scorsi una serie di emozioni diverse nelle sue parole, tra cui dolore.

«Come hai potuto?» continuò. Allora intervenne il suo doppio: «...farlo?» Quello adirato dei due si alzò in piedi e scagliò a terra le lenzuola. «Fuori di qua» proruppe. «Vattene. Brutta stronza... Sei fortunata che non te la faccio pagare.»

«Non posso credere che tu l'abbia fatto» riprese l'altro, con tono sommesso.

«È finita» concluse Cal o Vin, e il suo doppio – quello che avrei dovuto svegliare – lo guardò dal basso verso l'alto, poi spostò lo sguardo su di me, scosse la testa e si voltò di nuovo. Abbandonai la stanza dopo aver rovinato i miei piani.

Nella notte, lungo la strada verso casa, fui io stessa a maledirmi. Superai un gruppetto di Ariekei intenti a mormorare qualcosa nella loro Lingua, quasi fossero interessati alla nostra illuminazione domestica.

Ricordo datato, 10

A ogni fiera o evento cittadino a cui abbia partecipato, mi è sempre stato chiesto di raccontare qualche storiella sull'immer. Mostravo foto e ologrammi collezionati durante le mie ore di navigazione: ognuno dei racconti era costruito per intrattenere i bambini, ma di frequente il mio pubblico era composto da una marea di adulti. L'immer era (e lo è ancora) pieno di fuorilegge e profughi che riemergono dove possono e fanno il possibile per farla franca. Così, davo sfogo ai miei ricordi. Ho trasportato tantissime merci in altrettanti posti: gioielli, bestiame di poco conto e carichi di spazzatura organica su un pianeta-discarica governato da pirati. Ogni volta tenevo il meglio per la fine: uno schermo che, in modalità presentazione, faceva scorrere le immagini dei vari fari che segnano i confini dello spazio conosciuto. Proprio qui, accanto ad Arieka. Modificavo le immagini con i filtri più disparati, fino ad arrivare al tropeware, facendole brillare come fossero anche esse un faro, un fascio di luce che squarciava le tenebre.

«Capito? Ecco cosa si vede. Esattamente qui. Il territorio oltre il nostro pianeta è completamente inesplorato. Noi viviamo nel punto esatto in cui termina la luce.» Mi piaceva il modo in cui sapevo tenere tutti col fiato sospeso, tra il brivido e la paura. In occasione della Festa della Bugerità la mia presenza non venne richiesta.

«Cos'è successo con CalVin?» mi domandò Ehrsul, ma io non le risposi. Né a lei, né a nessun altro.

* * *

I microclimi presenti attorno alla città e a Embassytown erano regolati da un algoritmo complesso che non mi ero mai scomodata a risolvere. Sono sempre stata poco affascinata da quei pianeti la cui esistenza era alla mercé del loro stesso movimento, avvicendati dalla prevedibile alternanza delle stagioni. Anche a Embassytown il tempo aveva le sue specifiche, ma restava del tutto imprevedibile. L'aumento del caldo faceva pensare alla possibilità che stesse arrivando l'estate.

Mi recai alla festa da sola dopo aver detto di no alla mia amica, che invece era certa saremmo andate insieme. Dal suo silenzio capii che l'avevo ferita, che avevo sconvolto la subroutine del suo turingware. Per quanto fossi dispiaciuta, sapevo di non poterci andare accompagnata: non avevo intenzione di punirla (visto che anche lei aveva preferito tacere in ben altre occasioni), ma avevo bisogno di non avere nessuno tra i piedi per prepararmi a ciò che sarebbe successo. Ero sicura che, qualunque cosa significasse quell'evento, non era di certo il capitolo conclusivo.

Erano state allestite sale giochi e sale da pranzo, spa e case chiuse. Per gli Ospiti, giunti in massa, esistevano delle aree apposite: la loro rete informatica aveva pubblicizzato la festa con una tecnologia che prevedeva l'utilizzo di strilloni automatizzati. Fu la prima volta che mi trovai davanti a un tale numero di Ariekei.

Le strade erano piene di chiromanti, saltimbanchi e caricaturisti capaci di realizzare di getto ritratti tridimensionali dei passanti. L'entrata era controllata dalla sicurezza: c'erano metal detector terriani e scanner energetici, e una passerella che annusava chi la percorreva, al fine di individuare la presenza di armi. I poliziotti erano presenti anche tra la folla.

A notte inoltrata osservai gli umani e i Kedis quasi tutti ubriachi o sotto l'effetto di droghe, mentre i bambini continuavano a scorrazzare frenetici e gli automi vagavano senza meta. Scorsi un gruppetto di Shur'asi adolescenti e un Pannegetch solitario giocare a dadi. Nel corso di una partita al gioco delle pulci e di un concertino locale notai anche un folto pubblico di Ospiti dall'aspetto rapito tipico dei turisti e divertito dai nostri arrangiamenti musicali. L'unico che non riuscii a trovare fu Scile.

Non credo che gli alieni avessero mai avuto modo di apprezzare la nostra predilezione per la simmetria e per i momenti cardine, fatti di solstizi e mezzidì. Tuttavia, la festa in questione era tanto nostra quanto loro e il Festival delle Bugie iniziò a mezzanotte.

L'atrio era alto quanto una cattedrale e i punti in cui le fibre carnose biomeccaniche non ancora sviluppate avevano lasciato dei buchi erano stati rivestiti con dei bendaggi decorativi e della plastica. I posti a sedere destinati ai Terriani erano disposti tutt'intorno all'arena, seguiti da quelli in piedi allestiti per esoterriani e Ospiti. Avvistai molti dei miei conoscenti, i quali, a loro volta, mi salutarono. Hasser alzò il braccio per farsi vedere e mi parve intimorito, ma era troppo lontano per poterlo raggiungere. Dinanzi al palcoscenico principale c'era lo spazio destinato agli Ambasciatori. Vidi CalVin, CharLott, JoaQuin, MagDa, JasMin e tutti gli altri in compagnia dello Staff e affiancati dai loro ospiti illustri, tra cui riconobbi Pero e un altro paio che reputai essere i leader del gruppo. Alle spalle di questi, i partecipanti allo spettacolo restarono in attesa.

surl | tesh echer era lì insieme a Ballerina Spagnola e al suo entourage. Non fu difficile distinguerli.

Quando si abbassarono le luci e vennero accese alcune luminarie colorate ci fu un momento di silenzio seguito dal brusio eccitato degli astanti. Con una voce chiara e duplice, l'Ambasciatrice CharLott si fece avanti al centro della platea e parlò. Un traduttore si rivolse a noi spettatori urlando in modo appariscente: «Ha detto che sta piovendo! Che sta piovendo liquore!»

Sembrava quasi che cercassero di accendere gli animi dei cittadini di Embassytown con quella piccola falsità, come fossimo anche noi degli Ospiti; tutto ciò mi parve assurdo. In seguito all'esclamazione, gli alieni cominciarono a rumoreggiare e osservare il cielo, deliziati nel constatare l'assenza della precipitazione descritta. Allo stesso modo, i Terriani urlarono di gioia a ognuna delle balle raccontate dall'intrattenitrice, quasi dimenticandosi di essere loro stessi capaci di mentire.

Quando la relatrice sul palco ebbe terminato, riuscii finalmente a guadagnare un po' di spazio e avanzare. Altri Ambasciatori si esibirono e capii che stavano gettando le basi per gli ascoltatori: per noi. C'erano bugie che altro non erano che un siparietto comico, quelle che erano un crescendo di tensione, e c'erano quelle che facevano commuovere.

Dopo una lunga serie di minuti esaltanti, i nostri showman conclusero il loro spettacolo, cedendo il campo agli Ospiti: questi presero posto e formularono giusto un paio di frottole brevi. La maggior parte di loro utilizzò dei trucchetti verbali, come il sussurrare la parte finale delle proprie frasi, ma ogni successo venne celebrato dalle grida festose dei Terriani e dall'approvazione degli Ospiti. Ovviamente, un discreto numero di concorrenti incespicò nella propria esibizione finendo col dire la verità e attirando su di sé lo sdegno o la compassione da parte degli altri alieni.

«Io sto in piedi. Io non sto in piedi.»

«Ciò che ho di fronte non è rosso.»

Infine, *surl | tesh echer* si fece avanti come da scaletta. Di fronte a lui, l'Ambasciatrice LuCy si mosse come un pugile, agitando le braccia per riscaldarsi. Fui sorpresa, perché, avendo letto della sfida, mi aspettavo CalVin come rappresentante di Embassytown. I contendenti si accordarono. Mi parve un'empietà. Chi mai avrebbe potuto permettere una cosa simile? Tra gli applausi, sentii un uomo alle mie spalle che parve condividere la mia stessa opinione. «Non è giusto» mormorò.

«Prima dell'arrivo degli umani non parlavamo tanto di certe cose» disse *surl | tesh echer*.

Il maestro di cerimonie elencò le regole della disputa. «Prima dell'arrivo degli umani non parlavamo tanto di certe cose» ripeté *surl | tesh echer* sbattendo le ali: qualunque emozione stesse provando il contendente alieno, agli occhi degli spettatori non sembrò altro che una spacconata. Le due metà simbiotiche dell'Ambasciatrice e l'Ariekeo, nella sua bestialità imponente, si scrutarono a vicenda. L'Ambasciatrice aprì la bocca, ma, prima ancora che potesse dire qualcosa, *surl | tesh echer* dichiarò: «Prima dell'arrivo degli umani non parlavamo tanto.»

Ci fu trambusto. «Prima dell'arrivo degli umani» sapevo già come sarebbe finita quella bugia «non parlavamo.»

L'Ospite parlò con una voce nitida, e i suoi simili barcollarono per un momento, estasiati. Perfino i miei concittadini compresero di aver assistito a un evento straordinario. Il frastuono parve provenire da tutte le direzioni. Qualcuno urlò le proprie teorie. Mi accorsi che tra la calca c'era chi spintonava.

«È falso!» urlò uno. «È falso!»

Alcuni uomini e donne del pubblico vennero scansati in modo violento e improvviso. Le urla aumentarono. Concentrai l'attenzione sull'uomo che si stava facendo largo: Valdik.

«È falso!» urlò. Affrettò il passo continuando a gridare, poi raccolse un randello da terra; ebbi come uno spasmo. L'energia con cui brandì il bastone fu troppa anche per gli uomini della Sicurezza. Raggiunse *surl | tesh echer*, sbraitando che quanto detto da quest'ultimo non corrispondesse al vero. Quando sollevò il bastone, gli occhi corallini dell'avversario tradirono tensione. Poi vidi alcune persone correre verso di noi. Il fanatico inveì: «Fottuto serpente!» L'Ariekeo rimase immobile a guardarlo. Il corallo ora assunse la forma di due corna. Sentii il rumore di un'arma, e Valdik si accasciò a terra: il suo randello era piombato al suolo. I poliziotti lo avevano agguantato per neutralizzarlo.

«Era qui per un Ospite?» dissero le persone sussultando.

Riuscii a sentire gli ultimi schiamazzi di Valdik: «Demonio! Ci distruggeranno tutti! Non permettete che mentano!»

Nessuno degli alieni presenti emise il più piccolo suono. Infine, l'individuo venne rimesso in piedi, grondante di sangue, lacero e semicosciente, quindi lo trascinarono via lasciando che i suoi piedi, privi di forze, sfregassero contro il selciato. L'attacco era terminato già da qualche decina di secondi e, in tutta la sala, credo fui l'unica a continuare a osservare CalVin e il resto dei suoi colleghi silenti, i soli a non prestare attenzione all'aspirante assassino che veniva condotto all'esterno.

Tra il gruppo di Ambasciatori e membri dello Staff che stavo osservando vidi anche Scile. Così, era lì che dovevo guardare. Nessuno di quelli parve interessarsi a Valdik, rimanendo voltati in direzione di *surl | tesh echer* e, alle sue spalle, di Pero e del suo gruppo. Fui una tra i pochissimi presenti a vedere cosa accadde poi.

Notai Hasser fare capolino da dietro Pero e spostarsi con rapidità. *surl | tesh echer* stava ancora fissando il prigioniero. Nessuno della Sicurezza – idioti troppo impegnati con il diversivo e ben lungi dal poter intervenire – notò l'arrivo della seconda similitudine. Mi mossi anch'io.

La creatura vide qualcosa con la coda dell'occhio e girò l'intera struttura corallina all'indietro, per guardare. Scorsi Ballerina Spagnola, lo sentii chiamare e frollare le ali, turbato. Tra le mani del complice spuntò un oggetto biomeccanico con un carapace ceramico. Il grilletto scattò. Hasser fece fuoco. Nessuno fu in grado di fermarlo.

Questi sparò e la bocca da fuoco dell'animarma si spalancò in un ruggito. L'esplosione scaraventò a terra il bugiardo, spruzzando ovunque il suo sangue melmoso.

Nel volo l'essere si frantumò, ma la similitudine non smise di fare fuoco, facendogli saltare le ali prensili via dal corpo mentre questi, morente, faceva vorticare le zampe insettili in maniera agghiacciante. Il sangue zampillò in ogni direzione.

A quel punto, Hasser fu strappato dalla mia vista dal proiettile di un poliziotto. Nel momento esatto in cui le urla ripresero, ero accanto all'attentatore. Tremavo. Faticavo a respirare come fossi al di fuori della cappa eolica. Lo sguardo di Hasser era vitreo. Udii lo sfregare delle squame provocato dagli spasmi post mortem di *surl l tesh echer*.

Ballerina Spagnola agitò le ali tracciando delle figure e cambiò i suoi colori. Fu la prima volta che sentii il dolore di un Ariekeo. Io e l'alieno ci guardammo l'un l'altro. Ignorai ogni altro segno di commozione o gemito della sala. I miei occhi si soffermarono su Pero, poi su CalVin e Scile. Ricordo una stretta al cuore a ogni respiro. Stavano fissando il cadavere di Hasser, privi di espressione. Di sicuro mi avevano vista.

Ecco, questa è la storia dell'assassinio del più virtuoso bugiardo Ariekeo.

Potete immaginare come siano state le giornate seguenti. Caos, paura, eccitazione. Erano passate centinaia di migliaia di ore, una vita intera, dall'ultima volta che un Ospite era stato ferito da un abitante di Embassytown. All'improvviso ci rendemmo tutti conto della sofferenza insita nella nostra esistenza. Lo Staff impose un coprifuoco e ampliò i poteri delle forze dell'ordine e del personale di riserva. Nell'immer mi era già capitato di visitare città e colonie governate dai regimi dittatoriali più disparati: ciò che noi stavamo vivendo in quel periodo era un'approssimazione abbastanza pittoresca della legge marziale. All'interno dei nostri confini, però, era una novità.

Ero piena di tristezza, ma scelsi di sfogarmi soltanto quando fui sola. Ero dispiaciuta per Hasser – quello sciocco, che aveva tenuto segreto il suo fanatismo – e per Valdik – che sono tuttora certa non si fosse mai reso conto di essere stato usato a mo' di diversivo, così leale nei confronti di mio marito da affrontare l'esecuzione, la notte seguente al misfatto, negando l'implicazione di chiunque altro.

Nemmeno la morte di *surl | tesh echer* mi lasciò indifferente, nonostante non sapessi quale emozione fosse più appropriata nell'affrontare la perdita di un Ospite: decisi di optare per la tristezza.

Per un giorno intero spensi il mio comunicatore e non aprii la porta a nessuno. Il secondo giorno rifiutai ancora di alzare la cornetta, ma risposi a chi bussava. Sulla soglia di casa trovai un automa che non conoscevo, la silhouette di un umanoide cigolante. Strabuzzai gli occhi e mi domandai chi lo avesse mandato da me, poi lo guardai in faccia. Era lo schermo peggiore sul quale l'avessi mai vista, ma si trattava di Ehrsul.

«Avice» esordì. «Posso entrare?»

«Ehrsul, perché ti sei scaricata in questo coso?» Scossi la testa e indietreggiai per farle spazio.

«Il mio solito corpo non ha queste.» Agitò gli arti superiori a peso morto come fossero delle funi.

«A cosa ti servono?» chiesi. Poi, forse per il volere divino del Pharotekton, riuscì a muovere le braccia e afferrarmi in modo saldo senza dire alcunché. Ricambiai il suo abbraccio, restando in quella posizione per parecchio tempo.

Tornai un'ultima volta al Cravat mostrando la mia espressione migliore e camminando col fare tipico di una barcamenante. Nessuna delle altre similitudini era lì, né pensai ci sarebbero mai tornate, così tolsi la maschera. Tuttavia il proprietario – un uomo di cui non mi ero mai scomodata a imparare il nome, rivolgendomi a lui sempre e solo con le solite espressioni vernacolari che ormai ho dimenticato – si affrettò a venirmi incontro in preda all'agitazione come a chiedere il mio aiuto. Mi spiegò che gli Ariekei non avevano mai smesso di recarsi alla vineria: Ballerina Spagnola, uno noto col nome di Battista e gli altri Professori erano soliti entrare per poi mettersi a fissare il vecchio tavolo delle similitudini.

Surl Tesh-echer aveva l'abitudine di venire qui, riflettei. Forse lo fanno per commemorare il loro amico.

L'uomo disse di essere terrorizzato all'idea che gli Ospiti potessero vendicarsi. Una paura condivisa da molti. Ricordai di aver visto Pero farsi da parte per far passare Hasser e dirgli qualcosa. CalVin e gli altri erano in attesa. La morte di *surl | tesh echer* non era stata solo un assassinio, ma una vera e propria esecuzione pubblica a opera dei suoi compagni. Quale grande eresia: l'alieno era stato condannato a morte per mano di un umano.

La città rimase all'oscuro di tutto ciò, non poteva saperlo. L'intera situazione fu organizzata (e riuscirono nell'intento) per apparire come un caotico bagno di sangue che mascherasse le ulteriori implicazioni giuridiche che ne sarebbero derivate.

Gli Ariekei più conservatori avevano decretato di non poter più tollerare quell'essere e i suoi esperimenti. Le menzogne erano una messa in scena e le similitudini dovevano restare delle figure retoriche: la loro sintesi, che rappresentava il primo passo verso il mutamento in un tropo diverso, era una sedizione. Pensai che non sarei mai stata in grado di capire le ragioni di nessun esoterriano; inoltre, ero cresciuta nella convinzione che i meccanismi di pensiero degli Ospiti fossero al di là della mia comprensione. Qualunque motivo avesse portato quelle creature a esercitare il proprio potere in maniera così brutale poteva (o no) essere paragonabile ai calcoli orditi entro le mura dell'Ambasciata. La loro reticenza nei confronti di quel tipo di cambiamenti doveva essere di carattere etico, estetico o completamente casuale. Poteva riguardare la religione o essere un gioco. Una strumentalizzazione. L'espressione fredda e cinica di una macchinazione o di giochi di potere all'interno di una ristretta cerchia.

Mi tornò in mente l'ansia sul volto di Cal, o forse Vin, quando mi confessò che reputava sensate alcune delle teorie di Scile sul conto di *surl | tesh echer*. Gli Ambasciatori l'avevano giudicato un pericolo, come del resto avevano fatto anche i suoi simili. Non ho mai pensato che CalVin si fosse reso conto già in partenza del modo orribile in cui la situazione era destinata a finire – almeno non quanto mio marito –, ma doveva comunque aver immaginato che una tale quantità di segreti e dissensi avrebbe portato a un cambiamento, e questo era più che sufficiente. Tutti insieme, Terriani e Ariekei, avevano messo un freno alla catastrofe. Così avevano risolto il problema.

Ma poi? Anche fossi riuscita a provare le mie congetture, a chi avrei potuto dirlo? Nessuno avrebbe mai pensato a un crimine di questo tipo. Cosa ne avrei ricavato? Non avevo idea del numero di Ambasciatori invischiati nel complotto, o di quelli che, appreso il fatto, non l'avrebbero approvato, né riuscivo a immaginare cosa mi avrebbero fatto se avessi sollevato la questione. Eppure, non potevo essere la sola a essersi resa conto di tutti i retroscena: gli indizi a disposizione non erano pochi. I membri dello Staff ostentarono orrore e sconcerto nei confronti dell'accaduto, rendendo noto alla cittadinanza di essersi scusati con gli Ospiti e di aver assicurato Hasser e Valdik alla giustizia. Le forze dell'ordine furono tutt'altro che tenere anche con i seguaci superstiti del culto drumanista.

Alla fine di quella storia, Scile si trasferì all'Ambasciata per entrare a far parte dello Staff. Portò via la sua roba da casa in un'unica tornata. Tra i suoi difetti non figurava di certo la codardia, ma penso che stesse tentando di evitarmi, forse per risparmiarmi la sua rabbia.

Non ho mai smesso di provare sconcerto per quell'esecuzione. I mesi passarono inesorabili (e sapete già quanto sia lungo il nostro calendario), i giorni malinconici terminarono e la morte dei due criminali ormai era lontana. Nonostante tutto, continuai a rifiutarmi di parlare con CalVin e Scile, pur ignorando ancora quali fossero i funzionari che avevano o meno partecipato all'intrigo. Sapevo di non poter restare distante da loro per sempre: non sarei mai riuscita a vivere così. Si trattava di sopravvivenza, non di un compromesso.

Sia io che l'Ambasciatore scoprimmo di mantenere lo stesso atteggiamento di silenzio nei confronti dell'altro quando ci trovavamo nella stessa stanza, anche se un giorno mi sforzai di accettare un breve e gelido scambio di parole con lui.

Ricordo ancora quelle caratteristiche di Scile che un tempo mi intrigavano: dei piccoli tratti di opacità che possedeva già quando lo conobbi ma che ormai sembravano essere gli unici in grado di descriverlo appieno. Non so che tipo di paure nutrissero i membri dello Staff nei confronti di *surl | tesh echer*, ma mi convinsi riguardassero delle ragioni politiche. Inoltre, il fatto che mio marito fosse entrato a far parte di quel gruppo dopo averlo frequentato a lungo in maniera informale mi fece diventare ancora più diffidente. Il plagio ai danni di quelle similitudini fanatiche e credulone ormai si era concluso: il suo lavoro era stato quello di gregario, ma mi chiesi se non avesse agito da vero profeta.

A mesi di distanza dalla terribile crisi, finalmente Embassytown voltò pagina. L'arrivo della nave successiva era vicino. Il tempo dei 'ricordi datati' è quindi finito. Gli Ospiti decisero di tramutare anche Scile in una similitudine: fu Ehrsul a dirmelo.

L'automa non era riuscita a individuare con esattezza cosa avesse fatto per essere investito di quella carica. Inoltre, seppur divenuto parte integrante della Lingua, il suo tropo non era mai stato utilizzato fino ad allora, nemmeno nelle varie conversazioni origliate, durante le quali speravo sempre di non essere scoperta. Le figure retoriche che rappresentavano Hasser e Valdik, invece, furono rettificate e ravvivate. 'È come il ragazzo che è stato aperto in due e poi richiuso, che ora è morto.' 'È come l'uomo che nuotava con i pesci ogni settimana, che ora è morto.' Gli Ariekei trovarono come impiegare anche queste riformulazioni.

Nel corso di quel periodo cupo la mia amica fu di grande conforto, tuttavia preferii non arrischiarmi a confidarle ciò che sapevo. Conclusi che era meglio aspettare. Ero un'immergente. Una volta giunto il momento, mi avrebbero affidato un altro incarico e sarei uscita fuori, nello spazio, abbandonando questo posto. Poi, ricevemmo il miab contenente i dettagli sul carico in consegna e le novità riguardanti il nostro improbabile Ambasciatore.

Avrei forse fatto meglio a restare e vedere cosa sarebbe successo? Non ero io stessa ansiosa di un qualche cambiamento? Ogni cosa avvenuta dopo l'evento in questione entrò a far parte dei miei 'ricordi recenti', gli unici ancora da raccontare.

Più tardi, la gravità della crisi svelò una retrospettiva costellata di reminiscenze colpevoli: mi resi conto che niente sarebbe andato secondo i piani già la prima volta che incontrai EzRa alla festa di arrivo, intuendo che non avrebbero fatto altro che diffondere il caos all'interno dei confini di Embassytown. E questo mi piacque.

Parte quarta

Dipendenza

9

Le persone presero a vagare per strada mosse da un'incertezza illusoria, sapendo che era cambiato tutto, ma senza comprendere davvero in che luogo si trovassero ora. Gli adulti continuarono a discutere e i bambini a giocare. «C'è da stare molto attenti» sentii dire a un signore e per poco non gli risi in faccia. Attenti? Voi? E come vorreste fare? Abbiamo sempre vissuto nel ghetto di una città che non apparteneva a noi, ma a esseri assai più strani e potenti: ignoravamo di vivere tra gli dèi, delle divinità minuscole ma comunque superiori agli umani, soprattutto considerando i rispettivi mezzi a disposizione. Dagli ultimi avvenimenti, gli Ariekei erano cambiati e noi non avevamo modo di capire come. L'unica cosa che ci restava da fare era aspettare. I dibattiti tra i cittadini di Embassytown erano un'accozzaglia di discorsi privi di senso, simili allo starnazzio delle oche.

Le immagini provenienti da schermi e ologrammi presero a rassicurare la popolazione: «La situazione è sotto controllo.» Tuttavia, ognuno di noi era in cerca delle parole giuste per dare un senso a ciò che era accaduto prima di quegli avvenimenti. Attraversai il piccolo distretto kedis: anche lì le troiche al potere avevano sentito dello sterminio e conoscevano abbastanza bene la psicologia terriana da essere contagiate dalle nostre stesse ansie e paure.

Non riuscii a convincere Ehrsul a unirsi a me nel prendere parte all'agitazione e al trambusto che dilagava nella cittadella e sui distretti in collina, dove si era concentrata la folla. Era stata radunata da una serie di voci che non avevano fornito alcuna spiegazione, e restava così, a guardare la città dall'alto come uno spettatore inerme, mentre Embassytown continuava a muoversi in modo confuso ma diverso dal solito. Se ne sarebbe reso conto chiunque. Mi recai all'appartamento dell'automa e notai che la mia amica era giù di corda: lo eravamo tutti.

Mi spillò del caffè con uno di quegli aggeggi che molti di noi stavamo comprando, poi cominciò a ciondolare sulle gambe con il cigolio inevitabile tipico delle macchine, nonostante gli ingranaggi fossero a posto, e che in seguito si trasformò in una scocciatura.

«Hai scoperto qualcosa?» esordii.

«Su quello che sta succedendo? Niente di niente.»

«E a proposito del...?»

«Ti ho già detto di no.» Fece lampeggiare il suo volto. «Sulla rete gira solo qualche pettegolezzo. Se hanno capito la situazione o ne stanno parlando, ciò sta avvenendo all'interno del deep web e io non posso accedervi.»

«Quanto a EzRa?»

«Cosa dovrei sapere? Pensi forse che ti stia tenendo nascosto qualcosa di importante? Cristo.» Il suo tono mi imbarazzò. «Non ho più informazioni di te sul suo conto. Non lo vedo dalla festa.» Non le rivelai di aver visto Ra più di recente. «C'è un mucchio di dicerie sul fatto che siano scappati nell'immer, stiano prendendo il controllo, preparando un'invasione o che siano morti. Sarei pronta a giurare che sono tutte fandonie. Se nemmeno i tuoi contatti all'Ambasciata sono riusciti a cavarne nulla, come avrei potuto farlo io?» Ci osservammo a vicenda.

«Va bene» risposi con lentezza. «Vieni con me...»

«Non vado da nessuna parte, Avice» rispose chiudendo l'argomento e, questa volta, non mi dispiacque poi troppo che l'avesse fatto.

Camminai fino al muro delle monete. È dura tornare in un posto che si è visto per l'ultima volta da bambini, soprattutto quando ci si trova davanti a una porta: il cuore batte sempre più forte man mano che ci si appresta a bussare. Ma bussai, e fu Bren a rispondere.

Quando la porta di casa si aprì, i miei occhi erano puntati verso il basso, così da temporeggiare ancora un po'. A quel punto alzai la testa in direzione del padrone di casa, che trovai invecchiato e con i capelli grigi. E questo è quanto: era difficile che fosse stato colto di sorpresa. Sono certa che mi avesse riconosciuta, prima che intercettassi il suo sguardo.

«Avice» pronunciò il mio nome. «Benner. Cho.»

«Bren» lo ricambiai. Dopo qualche attimo di incertezza si lasciò sfuggire un suono a metà tra un gemito e una risata, a cui io risposi con un sorriso triste. L'uomo si fece da parte per lasciarmi entrare in quella stanza che ricordavo ancora alla perfezione: tutto era rimasto immutato.

Mi portò qualcosa da bere e scherzai sul cordiale che mi offrì da bambina. Si ricordò della cantilena del gioco delle monete e me la recitò in maniera approssimativa. Parlammo del più e del meno, accennò al fatto che ero stata nello spazio, ero un'immergente, e si congratulò. Sentii di doverlo ringraziare. Di nuovo, rimanemmo a guardarci in silenzio. La sua figura era ancora molto esile, e forse indossava lo stesso vestito elegante di allora.

«Dunque,» riprese a conversare «sei venuta qui per via dell'apocalisse.» Notai le immagini caotiche di Embassytown su uno schermo muto alle sue spalle.

«È così?» gli chiesi.

«Credo di sì. Tu, invece?»

«Non so che pensare» risposi. «È per questo che sono qui.»

«Be', sì. Credo stia arrivando la fine del mondo.» Si sedette mettendosi comodo. Sorseggiò un po' della sua bibita e ricominciò a scrutarmi. «Sì. Ogni cosa sta per finire. E te ne sei resa conto anche tu, non è vero? Oh, sì. Te lo leggo negli occhi.» Capii l'affetto che provava per me. «Sei stupefacente» disse. «Una ragazza così intensa. Mi fai ridere, sai? Perfino quella volta in cui vegliasti il tuo sfortunato amico. Quello che aveva respirato l'aria del territorio degli Ospiti.»

«Yohn.»

«Proprio lui. A ogni modo,» sorrise «si sta per scatenare l'inferno e tu vieni qui? Credi davvero che possa aiutarti?»

«Credo tu possa dirmi qualcosa in più.»

«Oh, credimi,» replicò «all'interno di quel castello nessuno vuole che io sappia alcunché. Cercano di tenermi lontano il più possibile.

Non sto dicendo che non ho i miei informatori – c'è sempre qualcuno disposto a tenere un uomo anziano aggiornato sui fatti –, ma credo di non essere più informato di te.»

«Chi è Oratees?» mi venne in mente. Bren alzò gli occhi di scatto. «Oratees?» fece eco. «C'entra qualcosa? Oh, dio del faro, andiamo bene.» Si lisciò le pieghe della camicia. «Sono stupito. Avevo pensato potesse entrarci qualcosa, ma...» Scosse la testa.

«Ma ne dubiti. Non puoi crederci, giusto?»

«Oratees non è una persona» spiegò Bren. «È un movimento. Sono dei fanatici.»

«Tutto quello che poteva accadere è già successo» aggiunse. Si sporse verso di me. «Dove credi che siano gli Ambasciatori falliti, Avice?» La sua domanda fu tanto scioccante da togliermi il fiato.

«Se ti dicessi che ogni singolo monozog allevato dall'Ambasciata è chiamato a svolgere un incarico pubblico ci crederesti?» insinuò.

«Non credo proprio. Non puoi neanche immaginarlo. Alcuni dei doppi coltivati non sono abbastanza identici da poter essere cuciti insieme: nonostante l'allenamento continuano ad avere le loro fisime, a pensare in maniera diversa, e così via.

«A pensarci bene, l'avrai immaginato ancor prima che ti venisse detto. Non è proprio un segreto, ma soltanto una cosa a cui non si pensa. Sapevi già del fatto che alla morte di uno dei doppi, l'altra metà va in pensione.» Poi sollevò le mani e indicò sé stesso con un cenno. «Non sei mai stata nell'asilo dell'Ambasciata, vero? Lì si trovano quelli che non sono stati giudicati idonei. Individui nati, cresciuti e formati unicamente per un determinato compito, ma che poi non sono in grado di svolgerlo: che senso avrebbe liberarli? Non farebbero altro che creare problemi.»

Delle piccole stanzette che fungessero da discarica per duplicati, dei semplici doppi troppo pigri e indipendenti, andati a male: un miscuglio riuscito di tratti simili. Se anche gli errori non fossero stati evidenti a livello fisico, ne esistevano comunque degli altri più in profondità; oppure, semplicemente la coppia di doppi non era in grado di adempiere il suo lavoro.

«Ma se capisci...» si confidò «...di odiare il tuo lavoro e il tuo doppio quando sei già fuori di là? Bene. Bene.» Mi parlò con gentilezza, riuscendo a fare breccia dentro di me. «Quando è morto, il mio... si è trattato di un incidente. E non potevano comportarsi come se fossimo anziani. La gente ci conosceva... conosceva me. E io ero troppo giovane per scomparire insieme a lui. Tentarono di internarmi in una casa di riposo, ma non ne ebbero la forza. Be', che potevo farci se non piacevo ai miei vicini? Era forse colpa mia se il mio aspetto li inorridiva? A nessuno piace vedere uno spaccato mettere in mostra il suo taglio. Monconi.» Sorrise. «Ecco cosa siamo.

«Inoltre, ci sono alcuni allievi che non riescono a parlare la Lingua. Non so perché. Non importa quanto si esercitino, ma il tempo passa e loro non spiccicano una parola. È semplice: non possono uscire. Tuttavia, esistono casi ancora peggiori. Ci sono volte in cui una coppia assomiglia in tutto e per tutto a un doppio già esistente. È successo anche questo, e a vari livelli. Ricordo uno dei miei colleghi, quando ero ancora un allievo. WilSon. A prescindere da quali menti ci fossero dietro quel coro di voci, gli Ospiti avevano capito che in lui c'era qualcosa che non andava. Giusto un po'. Niente che si potesse ascoltare, ma quelle creature invece... Be'.

«Era periodo di esami. I test furono condotti da altri Ambasciatori e membri dello Staff, e l'ultima prova consisteva nel parlare con un Ospite in persona, che era lì ad attendere. Non so a cosa pensasse nel frattempo né come gli avessero chiesto di presenziare. 'Salve' disse WilSon quando fu il suo turno.

«Intuimmo subito il problema» raccontò. «Dal modo in cui l'Ariekeo si mosse. Ogni volta che parlano con noi assaporano un po' delle nostre menti aliene. Quando si dice 'un lavoro di testa'. Però, se i due cervelli di un Ambasciatore non dovessero risultare... sincronizzati abbastanza? Non bastano un paio di voci a caso: c'è bisogno che siano connesse per parlare la Lingua. L'errore? Quand'è che il meccanismo si rompe?» Non risposi.

«Sai bene quanto significhi la Lingua per loro» riprese Bren. «Cosa ascoltano attraverso le parole. Così, se ascoltano delle parole che conoscono, capiscono che sono parole. Ma se appaiono frammentarie? Gli Ambasciatori parlano attraverso un'unità empatica. È il nostro lavoro. Ma se quel tipo di unità dovesse venire meno?» Indugiò. «È impossibile. Quel tipo di eloquio è una droga. E loro non possono fare a meno di iniettarsela. Pare un'allucinazione, qualcosa di evanescente. Una contraddizione che li sballa.

«Forse non tutti. Ogni creatura che parlasse con WilSon capiva

che c'era qualcosa di strano, ma alcuni...» Scosse la testa. «Si ubria-
carono delle sue parole. Non importava il tipo di enunciato. 'È una
bella giornata'; 'Mi passeresti il tè'. Qualunque cosa dicesse, gli O-
spiti non facevano altro che ascoltarlo estasiati. Alcuni di loro non
riuscivano a saziarsi, chiedendone ancora e ancora.

«Gli Ambasciatori sono degli oratori e quelli che hanno modo di
ascoltarne le orazioni vengono definiti Oratees. È una condizione
di dipendenza. Insita nella Lingua stessa degli Ambasciatori.»

Oltre le pareti di quella casa la gente correva per strada in un
carnevale di paura. Si sentì il frastuono dei fuochi d'artificio. Il padrone di casa mi riempì il bicchiere.

«Che gli è successo?» chiesi.

«A WilSon? Messo in quarantena e poi deceduto.» Bevve. «O-
gnuno, in questa città, mi rispetta e mi odia allo stesso tempo» continuò. «Lo capisco. La mia ferita non è un bello spettacolo.» Scrisse
il suo nome in aria, completo di tutte e sette le lettere: Bren~~Dan~~. Un
tempo si chiamava BrenDan, o meglio, *bren | dan*. Poi la sua metà
simbiotica morì e divenne Bren~~Dan~~, *bren | ~~dan~~*. Nemmeno lui fu
più in grado di pronunciare correttamente il suo nome.

Bren~~Dan~~ mi fissò pensieroso. Poi si spostò verso la scrivania.
«Lascia che ti mostri qualcosa.»

Mi lanciò una scatoletta contenente i due collegamenti che erano
appartenuti a lui e al suo doppio, ~~Dan~~. Esaminai la filigrana dei
circuiti, i fili, i contatti e le loro iniziali incise nell'argento. Le fibbie
erano tagliate. Alzai lo sguardo verso il mio interlocutore e scorsi
la piccola cicatrice sul collo nel punto in cui il tutto doveva esser
stato agganciato.

«A che stai pensando?» domandò. «Credi che li conservi per tenerli sempre a portata di mano? O pensi che stia cercando di na-
sconderli per dimenticare il mio passato? Avice. Se avessi conservato soltanto il mio, avresti detto che mi stavo aggrappando alla
mia vecchia identità ed ero infastidito dalla sua morte. Se mi fossi
sbarazzato di entrambi, avresti affermato che il mio scopo era rin-
negare la mia vita. Infine, se avessi tenuto il suo e mi fossi disfatto
del mio, avresti detto che mi stavo rifiutando di lasciar andare il
mio gemello. Non avresti condiviso nessuna delle mie scelte. Non
è colpa tua. Non è una cosa che puoi capire, questo è ciò che siamo.

Qualunque cosa faccia, sarà sempre solo una delle facce della medaglia.»

(Poi, non nell'incontro successivo ma in quello ancora dopo – ci scambiammo entrambi qualche visita –, mi confessò che odiava quel collegamento. Io restai in silenzio. Che avrei potuto dire? Rimanemmo seduti sul divano di casa mia, sebbene non avesse niente a che vedere con le bellissime poltrone di Bren. «Non so quando sia cominciato» disse. «L'ho odiato a lungo, dopo la sua morte, per il fatto di avermi abbandonato: povero bastardo. Ora, invece, mi ritrovo a pensare che tutto è iniziato tempo prima. Non biasimarmi.» D'un tratto il suo tono si fece lamentoso. «Sono certo che anche lui mi odiasse. Non era colpa di nessuno.»)

«Avranno immaginato cosa sarebbe successo» proseguì. «Gli Ambasciatori, intendo. È sempre il tizio più strano quello che ci va di mezzo... interrompendo la propria connessione... quel tanto che basta per trasformare in Oratees qualche Ariekeo. Erano quelli gli unici che trattenevano. Tutti gli altri piantagrane erano assenti ingiustificati o si adattavano alle usanze del luogo.»

«Pensi lo sapessero?» chiesi sorpresa. «E chi ha fatto *cosa*?»

«Credo sperassero che EzRa avesse un effetto allucinogeno» rispose. «In modo da infettare un paio di Ospiti e rendere così inutile il nuovo Ambasciatore. Serviva uno per cui Bremen avesse un occhio di riguardo. Erano tutti molto preoccupati per la persona a cui sarebbe toccato il colpaccio, pensando a quali iter burocratici forzare fin dall'istante in cui appresero della sua venuta.»

«Lo so» gli risposi. «Ma nella capitale dovevano sapere che circostanze simili si erano già verificate in passato. Perché mai lo avrebbero mandato...?»

«Sapere degli Oratees, dici? E per quale motivo avremmo dovuto comunicare una cosa del genere a Bremen? Non so cosa avessero in mente, ma lasciare parlare EzRa è stata la risposta dell'Ambasciata ai piani alti. Forse non si aspettavano tutto quello che poi ne è conseguito. Non tutto almeno. L'Ambasciatore avrebbe infettato ogni singolo alieno con quella Lingua tanto improbabile quanto inebriante: ogni Ariekeo reso dipendente dal nuovo Ambasciatore.»

Il nostro pantheon quotidiano sarebbe andato in rovina, in preda alla disperazione al solo sentire le voci di Ez e Ra insieme, facendo fermentare la Lingua in un infuso di contraddizioni che creasse assuefazione, si insinuasse e sciogliesse i legami di significato. La trafila a cui avevo assistito era riuscita nel suo intento: rendere Embassytown una città tossicodipendente.

«Ora che succederà?» domandai. La stanza era molto tranquilla, nonostante le strade brulicassero di centinaia di migliaia di Ariekei. Forse milioni. Non lo sapevo. Divenne difficile avere qualsiasi tipo di certezza. Prima di quella giornata le loro menti erano piene di Lingua, poi i discorsi di EzRa cambiarono tutto. Da quel momento ogni Ospite, ovunque fosse, avrebbe stabilito una connessione diretta con la propria dipendenza, avrebbe fatto qualsiasi cosa per gli sproloqui del nuovo burocrate.

«Oh, Gesù Cristo, Pharotekton, illuminaci tu» invocai.

«Questa» osservò Bren «è la fine del mondo.»

10

Gli Ariekei ci spiegarono cosa sarebbe successo. Io sapevo più cose, ma anche il resto della cittadinanza non ci avrebbe messo molto a capire che gli Ospiti erano dei drogati, sebbene gli sarebbe stato difficile comprendere di cosa e perché. Sospetto che all'Ambasciata fossero in atto delle lotte per il potere e che qualcuno, forse per abitudine e senza reali ragioni, si fosse preoccupato di arginare la fuga di notizie. Il risultato fu una sconfitta.

I viali sembravano un incrocio tra una festa di carnevale e l'apocalisse: idee inneggianti alla fine del mondo, isteria, euforia o le loro frivole approssimazioni. I poliziotti arrestarono un buon numero di persone decise a varcare il confine della cittadella, supportate da biomacchine che gli avrebbero permesso di respirare l'aria della città circostante.

«Tu non vai da nessuna parte!» disse un agente. «Posa quel coso. La gente sta morendo...» Eppure, credo che qualche esploratore riuscì a passare. I miei concittadini desideravano qualcosa dagli alieni. Erano dei tentativi inutili: gli Ariekei non li avrebbero nemmeno percepiti come persone, ma come sacchi di carne di proprietà degli Ambasciatori.

Con qualche stratagemma riuscii a penetrare dentro l'Ambasciata e, per un istante, provai come un senso di protezione nei confronti degli Ambasciatori, nell'osservare il loro affaccendamento. Nessuno fece domande. Perfino JasMin parve essersi dimenticata del mio status di persona non gradita. Uno dei doppi di EdGar mi salutò con un bacio, con mia grande sorpresa, ma non vidi l'altra sua metà. Nei suoi occhi lessi tutto lo sconforto provato nello sciogliere il collegamento.

«Dove...?» esitai.

«Arriva. Arriva.» Stando separati doveva essere difficile concentrarsi. Non parlammo molto finché non vedemmo il suo gemello girare l'angolo del corridoio per unirsi a noi.

«Sei stato in città?» gli chiesi. («È ovvio.» «Ma non c'è nessuno disposto a parlarci.») «Sai cosa sta succedendo?» («No.» «No.») «Dov'è EzRa? Dov'è Wyatt?» («Non lo so.» «Non mi importa.») «Davvero non sai dov'è EzRa?» insistetti. «Dopo tutto il bordello che ha scatenato? Cos'è, hai mandato le due metà simbiotiche a orchestrare i loro fottuti piani altrove?»

«Orchestare piani?» Ed e Gar scoppiarono in una risata. «Ma se nemmeno si parlano più.»

Una bestiacargo ariekeiana sorvolò l'Ambasciata diretta verso la città, in cui il malessere era dilagato di edificio in edificio. All'atterraggio sulla pista, pensammo di mettere in piedi qualcosa che assomigliasse a un'accoglienza ufficiale. Forse è un tantino tendenzioso usare il pronome noi, ma credo di poter affermare che in quel momento fossi parte della comunità che circolava ancora accanto a Staff e Ambasciatori senza che nessuno si sentisse offeso.

Ogni funzionario che conoscevo era già lì presente, e gli Ariekei entrarono nell'atrio della struttura sferzata dalle raffiche degli eoli, i nostri venti, che facevano svolazzare i tendaggi dorati attorno a loro come fossero mantelli. Procedettero lungo il parquet ticchettandovi sopra con i loro artigli. Non si trattò di un contingente numeroso come quello del pellegrinaggio precedente, ma di un gruppo più contenuto e formale. JoaQuin e MayBel si fecero avanti, seguiti da tutti gli altri. Entrambi i lati dello schieramento si guardarono. Gli occhi corallini si distesero.

Gli Ospiti parlarono in maniera così rapida che solo i più fluenti riuscirono a comprenderne le parole. Mi voltai verso la folla per osservare le reazioni e rimasi scioccata nello scorgere mio marito. Se ne stava lì, sulla soglia, insieme al nuovo Ambasciatore.

Fui la prima a notarli ma, dopo di me, anche il resto delle persone presenti nella sala cominciò ad accorgersi di loro e a sussultare. La figura di Ra, estremamente stanca, svettava sulle altre in una posizione che lasciava intendere un misto di speranza e risentimento. Dietro di lui, Ez decise di continuare a fissare il pavimento: i suoi modi da galletto erano spariti insieme ai supporti.

Gli occhi di Scile incontrarono i miei. Mi vide, quindi spostò lo sguardo tornando a osservare la stanza. Dal punto in cui si trovava poteva sostenere EzRa, poteva proteggerlo, o poteva minacciarlo.

Riconobbi alcuni dei visitatori. Sulle ali di uno di loro intravidi le sagome di un uccello e di un albero. Pero. Lo fissai mentre pronunciava il nome dell'Ambasciatore.

EzRa fece appello a un ultimo briciolo di dignità e rispose alla chiamata. Gli Ariekei parlarono in modo confuso, uno dopo l'altro, quasi litigando, finché quelle parole acquistarono un senso. Un tale cominciò a tradurre.

«Questo è ciò che succederà.»

L'utilizzo del futuro era raro nella Lingua. Uno strano oracolo. Non si trattò di un'aspirazione, ma del modo in cui gli Ospiti avevano deciso che sarebbero andate le cose, e non ammisero repliche, né fornirono dettagli; in seguito avremmo capito a cosa si riferivano. Non avanzarono nemmeno richieste o domande, almeno non nel concreto, ma, più che altro, esternarono dei bisogni. Tutto ciò che riuscirono a dire, ripetendolo in vari modi, fu che ne avevano bisogno. «Sentiremo parlare EzRa. Questo è ciò che succederà. Lo sentiremo parlare. EzRa prima di tutto.»

Vidi lo Staff formulare le proprie considerazioni e mormorare: la maggior parte di loro era in grado di ordire strategie perfino in situazioni simili. Ammirai quella qualità. Cercarono di capire cosa fare valutando le implicazioni rimaste e le modalità con cui intervenire per salvare gli altri, per sopravvivere, per evitare il disastro. Mi fecero sperare (cosa che non mi aspettavo).

La priorità degli Ospiti era semplice e unica. Almeno all'apparenza. Non mi sono mai ritenuta una sciocca e avevo imparato a riconoscere l'ostilità, la caparbietà e la determinazione di quelle creature ancora prima dell'ultimo spargimento di sangue. Il fatto che ricordi simili mi balzassero alla mente proprio in quei momenti mi parve paradossale, dato che l'unica prova a mia disposizione corrispondeva a un punto soltanto: 'EzRa prima di tutto.'

Ez avanzò di un passo seguito da un riluttante Ra. Da come si guardarono intuii la natura diversa delle emozioni provate da quella coppia così eterogenea. Sussurrarono. Poi parlarono all'unisono mandando in estasi i loro ascoltatori.

11

Le loro azioni parvero gettare ogni cosa nel caos, ma gli sforzi prodigiosi dello Staff stavolta riuscirono a riportare tutto alla normalità. Perfino la routine venne ristabilita. Mi sciocco constatare con quanta rapidità la città cambiasse faccia.

Il commercio, con tutti i relativi incontri e condizioni di scambio, portava nuove conoscenze, servizi, beni, promesse e altri extra. La nostra cultura e i nostri costumi. Ogni cosa doveva assolutamente tornare a posto.

Assistetti a un'eccitazione pericolosa, a una manifestazione a-morale di infima crudeltà e di indulgenza di massa: alcuni vi si abbandonarono, mentre altri tentarono di resistere continuando a far funzionare le cose. Durante le prime settimane fu impossibile capire se Embassytown fosse o meno controllata. Le sale per i convegni erano sporche, piene della spazzatura prodotta durante le feste. Devo ammettere che quel tipo di trasgressione non mi piaceva affatto. Sapevo che il vino rosso vomitato e lasciato a imputridire ovunque non era un segno di ostentazione o di libertinaggio, ma una conseguenza di quanto visto e sentito durante le celebrazioni. Non riuscivo a immaginare come saremmo andati avanti e cosa sarebbe successo se avessimo fallito nel tentativo di accontentare le richieste degli Ariekei, non sapevo neanche se gli Ospiti sarebbero sopravvissuti un'altra settimana. Non avevo mai provato una paura simile.

Ehrsul non rispose a nessuna delle mie chiamate e la cosa mi infastidì a tal punto che mi rifiutai di provare ancora a contattarla o di farle visita, come invece avrebbe fatto una vera amica. Sentii dire che l'Ambasciatore bremeniano era solito darsi ai festeggiamenti e volli constatare di persona. Dopo un po', Ez rimase il solo membro della coppia a perpetrare quel tipo di dissolutezza. Ra preferì coltivare altri interessi.

Le vecchie relazioni collassarono dando vita alle nuove. Il numero di matrimoni crebbe. Io stessa mi concessi qualche sveltina. Furono giorni difficili da descrivere. Gli eroi che si dimostrarono capaci di proteggere la cittadina dalle scorrerie di Ospiti in crisi di astinenza furono gli impiegati, i quali continuarono a lavorare imperterriti alle infrastrutture per evitare che la restante parte dei cittadini incapaci di controllarsi mandasse tutto in rovina. Poco più tardi, dopo un lungo periodo in cui non fui altro che una presenza irrilevante nella politica dell'avamposto, tornai finalmente a essere qualcuno.

In quel preciso momento Embassytown mi apparve piccola come non mai. Non passavano due giorni senza che fossi convocata a un incontro o a una riunione, avida, disinteressata, o entrambe le cose, alla presenza di persone che avevo evitato per migliaia di ore. Incrociai Burnham, una delle vecchie similitudini che conoscevo, dall'altro lato della folla che si era accalcata presso i cancelli dell'Ambasciata; si era sparsa la voce che fossero in procinto di rivelare informazioni importanti. Entrambi distogliemmo lo sguardo con quella cautela divenuta tipica dopo la morte di Hasser e Valdik, ma che già utilizzavo prima del cataclisma, ogni volta che mi accorgevo della presenza sua, di Shanita o del resto della compagnia del Cravat.

Mi ritrovai a vagare per Embassytown nelle ore in cui la gente non faceva altro che prendere pillole per restare sveglia a schematizzare piani che ci mantenessero in vita. Spesso mi capitò di incontrare vecchi amici come Gharda e Simmon, il capo della Sicurezza. Quest'ultimo, senza più nulla da tenere al sicuro, era terrorizzato: perfino la sua protesi biomeccanica mi parve malconcia.

I membri meno importanti dello Staff non avevano idea di cosa fare e quelli più in vista erano inorriditi dalla prospettiva di perdere tutto. Le stesse sensazioni furono condivise anche da quegli Ambasciatori che si erano sperticati nel far sapere agli abitanti della città che la colpa era dei consiglieri, che loro non avrebbero mai permesso che le cose andassero in quel modo e che il potere reale era stato sempre e solo nelle mani dello Staff. Tuttavia, nessuno credeva più a quelle fandonie.

Il fatto che gli individui che da anni svolgevano sempre la stessa trafila, di colpo, avessero cambiato abitudini per il bene dell'avamposto in cui risiedevano passò inosservato. Il nostro feudalesimo burocratico basato sull'esperienza si trasformò in uno stato meritocratico privo di rimorsi. Restava un cliché, ma era vero: perfino alcuni Ambasciatori – tra quelli che non mi sarei mai aspettata – si trovarono costretti a dar prova di sé.

Uno dei primi successi della nuova leadership fu la sconfitta del golpe organizzato da Wyatt. Una volta rinvigorito, Simmon mi confessò di aver avuto un ruolo cruciale in quella piccola guerra. «Hai notato la velocità con cui si sono mossi? Puntavano all'arsenale. Qualunque cosa stia succedendo, credo abbia attivato qualche dannato protocollo di emergenza di Bremen. Ecco da dove veniva il caos di un paio di giorni fa.»

La confusione era troppa e non avevo notato nessuna delle insurrezioni di cui mi parlò.

«Non importa come. Ci era giunta voce della cosa e ci siamo fatti trovare preparati. Tuttavia, abbiamo dovuto correre qualche rischio.» Cominciò a disegnare a mezz'aria il suo piano, le azioni compiute e gli schemi con cui avevano agito. «Forse avremmo potuto sbarazzarcene prima, sai? Ma la tecnologia bremeniana a loro disposizione... abbiamo ritenuto potesse esserci utile. Così, abbiamo deciso di aspettare e attaccarli dopo che avessero aperto i silos. Eravamo riusciti a infiltrare alcuni dei nostri tra di loro: era un'eventualità cui eravamo preparati da tempo. Siamo riusciti a sconfiggerli perdendo solo qualche uomo e gli abbiamo sottratto le armi. Tuttavia, non sono poi così utili come credevamo. Devo ammetterlo.

«Lo scontro non è durato molto. Il vero problema è stato Wyatt. Abbiamo dovuto occuparci di lui e renderlo inoffensivo. Credo ci sia ancora qualche scagnozzo di Bremen là fuori, e dovremo assicurarci che non riceva alcun tipo di codici o istruzioni da parte loro.» Evitai di fargli presente di non aver notato il dramma che si era svolto, eppure, nonostante la mia ignoranza, le sue spiegazioni mi galvanizzarono.

***

A Ra, la metà timida dell'Ambasciatore responsabile dell'apocalisse, fu accordato il permesso di restare solo, quali che fossero i
suoi progetti, abbandonando Ez al suo crollo interiore. I due, però,
restarono in servizio e sotto sorveglianza in quanto avevano ancora
dei doveri da assolvere: erano l'unica cosa che ci teneva in vita.
«Una città di lobotomizzati» osservò EdGar. «Ma comunque più
forti e armati di noi. Abbiamo bisogno che continuino a mostrarsi
ospitali.»
  All'inizio, nessuno dei pensieri degli Ospiti rivelò alcun tipo di
strategia. Abituata a glissare sulla stravaganza delle loro suppliche
(è roba ariekeiana che noi non possiamo capire), fu con orrore
che iniziai a convincermi che non stessero dando sfogo a nessuna
macchinazione aliena, ma che stessero esternando un bisogno irrazionale. Delle folle permanenti di Ariekei si riunirono davanti alle
porte dell'Ambasciata. A intervalli di ore, quando cominciavano a
diventare troppo agitati e le loro pretese troppo insistenti, EzRa veniva convocato per entrare in scena e dire qualcosa col suo accento
impeccabile e amplificato, facendo sprofondare ancora una volta
quelle creature in uno stato di torpore.
  Già dalla seconda volta che l'Ambasciatore disse di essere 'felice
di vedervi e speranzoso di imparare qualcosa gli uni dagli altri',
gli Oratees non reagirono con lo stesso grado di beatitudine della
prima. Quando lo ripeté per la terza volta, si mostrarono addirittura scontenti ed EzRa dovette inventarsi qualche nuova frase
sconclusionata a proposito del colore degli edifici, dell'ora del
giorno e del tempo, ottenendo lo stupore atteso. «È dannatamente
fantastico» dissi. «Hanno sviluppato una forma di assuefazione
che costringe EzRa a essere creativo.»
  Guardammo nuovi programmi giunti dopo kilo/ore di banalità,
dovendo ora imparare a fare rapporto sul nostro stesso stato di salute mentale. Uno dei canali inviò in città un team di esperti muniti
di respiratori eolici e VESPcam: non vennero accolti né respinti e i
loro resoconti furono sorprendenti.
  Non eravamo abituati alla vista delle strade ariekeiane, ma la
crisi portò con sé qualche libertà in più. I cronisti si spinsero dentro
i confini della città aliena, oltrepassando le corde intrecciate che an-

coravano le case piene di gas degli Ospiti, e i palazzi che svanivano alle loro spalle o si ergevano davanti su sporgenze affusolate simili ad antri stregati. Le immagini degli Ariekei vennero mandate su tutti gli schermi. Gli alieni videro i nostri inviati, li fissarono per un attimo e gli corsero incontro trotterellando. Gli posero delle domande con toni bivocalici, senza che vi fossero Ambasciatori in grado di rispondere. I reporter conoscevano la Lingua e tradussero per gli spettatori.

«Dove è EzRa?» Era questa l'unica richiesta.

Gli esploratori in questione non furono gli unici Terriani presenti in città. Le telecamere catturarono fotogrammi di uomini e donne in abiti dell'Ambasciata, intenti ad aggirarsi tra quelle case appariscenti, muniti di cavi e registratori, puntando a mettere in piedi una rete di altoparlanti e pannelli elettronici: un tipo di tecnologia che cozzava con la topografia del luogo. Con l'intenzione di ricambiare quegli esseri per averci lasciato in vita, per averci fornito energia, acqua, infrastrutture e biomacchine, fummo pronti a portare la voce dell'Ambasciatore direttamente nelle loro abitazioni.

«C'è bisogno di EzRa. Ora» ordinò EdGar. «Deve parlare. Era questo il nostro accordo.»

«Con lui o con gli Ospiti?» chiesi.

«Con EzRa, soprattutto. Abbiamo bisogno di Ez.»

Questi era solito cedere all'alcol e alla droga e non era la prima volta che scompariva nel momento esatto in cui era richiesta la sua presenza, lasciando Ra in attesa e senza parole. Non mi importava se avesse deciso di farla finita ma il fatto che, se fosse stato così, ci avrebbe portati tutti nella tomba insieme a lui.

«In un certo senso, sono come il resto degli Ambasciatori, giusto?» domandai. «Le registrazioni funzionano? Si potrebbe creare un archivio dei discorsi di EzRa, e poi lasciare che quello stronzo faccia quel che vuole. Potremmo anche permettergli di ubriacarsi fino a morire.» Ci avevano già pensato, ma Ez si era rifiutato di collaborare anche dopo gli scongiuri del suo stesso compagno e le minacce dello Staff. Il risultato fu una sola sessione con Ra e della durata di circa un'ora. In questo modo si riuscì a recuperare qualche frammento dei suoi sermoni e a convertirlo in formato digitale, ma Ez si assicurò di offrirci soltanto un modesto quantitativo di parole per la nostra memoria linguistica.

«Sa che altrimenti sarebbe di troppo» specificò EdGar. «Mentre così sa che continueremo ad aver bisogno di lui.» Fui impressionata dal fatto che perfino in simili momenti di declino e terrore, Ez riuscisse a pensare una strategia tanto spietata.

Le VESPcam mostrarono le immagini della città drogata, durante i primi minuti in cui la voce di EzRa venne fatta risuonare dagli altoparlanti.

Gli edifici furono inquieti per giorni e giorni, sviluppando e inalando vapore e tentando di disintossicarsi dai parassiti biomeccanici che loro stessi allevavano e che facevano parte dell'arredamento. Guardando fuori dall'Ambasciata, in direzione del confine con la città, era possibile osservare un panorama organico composto di strutture carnose e accorgersi dell'evidente moto delle varie costruzioni. L'erroneità della situazione era endemica.

L'intero groviglio urbano si contorse. Ogni cosa era infetta. Gli Ospiti avevano ascoltato il suono della voce dell'improbabile Ambasciatore, preso energia dalle loro zelle ed espulso gli scarti: lo scambio fece sì che la reazione chimica dettata da quella brama ardente si propagasse sempre più attraverso i propri animaletti, connessi agli edifici per ricaricarsi, e attraverso il normale svolgimento della vita cittadina. La dipendenza si estese fin dentro le case, scuotendo perfino gli oggetti inanimati in uno spasmo infinito di astinenza. Nei casi più gravi, sudarono e sanguinarono. La popolazione aliena pensò quindi di installare agli edifici delle orecchie rudimentali, cosicché anche le mura avessero la sua dose di voce ambasciatoriale.

EzRa parlò e disse qualcosa nella Lingua. La sua voce amplificata riecheggiò in tutti i vicoli. In ogni punto della città gli Ariekei barcollarono e poi si fermarono, seguiti dai loro edifici.

Le mie labbra fremettero dal disgusto. Ogni cosa al di là di Embassytown sussultò per il sollievo. Il movimento si propagò mediante tubature, cavi e collegamenti della rete, fino alle centrali elettriche, scosse da un lampo di beatitudine improvvisa. La successiva ondata di astinenza sarebbe arrivata a distanza di qualche ora. Dal punto in cui ci trovavamo, attraverso il pavimento, riuscimmo ad avvertire il tremore provocato dallo spostamento delle case. Divenne possibile tracciarne il bioritmo anche solo guardando fuori dalla finestra, così da misurare quanto ingente fosse stata l'iniezione oratoria.

In passato, durante i mesi del raccolto o dello svezzamento, solitamente inviavamo qualche Ambasciatore munito di respiratori eolici insieme a un gruppo di commercianti nei luoghi dove i pastori ariekeiani allevavano le loro greggi di biomacchine, facendoci spiegare tutti i differenti utilizzi possibili di quelle creature ancora incomplete e poco definite. Ora, però, gli alieni sembravano aver abbandonato i loro pascoli. Le biomacchine avevano ancora accesso alla città, era possibile vederlo dagli spasmi delle gole che si allungavano per chilometri attraverso le piane dove le biomacchine si nutrivano e dove il cibo era ancora disponibile. E, con una peristalsi invertita, fu possibile scorgere i segni della trasmissione di quella dipendenza.

«Il mondo sta per finire» dissi. «Come possono permettere tutto questo?»

Non ci fu alcun tentativo di terapia autoindotta, né di resistenza. Tra gli Ospiti non esistevano eroi. Nell'arco delle ore a disposizione, subito dopo la dose di EzRa, gli Ambasciatori tentarono qualche approccio con i loro ospiti, approfittando della lucidità apparente solo per prendere le decisioni di minor importanza, data la scarsità del tempo a disposizione.

«Cosa credi che dovrebbero fare?» MagDa era ancora tra i pochi Ambasciatori incaricati di scortarli. Io stessa mi unii a loro cercando di entrare a far parte del gruppo, nel quale scorsi un discreto numero di persone che conoscevo: oltre a Magda, riconobbi Simmon e altri scienziati del calibro di Southel. «L'equilibrio è stato compromesso in modo irrimediabile.» «Questa è la loro sola chance di uscirne. Un pasticcio cosmico.» Notai dei capillari rotti sotto gli occhi di una sola di loro e le rughe attorno alla bocca dell'altra: l'Ambasciatrice non aveva ancora provveduto a uniformarsi mediante abluzione. «Si tratta di un bug tra due stadi evolutivi» disse. «Come potrebbero riparare alla cosa?» «Che intendi?» «Saranno morti di overdose, prima di decidersi a prendere provvedimenti.»

Gli Ospiti sono sempre stati incomprensibili e, sotto quell'aspetto, non era cambiato niente.

I piani alti dell'Ambasciata erano diventati un ricettacolo di amoralità. Poco più in basso, notai Mag e Da tentare di persuadere un alieno a restare concentrato abbastanza a lungo da comprendere le richieste che gli venivano esposte, riguardanti materiali e nuove competenze. E cosa offrì MagDa in cambio? Pensai di aver sentito l'Ospite domandare se EzRa avrebbe 'detto qualcosa a proposito dei colori'. «Lo farà» gli assicurarono le due metà simbiotiche. «Portateci gli animattrezzi richiesti entro domani e noi faremo in modo che descriva i colori di ogni singolo edificio.» «Vogliono si parli dei colori» mi spiegò Mag. «Ne sono rapiti» osservò Da. «Ma alla fine...» «...perderanno interesse anche per quelli.»

In seguito a questa conversazione, i brevi discorsi di EzRa acquistarono senso anche per me. Alcuni avrebbero continuato a tradurre in modo generico. Altri avrebbero annuito nel riconoscervi una certa logica. Alcuni di questi discorsi erano frasi casuali, affermazioni riguardo preferenze o condizioni. 'Io sono stanco': una frase grammaticalmente corretta, ma da bambini. Quelli che fino ad allora avevo interpretato come argomenti senza senso, si rivelarono essere una sorta di doni per gli ascoltatori ariekeiani, utili a ripagare i loro favori. Uno scambio basato su rapporti politico-economici.

Ra, quell'improbabile doppio mancato, si unì a me e MagDa per i corridoi dell'Ambasciata. L'Ambasciatrice lo salutò con affetto: la sua presenza implicò l'approssimarsi di persone disperate e che supplicavano intercessioni, cui lui rispose con quanta più gentilezza possibile. Quel luogo aveva già generato una gran quantità di messia. «Per quanto ancora andrà avanti questa situazione?» chiese una donna sconvolta.

«Fino al prossimo cambio» rispose. Gli Ospiti avrebbero bramato il suono della voce di EzRa ancora per molte centinaia di migliaia di ore, e noi avremmo dovuto continuare a raschiare il fondo.

«E poi?» insistette la donna. «Che succederà? Riprenderemo a vivere?»

Nessuno rispose. Osservai i due volti di MagDa. Pensai al tipo di vita che avrebbe condotto fuori di lì.

Era già capitato che dei cambi arrivassero su mondi distrutti da qualche catastrofe. Le comunicazioni non riescono ad avvertire in tempo, non c'è niente che va più veloce di una nave immeriana, così, una volta sbarcato, nessun equipaggio ha idea di cosa gli si para davanti. Si ricordano ancora casi celebri di vascelli commerciali riemersi dalle profondità del cosmo per non rinvenire altro che le ossa di una colonia ormai distrutta, oppure infettata da qualche malattia o sconvolta da una follia di massa. Mi chiesi come sarebbe stato per il capitano in arrivo entrare nella nostra orbita e avvicinarsi tanto da riuscire a scorgere la luce del faro ariekeiano. Se fossimo stati fortunati, la nave in questione avrebbe trovato una popolazione disperata di rifugiati.

Se MagDa si fosse recata nello spazio? E CalVin? Se ci fosse andata anche solo una delle loro metà? Che avrebbero fatto? E pensare che questi erano tra gli Ambasciatori più uniti. Ormai la maggior parte degli altri si stava lasciando andare.

«Andranno in città» disse MagDa quando rimanemmo sole, riferendosi agli Ambasciatori. «Tutti quelli ancora in grado di restare uniti.» «Andranno a cercare gli Ospiti.» «Quelli con cui hanno da sempre avuto a che fare.» «O si limiteranno a... starsene in piedi davanti ai loro edifici.» «E cominceranno a parlare.» Scosse la testa. «Si recheranno in città a gruppi di due, tre o quattro...» «... Dovranno solo... provare a...» «...a fare in modo che li ascoltino.» Poi si voltò a guardarmi. «Anch'io l'ho fatto, all'inizio.»

Gli Ariekei non avrebbero ascoltato. Avrebbero capito, forse anche risposto, ma poi avrebbero continuato a chiedere sempre e solo di EzRa. Gli Ambasciatori non poterono più nascondersi da nessuna parte, ripresi ovunque dalle VESPcam. Mi capitò di vedere un filmato di JoaQuin che urlava nella Lingua, e della misteriosa maniera in cui perse il ritmo con la conseguenza di non essere più capito dai propri interlocutori alieni.

«Hai sentito di MarSha?» proseguì MagDa. Non ricordo niente di allarmante nel suo tono, che facesse presagire lo shock di quanto avrebbe detto. «Si è suicidata.»

Mi bloccai, appoggiandomi al tavolo e rivolgendo lo sguardo verso MagDa. Non riuscivo a parlare e mi coprii la bocca con la mano. Mi guardò. «Ce ne saranno altri» disse con calma. Pensai di partire con la prima nave, quando fosse arrivata.

«Dov'è Wyatt?» domandai a Ra.

«È in prigione. Nello stesso corridoio di Ez, solo poco più avanti.»

«Ancora? Lo stanno... interrogando... o cosa?» Scosse le spalle. «Scile, invece?» Non lo vedevo né sentivo né avevo sue notizie dall'inizio di questa storia.

«Non lo so» rispose. «Sai che non lo conosco così bene, vero? Era sempre circondato da una folla di membri dello Staff durante le nostre conversazioni... prima. Non so nemmeno se sarei in grado di riconoscerlo. Non so nemmeno chi sia, figurati se so dov'è.»

Scesi e attraversai una sala zeppa di ricercatori intenti a scartabellare documenti importanti. Stavamo rovistando il tutto con zelo. Qualche piano più in basso udii qualcuno che mi chiamava e mi fermai. Cal, o Vin, mi si parò davanti, nel mezzo della tromba delle scale, e mi fissò.

«Mi avevano detto che eri qui» esordì. Era solo. Aggrottai la fronte ma non vidi la sua metà sopraggiungere da nessuna parte. Mi prese per mano: erano passati mesi dall'ultima volta che avevamo parlato e continuai a guardarmi attorno accigliata. «Non so dove sia» fece lui. «Comunque non credo sia lontano. Sarà qui a momenti. Mi avevano detto che eri qui.» Era la metà che avrei voluto svegliare quella volta. La disperazione nei suoi occhi mi fece tremare, così abbassai lo sguardo e notai qualcosa che mi spiazzò.

«Hai disattivato il tuo collegamento» dissi, vedendo che le sue spie erano spente, e presi a osservarlo.

«Ti stavo cercando, per via...» Le parole parvero venirgli meno, ma ascoltai il suono della sua voce. Allungai la mano sul suo braccio e, in un attimo, parve così bisognoso di quel gesto che non riuscii a non provare pena per lui.

«Che ti è successo?» chiesi. Quello che avevo visto era già abbastanza grave per me, ma gli Ambasciatori erano di colpo diventati delle nullità.

Il suo doppio sbucò dal corridoio alle nostre spalle: «Stai davvero parlando con lei?» Tentò di afferrare il gemello, il quale, però, non distolse lo sguardo da me e si divincolò dalla sua presa. «Andiamo.»

Non si erano ancora uniformati e, come per MagDa, anche in loro notai delle piccole differenze. I due litigarono sottovoce, poi l'ultimo arrivato indietreggiò.

«Cal» disse guardandomi negli occhi la prima metà simbiotica che avevo incontrato, quella che mi aveva cercato. «Cal» ripeté indicando il fratello dall'altra parte del corridoio. Poi si batté il petto col pollice: «Vin.»

Sapevo che il suo sguardo desideroso non era rivolto – almeno non soltanto – a me. Lo avevo intuito. Quindi Vin continuò a osservarmi ancora per qualche secondo, prima di voltarsi e ricongiungersi col suo doppio.

12

Attraversai la città in compagnia di MagDa e dello Staff, una parte del gruppo che stava tentando di tenere in vita Embassytown. Le maschere eoliche mi permisero di respirare normalmente durante l'avanzata dentro la geografia di quel luogo. Non potemmo rischiare di giungervi a bordo di un corvide perché i sistemi cittadini per gli atterraggi in sicurezza ormai erano fuori uso da tempo.

Non potevamo aspettare oltre: i nostri equipaggiamenti medici biomeccanici, la nostra tecnologia alimentare, le nostre radici viventi e l'apparato idrico avevano bisogno della manutenzione aliena. Penso che perfino dentro di noi ci fosse qualcosa che necessitasse di un controllo costante, così da avere sempre il punto della situazione. Continuammo a racimolare informazioni e beni di scambio come gli esploratori polari delle leggende o i pionieri dell'Homo diaspora.

Le architetture ariekeiane tremarono e reagirono alla nostra presenza come germi attaccati dagli anticorpi. Gli abitanti locali ci avvistarono e mormorarono qualcosa. L'Ambasciatrice parlò con loro ricevendo delle risposte che spesso suggerirono un alto grado di apatia nei nostri confronti. Non eravamo importanti. Oltrepassammo anche gli altoparlanti piazzati dallo Staff tempo addietro che, sebbene silenti, erano circondati da Ariekei in ogni momento. Il passo successivo fu quello di riuscire a distinguere il tasso di dipendenza di ogni individuo. Le creature lì presenti restarono in attesa di qualche suono, senza smettere di bisbigliare a ripetizione ai propri vicini o in direzione dei megafoni le ultime parole pronunciate da EzRa.

Ra si trovò costretto, prima, a cercare di convincere, e poi, a minacciare il proprio compagno a fare la sua parte. Ez venne trattato alla stregua di un bambino capriccioso, col bastone e la carota: pur nei limiti di quanto barattato con gli Ariekei, una concessione era rappresentata dal far scegliere a Ez le frasi da dire. Le traduzioni nella Lingua dei suoi discorsi non furono altro che un insieme di frasi sconnesse riguardanti il suo passato. Non c'era modo di scampare ad alcuna delle sue orazioni, se l'Ambasciatore faceva il suo discorso durante le nostre spedizioni in città, e dio solo sa cosa pensasse Ra, costretto ad assecondare i capricci espressivi con cui il suo compagno intendeva ubriacare i propri interlocutori.

«...Mi sono sempre sentito diverso dagli altri» ripeterono gli Ariekei, attenti, mentre noi passavamo davanti al mosaico dell'ego di Ez che prendeva vita grazie al coro di voci. «Lei non mi ha mai capito... così, quando è arrivato il mio turno... ho fatto in modo che le cose cambiassero in modo definitivo...» Ascoltare gli Ospiti ribadire quella solfa fu a dir poco insopportabile. Col tempo capii che il nostro oratore aveva strutturato un discorso ben preciso e non si limitava a una serie di aneddoti scollegati. Aveva dato vita a un'autobiografia. «Così,» sentii dire da una delle creature «è lì che sono sorti i problemi. Ma dovrete aspettare ancora un po' per ascoltare il resto della storia.» Ognuna delle sessioni di Ez aveva un finale in sospeso, in modo da assicurarsi che la platea restasse avida di sapere il resto. Questa si preoccupò di carpire ogni dettaglio dei suoi racconti con la stessa concentrazione che aveva usato lui nell'esporli, descrivendo doveri da assolvere, norme da rispettare, costrutti specifici, sogni e liste della spesa.

Proseguimmo in direzione di una nursery in cui venivano lavorate le biomacchine, passando per un forno crematorio di ricordi, un'abitazione, la tana di un leviatano, in qualunque posto insomma, e con gli sforzi di MagDa o dell'Ambasciatore che ci aveva guidati, giungemmo al cospetto dell'Ospite agognato per intrattenere una conversazione accorta. Negoziare con un esoterriano tossicodipendente era ogni volta una tortura, ma, in genere, riuscivamo a cavarne qualcosa. Di volta in volta, facevamo ritorno a casa in compagnia di un Ariekeo, oppure muniti di una gabbia piena di parassiti utili alla manutenzione di qualcosa, oppure con piantine o mappe che avremmo dovuto imparare a leggere e riprodurre. Si trattava sempre di spedizioni impegnative. La città reagì in modo vitale al nostro passaggio, le mura trasudarono e le finestre ventricolari si dilatarono.

Questo era un altro dei motivi per cui preferivamo non essere in strada al momento dei comunicati di EzRa. Non fui l'unica a trovarmi di fronte alla voracità della città e dei suoi abitanti e al modo terribile e frenetico con cui le mura degli edifici cercavano di origliare ogni parola.

Seppure tenue e pericolosa, esisteva ancora una parvenza di ordine in grado di preservare il luogo dal collasso imminente e, finché non fosse arrivata la prossima nave, avremmo dovuto continuare a vivere sul chi va là. Andando via dal pianeta, non ci saremmo lasciati dietro altro che un mondo popolato da Ariekei disperati e indeboliti dall'astinenza. Non volli pensare alla nostra situazione né a ciò che sarebbe successo in seguito: era passato molto tempo dall'ultima volta che avevamo permesso al senso di colpa di avere la meglio.

Nel corso delle nostre spedizioni incontrai più volte gli stessi Ospiti, a cui diedi i soprannomi di Forbice, Testa Calda e Teschietto, e che al suono della voce amplificata di EzRa reagivano di scatto come tutti gli altri. In determinate occasioni, tuttavia, si sforzarono di mantenere il controllo: erano un gruppo di Ariekei che in qualche modo rappresentava la nostra controparte, ovvero che dal canto suo provava a mandare avanti le cose. Per questi Ariekei poi era ancora più difficile, dato che erano afflitti dal morbo.

A Embassytown ci fu un'inversione di rotta nella corsa verso il collasso. Le scuole e gli asili furono riaperti, i turnogenitori ripresero a svolgere i propri compiti e gli ospedali e le altre istituzioni furono rimessi in funzione, sebbene nessuno di noi si fosse ancora fatto un'idea di come la nostra economia potesse andare avanti. La cittadella evitò di lamentarsi della mancanza di profitto o di tenere conto dei meccanismi di produzione precedenti, mossa, ora, dalla necessità.

Non intendo dire che le cose andassero bene: stavamo tutti morendo di una morte violenta. Di ritorno dalle nostre escursioni, ci ritrovammo a dover attraversare quelle strade, ormai poco sicure, sotto scorta, senza più il potere di punire quelli che avevano deciso di godersi il mondo fino ai loro ultimi istanti di vita. Detto questo, va da sé che anche noi, talvolta, partecipammo a qualche festa. (Mi chiesi se avrei mai rivisto Scile in queste occasioni, ma non accadde.) Il coprifuoco era rigidissimo e, durante le ronde, anche le forze dell'ordine si lasciarono dietro qualche cadavere, le cui immagini, poi, furono offuscate dai telegiornali. Assistemmo a sommosse, assalti, omicidi e suicidi.

C'è modo e modo di suicidarsi, e alcuni tra di noi lo fecero in maniera drammatica e malinconica. Seppi di molta gente che decise di imboccare Oates Road indossando un respiratore e di andar via dall'Ambasciata in direzione della città. Alcune leggende raccontavano di persone che si erano spinte anche oltre, seguendo il loro destino. La pratica più comune tra questi individui oppressi dal pensiero della morte, però, rimase l'impiccagione. Non so secondo quale protocollo, ma le emittenti televisive stabilirono che questo tipo di decesso, privo di sangue, potesse essere mandato in onda senza censure, facendo sì che ci abituassimo in fretta alla visione di questi corpi penzolanti.

Nessun notiziario accennò al tasso di suicidi relativo agli Ambasciatori.

MagDa mi mostrò il filmato dei corpi di Hen e Ry che giacevano incatenati ai loro letti, contorcendosi per gli spasmi del veleno.

«Dov'è ShelBy?» chiesi. ShelBy e HenRy erano stati insieme.

«Scomparsa» rispose MagDa. «La notizia verrà fuori» disse Mag. «Quella della sua morte» specificò Da. «HenRy non sarà l'ultimo.» «Non potranno insabbiare la cosa ancora per molto.» «Dato il numero di individui...» «...il tasso è già ben al di sopra della media.» «Ci stiamo ammazzando più di tutti gli altri.»

«Be'» ribattei. Dritta al punto. «Credo che non ci sia da stupirsi.» «No, infatti!» fece MagDa. «Affatto.» «C'era da immaginarselo.»

Costringemmo alcune delle macchine transienti della cittadella a degli aggiornamenti per poterle rendere meno stupide, ma queste restarono incapaci di assolvere a qualsiasi tipo di lavoro che prevedesse compiti meno basilari.

Ehrsul continuò a non rispondere alle mie chiamate né a quelle degli altri. Di colpo, mi resi conto di quanti giorni fossero passati dall'ultima volta che l'avevo vista e me ne vergognai, cominciando a temere che le fosse successo qualcosa. Mi recai al suo appartamento. Non volli nessuno con me. Non ero l'unica a conoscerla tra i membri del nuovo Staff, ma, se uno dei terribili scenari che avevo ipotizzato fosse stato vero, avrei sopportato di scoprirlo – di trovarla – unicamente da sola.

Aprì la porta quasi subito. «Ehrsul?» feci io. «Ehrsul?»

Mi salutò con la sua solita espressione sardonica, come ignorando il mio tono interrogatorio. Non riuscii a capire. La lasciai blaterare, permettendole di chiedermi come stessi e di parlarmi del suo lavoro, mentre io sorseggiavo il mio drink. Poi, quando le domandai che fine avesse fatto, dove fosse stata e perché non avesse risposto alle chiamate, riprese a ignorarmi.

«Che sta succedendo?» sbottai. Le domandai se avesse scoperto qualcosa sulla catastrofe in corso, ma l'avatar del suo volto si limitò a bloccarsi, sfarfallare e poi tornare a posto, e lei riprese a occuparsi delle sue faccende di poco conto e prive di senno, senza accennare alcuna risposta.

«Vieni con me» le dissi, chiedendole di unirsi a me e MagDa nella spedizione nella città degli Ospiti. Ma ogni volta che le proponevo di lasciare la stanza, lo schermo mostrava lo stesso disturbo di qualche attimo prima, lei tentennava un attimo e poi si comportava come se non avessi detto niente, tornando a discutere di qualcosa di superato e irrilevante.

«Non ho idea se i suoi circuiti siano andati a farsi fottere o lo faccia apposta» mi confidò un'infastidita programmatrice dell'Ambasciata più tardi, quando le esposi il problema. 'Lo pensi davvero?' fui sul punto di chiederle prima che mi chiarisse la situazione, spiegandomi che un simile comportamento, per gli automi, poteva corrispondeva al 'non ti sento' che i bambini sono soliti cantare mettendosi le dita nelle orecchie per dispetto.

Quando andai via da casa sua notai una lettera aperta di fronte alla porta. La mia amica non notò il modo in cui mi mossi di soppiatto per appropriarmene proprio sotto al suo naso, guardandola in faccia per tutto il tempo.

'Cara Ehrsul' lessi. 'Sono dispiaciuta per te. È ovvio che quanto

accaduto abbia lasciato il segno in tutti noi, ma sono preoccupata...'
E così via. L'automa attese finché non ebbi finito. Mi domando quale sia stata la mia espressione: sono certa di aver trattenuto il fiato. Il suo avatar continuò a sfarfallare per tutto il tempo. Non riconobbi il nome con cui era firmata. Dal modo in cui la lettera si agitò quando mi piegai a rimetterla a posto, notai che la mia mano tremava. Chissà quante migliori amiche era riuscita a collezionare. Probabilmente io non ero altro che quella di città con gli agganci. Credo che ognuna di noi avesse il proprio posto nella sua vita, e che fossimo tutte preoccupate per lei.

L'angoscia per Ehrsul mi fece ripensare a CalVin, con i suoi comportamenti privi di senso, e a Scile, di cui continuavo a non avere notizie. Chiamai Bren a ripetizione e senza ottenere risposta, finendo con l'infuriarmi e il preoccuparmi anche per lui. Andai a casa sua, ma questa volta la porta non si aprì.

Credo di non aver mai realmente compreso con cosa dovesse scontrarsi Ra finché non fui costretta a fare i conti con Ez. Avremmo anche potuto puntargli una pistola alla tempia per farlo tornare a lavoro, ma si dà il caso che ogni volta che tentavamo di fargli paura alla fine era lui a terrorizzare noi. Il suo comportamento era così imprevedibile che dovevamo costantemente considerare la possibilità che, di punto in bianco, si rifiutasse di parlare mandandoci al diavolo. Di conseguenza, ci trovammo costretti ad accompagnarlo ovunque: carcerieri, accompagnatori e assistenti, contemporaneamente. Ogni volta che era chiamato a fare uno dei suoi discorsi avrebbe potuto renderci la vita impossibile o prenderci a calci, e noi avremmo dovuto lasciarlo fare finché non si fosse stancato.

I membri della Sicurezza non potevano mai essere in un numero inferiore a due, così chiesi di potermi unire a Simmon. Quando lo incontrai mi strinse la mano destra con la sua sinistra in segno di saluto. Rimasi a fissarlo. Il braccio destro di tecnologia ariekeiana biomeccanica che aveva indossato per anni, progettato per riprodurre i movimenti terriani e punteggiato di colori diversi, ormai non c'era più. La manica della sua giacca era stata ripiegata e appuntata più in alto.

«Si era assuefatto» spiegò. «Quando ho cercato di ricaricarlo, si è...» Aveva usato una zelle, come quelle a disposizione degli Ospiti in città. «È stato simile a uno spasmo. Ha provato a farsi crescere le orecchie. Ho cercato di fermarlo, ma alla fine ho dovuto tagliarlo via. Anche una volta a terra, cercava ancora di ascoltare.»

Ez si trovava nella stanza dell'Ambasciata adibita a lui e alla sua metà, ubriaco e suadente, ingiuriando Ra con accuse di codardia e cospirazione, e insultando MagDa con dei nomi osceni. Fu riprovevole, ma non più di molte delle cose che avevo già sentito. Il suo compagno mi sorprese. L'individuo che avevamo spesso preso in giro per la sua indole taciturna se ne stette lì, con un fare che non avrei mai creduto appartenergli, a risputargli addosso ogni singolo epiteto.

«Assicuratevi che sia pronto a parlare quando tornerà in sé» ci intimò Ra, mentre l'altro continuò a gesticolare in maniera sconcia verso di lui.

«Posso almeno partecipare a qualche festa o voi bastardi proverete a portarmi via anche da lì?» si lamentò quello più basso dei due, notando che lo avevamo seguito fino ai piani inferiori dell'edificio. Rimanemmo a guardare e controllare quanto bevesse, sebbene l'eccesso di alcol sembrasse non alterare le sue capacità oratorie. Presenziammo perfino durante i momenti più intimi e le liti, mentre il suo collegamento continuava inutilmente a scintillare imperterrito alla ricerca di quel doppio che non avrebbe raggiunto e a lottare per la connessione che Ez non avrebbe permesso.

Il party fu deprimente, un vero e proprio purgatorio in cui noi, alla fine del mondo, sprofondavamo nell'oblio, stordendoci a un ritmo autogenerato e al martellare delle luci attraverso il fumo. È probabile che quelli che vi parteciparono lo trovarono divertente, ma non riuscì comunque ad attirare l'attenzione del mezzo Ambasciatore ostile. Io rimasi impassibile come un soldato.

Questi ci trascinò in quello che un tempo era l'ufficio di un magazzino di equipaggiamenti nel bel mezzo dell'Ambasciata e dove ora sorgeva il surrogato di un bar. Bevve anche qui, finché non decisi di intervenire: la cosa lo rallegrò, dandogli la possibilità di farmi rapporto. Gli unici individui riuniti in quel postaccio erano ex membri dello Staff e un paio di Ambasciatori, i quali non mostrarono alcun tipo di preoccupazione riguardo al fatto che a ogni bicchiere ingurgitato il futuro del mondo era sempre più in bilico.

«I tuoi amici» sussurrai scuotendo la testa. Il mio sguardo restò immobile, in segno di disgusto.

I nostri concittadini si erano accaparrati i piani inferiori dello stabile in cerca di un rifugio, facendoli diventare simili a dei bassifondi. Le nursery e gli alloggiamenti dei turnogenitori erano stati riconfigurati per ottenere delle sale in cui intrattenersi, rivoltando l'architettura del luogo da cima a fondo. Ci addentrammo in questi viali oscuri fatti di corridoi in cui le poche luci ancora funzionanti erano state riprogrammate secondo i ritmi diurni e dove erano stati disegnati dei numeri civici con il gesso sulle porte interne, accanto alle quali le persone erano solite appoggiarsi a parlare, mentre i bambini giocavano ben oltre l'orario in cui dovevano andare a dormire. L'intera Embassytown si era rinchiusa nelle proprie viscere.

Lì, Ez, ebbro e stucchevole, cominciò a sparlare di Ra definendolo uno stronzo allampanato. Noi continuammo a stargli dietro districandoci in quelle zone semiautonome e sorvegliate da un proprio, e incapace, corpo di polizia. «Mi stanno costringendo a impersonare un essere superiore.» Il suo compagno più alto era l'unico della città a condividerne l'accento e i colloquialismi. «Non lo vedete anche voi? È facile per lui giocare a fare la parte di quello buono con... Lui può...» Le lampadine da due soldi sopra le nostre teste baluginarono, come fossero delle stelle appena nate. «Io non dovrei...» continuò. «Sono stanco. Voglio smetterla con questa... Voglio che Ra mi lasci solo.»

«Non credo ti renda conto di ciò che dici, Ez» gli risposi.

«Ti prego, smettila di chiamarmi così! Con quello stupido, stupido... È...»

Conoscevo il suo nome originario. Un tempo si chiamava Joel Rukowsi. Lo osservai piazzarsi al centro della sala cosparsa qua e là di spazzatura. Di certo non mi sarei mai azzardata a chiamarlo Rukowsi né tantomeno Joel, così, quando ripetei il nome con cui era stato ribattezzato, questi demorse e accettò la cosa.

A me e Simmon non mancò neppure l'occasione di salvarlo dalle risse che lui stesso provocava. Quando arrivò il momento di ricongiungersi a Ra per dar vita al loro duetto corale in occasione della prima orazione del giorno, ci insultò per averlo riportato ai piani alti, passando attraverso i feudi appena nati e le topaie embrionali in cui nuovi stili di vita erano ancora in incubazione. Mi feci strada verso la porta ma Ez mi bloccò e, senza dire una parola, mi chiese di attendere un momento. Quella fu l'unica occasione, durante quella notte, in cui provai nei suoi confronti un sentimento diverso dal disprezzo. Poi chiuse gli occhi, sospirò e il suo voltò tornò quello di un beone irascibile.

«Forza, bastardi, muovetevi» urlò spalancando la porta. Le sue ingiurie costrinsero Ra e MagDa, in attesa, a sganciarsi l'uno dall'altra.

Assistemmo alla zuffa tra le due metà dell'Ambasciatore, poi Ez formulò un commento crudele e libidinoso nei confronti di MagDa e il suo compagno insorse.

«Chi ti credi di essere?» gli rise dietro l'attaccabrighe. «Cosa credi di fare? 'Lasciala fuori da questa storia!' Eh? Non vorrai farmi credere di fare sul serio?» Perfino io dovetti trattenermi dal ridere per l'imitazione improvvisata, mentre Ra sembrò provare un po' di vergogna.

«Eccoci qua» fece Ez, mentre gli ingegneri e i biomeccanici preparavano il funzionario per la trasmissione. Poi passò il foglio del discorso alla sua metà, la quale lo lesse.

«Non avevamo finito già ieri con questa roba?» chiese all'improvviso, con una voce sorprendentemente neutra.

«No» rispose quello più tozzo. «Voglio continuare. Ci siamo interrotti in un momento cruciale, bisogna finire.» 'Non gliene frega niente!' avrei voluto urlare. Non sarebbe cambiato nulla anche se avessero dovuto ascoltare la descrizione di una fottuta tappezzeria.

Ra gli chiese ulteriori dettagli sulla cadenza e la prosodia della narrazione e scrisse degli appunti al margine del documento. Il protagonista del racconto ritenne di non aver bisogno di alcun copione, perché aveva già memorizzato alla perfezione ciò che avrebbe voluto dire. Nell'istante in cui l'Ambasciatore cominciò a parlare i miei occhi erano puntati verso la città, che si contorse già al primo assaggio della Lingua. EzRa continuò a rivangare episodi della giovinezza di Ez.

13

A pensarci bene, chi eravamo? Nient'altro che un gruppetto di spiantati, barcamenanti e dissidenti dello Staff guidati da una manciata di Ambasciatori. Ad ogni modo, le nostre fila si stavano ingrossando e i nostri decreti non furono più ignorati del tutto, così gli abitanti di Embassytown cominciarono a fare ciò che gli veniva suggerito, richiesto o ordinato.

Noi tutti – MagDa in primis – lavorammo sodo per mantenere i rapporti con i pochi Ariekei con cui eravamo ancora in contatto. Troppa fatica – per i miei gusti – per potersi rendere conto davvero della situazione, attraverso gli abusi di Ez o la posta di Ehrsul letta di soppiatto. Troppa fatica, punto. MagDa riuscì perfino a convincere alcuni degli alieni più riservati e coerenti a spostarsi tra i corridoi dell'Ambasciata per condurre delle trattative che andassero oltre quel pellegrinaggio semplice e ingordo in direzione di EzRa, pensando di ricompensarli con uno dei rari, piccoli, frammenti inediti dei discorsi dell'Ambasciatore che era riuscita a rubare.

«Alcuni di loro si rendono conto del problema» disse Mag. «Gli Ariekei, insomma. Possiamo dirlo apertamente.»

«Alcuni» sottolineò Da. «...C'è qualche dibattito in corso, una sorta di...» «Alcuni di loro hanno chiesto di essere curati.»

Le voci si diffusero come un morbo. Qualche telecamera che ancora sfrecciava in città fu intercettata dagli anticorpi – dei predatori segmentati che erano le stesse case a secernere –, ma poi, una volta compreso che non rappresentava una minaccia, venne lasciata libera di continuare le proprie investigazioni. I filmati ci insegnarono molto più di quanto ci saremmo aspettati sul contesto urbano ariekeiano, solo troppo tardi. Ogni movimento intravisto, pur non comprendendo appieno che cosa fosse e quando fosse accaduto, rappresentò uno spunto interessante per rispolverare segreti, quinte colonne, esìli autoindotti da parte dei membri dello Staff e vecchi rancori.

Su, nei pascoli, le greggi biomeccaniche proliferavano in raccolti irregolari attraverso un bioma che grondava cibo e tecnologia come in preda a una fame chimica. Ne seguì un flusso lento che si estendeva dalla città ai recinti per il bestiame delle zone rurali. Le greggi cominciarono poi a disdegnare i metodi di ricarica usuali per riversarsi nei pressi del centro abitato e ascoltare quel suono di cui, all'improvviso, anche loro non poterono più fare a meno, pur non avendolo ancora mai ascoltato. I manieri isolati caddero nel degrado, ansimanti e affamati. Orde di equipaggiamenti meccanici, tecnologie mediche, attrezzature da costruzione, travi, porte girevoli proteiche delle dimensioni di un rinoceronte e fondamenta polimeriche vennero tutte assalite da un istinto selvaggio.

Quando i pastori raggiunsero la città non c'era già più nessuno a dar loro il benvenuto. Le carcasse degli Ariekei maggiormente afflitti dalla dipendenza giacevano accanto agli altoparlanti, dopo essere morti di fame in attesa delle emissioni successive. I loro corpi restavano lì, insepolti. Le zelle, non più grandi di un cane, si sarebbero cibate dei cadaveri, se gli edifici intorno fossero stati ancora in salute; in caso contrario, i loro processi di putrefazione interna provvidero a disintegrarli sul selciato in maniera graduale.

Non era difficile incorrere in episodi di violenza: la crisi di astinenza avrebbe forzato l'Ariekeo colpito ad avventarsi in modo improvviso su qualsiasi cosa, in cerca della voce di EzRa. In tali circostanze, gli Ospiti meno intossicati (che, in genere, provenivano dalla campagna) avrebbero provato a difendersi dispiegando le ali a ventaglio come segno formale della propria combattività, ma gli altri, drogati, non avrebbero perso tempo con questo genere di pantomime e si sarebbero scagliati con zoccoli e ali prensili sugli avversari increduli. Una volta, mi capitò di vedere le immagini della trasmissione della voce di EzRa durante una di queste risse: i combattenti crollarono gli uni sugli altri, ancora sanguinanti, quasi svenendo dall'emozione.

«La situazione non può che peggiorare» aggiunse Da. Avremmo finito con l'infettare l'intero pianeta.

«Non è l'unica cosa con cui dobbiamo fare i conti» furono le parole di Bren.

Rimase sulla soglia mantenendo una posa sospetta, incorniciato dallo stipite della porta. «Salve, Avice Benner Cho» mi salutò.

Io mi alzai e scossi la testa verso di lui. «Tu, razza di bastardo prodigo.»

«Prodigo?» sottolineò.

«Dove sei stato?»

«Eccessivamente prodigo?» fece. «O un penitente?» Mi sorrise, con un pizzico di prudenza. Per un minuto, evitai di restituirgli quel maledetto sorriso, ma poi dovetti cedere.

«Come sei entrato?» disse qualcuno. La sua mancanza di esperienza in quel contesto fu tradita dall'aggiunta dell'imbarazzante richiesta successiva: «Chi sei?» Poi, Ra intervenne tentando di stringere la mano a Bren in segno di benvenuto, ma quest'ultimo si ritrasse.

«Non è solo con i rifugiati ariekeiani che dobbiamo fare i conti» ribadì l'uomo. «Anche se devo ammettere che di certo non ci facilitano le cose.» Il suo tono fu autoritario. «C'è dell'altro.»

Era ovvio che, in seguito alla morte del suo doppio, non fosse più in grado di parlare la Lingua, nonostante alcuni Ospiti – che, per ragioni sentimentali, avremmo definito erroneamente amici – continuassero ancora a recarsi a casa sua per riferirgli alcune cose.

«Credete che nessuno di loro desideri risolvere la situazione?» riprese Bren.

«No. Sappiamo che è così» rispose Mag, interrotta di nuovo dall'ultimo arrivato.

«Quindi pensate che nessuno degli Ospiti sia inorridito dalla cosa? Sarà anche vero che le loro menti sono annebbiate, ma alcuni di loro non hanno affatto smesso di riflettere. Sapete come definiscono EzRa? Il Dio-Narcotico.»

Dopo un attimo di silenzio, dissi con cautela: «Si tratta di una kenning.»

«No» disse lui guardandosi attorno per tentare di capire chi tra i presenti conoscesse il significato di quella parola, una figura retorica composta. «Non è come dire gabbia-di-ossa, Avice» spiegò, dopo essersi tastato il petto con il pollice per indicare la cassa toracica. «È una cosa ben più mirata. Non è un tropo, è la verità.»

«Mmm...» disse qualcun altro, titubante «è un problema di religione...»

«No, non è questo» rispose. «Ma gli dèi devono rimanere dèi e le droghe droghe. Qui però non stiamo parlando solo di una popolazione di tossicodipendenti, ma di... devoti.»

«Ma loro sono atei» aggiunsi io. «Come...?»

Mi interruppe. «Nel momento in cui siamo arrivati noi a dargli un nome e dirgli cosa sono e cosa fanno hanno preso coscienza di sé. Prima che arrivassimo non conoscevano i nostri macchinari né i pantaloni, ma poi ne hanno compreso l'utilità. Esistono degli Ospiti che farebbero di tutto per porre fine a questa situazione. Ma noi invece non prenderemo provvedimenti finché non li vedremo liberarsi quel tanto che li spingerà a volere una libertà ancora maggiore. Se ci riusciranno, bene. Ma devono cavarsela da soli. Dovreste cominciare a pensare a tutti i modi in cui quei pochi ma determinati Ariekei potrebbero tentare di... liberare... i loro compagni infetti.»

Quella notte, Bren venne a trovarmi in privato, nella mia stanza. Mi chiese dove fosse la mia amica Ehrsul e io gli spiegai che non lo sapevo. Non parlammo più di tanto, perché non aveva molto da dirmi nonostante si fosse preso il disturbo di venire: il nostro dialogo fu assai breve.

Uscii dalla città. Per tre volte.

La vista degli Ariekei emigrati dai posti più lontani ci diede un'idea della situazione, e li raggiungemmo. Molti di questi non avevano ancora abbandonato le loro proprietà, che già avevano cominciato a bramare la voce di EzRa.

I nostri velivoli possedevano dei ventricoli che immettevano aria nelle loro sacche con una pressione tale da impedire all'atmosfera malsana di entrare, così da potersi sporgere con la testa e guardare in basso anche durante la marcia. Presi fiato, e vi infilai il capo per osservare il territorio.

Un chilometro più giù si stagliavano i latifondi degli Ospiti, fatti di appezzamenti di terra, campi coltivati, agglomerati rocciosi e crepacci colonizzati da malerbe dalle tinte scure. I prati, punteggiati di abitazioni, erano attraversati dai sentieri. Le architetture del luogo erano aumentate: mentre volavamo, delle stanze nuove, sospese a mezz'aria tra i gas, ci guardarono.

A lasciare sia Embassytown che la città provai la stessa sensazione incredibile di quando entravo nell'immer. Fluttuare tra i campi e le fattorie che vagavano in solitudine o in cerca dei pochi proprietari ancora in circolazione, con dei simbionti che ne ripulissero la pelle con costanza, fu bellissimo perfino durante quei giorni terribili. Capitava anche che le fattorie in questione partorissero componenti o biomacchine all'interno di alcune membrane umide.

Osservammo dei frutteti di licheni intrecciati con i grovigli intestinali che si spingevano fin fuori la città, e di cui qualche Ospite ancora si prendeva cura. In lontananza, scorgemmo delle steppe in cui correvano mandrie di fabbriche quasi allo stato brado che degli scienziati-gaucho alieni provvedevano a recintare due volte l'anno. Sperammo di incontrare qualcuno dei cowboy rimasti, per comprare alcune delle loro creature.

Il convoglio comprendeva me, Henrych, un venditore ambulante che ormai si era unito al comitato, Sarah, con quel tanto di conoscenza scientifica sufficiente a renderla utile, e BenTham. Quest'ultimo era un Ambasciatore dall'atteggiamento trasandato, confuso e amareggiato, ma, a differenza di molti suoi colleghi, con abbastanza dignità da assicurarsi che le due metà simbiotiche fossero trasandate allo stesso modo.

All'atterraggio, non appena il nostro veicolo ebbe toccato il suolo, sul lato della collina, udimmo il gemito prodotto dallo sfregamento con l'erba. Radunammo l'equipaggiamento, indossammo i respiratori e preparammo l'accampamento, comunicando a Embassytown il nostro arrivo e stilando un'agenda. Controllammo gli ordini e la lista delle cose che volevamo prendere. «Non credo che questa tribù ami commerciare i suoi cuccioli di reattore» dissi, una volta sulla via del ritorno. «Hai parlato con KelSey? È dai coltivatori nelle paludi, giusto? È lì che la troveremo, insieme a un paio di inceneritori.» E così via. Avevamo diviso i compiti tra i vari gruppi che si erano avventurati oltre la città.

I nostri carrelli parvero iperattivi, muovendo in avanti le zampe anteriori come dei bruchi. Riempimmo le loro schede di dati: erano tutte registrazioni. Una parte del materiale era stato raccolto con l'inganno, mentre il resto ci era stato concesso volontariamente da Ez, una volta formulato e discusso questo sistema con lui.

Di certo non ero calma quanto dicevo, anche perché fino ad allora era stato impensabile, per me, guardare dall'alto la superficie del Paese in cui ero nata, cresciuta e tornata: la vista che mi si parò davanti fu quella di casa mia, procedendo poi oltre la stessa Embassytown. Tutto ciò che vedevo, me compresa, era in ballo. Rimasi senza parole. Ero stata nello spazio, ma, per usare un luogo comune, nessun posto visitato in precedenza suonava meno familiare del mio stesso pianeta.

Al nostro passaggio, degli ibridi formati da un incrocio tra un anemone e una falena parvero bloccarsi, agitando le loro membrane sensoriali una volta che li avemmo oltrepassati. Il carrello avanzò tra gli insediamenti e gli animali simili a pezzetti di carta trascinati in cielo dal vento caldo. La proprietà agricola al confine, dove le tubature dell'irrigazione si ricongiungevano con i propri affluenti, non sembrò meno irrequieta delle altre costruzioni. Osservammo una torre contorta intenta a deporre delle uova, in cui erano contenuti dei piccoli macchinari e sulle quali si posavano degli uccelli grandi come un brandello di carta per beccarne i parassiti. I suoi custodi ci avvistarono e si animarono, quindi si affrettarono a venirci incontro. La fattoria muggì.

Dall'esterno ci eravamo fatti un'idea assai imprecisa del grado di assuefazione di cui era vittima. BenTham comunicò i nostri bisogni e comprese i loro. Sapevano che eravamo in possesso di qualche registrazione e strepitarono per ottenerla, ormai insoddisfatti dai rimasugli di quella droga che confluiva nel sistema arterioso cittadino ogni qualvolta EzRa parlasse, o da ciò che avevano captato dagli altoparlanti più vicini, a chilometri di distanza, e da quello che i baratti precedenti avevano offerto.

A quel punto, tirammo fuori le nostre registrazioni e, *voilà*, ci ritrovammo catapultati nella favola del pifferaio magico. Feci partire una scheda dati dalla quale fuoriuscì un discorso nella Lingua tenuto dal tanto desiderato Ambasciatore: «Soffrii molto per la morte di mio padre, ma la perdita implicò anche più libertà.» Gli Ospiti indietreggiarono e dissero qualcosa. «Possiedono già questo frammento» tradusse BenTham. Il frammento era stato ascoltato tanto spesso da non avere più alcun effetto su di loro. Ormai riuscivano ad ascoltarlo percependo il contenuto, consci del fatto che non gli importasse nulla del padre di Ez.

Offrimmo loro altri pezzetti di quella storia, frasi fatte imbevute di diplomazia, divagazioni e bollettini meteo. Glieli regalammo. Li addolcimmo dicendo di essere 'davvero felici delle opportunità crescenti di ricevere assistenza tecnica' e li tentammo con i primi fonemi dell'episodio dal titolo *Mi sono rotto una gamba cadendo da un albero*.

«Chiedono se abbiamo la registrazione che parla dell'inaccettabilità dei livelli di scarto delle raffinerie industriali» spiegò Ben, o forse Tham. «Ne hanno sentito parlare dai vicini.»

Dosando le nostre risorse, gli fornimmo abbastanza materiale così da poterci comprare le biomacchine di cui avevamo bisogno, più qualche competenza tecnica e istruzione. In questo modo non facemmo altro che contribuire alla diffusione di quella tossicodipendenza, e lo sapevamo bene. Commerciammo dei discorsi puri a cui questi stranieri parzialmente afflitti non avrebbero potuto resistere.

Partecipai ad altri due viaggi in posti ancora più distanti del primo. In seguito, una delle nostre bestie-dirigibili non fece ritorno.

Quando le telecamere riuscirono a scovarla, ci riportarono delle pellicole su cui erano registrati i filmati e gli ologrammi dell'animale, morto e dilaniato da una sorta di esplosione che ne aveva sparso le interiora per tutta la campagna circostante. Le telecamere, quindi, si immersero all'interno del veicolo animato trovando i corpi dei nostri compagni defunti: un Ambasciatore, il navigatore, un tecnico e lo Staff.

Conoscevo poco l'Ambasciatrice LeNa, ma abbastanza bene uno dei membri dell'equipaggio. Mi portai la mano alla bocca e rimasi a guardare in silenzio. Ne fummo colpiti. Più tardi recuperammo i cadaveri e gli rendemmo onore con la cerimonia migliore che fossimo in grado di organizzare. Cercammo anche i resti del rottame.

«La nave non era infetta. Ne sono quasi certo» ci confessò l'investigatore durante il comitato. «Non riesco a capire cosa sia successo.»

***

A Embassytown facemmo tutti del nostro meglio per ostacolare il signoraggio della guerra, ma un piccolo gruppo di coordinatori surrogati può solo rallentare il degrado. Anche altri Ambasciatori si unirono a noi, in organizzazioni ispirate al modello di MagDa. Alcuni, però, restarono del tutto inutili. Seguirono un altro paio di suicidi. Certi scelsero, più semplicemente, di disattivare i loro collegamenti.

Quando ebbi modo nuovamente di scortarlo, più che calmo, Ez mi parve... affranto. Affidandolo nelle mani di Ra notai che le loro liti erano diventate ancora più brutali. «Posso fare in modo che si metta male per te,» disse Ez «e raccontare determinate cose.»

Giunti in città fummo costretti a oltrepassare i corpi di case e Ospiti deceduti. La morte prese il sopravvento perfino sulle biomacchine, disegnate e allevate per durare in eterno, contaminando l'aria circostante con delle colonne di fumo improvvise. Il numero di Ariekei in lotta per conquistare il proprio posto accanto agli altoparlanti era cresciuto: alcuni erano morti per disperazione, altri per crisi di astinenza. In altri posti, l'ondata di violenza parve addirittura predisporre uno scenario in grado di sovvertire il controllo. I sopravvissuti si appigliarono alle registrazioni con cui ricompensammo questi nuovi tenaci organizzatori, insieme ai quali sperammo di mantenere l'ordine, seppur debole.

Un pomeriggio, tornando a Embassytown, restai indietro rispetto ai miei colleghi, prendendo a smuovere dai miei stivali il pacciame in putrefazione del ponte. Mi voltai in direzione della città degli Ospiti e notai due donne, umane, intente a scrutarmi.

Sparirono entrambe dopo un secondo, ma quell'immagine rimase impressa nella mia mente: se ne stettero a metri di distanza sui lati opposti della strada, all'imboccatura del viale, osservandomi con uno sguardo grave, e poi si volatilizzarono. Non sarei riuscita a descriverle nel dettaglio, né tantomeno a riconoscerle, ma fui certa che i loro volti fossero identici.

In seguito, quando le cose degenerarono ulteriormente e anche la nuova routine divenne un mucchio di stupidaggini, compresi che avremmo dovuto davvero cavarcela da soli finché la nave non fosse arrivata a portarci via da lì.

Un pomeriggio, nel momento in cui avremmo dovuto trasmettere come da programma, non riuscimmo a trovare nessuno dei due oratori. Le nostre chiamate non ottennero alcuna risposta. La cosa era tipica di Ez, ma non di Ra.

Cercammo il primo nei suoi locali preferiti e nei meandri oscuri dell'Ambasciata, ma nessuno lo aveva visto. Quindi provammo a contattare Mag e Da, che spesso erano in compagnia di Ra, ma neanche loro accennarono a rispondere.

Infine, li trovammo tutti e quattro nella stanza dell'Ambasciatrice, ai piani alti. Con me c'era una folta schiera di poliziotti e membri del nuovo Staff. Giunti in prossimità dell'appartamento, in fondo al corridoio, notammo una figura rannicchiata vicino alla porta. Ci avvicinammo a pistole spianate, ma questa non si mosse. Era Da. Man mano che ci accostavamo cominciai a pensare fosse morta, ma poi alzò lo sguardo piena di angoscia.

Entrati nella stanza ci trovammo davanti a una scena orribile. E statica, come fosse un plastico. Mag giaceva a letto nella stessa posa in cui avevamo trovato la sua gemella fuori, oltre la parete. La seconda ci guardò allo stesso modo della prima, salvo poi voltarsi a scrutare il cadavere al suo fianco. Era Ra, ricoperto di sangue. Dal suo petto vidi spuntare un manico, come fosse una leva.

Ez era seduto più in là e continuava a sfregarsi la faccia e la testa, insozzandosi di sangue e piagnucolando. «...Davvero, io... io non volevo... Oddio, è così... Senti, io... io sono così...» continuò a dire a ripetizione. Quando ci vide, notai che era divorato da un senso di colpa che prescindeva da quella singola morte: sapeva bene che le sue azioni si sarebbero ripercosse su ognuno di noi. La mia mano tremò come nel tentativo di estrarre l'oggetto dal cadavere.

Scoprimmo che c'era stata una lite, presumibilmente a causa di MagDa. La situazione parve avere dell'incredibile: un altro modo per esprimere la nostra sensazione di terrore profondo misto a risentimento. I dettagli dell'accaduto non importavano più di tanto. Tutte le urla e i rantoli che avevano dovuto pronunciare si erano tradotti in uno scenario di morte.

Nessuno di noi era avvezzo al concetto di omicidio. Non fui io a chiudere gli occhi a Ra, ma tenni la mano a Mag e la condussi via da lì. Non ci fu tempo per il lutto, data l'ovvietà delle conseguenze. Stavo già pensando alla scorta esigua di registrazioni inedite della voce di EzRa in nostro possesso.

Al mio ritorno, trovai gli altri intenti a scortare via Ez e a esortare Da a unirsi alla sua gemella. Misi in sicurezza il luogo del crimine e poi contemplai la scena per qualche minuto, rimasta sola con il cadavere del mezzo Ambasciatore.

«Era proprio necessario?» domandai ad alta voce. Riuscire a mantenere la calma fu difficile. «Non avresti potuto far finta di niente?» Accarezzai il volto di Ra, poi lo guardai e scossi la testa, sapendo che ormai io, la cittadella e i miei concittadini eravamo spacciati.

Parte quinta

Appunti

14

Reputammo opportuno tenere la cosa nascosta per giorni, nonostante la nostra incapacità a mantenere la segretezza. Una volta diffusa la notizia si sarebbe scatenato il panico e non riuscii a convincermi che quei tre giorni di sotterfugi sarebbero stati di gran lunga peggiori del dire la verità. Fu così che agimmo, come per riflesso.

Ez era stato molto accorto e, di conseguenza, le registrazioni in nostro possesso non erano molte. Ricordo che, a un certo punto, dovemmo rischiare, trasmettendo la replica di uno dei discorsi che gli Ariekei avevano già sentito e, dai filmati spaventosi che riuscimmo a visionare, appurammo che la reazione degli ascoltatori indignati fu estremamente violenta. Decidemmo di non riprovarci. Facendo un rapido calcolo, disponevamo di un numero di tracce audio utili a sopravvivere ancora per una ventina di giorni e tentammo di frammentarle il più possibile.

L'assetto gerarchico alieno si stava riconfigurando senza che noi ne comprendessimo il motivo.

Era la prima volta che MagDa tornava a uniformarsi da quando era avvenuto l'omicidio e fece il suo ingresso nella sala riunioni in maniera elegante, seriosa, le due metà simbiotiche perfettamente identiche. Non seppi decidere se fosse una reazione positiva o negativa. A ogni modo, non durò a lungo.

Accettò le nostre condoglianze senza perdere la sua autorevolezza, rimanendo la nostra leader de facto e continuando ad ascoltare, dibattere e condividere con noi idee e ordini. Secondo le sue disposizioni, e con non poco sdegno, divenni la secondina di Ez.

Questi disse di voler fare una passeggiata e farneticò qualche scusa banale riguardo al suo senso di disgusto, rabbia e pentimento. Mi sedetti con lui nella sua stanza ad ascoltare ciò che aveva da dire. All'inizio, cercai di raccogliere i dettagli dell'accaduto. «Cos'è successo?» chiesi all'Ambasciatrice una volta, ottenendo in risposta uno sguardo afflitto. Poi, una di loro scosse la testa, lasciando che l'altra parlasse: «Non è questo il punto.» Era qualcosa che attendevamo tutti da tempo.

La maggior parte di noi sosteneva che bisognava eliminare Ez una volta per tutte, ma io e i restanti argomentammo contro la loro proposta avendo anche MagDa dalla nostra parte: ciò pose fine alla questione. Si convinsero che un eccesso di grazia sarebbe stato una punizione assai più significativa della vendetta. Perfino in quei momenti, in cui nessuno credeva di avere più un futuro, la nostra leader non smise mai di pianificare le giornate successive.

Provai pena nei confronti di quel caino, pur senza risparmiargli il mio disprezzo. Pensai che un atto così scioccante sarebbe stato in grado di cambiare la sua natura in maniera definitiva, facendolo rinascere come una persona migliore o come un mostro. L'idea che quelle mani sporche di sangue potessero non essere sufficienti a scuotere la sua figura patetica mi inorridì. Non era altro che un idiota pieno di risentimento, che si limitò a rispondere alle mie domande con la rozzezza di un bambino maleducato. Volle continuare a raccontarmi della sua vita usando la Lingua come aveva fatto con gli Ospiti e con Ra, così riprese da dove aveva interrotto.

Non confessò tutto, né ci parlò mai di quale fosse stato il suo obiettivo originario (nonostante io fossi certa che ce ne fosse uno) e del ruolo che lui e Ra avrebbero avuto nel disfacimento del potere in vigore a Embassytown. Le ragioni di quella segretezza rimasero oscure: una cosa ovvia, del resto.

Non seppi come fosse trapelata la notizia, ma la morte di Ra – che, da allora, credo fosse divenuto Ra –, e dunque di EzRa, fu sulla bocca di tutti. Ne parlarono guardie, giornali d'assalto e Ambasciatori. Ne parlò un doppio con l'amante di una sera, così, tanto per dire. La consapevolezza dell'accaduto parve sgorgare da ogni angolo dell'avamposto. Il quarto giorno fui svegliata dalle campane della chiesa che chiamavano i fedeli a raccolta. Mi resi conto che ben presto nessun membro dello Staff sarebbe stato capace di arginare la folla che si sarebbe riversata su di noi pretendendo spiegazioni.

La cittadella sarebbe crollata prima ancora dell'arrivo degli Ariekei in astinenza. In quell'istante ricominciai a cercare Scile, sperando volesse e potesse aiutarmi. Per una serie di motivi, primo fra tutti l'urgenza del momento, lo reputai l'unica persona in grado di comprendere la stranezza di quanto stesse accadendo.

Dopo aver appreso del complotto tra CalVin e mio marito, avevo tentato di non scoprire quali altri Ambasciatori fossero implicati nell'esecuzione di *surl | tesh echer*. Non potevo sopportarne nemmeno il pensiero, non so se per codardia o pragmatismo. In quei giorni tale ignoranza da parte mia fu un sollievo: la vita cittadina era diventata abbastanza dura già senza dovermi confrontare con i miei nuovi colleghi in merito all'omicidio in questione. Alla fine, decisi di incontrare CalVin durante un'assemblea degli Ambasciatori formata sia da quelli che erano entrati a far parte del partito di MagDa che da quelli ancora troppo dissoluti o impauriti. Andai diretta da lui. «Dov'è?» chiesi a Vin. «Scile.» Questa volta non sbagliai doppio, ma nessuno dei due azzardò una risposta.

Ricevetti la chiamata di Bren. «La gente è sotto attacco, giù a Carib Alley.»

Salii su un corvide insieme all'Ambasciatrice e alle forze dell'ordine per recarci nel punto caldo, nei sobborghi di Embassytown. Bren era già lì a farci segno da terra con una torcia: era notte. Entrati nel vicolo, sentimmo gli schiamazzi degli Ariekei fuori da un edificio in cui era asserragliato un gruppetto di Terriani che non avevano preso parte all'esodo di massa. «Idioti» li apostrofò qualcuno.

Gli alieni presero a scagliare contro pietre, pezzi di vetro e spazzatura. Ognuno di loro, a turno, tentò di aprire la porta chiusa a chiave. Questi urlarono strane espressioni nella Lingua reclamando di sentire il suono della voce di EzRa. «Dov'è?» urlarono, mentre Bren ci fece notare che questi erano i più assuefatti, quelli che ormai erano ben lungi dal trovare soddisfazione nelle nostre trasmissioni. Nell'Ambasciata, infatti, eravamo diventati tutti estremamente parsimoniosi con le misere scorte di droga ancora in nostro possesso. «Sanno che ci sono dei Terriani all'interno e credono che questi custodiscano qualche scheda di memoria contenente frammenti della voce del loro Dio-Narcotico. Non guardarmi così. Non c'è logica in tutto questo. Sono disperati.»

Le VESPcam si radunarono e noi restammo lì, a guardarli sfamarsi. Che cosa si prova a essere spettatore della fine di qualcuno? Nel mio caso, non si trattò di angoscia, bensì di incredulità e sgomento. A terra, tra gli zoccoli degli Ospiti, giaceva un Terriano riverso in una pozza di sangue. Non fui l'unica a urlare alla vista di quel corpo ridotto in poltiglia.

Le telecamere si avvicinarono. Una di loro fu colpita da un'ala adirata. Quando i poliziotti misero mano alle loro armi mi chiesi se davvero saremmo finiti ad attaccare gli Ariekei. Non potevamo ricorrere alla vendetta: era una strada che non sapevamo dove ci avrebbe condotti.

Gli agenti si portarono sul retro dello stabile ricavando un'entrata segreta da cui far defluire gli inquilini terrorizzati. I nostri occhi si concentrarono su entrambe le situazioni: da un lato le forze dell'ordine con il loro compito da svolgere, dall'altro gli alieni inferociti. D'un tratto, il clamore aumentò e ci accorgemmo di un secondo gruppo di creature in avvicinamento.

«Lì» disse Bren. Non fu affatto sorpreso di vederle.

Ne sopraggiunsero altre quattro o cinque. Pensai che fossero venute per unirsi all'assalto, ma, con mia grande sorpresa, queste piombarono al centro della folla di Ariekei facendo schioccare le proprie ali prensili. Si impennarono e percossero i loro compagni con gli zoccoli, fino a frantumarne i carapaci. La lotta fu rapida e brutale.

Vidi fiotti di sangue schizzare da tutte le parti e udii i lamenti degli Ospiti in preda al dolore. «Guarda» indicai. Le telecamere guizzarono, dandomi la possibilità di scorgere altri particolari dell'attacco: «Hai visto?» Gli aggressori erano sprovvisti di ali a ventaglio, recando al loro posto soltanto dei monconi da cui pendevano brandelli di carne. Bren emise un fischio.

Gli abitanti traumatizzati vennero fatti salire sul nostro mezzo di trasporto per unirsi a noi e guardare la battaglia da lontano. Gli assalitori riuscirono a uccidere uno degli Ariekei. La cosa mi fece ripensare a Alveare. L'Ospite rimase a terra calpestato e insanguinato, mentre il suo assalitore era inciampato in ciò che restava dell'umano morto poco prima.

«Dunque... abbiamo dei protettori ariekeiani, ora?» dissi. «No» rispose Bren. «Non è affatto come credi.»

Facemmo spostare le ultime persone dalla periferia di Embassytown all'interno di quartieri che le forze dell'ordine avrebbero potuto controllare meglio insieme alla milizia appena creata; inoltre, ci trovammo costretti a sfollare chi opponesse resistenza. In fondo alla strada, gli Ariekei si radunarono a guardare i loro vicini umani andar via. Programmammo una delle trasmissioni della voce di EzRa in modo da farla coincidere con l'evacuazione, cosicché il duetto vocale li facesse barcollare di corsa verso gli altoparlanti, sgomberando le strade in cui saremmo dovuti passare.

Tra le rovine della città e il centro di Embassytown si creò una zona deserta: le nostre case e i nostri edifici senza più uomini e donne al loro interno, gli oggetti preziosi portati via, lasciandosi dietro solo le cose di poco conto o inutili. Durante l'esodo io aiutai a supervisionare. Più tardi, mi capitò di vagare tra le stanze semivuote degli appartamenti lambiti dall'aria eolica rarefatta.

In alcune abitazioni erano stati lasciati degli schermi accesi e notai che la corrente era ancora allacciata: i conduttori televisivi mi parlarono, descrivendo la solitudine in cui era sprofondato l'avamposto e intervistando Mag e Da, le quali annuirono in maniera severa e insisterono sul fatto che quanto compiuto fosse necessario, almeno per il momento. Mi sedetti in quelle case vuote a osservare la mia amica impegnata a dissimulare, poi raccolsi dei libri e dei ciondoli, li studiai, e infine li riposi.

Anche l'appartamento di Ehrsul era in quell'area. Mi fermai a lungo davanti alla sua porta, poi la chiamai. Suonai il campanello. Dopo il nostro ultimo incontro non l'avevo più contattata. Non rispose.

Nel frattempo, gli Ariekei avevano ripreso a vagare per le strade; nient'altro che un'unità dei loro elementi più disperati. Insieme ai loro vogliosi animali a batteria e seguiti da altre bestie necrofaghe e lente, che un tempo non avrebbero esitato a sterminare come fossero parassiti, anche gli Ospiti ispezionavano gli edifici. Premettero senza capire ma con cura i tasti dei computer, ormai divenuti nient'altro che degli aiutanti casuali, muniti di programmi irrilevanti, utili solo per le faccende domestiche, le mansioni finanziarie, i giochi e l'inventario degli oggetti mancanti. Non vi trovarono alcuna traccia della Lingua. L'assenza di droga, tuttavia, non li convinse a demordere, non conoscevano crisi d'astinenza. Il timbro di EzRa si era insinuato troppo in profondità nelle loro menti. I più deboli stavano già morendo. Quello dell'Ambasciatore SidNey fu l'ennesimo caso di suicidio terriano.

«Avice» mi chiamò Bren. «Potresti passare da me?»

Mi stava aspettando in compagnia di due donne giovani, ma più grandi di me. La prima era posizionata accanto alla finestra, la seconda sedeva al fianco del padrone di casa. Mi osservarono entrare senza emettere fiato.

Erano del tutto identiche, dei doppi. Non riuscii a individuare in loro la benché minima differenza. Non erano delle semplici gemelle: erano uniformate. Capii di trovarmi in presenza di un'Ambasciatrice che non avevo mai visto prima. Eppure, sapevo che non era possibile.

«Sì» fece lui, accennando una risata. «Devo parlarti. Ma ho bisogno che tu mantenga il segreto. Si tratta di...»

Una delle donne mi si avvicinò e mi porse la mano.

«Avice Benner Cho» mi chiamò.

«Di certo è una cosa scioccante» disse il suo doppio.

«Oh, no» mi lasciai sfuggire. «Scioccante? Ma per favore.»

«Avice» riprese Bren. «Avice, questa è Yl.» Quel nome, simile a un articolo, mi trasmise un senso di angoscia. Più tardi appresi qual era la sua grafia. «Lei invece è Sib.»

I loro volti erano indistinguibili, severi e intelligenti. L'unica cosa che permetteva di riconoscerle erano gli abiti: Yl era vestita di rosso, Sib di grigio. Scossi la testa. Indossavano dei piccoli respiratori eolici, slacciati visto che non c'era bisogno di utilizzarli nell'aria di Embassytown.

«Vi ho già viste» ricordai. «Quella volta, quando...» Puntai il dito in direzione della città.

«È probabile» disse Sib.

«Non me lo ricordo» rispose Yl.

«Avice» fece Bren. «Anche YlSib è qui per... Ecco come so cosa sta succedendo.»

Che brutto nome, YlSib, pensai. L'uomo mi spiegò che un tempo le due metà simbiotiche costituivano l'Ambasciatrice SibYl e ricomporre gli appellativi era parte del loro atto di ribellione. «YlSib vive in città» continuò a esporre con gentilezza. Una gentilezza scontata. Mi fece capire che avrei dovuto tenere per me quel segreto. Poi mi chiamò.

«Avice. Avice.»

«Perché io, Bren?» gli domandai con un tono quasi intimo, sebbene le sue ospiti potessero ascoltare senza problemi. «Perché mi hai fatta venire? Dove sono MagDa e gli altri?»

«No» mi interruppe. I tre si scambiarono degli sguardi. «È stato versato troppo sangue. La storia insegna. YlSib e gli altri appartengono a fazioni opposte, ormai da troppo tempo. Ci sono cose che non possono cambiare. Tu, però, sei diversa. Ho bisogno del tuo aiuto.»

Compresi di trovarmi davanti a uno scisma. Una frattura tra dei rinnegati e degli Ambasciatori belligeranti, una scissione turbolenta. Cos'altro diavolo c'era là fuori? Chi? Scile? Turnobabbo Natale? Ognuna di quelle sciocche storielle di un tempo ora acquisiva un senso nuovo. Ricordai tutte le domande prive di risposta. Mi chiesi chi, negli anni, fosse fuggito da Embassytown, chi avesse girato le spalle alla cittadella e perché.

«Embassytown sta morendo» disse Yl indicando la finestra, mentre Sib fece lo stesso con lo schermo muto. Il peggio era che stavamo per essere invasi da un'ondata di Ariekei in preda ai morsi della fame: una fame della Lingua. Degli esseri dal passo innaturale e scattante, come dei giocattoli. Gli squadroni messi in piedi in quel mondo al collasso si sarebbero lasciati andare in vario modo, nel vano tentativo di proteggere le nostre strade dalla disperazione degli Oratees, con il risultato di sterminare sia noi che loro. Avevamo già perso la parte più esterna della città, vittima della maggior parte degli attacchi rabbiosi del popolo alieno.

Le telecamere continuarono a mostrare il rimbambimento di quegli esseri erranti, gli stomaci penduli e la camminata incerta e casuale ma pur sempre diretta verso di noi. Nessun Ospite parve curarsi di loro. Fu una cosa scioccante. Girarono voci sul fatto che negli intervalli delle trasmissioni di EzRa gli Ariekei fossero arrivati a cibarsi nuovamente dei loro simili più anziani, così come era predisposto dall'evoluzione ma rinnegato dalla cultura.

Perfino in quei momenti di crisi, quasi non potei frenarmi dal chiedere a YlSib dove fosse stata, cosa fosse successo e cosa avesse fatto nei suoi anni di latitanza. Probabilmente aveva vissuto in prossimità della città, magari approfittando di qualche biomacchina in grado di immettere aria respirabile nella sua abitazione. Si consultava con gli Ariekei? Lavorava con loro? O era indipendente? Vendeva informazioni a un mercato nero di cui io non ero a conoscenza? Alla fine conclusi che non sarebbe stato possibile tirare avanti senza il sostegno e il patrocinio di qualche mio concittadino.

«Hai detto che quegli alieni scellerati che sono balzati all'attacco degli altri non ci stavano aiutando» ripresi il discorso.

«È così» rispose Bren.

YlSib continuò: «Stanno emergendo delle fazioni avversarie.» «Alcuni di loro non sono più nemmeno in grado di pensare.» «Stanno morendo.» «Gli Ospiti che avete visto sono quelli che stanno facendo a pezzi la periferia.» «Eppure, ce ne sono altri che, invece, cercano di mantenere una parvenza di ordine. Hanno acquisito nuove abitudini di vita.» «Sono riusciti a combattere la loro dipendenza.» «Stanno provando a reagire con ogni mezzo. Utilizzano i metodi più disparati.» «Non fanno altro che ripetere le frasi dette da EzRa, per vedere se posso diventare uno la droga dell'altro.» «Vogliono prendere il controllo della zona.» «Stanno tentando di razionare i loro file audio...» «...e organizzare dei turni di ascolto per ogni gruppo, in modo da tenere la situazione sotto...» «...controllo.» «Ma ci sono comunque dei dissidenti che vogliono sovvertire ogni cosa.»

«Noi abbiamo delle sette» esordì il padrone di casa. «Ora le hanno anche loro. Ma non del tipo che adorano un dio. Sono di quelle che lo odiano.»

«Sanno che il mondo sta per finire» disse YlSib. «Alcuni di loro vogliono dar vita a uno nuovo.» «Sono quelli che ripudiano gli altri Ariekei.» «È questo che hai visto.» «La parola che usavano per i drogati era...» Usò un termine particolare, nella Lingua. «...è così che li definivano,» riprese Sib, o Yl «tuttavia, ora non possono più farlo.» «La parola corrisponde al nostro 'deboli'.» «'Ammalati'.» «'Afflosciati'.» «Si sono ridotti alla stregua dei lotofagi omerici.» «A breve, daranno vita a un nuovo tipo di organizzazione.»

«Come...?» Ricordai i monconi di quelli che avevo visto. 'Non hanno più nemmeno le loro ali'. E con esse, avevano perso anche l'udito e la parola: in sostanza, non avevano più una Lingua. «Be', io...» dissi. «Oddio, erano ferite autoinflitte.»

«Per fuggire dalla tentazione» spiegò Bren. «È una cura discutibile, ma pur sempre una cura. Senza organi di ricezione, i loro corpi non hanno più bisogno di quella droga. E ora, l'unica cosa che odiano più dei fratelli tossicodipendenti è la dipendenza stessa.»

«In poche parole, noi» sentenziò YlSib.

«Se vi avessero visti...» «...vi avrebbero uccisi ancora più in fretta di quanto non abbiano fatto con i loro simili.»

«Non sono molti» disse Bren. «Non ancora. Ma senza i discorsi di EzRa e senza la droga, sono gli unici Ariekei con un piano.»

«Tuttavia, ne abbiamo uno anche noi» disse Sib. Poi Yl concluse: «Abbiamo un piano.»

15

Rispetto al novero delle costruzioni presenti nello spazio, la nostra Ambasciata non era affatto un edificio di grosse dimensioni. Visitando gli altri pianeti ne vidi di più estesi, alti, imponenti e sorretti da argani gravitazionali. Il nostro, tuttavia, era abbastanza grande. Non fui sorpresa, quindi, nello scoprire interi corridoi e piani dal design intricato in cui non ero mai stata, né avevo sospettato esistessero.

«Sapete cosa fare.» YlSib si rivolse a noi. «Avete bisogno di un rimpiazzo. Aprite quella dannata infermeria.»

Quello era il punto di partenza del loro piano, e Bren provvide a riferirlo a MagDa e al comitato come se fosse suo. Non mi era chiaro perché avesse deciso di presentarmi l'Ambasciatrice ribelle, ma aveva fatto bene a fidarsi di me. Il distaccamento che cercavamo, separato da tutto il resto, si trovava quasi in cima alla struttura, passando per una serie di stanze concentriche e atri. Per raggiungerlo, dovetti limitarmi a seguire quelli che già conoscevano la strada.

Gli Ambasciatori e lo Staff furono inorriditi dal suggerimento proposto dal mio amico, ma lui menzionò ancora una volta l'infermeria e insistette, adducendo delle argomentazioni incomprensibili per i componenti del comitato che non sapevano dell'esistenza di quel luogo. A mia volta, finsi di ignorare ciò di cui stava parlando.

«Potrebbero esserci degli elementi utili» aggiunse.

«E come li riconosceremo?» domandò Da.

«Be', è questa la parte complicata» riprese. «Dovremo sottoporli a un test.»

L'anarchia nata dalla disperazione degli Ariekei era solo a qualche isolato di distanza. La situazione continuava a degenerare insieme agli edifici. Chi stupidamente continuava a vagare vicino alla città ariekeiana rischiava di imbattersi in queste creature fameliche dietro ogni angolo. Quando accadeva, gli esseri in questione si avventavano sulle proprie vittime urlando nella Lingua e implorandole di fare lo stesso – di parlare come EzRa – per poi dilaniarle senza esitazione, dopo essersi accorti della loro incapacità, infuriati o forse speranzosi di ascoltare il suono tanto atteso fuoriuscire da uno di quegli squarci.

Non potevo credere alla follia del nostro piano. Ci addentrammo a piedi nella città come un gruppetto di sprovveduti, circondati dal fumo e dagli uccelli. L'intera Embassytown era costellata di autocrazie locali, gruppi di uomini e donne decisi a imporre le proprie volontà nei territori circostanti, armati di oggetti contundenti o pistole talvolta ricavate da bestie biomeccaniche, che non avrebbero dovuto usare ma che impugnavano con così tanta foga da far uscire sangue dall'impugnatura.

«Dov'è EzRa, brutti stronzi?» gridarono dopo averci visti. «Vi state occupando di tutto voi, eh?» Da uno di questi assembramenti cominciarono a giungere minacce all'indirizzo degli Ospiti, ma, se avessero deciso di metterle in atto, sarebbero riusciti ad abbattere soltanto un paio di quelli più malridotti. Contro quegli altri, i più aggressivi che erano arrivati ad automutilarsi, invece, non avrebbero avuto alcuna possibilità.

Nella zona di Embassytown caduta in mano agli Ariekei, l'erbaccia domestica aveva seguito gli alieni e già cresceva folta, rivestendo quelli che fino a poco tempo prima erano i nostri edifici e contaminando l'aria.

Armammo le pistole. Ci videro. Questa volta furono loro a strepitare, avanzare e correre da tutte le parti. «EzRa, EzRa, la voce, dov'è la voce?»

«Non sparate a meno che non siate costretti» fu il monito di Da. Individuammo una di quelle creature sola, in preda a una crisi e al desiderio spasmodico di parole.

«Vieni con noi» gli disse MagDa.

«EzRa» fu la sua unica risposta.

«Vieni con noi,» ripeté l'Ambasciatrice «e ne sentirai la voce.» Chiamammo un corvide: era antico, fatto di metallo, silicone e polimeri interamente di tecnologia terriana. Da quando l'assuefazione aveva cominciato a diffondersi, eravamo diventati molto cauti nell'utilizzo di quei macchinari sofisticati che avrebbero potuto essere corrotti, in quanto costruiti grazie al compromesso tra la nostra tradizione e la biomeccanica locale. Per quanto ne sapevamo, durante il tragitto aereo sarebbero potuti cadere preda di quel tipo di bisogno attraverso i gas di scarico o magari attraverso la tonalità del proprio motore.

L'Ariekeo in nostra compagnia si chiamava *shoash | to tuan*. Annebbiato dalla necessità di ascoltare la voce del Dio-Narcotico, sembrava non rendersi conto che il suo fisico stesse deperendo per la fame, così decidemmo di dargli del cibo. Ci permise di avvicinarci solo per via della promessa che gli avevamo fatto. Lo portammo in infermeria, la cui porta d'accesso, piantonata da una guardia, si trovava alla fine di una serie illogica di corridoi, svolte e rampe di scale. Qui notai di non essere l'unica ex civile del comitato che era rimasta all'oscuro dell'esistenza di quell'ala del palazzo. L'uomo all'ingresso doveva far parte della Sicurezza, dato che al momento ogni singolo poliziotto era impegnato in città.

«Ho ricevuto il suo messaggio, Ambasciatrice» disse l'agente a MagDa. «Ma non sono sicuro che io possa...» Ci guardò e vide l'Ariekeo impaurito che si trovava insieme a noi.

«Siamo in tempi di guerra, agente» rispose MagDa. «Non penserà davvero che...» «...la vecchia legge sia ancora in vigore.» «Ci faccia entrare.»

Dentro, ricevemmo il benvenuto dallo Staff in uniforme, la cui agitazione era palpabile ma irrilevante, se comparata a quella di tutti gli altri. In quelle stanze segrete si respirava un clima di finta normalità: era l'unico posto rimasto che continuava a procedere imperterrito con i propri ritmi, a dispetto della crisi che dilagava da settimane.

Vedemmo degli infermieri muniti di medicine e cartelle cliniche affaccendarsi dentro e fuori dalle stanze e mi resi conto che gli inservienti davanti ai nostri occhi avrebbe davvero continuato a mandare avanti la loro quotidianità, incuranti, finché non fossero sopraggiunte quelle creature agonizzanti e affamate di parole a scardinare la porta e a ucciderli tutti. Riflettei sul fatto che probabilmente a Embassytown esistevano ancora altre istituzioni la cui routine giornaliera non era stata toccata, tra cui ospedali e, forse, alcune scuole o asili in cui erano presenti turnogenitori profondamente affezionati ai loro bambini. Ogniqualvolta si assiste alla morte di una società, sono sempre presenti degli eroi che combatteranno fino alla fine, all'insegna di una resistenza inutile.

Il luogo in cui ci trovavamo fungeva allo stesso tempo da infermeria, manicomio e prigione per gli Ambasciatori falliti. «Non possiamo avere la certezza matematica che, ogni volta che accoppiamo due persone in una, la cosa funzioni» mi confidò Bren con disprezzo.

Gli Ambasciatori in questione venivano allevati in massa. Passammo accanto a stanze al cui interno si trovavano uomini e donne appartenenti alla stessa nidiata. Inizialmente attraversammo il corridoio degli Ambasciatori incarcerati che avevano raggiunto la mezza età e avevano ormai più di mezza mega/ora: erano intenti a fissare le telecamere e i vetri a specchio al di là dei quali c'eravamo noi, non visti. Notai alcuni doppi segregati in stanze diverse, forse con i collegamenti spezzati o quantomeno allentati, cosicché la parete tra di loro non costituisse un problema. Più andavamo avanti, più realizzavo che dietro ogni porta si celavano dei volti duplici, delle coppie, dei doppi.

Alcune delle celle erano vuote, isolate e senza finestre. Altre a-dornate di tessuti sfarzosi e con delle aperture che offrivano la vista dell'intera Embassytown e della città. I loro inquilini erano sorvegliati o limitati da piastrine elettroniche, talvolta da cinghie. La maggior parte degli infermi, come li definì il dottore che ci fece da guida, restò muta. Una dei prigionieri, invece, ci urlò addosso una sfilza di ingiurie. Non riuscii a capire come avesse fatto a intuire la nostra presenza dietro al vetro. Leggevamo il suo labiale, poi il medico ebbe la felice idea di premere il pulsante che ci permise di ascoltarne la voce per qualche secondo. Lo odiai per questo.

Le stanze erano tutte pulite e piene di fiori. Dove possibile, e-rano affisse anche delle targhette con incisi i nomi dei loro ospiti, preceduti dai rispettivi titoli onorifici: AMBASCIATORE HEROT, AMBASCIATORE JUSTIN, AMBASCIATORE DAGNEY.

Alcuni di loro non avevano sviluppato l'empatia necessaria per simulare un pensiero congiunto e, nonostante l'allenamento, le medicine, il collegamento e la coercizione, erano rimasti due individui uguali solo nell'aspetto. Molti di loro mostravano evidenti segni di squilibrio. C'erano perfino quelli che avevano assimilato la Lingua, ma erano impazziti e si erano abbandonati al risentimento e alla malinconia, dei soggetti pericolosi. Altri ancora, erano usciti di senno in seguito alla scissione: erano coloro che, al contrario di Bren, non erano stati in grado di superare la perdita del rispettivo doppio, trasformandosi in delle persone a metà.

C'era una grande varietà di esperimenti falliti: più del numero complessivo degli Ambasciatori stessi. Una simile quantità di persone in quelle condizioni mi inorridì. Non ne avevo idea, commentai tra me e me. Eravamo troppo civili per porre fine alle loro sofferenze: ecco il motivo di una prigione dove rinchiuderli in attesa che morissero. Conoscevo abbastanza bene la storia del pianeta Terre da sapere che alcuni di loro erano stati giudicati un fallimento solo in seguito a una macchinazione politica. Mi presi la briga di leggere ognuna delle targhette che superavo, e capii che lo stavo facendo per cercare nomi a me noti, come quello di DalTon. Tuttavia, nessun segno dei dissidenti di cui soltanto una cattiva cittadina come me avrebbe potuto parlare.

Oltrepassammo un settore in cui erano tenuti i casi più gravi: uomini e donne, più anziani dei miei stessi turnogenitori, che latravano come animali, oppure parlavano in maniera civile e con garbo al muro o ai loro badanti. «Cristo» imprecai. «Oh, dio del faro.»

shoash | to tuan defecò inaspettatamente a causa dell'astinenza. Poi, resosi conto di quanto fatto, disse qualcosa per esprimere la sua vergogna: un'azione come quella, per gli Ospiti, era un tabù proprio come lo era per noi.

Credo che il dottore ci avesse fatto fare di proposito il giro più lungo fino alla sala in cui avremmo tenuto le nostre audizioni, così da poter curiosare in ogni stanza durante il tragitto. Notai delle pareti dipinte con colori sgargianti e munite di schermi sui quali erano stati caricati dei videogiochi, cosa che trovai così contraddittoria da impiegarci un po' a capirla. Quello era il luogo in cui venivano condotti gli Ambasciatori più piccoli, non più grandi di cinquanta kilo/ore. Questa volta decisi di non guardare attraverso quei vetri, per evitare di vedere dei bambini incurabili.

Giunti all'interno di una stanza molto ampia, chiedemmo a *shoash | to tuan* di prestare attenzione, mentre i dottori fecero entrare uno alla volta i loro migliori candidati, tutti rigorosamente sotto sorveglianza.

Giudicammo non idonei sia quelli che non avevano affatto confidenza con la Lingua che quelli troppo instabili. Alcuni dei prigionieri avevano passato la loro esistenza all'interno di quella struttura a causa soltanto di un piccolo deficit comunicativo presente nei loro enunciati: una componente che noi non eravamo capaci di individuare. Molti di loro, inoltre, avevano conservato uno stupefacente grado di lucidità. Furono questi gli individui che mettemmo alla prova.

Una coppia di doppi avanti con l'età si fermò di fronte a noi; i due uomini erano sprovvisti dell'arroganza tipica degli Ambasciatori, anzi, parvero meravigliati dalla nostra cortesia. Il nome della coppia era XerXes. Erano passati anni dall'ultima volta che i due avevano visto un Ariekeo e ne furono rapiti. «Un tempo parlava la Lingua,» ci spiegò un dottore «poi, all'improvviso, sembrò non esserne più capace. Non sappiamo perché.»

XerXes aveva un atteggiamento educato e per nulla inquisitorio. «Ricordi ancora la Lingua, Ambasciatore XerXes?» chiese Da.

«Che domande!» «Che domande!» rispose XerXes. «Sono un Ambasciatore.» «Sono un Ambasciatore.»

«Sarebbe così gentile da salutare il nostro ospite?»

L'Ambasciatore guardò fuori dalla finestra, scorgendo i settori della città che apparivano fiacchi e scoloriti dalla crisi, invasi dal cancro.

«Salutarli?» disse. «Salutarli?»

Le due metà simbiotiche mormorarono qualcosa l'un l'altro. Si prepararono prendendosi il loro tempo, sussurrarono e annuirono. Diventammo impazienti. Pronunciarono all'unisono qualche parola ordinaria che perfino io conoscevo bene.

«*suhail kai shu | shura suhail*» ovvero: 'È un piacere conoscervi e avervi qui con noi.'

L'Ospite sollevò gli occhi corallini e il movimento mi fece sussultare, pensando e sperando fosse lo stesso cui avevamo assistito durante i discorsi di EzRa. L'Ariekeo osservò la stanza tutt'intorno, fino a perdere di interesse.

Quella reazione era stata scatenata soltanto da un nuovo rumore sconosciuto: si sarebbe comportato allo stesso modo anche solo sentendo rompersi un bicchiere. L'Ambasciatore tentò ancora: «Ti dispiacerebbe rivolgermi la parola?» Questa volta l'alieno lo ignorò del tutto e, di conseguenza, i doppi riprovarono finché la loro voce non venne meno, disgregandosi. L'eco e l'inciso si separarono in due enunciati distinti. Non fu affatto piacevole.

Non penso che in XerXes vi fosse una totale assenza della Lingua, al contrario, credo che nell'enunciato ascoltato dall'Ariekeo dovesse esserci ancora qualcosa, quantomeno un frammento di essa. Ripensando a ciò che avevo visto, al modo in cui si era mosso, sono dell'idea che non fosse stata una reazione a un rumore casuale. Non fece la differenza, non era abbastanza, ma sono certa che in XerXes – e in non so quanti altri – dovesse esserci ancora qualche spettro della Lingua.

Il primo duetto accettò docilmente di essere riportato nei rispettivi alloggi. Trascinando i piedi verso la propria cella, uno di loro si voltò a guardarci quasi con un'espressione di scuse.

Ne vennero altri: più vecchi, più giovani, e una spaventosa schiera di adolescenti ansiosi di compiacerci. Alcuni di loro si presentarono a noi uniformati e vestiti in modo identico, altri evitarono di farlo. Ricordo una coppia che doveva avere circa la mia stessa età, FeyRis: avanzò fredda e con un'aria di sfida, ma poi, quando le chiedemmo di parlare, fallì come tutti gli altri. La creatura al nostro fianco osservò le due metà simbiotiche notando qualcosa, ma non fu sufficiente. Furono i primi doppi a maledirci, mentre venivano trascinati via.

Fissai MagDa. Credo sapesse quanto mi piacesse e quanto la ammirassi.

Mettemmo alla prova diciassette Ambasciatori. Dodici mi sembrarono in grado di parlare la Lingua. A loro volta, nove parvero sortire qualche effetto sull'Ariekeo. In tre casi, mi chiesi se non fossimo riusciti a trovare ciò in cui confidava YlSib, un sostituto di EzRa capace di tenere in vita Embassytown. Tuttavia, nessun risultato concreto.

Pensai che, se la voce di un Ambasciatore era diventata una droga, un giorno nulla avrebbe impedito al timbro di un suo collega di diventare un veleno. Facemmo ascoltare a *shoash | to tuan* una delle ultime registrazioni a nostra disposizione e questi crollò e tremò in seguito ai racconti sull'albero più alto che Ez avesse mai scalato. Nell'infermeria non trovammo niente che potesse esserci di aiuto.

«Non riuscirete a replicarlo» affermò una dottoressa. «Questi...» Indicò gli errori imprigionati dietro le porte di quella struttura. «Sono tutti imperfetti. Non troverete in nessuno di loro ciò che aveva EzRa. Non ci si può aspettare che due persone prese a caso siano, di colpo, in grado di parlare la Lingua. Non troverete niente del genere qui. Era già improbabile che trovassimo EzRa una prima volta: meglio ancora, era impossibile. Cosa proponete di fare?»

Non c'era da sorprendersi che EzRa fosse morto, perché l'universo aveva dovuto correggere il suo errore. Convocammo una riunione. «Dobbiamo chiudere questo posto» dissi.

«Non ora, Avice» rispose MagDa.

«È una cosa mostruosa.»

«Non ora, Cristo!» «Non ci sarà un bel niente da chiudere...» «... né nessuno che possa farlo, se non risolviamo prima questo dannato problema.»

Calò il silenzio. Di tanto in tanto, qualcuno di quelli che erano seduti al tavolo alzava lo sguardo come per dire qualcosa, ma nessuno parlava. Altri tiravano su con il naso come se stessero lì lì per piangere.

Le due metà dell'Ambasciatrice si consultarono. «Portate qui quanti più ricercatori riuscite a trovare» concluse MagDa. «Meccanici, biologi, medici, linguisti...» «Chiunque riusciate a trovare.» «Questo Ariekeo.» «*shoash | to tuan.*» Le due metà si guardarono: «Fate ciò che dovete.» «Fate dei test.» «Dissezionatelo.»

MagDa rimase in attesa di qualche parere contrario. Niente.

«Dissezionatelo, quindi, e cercate di capire dove sia il problema.» «Qualunque cosa sia, è al suo interno. Nella sua gabbia-di-ossa.» Lanciò un'occhiata a me e a Bren. «Quando sentirà la voce di

EzRa...» «...state attenti e cercate di capire cosa succede.» «È possibile che riusciamo a sintetizzarla in qualche modo.»

Facendo come ordinato dalla nostra leader avremmo assassinato un Ospite, e non per autodifesa, ma per la riuscita del nostro piano. L'Ambasciata si trasformò in qualcosa di diverso. Fui sbalordita dal coraggio di Mag e Da: si trattava di un atto tremendo e sapevano di essere state loro a proporlo.

Credo che nessuno di noi confidasse di scoprire alcunché in merito alle cause dell'assuefazione linguistica dell'alieno aprendo il corpo, ma dovemmo provare. Noi stessi eravamo sul punto di soccombere ed era giunto il momento di tentare metodi nuovi. L'Ambasciatrice ce ne aveva appena fornito uno. Imparò sulla propria pelle il significato dell'essere in guerra, dovendo poi trasmetterlo anche a noi. Ci fornì un'orribile speranza. Fummo chiamati a compiere l'azione più egoistica che potesse esistere.

16

La vivisezione fu inutile.

Come al solito, le voci corsero e, nell'arco di qualche giorno, l'intero avamposto venne a sapere che il comitato aveva tentato di trovare una soluzione e creare così un nuovo EzRa, ma aveva fallito. Le chiacchiere si diffusero perché altre chiacchiere fossero diffuse a loro volta. Menzogne e segreti lottavano tra loro. Erano le menzogne a vincere, dando vita a nuovi segreti contro cui si contravano nuove menzogne e così all'infinito.

Mag e Da vollero farci scendere in guerra, ma era troppo tardi. Chi tra di noi non aveva ancora perso le speranze aiutò ad alzare le barricate. Abbandonammo i confini di Embassytown e, una volta che fummo a qualche strada di distanza, prelevammo gli oggetti contenuti nelle case abbandonate, li facemmo a pezzi e riversammo il materiale sul selciato. Le macchine per movimento di terra scavarono delle trincee e impilarono le rovine urbane insieme con il terreno fino a formare un argine scosceso, che poi corazzammo con pietre e cemento. Su di esso posizionammo dei tiratori, così da proteggere ciò che rimaneva del nostro insediamento dagli Ariekei in preda alle crisi di astinenza.

Gli edifici si trasformarono in torrette dove dispiegare tutte le armi di cui eravamo in possesso, comprese quelle recuperate dai depositi segreti di Bremen e quelle messe a punto dai nostri ingegneri e meccanici. Scandagliammo tutta la tecnologia ancora in uso in cerca di componenti biologiche, occupandoci di distruggerle non appena avessimo notato un qualsiasi segno di assuefazione.

Organizzammo degli autodafé dove bruciare le macchine corrotte e stridenti, frutto di quell'eresia.

Sapevo che ci eravamo mossi troppo tardi. L'Ambasciatore EdGar si impiccò; faceva parte del comitato. Il suo suicidio scosse nuovamente i nostri animi. Gli Ambasciatori aprirono la strada a questa pratica, emulati in seguito dai nostri concittadini.

Uomini e donne, in coppie, si accordarono per valicare le nostre barriere e oltrepassare i nostri confini, muniti di respiratori eolici, coltelli, bastoni e pistole fatte in casa. Avrebbero arrancato fin sopra le fortificazioni per discendere in un territorio che fino a poco prima era stato attraversato da strade, mentre ora si presentava come un groviglio di calanchi. Ci aggirarono passando per le vie secondarie, brandendo le loro armi, copiando le mosse dei poliziotti e quelle delle forze dell'ordine di Charo City descritte dalla letteratura contenuta nei vecchi miab. A volte, fuori dal nostro campo visivo, alcuni Ariekei stavano appostati ad aspettarli negli anfratti degli edifici malmessi.

Non cercammo di fermare il flusso di questi esploratori muniti di un biglietto di sola andata. Dubito pensassero di poter scampare al proprio destino addentrandosi nell'area tossica della città esoterriana ormai in degrado, credo volessero semplicemente fare qualcosa. Li definimmo morituri. Dopo le prime spedizioni, prese a riunirsi una piccola folla che li incitava mentre andavano.

Gli alieni erano diventati ancora più spaventosi, malati e affamati. Alcuni di loro si erano assottigliati, altri dilatati in preda ai fumi della fame. I loro occhi avevano cambiato colore. Scuotevano o trascinavano arti che non rispondevano più agli stimoli. Le ali a ventaglio tremavano. Un numero ristretto di Ospiti tentò ancora di parlare con noi, combattendo la propria dipendenza. Essi si riunirono alla base delle nostre fortificazioni senza nemmeno tentare di sfondarle, a dimostrazione della loro volontà pacifica. Ci chiamarono affinché andassimo a prendere MagDa, RanDolph o qualcun altro degli Ambasciatori presenti e gli permettessimo di dialogare.

Capitava che ci lasciassero energia, carburante e biomacchine ancora miracolosamente illese. In cambio li rifornimmo del cibo e delle medicine che loro non erano più in grado di fabbricare. Tutto ciò che chiedevano era la voce di EzRa, e noi gliela promettemmo. Qualsiasi indizio dovessero avere in merito al funzionamento delle bugie e sulla natura delle promesse, in quei momenti parve venir meno. Non mostrarono alcun tipo di sospetto. Rimasero in attesa senza speranza. Molto spesso si disperdevano soltanto all'arrivo dei loro fratelli più turbolenti.

Gli Oratees più disperati e incapaci di pianificare giungevano correndo all'impazzata fino ai piedi delle barricate, saltandovi sopra in velocità, tenendosi saldi con le proprie ali prensili e urlando parole nella Lingua. Noi non potevamo far altro che scacciarli e uccidere quelli che si erano spinti troppo oltre. Assistetti all'uccisione di Ariekei a cui spararono con un'arma tanto potente da sventrarli, li ustionarono con lo sputo caustico di una biomacchina e poi li tagliarono a pezzi. La prima volta che un umano massacrava un Ospite veniva meno una vita intera condizionata dal rispetto; perfino i mitraglieri piombavano nello sconforto. Dalla seconda morte, però, era già tutto passato.

Alcuni animali riuscirono a infiltrarsi tra le strade abbandonate: altotassi, volpi e scimmie si muovevano con fare curioso lungo i solchi scavati dalle ruote. Gli autotroncatori si arrampicarono sui tubi di scarico e forzarono le finestre. Di tanto in tanto, una guardia depressa gli sparava per farli disperdere. Uccidere un animale terriano portava sfortuna, ma divenne quasi uno sport, invece, quello di far fuori le bestioline più convulse e barcollanti di natura ariekeiana che pure si avvicinavano. I trunc vennero lasciati in pace, perché nessuno sapeva se fossero o meno animali autoctoni e, quindi, se potessero divenire un bersaglio oppure no.

Cercammo di non pensare alle nostre scorte in esaurimento. Insieme ai muri fatti di macerie e rifiuti, prese forma anche una storia che parlava di un ultimo gruppo di dissidenti che continuava a resistere e dei possibili attacchi da parte di qualche orda. Questa storia ci fu di aiuto. Nel pomeriggio, la gente si radunò all'interno del nostro quartiere e fui sorpresa dalla sensazione di conforto che ci diede la cosa. Gli artisti scandagliarono i nostri archivi e i reperti archeologici digitali fino a milioni di ore addietro, all'età ante diaspora. Proiettarono sugli schermi delle vecchie fiction corrose dal tempo.

«Credo che questi siano georgiani o romani» mi disse uno degli organizzatori. «Parlano il vecchio anglo.» Uomini e donne, privati dei loro colori e in simbolismo alquanto goffo, erano asserragliati in casa, intenti a combattere contro delle figure molto malate. In un'altra pellicola l'uso del colore era tornato normale e i protagonisti si trovavano in un magazzino colmo di prodotti, con nemici ancor più malati dei precedenti venuti a stanarli in quel modo tanto spietato. Ovviamente interpretammo quelle storie come fossero le nostre.

Sapevamo che gli Ariekei sarebbero riusciti a sfondare le nostre difese. Avevano già invaso le case a ridosso della nostra zona, ricavandosi dei passaggi sul retro o sul fianco delle abitazioni attraverso i buchi e le finestre. Alcuni di loro uscirono di nuovo in strada passando per la porta di ingresso e distruggendo ogni cosa. Quelli che avevano ancora un po' di lucidità cercarono di prendere l'Ambasciata durante la notte. Parvero i mostri oscuri delle favole per bambini.

Gli alieni, però, non erano l'unico pericolo: dovevamo guardarci anche dai banditi umani. Cominciarono a circolare voci sul fatto che una di queste bande includesse anche Kedis e Shur'asi, sebbene non vi fosse alcuna prova. Tuttavia, quando il corpo di uno Shur'asi fu rinvenuto nei pressi dell'argine principale in seguito a una di queste incursioni umane, l'accaduto venne giustificato additando il defunto come uno degli assalitori. Morivano solo per via di circostanze innaturali o in combattimento, per questo ogni decesso di uno Shur'asi venne descritto come un abominio di carattere epico tanto quanto i racconti sulla Caduta.

Non tutti i cadaveri che provvedemmo a eliminare appartenevano a degli Ariekei uccisi da noi e dalla furia cieca degli Ospiti più afflitti. Alcuni furono annientati da quello che sembrò un atto alieno brutale e deliberato.

«Sono stati loro» mi riferì Bren. «Quelli che si sono strappati le ali. Ci preoccupiamo tanto dei malati, ma dobbiamo temere anche loro.»

«Dove è YlSib?» chiesi.

«Non è pazza, sai» rispose. «Esistono altri modi per sopravvivere in città. Yl, Sib... e gli altri. La politica non è l'unica strada percorribile.»

«Quel posto va chiuso, Bren. Cristo. Le persone non possono essere tenute in quel modo.»

«Lo so.»

Passai il resto della serata con lui, per la seconda volta. Parlammo ancora meno di quella precedente, ma fu una notte piacevole. «Pensi esistano anche lingue trivocaliche?» domandai a un certo punto.

«L'universo, là fuori, è grande» ribatté. «Sono certo ne esistano anche altre a quattro o cinque voci.»

«E dei posti in cui gli esoterriani parlino un anglo in grado di incasinare le menti umane» osservai.

Ce ne stemmo nudi accanto alla finestra. Mi pose il braccio sulla spalla e io gli misi il mio attorno alla vita, ascoltando i rumori degli spari, delle urla e degli schianti.

Bren ricevette una chiamata di buon mattino e il fatto che si rifiutò di dirmi chi fosse mi innervosì. Corremmo in direzione del confine, incontro a un nugolo di Ospiti. Questi ultimi si diressero verso le barricate in una singola ondata, un'invasione organizzata in un ultimo barlume di intelligenza. «Ci tengo a sottolineare il fatto che gradirei molto sentire la voce di EzRa» urlò uno degli alieni giunti a sterminarci. «Sarebbe possibile sentirlo parlare?»

Le guardie chiesero rinforzi e arrivarono MagDa e gli altri membri del comitato e dello Staff. Affrontammo quelle creature con animarmi prive di orecchie e cresciute in fretta insieme a proiettili meccanici, bastoni e balestre polimeriche che lanciavano quadrelli ottenuti dai ferma-passatoia delle scalinate. I nostri avversari si infuriarono, continuando a gridarci contro le loro richieste educate: «Chiediamo sentitamente di...» Le loro zelle si arrampicarono, frenetiche, in cima alle fortificazioni, costringendoci a fare fuoco. Ricevemmo supporto da parte dei Kedis e degli Shur'asi, intenti a piazzare delle recinzioni elettrificate. Vidi perfino Simmon sparare con precisione, nonostante fosse costretto a impugnare l'arma col braccio sbagliato.

Con un minimo di organizzazione, gli Ariekei sarebbero riusciti ad avere la meglio, ma la crisi d'astinenza li rese incompetenti e incapaci di far fronte alle loro angosce prima ancora che a noi. Poi arrivarono i saprofagi, degli anticorpi domestici. Perfino gli uccelli terriani in cielo volarono via, assaporando un'aria intrisa dell'olezzo della carneficina. I miei occhi lacrimarono per via dell'odore acre delle viscere degli Ospiti. Le strade laterali parvero in subbuglio. C'era qualcos'altro che stava massacrando i nostri nemici e richiamai l'attenzione di Bren. Si trattava della massa di esseri autolesionisti di cui avevamo parlato. Si erano avvicinati mescolandosi con i loro simili, una quinta colonna. Bren li osservò impassibile, mentre il resto di noi rimase a guardarli a bocca aperta per tutto il tempo in cui questi dispersero brutalmente i nostri aggressori intossicati.

«Bren è stato il primo ad arrivare» mi disse Da. Il suo sguardo era diretto nel punto in cui Mag stava parlando con lui. «Insieme a te. Sapeva già cosa sarebbe successo, giusto? Come?»

Io scossi la testa. «Sa come sono fatte le persone.»

«Tu invece?»

Mi guardai bene dal fare cenno a YlSib, ma Da non era una sciocca e non mi sarei sorpresa nell'apprendere che sapesse già tutto, compresi i nomi più rilevanti. «Andiamo...» risposi.

«Che cosa sai, Avice?»

Non risposi ma la fissai negli occhi, così da non farle credere che mi vergognassi o fossi imbarazzata. In questo modo, se pure avesse capito che stavo evitando di dirle qualcosa, avrebbe pensato che stessi cercando di mostrare rispetto verso qualcuno. In quell'esatto momento fui contattata da un ID che non conoscevo: era una chiamata vocale, priva di immagini e ologrammi. La voce era ovattata.

«Cos'hai detto?» urlai. «Chi parla? Ripetilo ancora.»

Chiunque fosse ripeté quanto detto e questa volta sentii. Trattenni il fiato sperando di sbagliarmi e misi il mio interlocutore in vivavoce, così da far udire anche a Mag, Da e Bren. Non mi ero sbagliata. La voce dall'altra parte del ricevitore pronunciò quelle parole ancora una volta e con maggiore chiarezza.

«CalVin è morto.»

Nella sua stanza non trovammo altro che i resti di alcol e sesso. Provammo a contattarlo invano. Vagammo per i locali che era solito frequentare, ma, con mio sommo disgusto, non trovammo altro che una manciata di facinorosi ancora intenti a fingere che il mondo non stesse finendo. Ci dissero che non vedevano l'Ambasciatore da giorni e che l'ultima volta che si era recato lì era in compagnia di un uomo dall'aspetto alquanto distratto.

Provammo anche negli altri bar, ma niente. Di colpo, intuii chi fosse la figura in compagnia di CalVin. Ci avviammo verso la strada di quella che un tempo era stata casa mia e di Scile, e che ora era abitata solo da lui. Ci tornò subito dopo che me ne fui andata, ma la mia chiave funzionava ancora. Una volta dentro, notammo che, essendo l'unico inquilino della casa, la roba di mio marito era sparsa ovunque, ma lui non c'era. Trovammo un biglietto indirizzato a me sul nostro vecchio letto. Era già stato aperto. Lo dispiegai quel tanto che bastava per leggerne l'ultima riga, 'Questo è un addio', e mi fermai.

Nell'altra stanza c'era CalVin. Il messaggio era sbagliato. Non era affatto morto o, almeno, non interamente: Vin si era impiccato, mentre Cal era ancora lì a osservarlo oscillare come un pendolo. Scorsi un secondo biglietto su un altro materasso.

Il doppio ancora in vita mi guardò. Dio solo sa quale espressione lesse sul mio volto. «Non sono stato capace di percepirlo» disse. «Non lo avevo capito. Io...» Si toccò il collo all'altezza del collegamento. «Era... Ma lo avevamo riattivato. Avrei dovuto capirlo. Ma non l'ho fatto. Come ho potuto... non immaginarlo?»

Parve imbestialito per il dolore della perdita. «Come è possibile?» urlò. «Chi è?» Indicò di scatto il suo doppio, il suo gemello, paradossalmente morto in solitudine.

Parte sesta

I nuovi re

17

Tenni la lettera di Scile in mano per ore senza neanche rendermene conto. Dopo aver portato Cal all'Ambasciata e averlo sedato
per calmarlo, fui lasciata sola con lui.

«Lo avete tirato giù?» domandò.

«Ce ne siamo occupati noi» risposi.

«Perché sei qui?» mi chiese, mentre vedeva gli altri che andavano e venivano.

«MagDa sarà qui a momenti» ribattei io. «Sta organizzando
un...»

«Non stavo...» Si bloccò per un secondo. «Non era una lamen-
tela, Avice. Vin è morto... Perché sei rimasta qui con me?» Perfino
allora trovammo difficile parlare di ciò che sapevamo già da mesi,
di quella disparità. Dopo lunghi attimi di silenzio scossi le spalle.

«Non lo sapevo» disse stupito. «Abbiamo dovuto... Di tanto in
tanto capitava che dovessimo separarci, solo per un po'. E... stavo
solo... Lui e Scile stavano lavorando e pensavo che...»

Poggiò sul letto il biglietto del suo doppio, lasciando che lo racco-
gliessi. La gente venne a portargli un po' di cibo e conforto. Mentre
tutti combattevano per cercare di aggiustare le cose, CalVin era caduto vittima del suo egoismo. Prima che la situazione degenerasse,
l'Ambasciatore era stato una figura centrale, un leader. Aveva assunto il comando dopo il ritiro di JoaQuin. Per molti membri del
comitato, non si era trattato di un fallimento ma di un segno evidente della loro malattia sfociata in una conclusione orribile. Dispiegai il messaggio di Vin.

Non sono come te. Perdonami.
Parlale di ciò che non sono riuscito a dirle.
Ti prego, perdonami. Non sono forte quanto credevo. Non posso
continuare.

Mi aspettavo, o forse speravo, di leggere una frase come quella
al secondo rigo.

«Hai visto quali sono i miei ordini» fece Cal. «Bene. Cosa dovrei dirti?» Per quanto cercasse di rendere la cosa sgradevole,
non riuscii a sopportare la sua voce affranta. Controllai anche il
secondo foglio: la lettera di Scile. «Credo fosse... Vin l'ha trovata
subito prima di...» continuò Cal. Non mi accorsi di MagDa e Bren
che erano entrati. Mi resi conto della loro presenza solo quando il
doppio rimasto si rivolse a loro: «Io e Avice Benner Cho stavamo
confrontando i nostri biglietti di addio.»

'Carissima Avice' lessi.

Carissima Avice,
questo è un addio. Sto vagando da solo, fuori. Spero tu possa perdonarmi, ma non posso rimanere. Non posso condurre una vita
come questa...

A quel punto mi fermai e ripiegai il biglietto. Cal mi guardò con
un pizzico di solidarietà.

«Era qualcuno... una volta» dissi. «Non gli darò questa soddisfazione.» Avrei voluto dire: 'Questo non è l'uomo che ho spo-
sato', ma mi limitai a scioccarli con una fredda risata. Immaginai
il visionario entusiasta che avevo amato, intento a vagare per Embassytown in cerca di un posto in cui farla finita. Mi chiesi quando
l'avremmo trovato.

L'Ambasciatrice mi tolse la lettera di mano. Da la passò a Mag,
dopo averla letta.

«Dovresti leggerla» disse la prima.

«Non ne ho affatto intenzione» risposi.

«Spiega molte cose. Anche le sue... teorie...»

«Gesù Cristo Pharotekton, MagDa, ho detto che non intendo
farlo.» Abbassai lo sguardo. «Ormai avrà imboccato Oates Road. È
andato. Non mi importa un accidente della sua teologia. So già cosa

dice. La Lingua è la lingua degli dèi, gli Ariekei sono angeli e Scile è il messaggero. Credo. E ora, gli angeli stanno cadendo. Dice forse che le nostre bugie li hanno corrotti?»

Bren rimase impassibile. MagDa si agitò, non potendo negare l'accuratezza delle mie descrizioni.

«Pensi forse di essere l'unica a soffrire?» esordì. «Ora, cerca di riprenderti e leggi questa lettera, Avice.» «È stato dopo averla letta che...» Mag, o Da, agitò il pezzo di carta lasciatomi da Scile «...che Vin si è tolto la vita. Lo capisci questo?»

«Cosa stavano facendo?» chiesi. «A cosa stava pensando Vin? Scile ha lasciato scritto cosa...?» Mi morsi la lingua, pentendomi di averlo chiesto.

«Ha scritto soltanto che non poteva più andare avanti così» spiegò Bren. «E ha deciso di andarsene. La ragione è quella che hai detto tu.»

Gli Ariekei autolesionisti, privati delle proprie ali, ampliarono la scia di morte alle loro spalle. Bren provvide a inviare delle VESPcam alla ricerca di Scile, seguendo delle istruzioni vaghe che fui certa provenire da YlSib e da altri suoi contatti. Gli sciami in questione spiarono all'interno delle case e dei buchi lasciati dalle abitazioni sradicate o evaporate, permettendoci di osservare gli assordanti raid alieni. Non avevo idea di cosa stessimo cercando, in quanto il mio stesso compagno non aveva lasciato indicazioni in merito alla strada che avrebbe imboccato per andare a morire. Immaginai il suo cadavere proiettato a ripetizione sui nostri schermi. Ma ciò non avvenne.

Ovunque si trovassero, quelle nuove generazioni prive di ali dovevano essere asserragliate in qualche bunker sotto le macerie, a toccarsi la pelle l'un l'altro e a additarsi. Il loro obiettivo erano gli Oratees, ma provvidero a distruggere ogni telecamera che gli capitasse a tiro.

Esistevano Ariekei che non erano ancora stati tramutati in morti viventi dall'assuefazione, e che non erano animati dallo stesso senso di rabbia degli altri predoni: riuniti all'interno di nursery biomeccaniche, continuavano a parlare nella Lingua in un modo tanto frenetico che perfino Bren trovò difficile seguirli. «Non li ho mai sentiti parlare così» disse. «Le cose stanno cambiando.»

Stavano tentando di sopravvivere, senza mai smettere di costruire degli accampamenti attorno agli altoparlanti silenti e di reclamare la voce di EzRa. Si occuparono della manutenzione dei megafoni come fossero totem da venerare. Continuarono ad allevare i più giovani e proteggere gli anziani, ormai privi di coscienza e ignari della loro assuefazione. Ci fu uno scontro tra un gruppetto di questi Ospiti che erano riusciti a mantenere un po' di lucidità e gli altri ormai ridotti a rottami deambulanti, intenti a guardare ai più anziani ormai privi di lucidità, boccheggiando per la fame.

Dal canto mio, concentrai l'attenzione su altro. Senza che nessuno ne fosse al corrente, impiegai il mio tempo a scrutare ogni singolo fotogramma catturato dalle telecamere poste sul confine a partire dalla notte in cui avevamo trovato Vin e, alla fine, individuai una manciata di secondi in cui compariva mio marito, intento a camminare verso il limite di Embassytown. Nell'inquadratura successiva, lo scenario cambiò di colpo e osservai la sua figura discendere una delle nostre barricate più basse.

Scile guardò in alto, forse in direzione di un'altra telecamera di cui non riuscii a trovare i filmati, così non vidi la sua espressione. Tuttavia, ero certa si trattasse di lui. Procedendo in mezzo ai pericoli nascosti nei vicoli come un esploratore, la sua andatura non mi parve particolarmente lenta o depressa. Poi il segnale divenne disturbato passando all'immagine successiva della strada deserta: era sparito.

Durante il periodo di prigionia, Wyatt, l'ormai inutile emissario bremeniano, chiese più volte di parlare con noi. Inizialmente il comitato parve accordargli tale permesso più per via di un nebbioso senso del dovere che per altro. Tuttavia, l'uomo, in preda al panico, non andò oltre una serie di grida, minacce e tentativi di intimidazione, così decidemmo di porre fine ai nostri colloqui.

Alcuni ipotizzarono che fosse riuscito perfino a inviare una richiesta di aiuto alla capitale, ma, se anche fosse riuscito a mandare un messaggio ben organizzato, sarebbero passati mesi prima che questo attraversasse tutto l'immer per raggiungere il suo obiettivo e altri mesi affinché l'sos ricevesse risposta. A ogni modo, pur ammettendo che fossimo accusati di ammutinamento, sarebbe stato troppo tardi per attuare qualsiasi tipo di salvataggio.

Quando MagDa mi riferì che Wyatt aveva chiesto di vederci di nuovo non diedi affatto peso alla cosa. Per evitare che potesse entrare in contatto con qualche spia di Bremen presente nell'Ambasciata l'avevamo tenuto in isolamento. «Ha saputo di EzRa» disse. «Sa che è morto.» Che fosse o meno impossibilitato a comunicare, mi sorpresi del fatto che la notizia gli fosse arrivata con un tale ritardo. «Dovresti proprio sentirla.» Osservammo entrambe la trasmissione registrata nella sua cella.

«Ascoltatemi!» Si diresse verso la telecamera. «Io sono in grado di fermare tutto questo. Dovete darmi retta! Da quanto tempo è morto Ra, stupidi idioti? Come faccio ad aiutarvi se non mi dite cosa succede? Portatemi da Ez. Volete comandare? Bene, fate pure. Che questa diventi una repubblica. Non me ne frega niente. Non mi importa. Per l'amor di dio, fatene ciò che volete ma liberatemi, o qui non esisterà più alcun posto da governare! Sono in grado di fermare tutto questo, ma dovete portarmi da Ez.»

Conoscevamo bene il suo modo di adulare e fare il gradasso, ma questo era un atteggiamento nuovo anche per lui.

Il nostro perimetro di sicurezza venne attaccato su tutti i fronti e in maniera costante sia dagli Oratees che dagli altri Ariekei, così io, MagDa, Bren e i membri migliori del comitato decidemmo di iniziare la nostra campagna di difesa recandoci da Wyatt.

La prigione cittadina era ancora piantonata da un ristretto numero di guardie indefesse, nonostante fossero ormai fuori servizio e prive di speranze. Il soggetto si rifiutò di fornirci alcuna spiegazione finché non l'avessimo portato – pur sotto sorveglianza – dal mezzo Ambasciatore rimasto. Anche Ez si trovava in cella, vestito con un'uniforme alquanto lercia. «Che cosa pensavate?» sbottò Wyatt, rivolgendo lo sguardo verso Ez. «In che modo pensavate funzionasse?» continuò. Poi si voltò a guardarmi. «Salve, Avice.»

«Wyatt» risposi, sorpresa dal fatto che mi avesse individuata in mezzo alla folla.

«Due stranieri. Due amici riusciti a ottenere per puro caso lo stesso punteggio durante il test? Oh, Cristo Trasmesso, quanto siete stupidi!» Poi scosse la testa e alzò le mani in segno di scuse per mostrare che non stava cercando di provocare nessuno. «Ascoltatemi bene. Niente di tutto questo è successo per caso: era già tutto programmato. Capite?» Indicò Ez. «Fate una scansione al cervello di questo bastardo.»

La sua insinuazione lasciò intendere che, qualunque cosa volesse spiegarci, sarebbe riuscita a dare una svolta all'intera situazione e a riaccendere un barlume di speranza. Se stava dicendo la verità, allora anche Ez, che fino a quel momento aveva continuato a tacere e a non fare nulla, doveva sapere di cosa stesse parlando.

«Analizzatelo» ribadì il prigioniero. «E capirete. È stato tutto un artificio ordito da Bremen» continuò. «È ancora possibile scaricare gli ordini dal mio computer, se non l'avete distrutto. Ez, agente segreto Joel Rukowsi. Vi fornirò le chiavi di accesso.»

Rukowsi era dotato di una certa capacità e predisposizione a instaurare una connessione mentale impossibile per la maggior parte delle persone, ma era una cosa generalizzata e di cui non aveva il controllo. Questi non disponeva di un gemello né di amici stretti con cui allacciare alcun legame tanto intuitivo. Nella nostra lingua non esisteva una parola capace di descrivere appieno la sua peculiarità, per cui la definivano erroneamente empatia. Eppure, non si trattava di percepire le sensazioni altrui: la sua capacità si manifestava attraverso sporchi trucchetti.

Aveva condotto numerosi interrogatori, ed era un maestro in questo. Riusciva sempre a comprendere quando il suo interlocutore avesse raggiunto il punto di rottura, quanto lo si potesse mettere sotto pressione, o quale fosse il momento giusto per cedere un minimo con qualche promessa, quando stesse mentendo e come fargli dire la verità. Il suo reclutamento era avvenuto in giovane età, al fine di perfezionarne le abilità e la concentrazione con l'esercizio e con i metodi più invasivi. Da quelle sue esperienze era nato un uomo nuovo.

Alcuni membri del gruppo bisbigliarono, interrompendo le spiegazioni di Wyatt, e io schioccai le dita per riportare il silenzio. «Allora?» dissi. Poi gesticolai in direzione del funzionario per fargli cenno di proseguire. «Lo hanno reso... cosa...? Uno capace di leggere nella mente della gente?» Ez sedeva immobile a una certa distanza e con il capo chino. Avrei voluto che le guardie lo picchiassero.

«No, affatto» rispose Wyatt. «È impossibile diventare telepati. Tuttavia, utilizzando le sostanze giuste insieme a qualche impianto e ricettore, è possibile far entrare le menti in uno specifico stadio. Ed è sufficiente. Per un sensitivo come lui...» Le sue parole mi fecero sorridere e l'uomo fermò la sua spiegazione, aspettando che finissi. «Sai cosa intendo. Quelli come lui sono pochi, ma, una volta addestrati, educati e con i supporti giusti...» Si batté la testa. «Da dove viene Ez sanno fare in modo che questi individui riescano a leggere la gente alla perfezione.» Mosse la mano descrivendo una sinusoide. «Riescono a ottenere dei risultati, insomma. È anche merito della tecnologia con cui sono fatti i collegamenti, ma non solo. Dipende da qualcosa di ben più forte che martella ogni diamine di soggetto, finché uno di loro non si rivela un... be', tra virgolette, un sensitivo.

«In principio avevano immaginato qualcosa di totalmente diverso: degli agenti segreti sotto copertura che fossero in grado di ingannare gli scanner simulando – o dissimulando – determinate onde cerebrali. Poi gli venne in mente un'idea diversa. Sapete di cosa parlo.» Rallentò. «Si pensa che avessero già provato ad allevare i propri doppi, giù a Charo City. Nel periodo di fondazione della colonia.» Scosse la testa. «L'esperimento non andò troppo bene. Secondo i resoconti, trascorsero anni dietro a un simile progetto, senza che nessun Ariekeo potesse ascoltare per migliorare il loro livello, quando Embassytown era ancora un centro del tutto privo di importanza (e i miab arrivavano con minor frequenza del solito). Non ottennero altro che... delle coppie di persone del tutto disfunzionali, per Bremen...» Con le mani mimò il concetto di dualità. «...Così come in qualsiasi altro posto. Ma poi è arrivato Rukowsi. E hanno pensato che potesse rappresentare una possibile soluzione.»

Cosa gli Ospiti trovassero nella voce del nostro Ambasciatore rimase un mistero: a Charo City erano riusciti a dimostrare soltanto che con una serie di impianti, supporti, sostanze chimiche e migliaia di ore di allenamento, Joel Rukowsi e il suo collega, il linguista Coley Wren, nome in codice Ra, erano riusciti a ottenere un punteggio di tutto rispetto nel MDEC.

Nessuno sapeva se tutto quell'impegno si sarebbe tradotto in un risultato linguistico apprezzabile da parte degli Ariekei, ma all'epoca quello era l'unico test a disposizione e ogni agente segreto doveva superarlo. Difatti, se l'esperimento non avesse funzionato e avesse fallito nel modo ipotizzato dai finanziatori, se EzRa si fosse mostrato capace di enunciare o generare soltanto delle frasi incomprensibili ma rispettose dell'educazione, non sarebbe successo niente di grave. Le carriere dei due agenti si sarebbero protratte ancora per molto tempo e all'insegna della monotonia, fino all'arrivo della nave bremeniana successiva. Ma se l'esperimento avesse avuto successo?

«Non siete affatto pazzi» fece Wyatt. «Quindi perché mai dovreste credere che lo siamo noi? Pensavate davvero che non avessimo capito le vostre provocazioni, le riunioni finte, gli incontri segreti, la disobbedienza, l'evasione delle tasse e la biomeccanica manomessa, tenendo per voi le biomacchine migliori o facendo in modo che funzionassero solo in mano a un cittadino di Embassytown? Per l'amor di dio, abbiamo capito migliaia di ore fa il fatto che state cercando di tirar su uno Stato indipendente.»

Le sue affermazioni non parvero affatto una rivelazione, ma una serie di discorsi scortesi. Calò il silenzio; poco tempo prima questo sarebbe equivalso a una dichiarazione di guerra, ora era solo silenzio. Il prigioniero si sfregò gli occhi.

«È la storia a parlare» continuò. «L'adolescenza. Una fase in cui passano tutte le colonie. Magari riposizioneremo tutti gli orologi secondo il vostro fuso orario. Sono alla mia quinta dislocazione e, prima di venire qui, sono stato a Chao Polis, Dracosi e Berit Blue. Vi ricordano qualcosa? Cristo, ma non leggete i giornali né scaricate i dati associati ai miab? Sono uno specialista. Mi inviano in ogni avamposto in cui stia per scatenarsi un conflitto.»

«Sei qui per reprimere una ribellione.» sentenziò Bren.

«Dio, no» rispose lui. «Qui potrai anche recitare la parte del vecchio misterioso, ma io vengo dallo spazio, non puoi nascondermi la tua ignoranza. Berit Blue ha ottenuto la sua secessione con un conflitto di poco conto.» Gesticolò, misurando con pollice e indice l'esiguità di quella guerra. «A Dracosi le richieste per l'indipendenza sono state del tutto pacifiche. Chao Polis, invece, è sulla buona strada per trovare un punto di accordo con noi in merito alla propria autonomia politica. Quanto ci ritieni crudeli? Sono liberi... eppure ci appartengono» concluse.

«Tuttavia, esistono delle eccezioni. Siete molto lontani da Bremen, tanto difficili da raggiungere quanto da governare. Comunque, non siete pronti. Non ci siete andati nemmeno vicino al raggiungere l'indipendenza, e la colpa è della Lingua. È stata lei a confondervi. Credete di essere un'aristocrazia. O meglio, credevate. Questa colonia era il vostro possedimento. Inoltre, avevate un pregio: a differenza delle altre aristocrazie che mi è capitato di vedere, voi siete indispensabili. Eravate indispensabili. E, da sempre, siete stati voi a scegliere i vostri stessi successori. Congratulazioni: avete inventato il potere ereditario.

«Non dimenticate, però, che ognuno di voi, ogni Ambasciatore, consigliere e membro dello Staff è un impiegato della capitale. La parola Ambasciatori vi dice niente? Di chi pensate di essere i portavoce? Noi abbiamo la facoltà di assumere e licenziare. E ovviamente sostituire.»

EzRa era stato un test, un'operazione utile a sbarazzarsi degli Ambasciatori al potere e azzoppare il nostro autogoverno. Se non avessero fallito, sarebbe cambiato tutto. Nell'arco di due o tre cambi, l'organizzazione sociale dell'avamposto sarebbe stata deposta. Avremmo semplicemente sostituito gli Ambasciatori per qualche anno con degli altri burocrati, diplomatici e lealisti capaci di parlare la Lingua, così, nel giro di poco, la sopravvivenza di Embassytown sarebbe dipesa di nuovo da Bremen. I funzionari vigenti al momento sarebbero morti pian piano, un doppio dopo l'altro, e la città ne avrebbe pianto la scomparsa senza provvedere alla loro sostituzione, portando all'estinzione di questa élite. Col tempo, la morte avrebbe colpito anche l'infermeria, spazzando via gli ultimi falliti.

In questo modo, il controllo della capitale si sarebbe riaffermato in maniera lenta, elegante e senza spargimenti di sangue. A quel punto, come avremmo potuto chiedere l'indipendenza, se i nostri stessi contatti con gli Ospiti altro non erano che uomini fedeli al potere centrale? L'unica cosa di cui disponeva Embassytown era la gestione assoluta della Lingua, ed EzRa non era stato altro che un tentativo per rompere quel monopolio.

Un errore in grado di distruggere il mondo. Non per colpa della stupidità, ma solo della cattiva sorte. Nient'altro che fisime mentali e fonetiche. Aveva senso provare. Sarebbe stata una manovra imponente ed elegante. Una controrivoluzione mossa da intenti pedagogici e burocratici.

«La biomeccanica... è un bene» disse MagDa. «Una cosa inestimabile.» «Ma anche i minerali e il materiale del luogo sono utili. Insieme a una serie di altre cose.» «Eppure.» «Andiamo.» «Che senso ha tutto questo?» Dicevano che 'non eravamo altro che un luogo remoto'. E non c'erano né falso orgoglio né alcun senso di rifiuto in questo. Molti di noi si chiesero perché non permettessero a Embassytown di farla finita e morire.

«Pensavo che avrebbe avuto senso per qualcuno di voi» disse Wyatt. «Che alla fine avreste capito cosa stava succedendo.» Alzò gli occhi, puntando lo sguardo verso di me.

Mi irrigidii, incrociando le braccia e ricambiando il suo sguardo. Mi sentii osservata. Alla fine pronunciai una sola parola: «Immer.»

Avevo visitato dei villaggi situati in luoghi sperduti e pianeti cosparsi di città allungate quasi a formare una rete complessa. Ero stata in posti aridi e dall'aria irrespirabile, porti e altri centri che non ero in grado di descrivere. Alcuni erano indipendenti, ma, liberi o meno, molti di loro appartenevano a Bremen. «Non lascerebbero mai che una colonia collassi» dissi. Ne avevamo sentito parlare tutti. «Mai.» Non aveva importanza se il costo del trasporto fosse superiore al valore dei gioielli e delle tecnologie che le navi portavano con sé, ma non avrebbero mai abbandonato alcun Paese finché gli fosse appartenuto.

I miei compagni annuirono lentamente. Wyatt si astenne dal farlo.

«Cristo, Avice» disse. «Hai idea di come la fai sembrare? 'È alla base del nostro governo...'» Il suo volto da funzionario dissidente si illuminò di una luce particolare, apprestandosi a smentire le bugie che aveva ripetuto migliaia di volte. «Sai quante sono le colonie che abbiamo tagliato fuori? Hai visto le mappe e la posizione delle pietre miliari che affollano l'immer.» Conoscevo bene tutte quelle storie di pianeti affollati di rovine umane ed esoterriane ormai sprofondate nel fango alieno. Mi era capitato di imbattermi in territori abbandonati in seguito a un piano ben preciso, oppure per colpa di un qualche fallimento; in uno o due casi, il perché dell'abbandono era rimasto un mistero. Cose di questo tipo erano un cliché per un immergente. Quell'immensa impalcatura di menzogne sembrò ergersi e puntarmi il dito contro. Tenendo presente quella situazione, ebbi l'impressione che i miei commenti fossero stati fuori luogo.

«Se fosse stato nell'interesse della capitale,» proseguì lui «vi avremmo lasciati liberi di agire, mandandomi qui a constatare il vostro operato. Tuttavia, abbiamo evitato di affidarvi questa responsabilità, perché 'noi non abbandoniamo nessuna delle nostre colonie'.» Si voltò di nuovo verso di me, in attesa di una risposta. 'Ritenta.'

Ripensai alle mappe. Alzai gli occhi verso il soffitto, in direzione del Relitto. All'interno del gruppo ero quella con più esperienza in materia di immer, Wyatt compreso. Ricordai le nostre conversazioni e il timido entusiasmo da un timoniere inesperto in cerca di segreti.

«Ci troviamo al confine» sottolineai ai miei colleghi. «Al limite dell'immer. Sono degli esploratori ed Embassytown sarebbe diventata soltanto una tappa di passaggio.»

«La storia delle biomacchine e tutto il resto» proseguì il funzionario bremeniano «è davvero bella.» Scrollò le spalle. «Una storia bella da raccontare. Eppure, Avice Benner Cho ha ragione. Avete goduto di un'attenzione maggiore di quanta ne meritiate veramente.»

Nessuno di noi osò guardare Mag o Da. Quello che tempo addietro alcuni di noi avevano sospettato, ora era una certezza: Ra, il suo amante, era un agente segreto e aveva tradito lei tanto quanto il resto degli abitanti dell'avamposto. Che avesse un programma da rispettare non sorprese nessuno, ma il fatto che fosse così nocivo per la città mi scioccò. Inoltre, il linguista in questione era stato molto attento a non rivelare alcunché nemmeno durante quei giorni di crisi che avevano stravolto l'ordine pubblico. Tuttavia, non potevo sapere di quali cose Magda era a conoscenza.

L'immer mi mancava molto e ripensai al caos e alla massa di affiliati che erano sgusciati in ogni angolo più recondito dell'universo a bordo di una nave qualunque che si fosse immersa nelle profondità eterne dell'infinito. Immaginai di essere un'esploratrice a bordo di un'imbarcazione di pionieri costruita per solcare le asperità dello spazio e sferzata dalle correnti delle aree più pericolose e popolate da banchi di squali spaziali da cui doversi difendere, all'occorrenza. Non confidavo affatto nel prestigio dell'essere esploratore, ma dovetti proiettarmi in quell'ottica.

«Avrebbero fatto meglio a costruirci delle stazioni di rifornimento» feci. «Inoltre, è davvero un pessimo posto in cui riemergere: avrebbero dovuto piazzare più segnali.» Boe che avrebbero galleggiato a metà tra l'immer e lo spazio conosciuto, illuminate da delle luci per guidare i viaggiatori in arrivo. La notte sopra Embassytown avrebbe brillato più dello stesso Relitto e sarebbe stata disseminata di colori. La vita dell'avamposto avrebbe avuto luogo dove gli equipaggi si sarebbero intrattenuti e divertiti, in attesa che le rispettive navi terminassero di immagazzinare carburante, scorte di cibo e sostanze chimiche, e di caricare sui computer i dati e i software più aggiornati. «Vogliono trasformarci in una città portuale» sentenziai.

«L'ultimo porto prima dell'oscurità» ribatté Wyatt.

Saremmo diventati una distesa chilometrica di bordelli e negozi di alcolici e di ogni altro vizio umano. Ero già stata in posti di questo tipo: avremmo avuto anche noi i nostri bambini di strada, e saremmo andati a procacciarci il cibo nelle discariche cittadine. Tuttavia, poteva essere evitato. Esistono dei metodi appositi per fornire i servizi tipici delle città portuali senza sfociare nel collasso della civiltà. Avevo già visitato degli scali più salutari, ma il tutto avrebbe implicato un conflitto preliminare.

Sarebbe stato un vantaggio per chiunque avere il controllo di una bellissima fonte di tecnologia semicosciente e di oggetti insoliti, nonché a una sorgente di metalli preziosi con una configurazione molecolare quasi unica. Il controllo di un avamposto collocato al limite di una zona di frontiera in espansione non era negoziabile.

«Cosa c'è là fuori?» domandai al nostro interlocutore, il quale scosse la testa.

«Non lo so. In quanto immergente, tu sei di gran lunga più informata di me; hai già la risposta. Qualcosa. C'è sempre qualcosa.» L'immer era sempre pieno di qualcosa. «Perché c'è un faro posizionato qui vicino?» proseguì. «Non ha senso accendere una luce in una stanza dove non entra nessuno. Serve a segnalare un punto sì pericoloso, ma comunque di passaggio. Esistono dei motivi precisi per cui essere cauti una volta giunti in questo quadrante, così come ne esistono altri per cui addentrarcisi – per attraversarlo, diretti da altrove.»

«Verranno» aggiunse MagDa. «Quelli di Bremen, intendo.» «Verranno ad accertarsi della situazione.» «A vedere come procede l'operato di Ez e Ra. A controllarli.» Le due metà simbiotiche si guardarono a vicenda. «Potrebbe darsi che non dovremo aspettare poi tanto.» «Non tanto quanto pensiamo.»

«Ormai perfino cinque giorni del cavolo sono troppi» disse qualcuno. «Non c'è più tempo.»

«Sì, ma...»

«E se, invece, noi...»

Wyatt era un uomo intelligente che però aveva giocato male la propria mano e ora stava cercando di recuperare: se non altro, per salvarsi la pelle. Ci raccontò ogni cosa, ma senza disperazione, mettendo in atto la sua strategia da giocatore d'azzardo. Ci voltammo in direzione del vetro che ci separava da Ez, il quale alzò gli occhi verso di noi, come se avesse capito che lo stavamo osservando.

18

Delle bande armate di Ariekei erano salite sugli edifici in disfacimento, vagando sui tetti per sfuggire alle grinfie dei loro simili infuriati dediti all'automutilazione. Le loro carcasse erano sparse ovunque, insieme ai resti dei cadaveri di Kedis, Shur'asi e Terriani che erano stati trascinati in lungo e in largo dai loro assalitori e per ragioni che erano al di là della nostra comprensione. Dei gruppi di zelle presero a ciondolare per le strade, affamate di cibo e discorsi di EzRa, abbandonate dai loro proprietari, divenuti ormai dei selvaggi folli.

Non esisteva più alcuna città. Davanti a noi si stagliava soltanto un ammasso di macerie prodotte da una guerra priva di intenti politici o di conquista: nient'altro che un'aggressività patologica. Potendo restare concentrati per sole quattro ore alla volta, prima di essere colti dall'equivalente alieno di un delirium tremens, ogni episodio di resistenza opposta da quelle creature rappresentava il loro tentativo di restare presenti a sé stessi. I loro compagni avrebbero continuato a sussurrare le parole ascoltate durante le trasmissioni di EzRa ai propri simili moribondi, cercando di emulare il timbro dell'Ambasciatore, con il solo risultato di produrre delle catene di parole, delle frasi. Talvolta, capitava che alcuni di questi riacquistassero un minimo di lucidità: quel tanto che bastava per capire che c'era bisogno di ricostruire qualcosa.

Tra i resti di quell'insediamento si aggiravano anche entità talmente prive di coscienza da non rendersi conto nemmeno dei propri spasmi, perennemente alla ricerca di cibo o del suono della voce di EzRa e, a loro volta, inseguiti da esseri mossi da intenti diversi. Di colpo, gli Ariekei più aggressivi, quelli che avevano scelto di strapparsi le ali, divennero sempre più rari. Mi chiesi se stessero morendo.

In alcuni punti fummo costretti a far arretrare le nostre barricate, abbandonando intere sezioni di Embassytown agli Oratees. Allo stesso tempo, assistemmo a un esodo inaspettato di Ospiti; continuavamo a chiamarli così, a volte, per via di un cinico umorismo. Questi abbandonarono la città in piccoli gruppi, ma che man mano si fecero sempre più grandi, seguendo le bocche e gli orifizi dove i grovigli industriali collegavano la città ai pascoli di biomacchine e all'aperta campagna.

«Pensano di trovare EzRa là fuori?» chiesi, constatando che nessuno di noi sapeva dove stessero andando e perché. Ipotizzai che non fossero più in grado di sopportare il fatto di vivere in un mattatoio, in mezzo a quello che restava dei loro compatrioti. Forse, il bisogno di cercare una morte tranquilla era più forte di quello della sua voce. Tentai di restare con i piedi per terra e di non abbandonarmi alla speranza di vederli andar via, ma mi sentii un po' sollevata.

Procedemmo alla riesumazione di Ra, ma non io riuscii a vederlo.

Ringraziammo il cielo di non averlo cremato né biodegradato. Era stata MagDa a salvare il suo corpo: sebbene il defunto fosse ateo, la tradizione cui era ascritta la sua famiglia pretendeva un rito unitario shalomico che abiurava ogni metodo locale in favore di una differente inumazione. L'Ambasciatrice, dunque, rispettò il volere dei suoi cari, provvedendo a tumularlo in uno di quei piccoli cimiteri fedeli alla loro eresia.

Mentre i dottori operarono secondo gli schemi forniti da Wyatt, noi ce ne stemmo in trepidante attesa come genitori fuori dalla sala parto. Rimossero l'impianto dal capo di Ra, un amplificatore del suo collegamento apparentemente normale. Consisteva in un oggetto di tecnologia terriana della grandezza del mio pollice. Il fatto che fosse rivestito da una guaina organica mi fece pensare che, se i progettisti bremeniani avessero impiegato delle biomacchine ariekeiane, forse anche l'impianto che permetteva a Ez e Ra di impersonare EzRa avrebbe sviluppato una dipendenza alla loro stessa voce, finendo con l'infettarsi al pari degli Ospiti. Una vicenda del genere avrebbe portato alla nascita di formulazioni teologiche alquanto importanti: un dio costretto ad autovenerarsi, perché drogato di sé stesso.

I membri del comitato richiamarono gli scienziati dagli ospedali, dalle strade, dall'infermeria e da qualsiasi attività cui si stessero dedicando, e noi pregammo (con una certa insistenza) i pochi rimasti di rimettersi a lavoro. Southel, in qualità di supervisore scientifico, fu incaricata di organizzare le ricerche. Si mossero in fretta.

Credo che Joel Rukowsi – Ez – si ritenesse un giocatore navigato e reputasse il suo stato d'animo un'ottima facciata. Gli chiedemmo perché non avesse accennato alla tecnologia nascosta all'interno del suo corpo e perché avesse deciso di condannarci tutti a morte certa anziché agire in modo che restassimo in vita. Parve blaterare di qualche motivazione nascosta, ma capii che, in realtà, neanche lui sapeva cosa rispondere. Era stato divorato dai suoi stessi segreti.

Non avendo idea di come funzionasse il meccanismo, dovette limitarsi a descrivere in modo violento come avesse operato su di lui. Osservò il chip che avevo in mano, recuperato dalla testa di Ra.

«Non sentivo niente» esordì. «So solo che... percepivo le sue sensazioni, sapevo cosa andava detto. Non so se fosse quell'aggeggio a facilitarci il compito o qualcos'altro.»

Utilizzando dei teczimi districatori, gli scienziati separarono con cura i fili aggrovigliati che tenevano il chip ancorato alla mente di Ra. I nanofilamenti del meccanismo, simili a capelli sottili, si agitarono nel palmo della mia mano in cerca di collegamenti neuronali, riproducendo le onde theta, beta, alfa, delta e tutte le altre che percepiva dalla vicinanza con il suo duplicato, impiantato nell'agente Rukowsi, e tentando di coordinare i due stimoli in quella che era una sincronizzazione impossibile. Qualunque fosse lo stato del cervello ospite, il sensore pareva continuare a comunicare e condividere informazioni.

«Funge anche da amplificatore» spiegò Southel. «Uno stimolatore che agisce sulla corteccia insulare e cingolata anteriore, le centrali degli impulsi elettromagnetici.» Poi ripose l'oggetto per studiarlo meglio, lo aprì, ne comprese il funzionamento e tentò di ricostruirne uno simile. MagDa restò con lei per ore e ore, concentrando tutte le sue energie sul progetto.

«Sta pensando a qualcosa» dedusse Bren. «MagDa. Soltanto a guardarla si capisce che ha un'idea in mente.»

Ez si guardò bene dal dichiarare che ci avrebbe aiutati, ma noi non gli demmo altra scelta, così la sua unica resistenza fu un timido broncio. Ci avrebbe obbedito.

«Lo farai tu?» chiesi quella notte a Bren. Gli parlai con tono sommesso, e lui distolse lo sguardo. In quei momenti, sentivo che potevamo confidarci: lui nudo davanti alla finestra di casa sua, e io a osservare le luci notturne della città abbagliata da un carnevale di fuochi bioluminescenti che lambivano il suo corpo atletico e maturo.

«No» rispose. «Non voglio. Sono troppo vecchio e acciaccato. Inoltre, non credo che ci riuscirei. So che non ci sono molte alternative, ma non ne sarei capace: finirei col dire le cose sbagliate nel modo sbagliato. Chiunque sia chiamato a intraprendere questo percorso, deve essere qualcuno che abbia davvero tantissima voglia di vivere, e io non ne ho abbastanza. Non offenderti. Non sto dicendo che desidero la morte, ma non dispongo nemmeno della... verve necessaria.

«Sì, lo so. Ez è l'inciso, e ha bisogno di un'eco. Be', possiamo sempre ricorrere agli Ambasciatori e trovarne qualcuno abbastanza disperato da scindersi dal proprio doppio. Di questi tempi non è un'idea tanto astrusa. Potremmo pagare...» Rise. Sapeva bene quanto insulso fosse diventato il denaro. «Scommetto che là fuori c'è una marea di nuovi spaccati tra cui scegliere l'eco giusta. C'è l'imbarazzo della scelta. Eppure, sai già chi sceglieremo.» Si voltò verso di me. «Deve essere Cal.»

Restammo entrambi in silenzio. Evitai di ricambiare il suo sguardo.

«Cosa sappiamo di Ez e Ra? Non erano dei doppi. Tuttavia, forse condividevano qualcosa di importante. L'odio. Dobbiamo capire che non stiamo formando un Ambasciatore, ma distillando una droga. Dobbiamo replicare ognuno degli ingredienti originali che conosciamo. Abbiamo bisogno che l'eco odi il nostro inciso. Dovrà essere una voce straziata. Non dovrebbe esserci alcun problema: con il suo arrivo Ez ha distrutto il mondo. Quindi, perché mai l'Ambasciatore non dovrebbe odiarlo? Io lo farei.» Mi sorrise dolcemente. «Ciononostante, mi sento stanco, e non proverei la quantità di risentimento richiesta, Avice. Abbiamo bisogno di qualcuno che ne sia capace. Cal non ha perso soltanto il suo mondo, ha appena perso il suo doppio. Lui sì che lo odierebbe abbastanza. Io, invece, non sarei altro che tè annacquato. La mia domanda è: pensi che sappia già che toccherà a lui?»

Era probabile. Credo conoscesse qual era il suo dovere: diventare un simbionte dell'uomo responsabile del collasso del suo passato, della morte di suo fratello e della distruzione del suo futuro.

Prima che entrasse nella sala operatoria il comitato si riunì per tributargli un saluto che sapevamo tutti non essere altro che un addio, nel caso in cui qualcosa andasse storto. Il paziente si comportò come un bambino esagitato nel giorno del suo compleanno. Chiese di me.

«Avvicinati» disse. Mi ritrovai faccia a faccia con lui, così feci un passo indietro e cercai di dire qualcosa che suonasse neutrale, ma questi mi passò un foglietto. «Dovresti... averla tu» continuò. Era solito fare delle pause come quella, in attesa che giungesse Vin a terminare la sua frase. Mi affidò la lettera lasciata dal suo doppio. «L'hai già letta. Sai quanto eri importante per lui. Questa lettera appartiene a te.» Mi mostrai fredda, quasi come per punirlo di tutta una serie di cose, ma la presi.

«Che diavolo avete combinato tu e Scile tutto questo tempo?» domandai.

«Hai davvero intenzione di chiedermelo ora?»

«Non mi riferisco a quello» risposi in maniera algida. Poi, incrociai le braccia. «Non sto parlando del Festival delle Bugie. So bene cosa avete fatto in quell'occasione, Cal.»

«Tu... non sai proprio nulla...» replicò lentamente. «Non sai perché abbiamo fatto quel... Non avevamo altra...»

«Oh, dio del faro, risparmiami» lo interruppi in modo brusco. «Credo di avere un'idea alquanto precisa del perché. Ma, dimmi un po', se non avevate idea di cosa stesse succedendo alla Lingua, come potevate sapere cosa sarebbe successo agli Ambasciatori, mmh? Può darsi anche che non sappia l'intera faccenda, ma non mi importa un accidenti. Non è a quello, che mi riferisco. Sto parlando del presente. Da quando è cominciato tutto. Surl Tesh-echer è morto da parecchio, ma tu hai cominciato a fare comunella con Scile fin da quando EzRa ha messo piede su questo pianeta. È da allora che... Che diamine avete combinato? Tu... e Vin?»

«Scile era sempre alle prese con un nuovo piano» rispose. «Abbiamo fatto parecchie cose. Io e lui. Vin... credo avesse anche altro a cui pensare.» Mi scrutò. Il suo doppio aveva deciso di togliersi la vita dopo aver letto il messaggio di mio marito. Indipendentemente dalla natura e dalle ambizioni di Scile, Vin aveva trovato qualcosa in comune con lui: un dolore, una perdita o chissà cos'altro. La fratellanza di coloro che una volta mi avevano amato, o che mi amavano ancora? Avvertii una fitta allo stomaco.

In attesa che Cal si svegliasse dall'anestesia, Ez fu preso dal panico e continuò a insistere nel dire che non si sarebbe prestato ai nostri piani, che non ci avrebbe aiutati e che non avrebbe potuto né voluto collaborare. Nel bel mezzo del delirio dell'agente segreto, sentii una delle guardie parlare dell'arrivo di MagDa. Una delle due metà simbiotiche rimase sulla porta, mentre l'altra si avvicinò alla postazione su cui era seduto Rukowsi, si sporse verso di lui e gli piazzò un pugno al centro della faccia, ferendosi le nocche.

L'Ambasciatrice ordinò di tenerlo fermo, quindi lo colpì una seconda volta. Il malcapitato urlò e si contorse, poi alzò lo sguardo verso Mag e Da in preda allo sgomento e con il volto sofferente e inondato di sangue. «Tu parlerai con Cal come ti è stato richiesto. Troverai il modo di farlo. E lo farai in fretta. Non azzardarti più a contraddire gli ordini miei o di qualsiasi altro membro dello Staff e del comitato» lo minacciò la prima della due.

Non ero lì, ma queste furono le testuali parole che mi vennero riportate.

19

Gli attacchi violenti e dissennati ai danni delle nostre barricate non accennarono a fermarsi e i nuovi confini della cittadina presero a puzzare a causa della putrefazione dei cadaveri alieni circondati di macerie. Col tempo, anche le armi biomeccaniche cominciarono a soffrire la fame e a morire, mentre quelle terriane si dimostrarono inadeguate. Nell'arco di pochi giorni saremmo stati costretti al corpo a corpo.

L'assedio ci avrebbe dato il colpo di grazia prosciugando le nostre risorse, dato che le anse intestinali che collegavano Embassytown alle fattorie esterne non trasportavano più alcuna fonte di cibo e le scorte in nostro possesso non erano infinite. Inoltre, non riuscivamo più a ricavare energia dagli impianti ariekeiani né a far funzionare gli accumulatori di cui disponevamo.

Non c'era modo di smettere di provare nostalgia per i vecchi tempi, sebbene non riuscissi a convincermi che non ci fosse nulla di male. Proprio allora spostai lo sguardo in basso, osservando dalla finestra quelle strade che ormai non erano più come le avevamo costruite: deteriorate o modificate secondo delle geometrie quasi aliene, mettevano alla prova la nostra teleologia. Era impossibile non ripensare a quando avevo ammirato gli stessi scorci da bambina, fantasticando sulle storie improbabili che attribuivo a quell'incredibile città. Cominciai a scorrere in velocità tutti i ricordi, passando attraverso le lezioni, il sesso, gli amici e il lavoro. Mi chiesi il vero significato del motto che inneggiava a non pentirsi mai di niente, incapace di rendermi conto che non si trattava di un atto di codardia, e riflettei sul fatto che non soltanto non mi pentivo di aver viaggiato nello spazio, ma neanche di essere tornata a casa. Non rinnegai neanche Scile, il quale non mi trasmetteva più niente di bello: ero rimasta legata solo a ciò che avevo amato di lui. Distolsi l'attenzione dalle mie divagazioni, lasciandole cadere giù per il viale dei ricordi che avevo utilizzato come yantra.

Ero parsimoniosa, e razionavo ognuno di quei pensieri. Passammo a occuparci degli eoli, i quali furono riposizionati tagliandone i lembi di carne e cauterizzandoli, tentando di attenuare l'entità del trauma. Tuttavia, sapevamo che non era stata una procedura indolore. Non disponevamo di alcuna tecnologia terriana con cui rimpiazzarli e i nostri aerogiardinieri operarono in maniera febbrile per proteggere il loro bioma e quello dei loro compagni, i veri elementi capaci di dar forma alle correnti che sostenevano la nostra cupola d'aria respirabile. Lottammo per tenerli al sicuro, isolati da suoni di qualsiasi tipo e ricaricati attraverso dei macchinari sterili in grado di annientare ogni possibilità di contaminazione, ma eravamo consapevoli che, nonostante gli sforzi, forse non saremmo riusciti preservare i nostri polmoni meccanici dall'assuefazione o dalla malattia, non potendo più godere nemmeno del supporto degli Ospiti.

Se gli eoli avessero cominciato a rantolare lo avremmo fatto anche noi, permettendo così agli Ariekei di penetrare le nostre difese. Anche dopo averci massacrati, gli alieni avrebbero continuato a pungolare i nostri corpi inermi per chiederci, in maniera sconsolata, di parlare come EzRa. A quel punto le creature in questione avrebbero avuto due scelte: morire o dar vita a una nuova generazione che ne perpetrasse la cultura, inventando probabilmente dei rituali da condurre attorno agli ammassi delle nostre ossa e di quelle dei loro genitori.

In questo incubo orribile che assalì ognuno di noi, fece il suo ingresso in scena il Dio-Narcotico EzCal.

Lasciai a Bren, MagDa e gli altri il compito di torturare e educare la nostra ultima speranza; io preferii supervisionare altre attività, tra cui quella di provvedere al trasferimento di provviste e armi. Evitai di chiedere cosa stesse succedendo, nonostante sapessi già che Cal si era quasi svegliato, che era stato ripresentato a Ez, e che avevano fatto il loro primo tentativo, sostenendo il test linguistico di cui, poi, sarebbero stati calcolati i risultati. Rimasi lontana perfino da Bren.

In città si sparse la voce che un automa era stato perfezionato per parlare la Lingua e che gli Ambasciatori e i loro colleghi stavano preparando un miab per fuggire da lì, arrischiandosi a viaggiare nell'immer. Di contro, noi preferimmo evitare di diffondere la verità, ancora troppo incerta. Quando EzCal fece il suo ingresso nella nostra nuova città fantasma compresi un altro dei motivi per i quali avevamo scelto di non dire nulla: per lo spettacolo che avrebbe fornito. Una promessa che si realizza può rappresentare un momento classico, ma le profezie, in genere, sono una delusione. Quel tipo di salvezza inaspettata sarebbe stata molto più dolce.

Non potei fare a meno di chiedere qualche informazione su Cal, accertandomi che si fosse svegliato e che fosse guarito. Per quanto possibile evitai i dettagli, ma seppi che la neonata coppia avrebbe fatto la propria apparizione nella piazza dell'Ambasciata ancor prima che questo accadesse. Infatti, rimasi lì in attesa insieme al resto della città, Kedis e Shur'asi compresi. Vidi Wyatt, affiancato da una scorta che aveva contemporaneamente il compito di proteggerlo e controllarlo, e una serie di automi alle prese con i loro turingware, intenti a esprimersi con delle espressioni bonarie ma inappropriate. Ehrsul non c'era. Quando capii che il mio sguardo stava scrutando la folla in cerca della mia amica mi sentii amareggiata.

Ci trovavamo abbastanza vicini al confine della nostra città, ormai rimpicciolita, da sentire le raffiche degli attacchi ariekeiani contro la barriera e le conseguenti controffensive. Le forze dell'ordine tennero i cittadini lontani dall'entrata dell'Ambasciata. L'aver scelto di restare fuori da quanto accaduto in ospedale mi permise di vivere quegli istanti con lo stesso stupore di qualsiasi altro individuo presente. Alzai lo sguardo verso i membri del comitato che si stavano ritirando per fare spazio a Cal e, dietro alle sue spalle, a Ez.

«EzCal» proclamò uno degli agenti della scorta. Tra la folla, qualcuno prese subito ad acclamare quel nome, facendolo diventare presto un inno.

L'espressione orribile di Cal fu resa ancora peggiore dal movimento abbagliante dei fasci di luce. L'uomo apparve con la testa rasata, mostrando lo scalpo pallido e il baluginio del collegamento all'altezza del collo. Ebbi come l'impressione che l'unica cosa a tenerlo vigile fosse un cocktail di farmaci, visto che si muoveva a scatti come un insetto. Il suo cranio era percorso da una linea scura di punti di sutura tanto esagerata che mi domandai se fosse davvero necessaria: una tecnica dolorosa che si presumeva essere dettata da un calo delle difese nanozimatiche responsabili della cicatrizzazione. Fissò la calca davanti a sé, proprio nel punto in cui mi trovavo, eppure sono certa che non mi vide affatto.

Joel Rukowsi tornò a impersonare Ez. Dei due, lui era quello privo di escoriazioni, ma allo stesso tempo anche il meno vitale. Cal gli parlò in modo aspro. Non riuscii a sentire le sue parole. Ez fu chiamato di nuovo a svolgere il suo lavoro in qualità di empatico e ricevente.

«Ho perso tutto» dichiarò Cal alla folla. La sua voce fu diffusa dagli amplificatori nel silenzio più totale. «Ho perso tutto, compreso me stesso. Tuttavia, quando ho capito che Embassytown aveva bisogno di me, sono tornato. Ho capito che avevate bisogno di me...» La sua pausa mi tolse il fiato, ma in quel momento Ez avanzò e parlò, usando una voce assai più sicura dell'espressione sulla sua faccia. «...E sono tornato.»

Seguirono degli applausi. Ez abbassò lo sguardo ancora una volta, mentre Cal si leccò le labbra. Perfino gli uccelli sembrarono essersi fermati a guardare.

«Sono qui» riprese «per mostrarvi...» Anche la seconda pausa quasi mi fermò il cuore. Ez terminò la sua frase: «...quale sarà il mio compito.»

I due si osservarono a vicenda e io percepii un'eco delle ore di preparazione precedenti. Incrociarono gli sguardi e accadde qualcosa. Immaginai le pulsazioni degli impianti atti a sincronizzare le loro menti e inondare l'universo della grande bugia secondo la quale i due stavano diventando un'entità sola.

L'inciso di Ez e l'eco di Cal si fusero in una sola Lingua.

Perfino noi, umani, sussultammo nell'ascoltarli.

«a sohrash kolta qes esh | burh lovish sath.»

'Sono andato via e poi sono tornato.'

*** *** ***

La città si svegliò. Perfino le sue parti morte si scrollarono. Noi tutti sbocciammo come fiori.

Il suono elettrico percorse i cavi al di sotto delle strade, oltre le baracche, i mattoni e l'asfalto terriano, fino a raggiungere gli A-riekei immobili, dispersi in chilometri di architetture in rovina e case moribonde, e sgorgare dagli altoparlanti. I megafoni trasmisero la voce del Dio-Narcotico, *ez | cal*, in modo chiaro e la città intera uscì dalla sua orribile astinenza per assaporate quella nuova iniezione di droga.

Migliaia di occhi corallini si allungarono ancora e le ali a ventaglio ammosciate ripresero a sbattere rigide nel tentativo di carpirne ogni vibrazione. Le bocche si aprirono. Le rampe di scale chitinose si risollevarono mettendosi in mostra, rinsaldate da un'ondata di sostanze chimiche portate dal suono tanto desiderato. 'Sono andato via e poi sono tornato.' Gli esseri ripresero a respirare, riconquistando il controllo del loro corpo e riattivando il proprio metabolismo. Succhiarono l'energia proveniente dalla Lingua di EzCal più in fretta di quanto non avessi mai visto. Ovunque, all'orizzonte, la città, i suoi abitanti e le rispettive zelle abbandonarono quello stato di agonia e si rianimarono.

Le torri ariekeiane e le abitazioni sorrette dai gas svettarono nuovamente al di là del confine con Embassytown, ci guardarono dall'alto, aprirono le orecchie e rimasero in ascolto. Il territorio circostante uscì dal coma. Le nostre guardie e le forze dell'ordine urlarono, non comprendendo cosa stesse succedendo. I loro nemici, gli Oratees, fermarono gli attacchi per apprezzare la voce dell'Ambasciatore.

Era chiaro che non ci fosse alcuna traccia della vita di Joel Rukowsi. Questa volta il copione era stato scritto da Cal, non da Ez. I due ripeterono le parole di EzCal articolando la frase nei vari modi possibili, così che la Lingua non perdesse di efficacia. I nostri concittadini iniziarono a piangere di gioia, prendendo coscienza di quella nuova possibilità di sopravvivere.

Avremmo ristabilito un canale comunicativo con gli Ospiti, per esprimergli i nostri bisogni e riprendere le trattative. Senza dubbio, in quella città alle prese con il proprio risveglio dovevano trovarsi ancora degli alieni con cui avevamo stabilito un'intesa e che ora sarebbero stati capaci di restaurare una sorta di controllo, così da permetterci di commerciare con loro. Non si sarebbe trattato di un sistema di governo salutare, dove gli unici in grado di avere la meglio sulla propria assuefazione avrebbero comandato tutti gli altri, affaristi al servizio delle nostre richieste ufficiali: una sorta di narcocrazia linguistica. Di contro, noi avremmo dovuto comportarci da spacciatori parsimoniosi.

Salutai Bren che si trovava sulla scalinata e mi feci largo per raggiungerlo. Ci baciammo, nella certezza di essere fuori pericolo. EzCal tacque. Da qualche parte, al di là del mio campo visivo, centinaia di migliaia di Ariekei si guardarono l'un l'altro, tornando a essere lucidi per la prima volta dopo parecchio tempo.

«Gli Ospiti!» sentimmo urlare dalla barriera. Trascorsero solo pochi minuti prima che questi si preoccupassero di radunare i propri morti e portarli via.

Più tardi, le telecamere ci mostrarono che, per un istante, ogni creatura in ascolto all'interno delle proprie stanze tornate a vivere si era irrigidita in maniera simultanea, come scioccata da quella sensazione. Ciò accadde quando Cal ed Ez si cimentarono nello staccato ritmico di inciso ed eco per pronunciare la parola sì, con una prosodia impeccabile e senza nemmeno il bisogno di consultarsi, guidati da chissà quale impulso.

Parte settima

I Senza Lingua

20

Tornata a occuparmi di commerci, salii con gli altri a bordo del corvide diretto verso la campagna. Era di nuovo il momento degli affari e potevamo riprendere a spostarci, sotto l'egida del regno di EzCal, il Dio-Narcotico numero due. Quella volta fu MayBel ad assumersi l'incarico di farci da portavoce, non avendo problemi a pronunciare il nome *ez | cal*.

Dall'ultimo viaggio, il paesaggio appariva più deturpato, e ora, accanto alle sporgenze rocciose, si ergevano gli scheletri del cimitero delle biomacchine. I prati erano stati danneggiati dai solchi delle macchine in fuga, sia seguendo la rotta degli sfollati che si erano rintanati in città in attesa di ascoltare la voce della loro dipendenza, sia segnando il percorso di coloro che erano fuggiti dando vita a un esodo del quale non riuscivamo ancora a capire il motivo. I morti non erano stati gli unici ad abbandonare i propri quartieri.

Ci spingemmo fino al punto in cui si trovavano le fattorie, ora alle prese con un tipo di lavoro nuovo, diverso dal precedente. Stavano dando vita a un'altra società. Niente di sano, ma era comunque meglio di quello stato di catatonia che li aveva ridotti alla fame: gli allevatori avevano cambiato droga restando ancora assuefatti. Non avemmo altra scelta che continuare con il nostro ruolo di spacciatori.

Carichi di tracce audio, ci spingemmo oltre il raggio d'azione degli altoparlanti, e lì trovammo un gran numero di Ariekei convinti che EzRa fosse ancora il leader e la voce di Embassytown, rimasto in silenzio in maniera inspiegabile per troppi giorni. Nonostante MayBel non si fosse espressa in modo del tutto chiaro, questi capirono cosa era successo, quindi premettero il tasto Play con i loro artigli bramosi e prestarono attenzione al suono articolato da EzCal.

«Vorrei qualcosa di quell'altro» disse un allevatore, cercando di ricordare le procedure con cui solitamente trattavamo: erano stati i primi Terriani giunti sul pianeta a insegnargli come mercanteggiare. Il goffo tentativo dell'alieno lo portò a offrirci una quantità maggiore della tecnologia medica da lui coltivata, in cambio di qualche memoria dati di EzRa. Gli spiegammo che non ne possedevamo altre. Un suo simile, invece, preferì la voce del nuovo Ambasciatore e, per un cospicuo numero dei suoi file, ci propose una serie di bestie ruminanti in grado di defecare carburante e componenti: parve lo scambio più vantaggioso di sempre.

Ci chiedemmo se gli Ariekei che preferivano la voce di EzCal non fossero più controllati degli altri e se le loro menti non fossero più calme e concentrate, in netto contrasto con l'aria febbrile assunta da quelli che smaniavano ancora per sentire EzRa. Di certo, nel lasso di tempo tra l'estasi e la crisi di astinenza successiva, l'autocontrollo mostrato dalle creature ci parve meno forzato di prima. La versione della Lingua di EzCal li lasciava con le menti più lucide, facendoli quasi assomigliare agli Ospiti di una volta.

Provammo a intervenire e a dare forma alle nuove strutture che stavano sorgendo, ripristinando le condutture dove fluiva il materiale di cui avevamo bisogno. Immaginai ogni paesaggio che mi passava davanti come il luogo della morte di Scile: ora l'agglomerato cittadino nel punto in cui la sua maschera eolica avesse smesso di funzionare, ora le aree limitrofe oltre il confine.

Sorvolammo i resti di aziende agricole abbandonate, contenitori destinati, per un accordo di lunga data, alla produzione del nostro cibo: nutrimenti altamente proteici, cereali coltivati all'interno di bolle d'aria terriana, pastura e stuoie di tessuto carnoso. Qua e là trovammo dei pezzi che ritenemmo ancora utilizzabili. I nostri equipaggi fecero del loro meglio per ricaricare le camere d'aria con delle ghiandole traspiranti e per rimettere in funzione le componenti più traumatizzate. Ci imbattemmo in alcuni latifondisti ariekeiani, e, dopo averli riportati a uno stadio cosciente grazie a qualche gustoso frammento dei discorsi di EzCal, riuscimmo a convincerli a tornare alle proprie fattorie per aiutarci. Si presero cura degli edifici e ripararono le vie di comunicazione di cui avevamo bisogno. Come i globuli nel sangue, i nuclei di cibo ripresero a spingere in direzione di Embassytown.

Per mezzo di quella peristalsi di beni d'importazione avremmo potuto quasi ignorare la città, ora che i suoi residenti avevano smesso di attaccarci, limitandoci solamente a trasmettere gli annunci del Dio-Narcotico nei quartieri convalescenti, così da ammansirne gli abitanti. Tuttavia non lo facemmo. Molti di noi erano preoccupati per la nascita di una simile biopoli, alcuni si sentivano perfino responsabili. Malgrado ciò, non aspettammo di vedere quale fosse l'esito degli energici interventi di EzCal, o meglio, di Cal: le figure in questione evitarono di operare soltanto attraverso la trasmissione dei loro discorsi o le apparizioni fugaci per le strade della città alla cerca di un nuovo governo ariekeiano, ma indissero delle vere e proprie parate.

Qualora lo avesse ritenuto opportuno, il comitato avrebbe potuto fermarli, dato che Ez era ancora nostro prigioniero e nelle poche occasioni in cui aveva tentato di formulare un piano per volgere i fatti a suo vantaggio – era scontato lo facesse – era stato neutralizzato. All'inizio, il più delle volte, Ez faceva quanto gli avevamo ordinato, poi prese a fare quanto ordinato da Cal. Il crescente egocentrismo di quest'ultimo mi disturbò. Gli facemmo notare che era una pedina nelle nostre mani e che avrebbe dovuto seguire le istruzioni alla lettera insieme a Ez. Le cose andarono in questo modo per qualche giorno, fino a quando non si ricordò cosa significasse governare.

«No, vediamo di accelerare» ci disse in seguito; in realtà, la frase era rivolta a me, che avevo appena constatato quanto la città fosse ancora un posto pericoloso e che il sistema messo a punto ci permetteva di rimandare la questione, almeno per un po'. «Sì, sì, vediamo di farlo» continuò.

Le orazioni di EzCal erano molto diverse da quelle di EzRa. Cal fece predisporre un megafono proprio di fronte all'Ambasciata, in un luogo da dove lo si potesse vedere, oltre che ascoltare, e decise di metterlo in funzione ben presto, trasmettendo le sue parole e restando in attesa, con le braccia impostate sui fianchi e lo sguardo rivolto alla piazza. Con nostra grande sorpresa, Ez lo seguì in ogni suo gesto. Da quel momento in poi Ez prese a parlare sempre più di rado, se si escludono i monologhi nella Lingua ovviamente, e, quando sentiva che era il caso di dirci qualcosa, mormorava in maniera incomprensibile o si esprimeva a monosillabi, estraniandosi dal discorso. L'unico che non aveva mai bisogno di attendere una sua risposta era Cal, nonostante non si degnasse mai di guardarlo a meno che non fosse necessario.

Era facile notare l'odio dell'uno nei confronti dell'altro, eppure il mio ex amante trovò il modo di continuare a svolgere la sua funzione usando Ez come una marionetta.

«Mi rivolgo a voi che ascoltate» disse *ez | cal*. Era il terzo utudì del terzo mesistizio di ottobre. Non prestai attenzione alle immagini della diretta, sapendo già cosa avrei visto: nugoli di Ariekei in ogni angolo della città, accalcati a ridosso degli altoparlanti. Capii che stavo ascoltando le parole di EzCal soltanto in seguito alla mia stessa reazione scioccata nell'udire una promessa che senza rendermene conto stavo traducendo nella mia mente.

«Domani camminerò tra di voi» garantì l'Ambasciatore. Giuro di aver avvertito dei rumori provenire dalla città nel momento e- satto in cui la frase fu pronunciata. Appena percettibili da sopra le pareti membranose. Una simile reazione era qualcosa di rivoluzionario. Non avevo mai visto alcun Ospite comprendere appieno o prestare attenzione alle parole dette da EzRa: non erano altro che una sostanza tossica. Gli ascoltatori ne avevano assaporato le singole frasi banali o sciocche, una dopo l'altra, secondo un ordine di gradimento astratto e privo di senso, simile alla scelta del proprio colore preferito. I discorsi del nuovo duo parvero del tutto differenti. Alcuni degli esseri presenti in città, perfino quelli cui capitava di sballarsi con la voce di EzCal, furono perfettamente in grado di recepire il contenuto delle sue parole. Avrei voluto che Bren avesse assistito alla scena insieme a me.

«Che diavolo stai facendo?» feci a Cal. Sulle prime sembrò non avermi notata affatto, poi la sua espressione passò dallo stupore all'irritazione e quindi ancora al disinteresse in meno di un secondo. Andò via seguito da Ez e dalle loro guardie.

Come fosse un re delle favole, EzCal scalò e ridiscese le barricate, avanzando per le strade circondato da una moltitudine di creature ansiose, immobili e silenti, che fecero largo all'Ambasciatore scalpitando pian piano con i loro zoccoli.

L'entourage di EzCal, composto da uomini e donne in preda all'agitazione, si precipitò dietro al duo lungo il selciato ricoperto di spazzatura e detriti, mentre noi fummo costretti ad aprirci una strada nel mezzo del pattume e a muoverci a zig-zag, con esitazione, tra la massa di Ospiti. Il nostro gruppo era numeroso ed era costituito da me e MagDa, precedute da una serie di consiglieri che avevano affermato di essere indispensabili e da altri membri del comitato con l'intento di impartire ordini, supervisionare e mantenere il controllo. Ebbi come la sensazione, pur non riuscendo a spiegarne il motivo, che Cal, o meglio, EzCal, sapesse bene che le sue parole non avrebbero soltanto compiaciuto e ricaricato il suo pubblico ingordo, ma gli avrebbero anche comunicato qualcosa nello specifico.

Sembrarono agire con grande neutralità. La folla di astanti ai discorsi di EzRa era solita disperdersi velocemente anche al termine delle orazioni in cui Ez sembrava, o fingeva, di aver catturato l'attenzione. Ora, invece, i suoi monologhi avevano un reale pubblico cui rivolgersi, solo non erano più sue le storie raccontate. Gli Ariekei tennero per tutto il tempo le ali acustiche ben tese, senza perdersi una sola parola. La coppia procedette lungo le strade come se volesse proseguire verso il confine della vecchia Embassytown per entrare poi nella città degli Ospiti. Non indossavano maschere eoliche, era soltanto una messa in scena. Ez si preoccupò di stare al passo con Cal.

«Ascoltate» disse EzCal, la voce amplificata dai piccoli microfoni nascosti tra i loro abiti. Come avrei scommesso, il primo non degnò il secondo di uno sguardo, ma parlarono all'unisono. Fecero una pausa così lunga che mi aspettai di sentire il riverbero della loro voce. Non pronunciarono una frase ma una singola parola: un costrutto grammaticale succulento per gli alieni cui si stavano rivolgendo. Aspettarono.

«Ascoltate» riprese. «Capite ciò che dico?»

Seguì un coro di sì.

«Sollevate le vostre ali prensili» disse EzCal. Le creature eseguirono. «Scuotetele.» Anche il secondo ordine ricevette una pronta risposta.

Ancora una volta, rimasi stupita da quanto stava accadendo di fronte ai miei occhi, come ogni Terriano al mio fianco, del resto. Se Ez fosse sorpreso o eccitato dalla cosa, non lo diede a vedere, ma mantenne lo sguardo fisso sulla folla di drogati obbedienti. «Sollevate le vostre ali e ascoltate» ribadì. «Ascoltate.»

EzCal disse che la città era malata e necessitava di cure, che c'era molto da fare. Spiegò che il luogo in cui si trovavano era popolato sia da creature pericolose sia da creature a rischio, o entrambe le cose insieme, ma che la situazione sarebbe migliorata. Tali banalità politiche, dette con quella voce, giunsero agli Ariekei come delle rivelazioni. Ascoltarono rapiti.

L'espressione di Cal non sembrò affatto compiaciuta. I muscoli sul suo volto cupo si contrassero, dandomi l'impressione che non potesse fare a meno di comportarsi in quel modo, di essere niente di diverso dal personaggio che ormai stava incarnando. «Ascoltate.» Perfino le mura si tesero per lo sforzo. Le finestre gemettero.

Dopo la ricostruzione, l'aspetto della città era cambiato. La versione aggiornata prevedeva la presenza di abitazioni suddivise in ambienti più piccoli, intramezzati da pilastri simili a degli alberi traspiranti. Esistevano ancora torri, fabbriche e capannoni per il nutrimento dei giovani e delle biomacchine, e per trattare le nuove sostanze chimiche emesse dagli Ariekei e dai loro edifici in occasione delle trasmissioni della voce di EzCal. L'orizzonte cittadino davanti ai nostri occhi, però, assunse un aspetto confuso. Le strade sembrarono ancora più ripide e diverse dal solito, con intricati spioventi chitinosi e cupole a forma di elmo.

Rimasero in piedi anche le vecchie sale e le strutture architettoniche furono rianimate dalla voce di EzCal; in questo modo non morirono, ma non si ripresero del tutto. Tra i vari sobborghi, le tracce della decadenza cittadina continuavano a essere un pericolo. Lì, gli alieni e i rispettivi animali, ben lungi dal destarsi, continuarono a vagare in maniera furtiva, seguitando ad avvinghiarsi durante i proclami attorno ai megafoni isolati, così da ricaricarsi quanto bastava per risvegliare la loro indole aggressiva, ma non per tornare lucidi.

«Ripuliremo la città anche da quelli, non appena possibile» disse Cal. Nel frattempo, tentammo di stabilire dei protocolli per ognuno dei feudi sparpagliati nell'area urbana. Tramite Bren, cercai di scoprire qualche informazione in più sul loro conto. «Quello è governato da una piccola coalizione abbastanza autonoma; in quell'altro, entrarci sarebbe ancora un po' troppo rischioso; l'Ariekeo che comanda il territorio circostante a quel minareto, prima della crisi, era un funzionario.» Bren aveva appreso queste stesse notizie da YlSib.

«Non credo che MagDa ti farà alcuna pressione in merito» continuò. «Tuttavia...» Si interruppe, notando l'espressione sul mio volto. «Sai bene cosa sta succedendo» concluse. «Non è lei a governare ora, né si trova nella posizione di chiudere l'infermeria...»

«Pensi che lo farebbe, se ne avesse la possibilità?»

«Non lo so e al momento neanche mi importa. Di certo, Cal non lo farà. Hai visto cosa è successo durante il suo discorso. Se hai qualcosa da riferire a MagDa, fallo: abbiamo bisogno di tenerla aggiornata. È intelligente e, sebbene non lo chieda, credo abbia capito da quale fonte trai informazioni. Ha passato ore nel laboratorio di Southel e sono certo che abbia un piano. L'hai vista parlare con lei?»

Non fu un incarico ufficiale da parte del comitato, ma decisi di tornare in città e recarmi di nuovo con Bren dalla sua amica segreta YlSib: l'Ambasciatrice fuorilegge.

La cupola d'aria si era indebolita a tal punto che eravamo costretti a indossare dei respiratori eolici anche nelle aree che fino a poco tempo prima erano appartenute al tessuto stradale di Embassytown. Io e Bren tentammo di evitare quante più VESPcam possibili, nonostante sapessi che, qualora fossimo stati visti, non saremmo stati altro che l'ennesimo pettegolezzo fra tanti. Ci fermammo presso le rovine, e osservammo il bagno di folla per EzCal, che si trovava immerso in un mare di Ariekei ubbidienti, dall'alto del balcone di un appartamento che era stato abitato da bambini (me ne accorsi inciampando tra i giocattoli rotti).

«La prossima volta verrà in città» esordì Sib. Lei e la sua compagna ci avevano raggiunti senza che le avessi notate. «Dunque...» Indicò il Dio-Narcotico attraverso la finestra. «La Lingua funziona in modo diverso con lui.»

«Avremmo dovuto chiamarlo OgMa anziché EzCal» disse Bren, attirando le espressioni interrogative di tutte noi. «È il nome di un altro dio» fece «che si comporta nello stesso modo.»

YlSib era armata di pistole biomeccaniche – mentre io e Bren avevamo armi più rozze – e si mosse con un'agilità assai superiore agli esitanti esploratori cittadini con cui avevo compiuto le mie prime spedizioni. Nell'attraversare il sentiero dove le rovine si diradavano in favore del bioma del posto, l'atteggiamento dell'Ambasciatrice si mostrò sicuro. Perfino il vento era diverso da quello a cui ero abituata. Ci trovammo in una zona piena di suoni nuovi e popolata dalla fauna locale. Passandoci vicino, gli alieni in strada non si fermavano nemmeno, nonostante alcuni di loro allungassero lo stesso gli occhi corallini per fissarci. Superammo delle pozze in cui vedemmo affiorare dei polipi colmi di vesciche che emanavano delle sostanze che reagivano con il liquame. Mi domandai se quelle fossero le fondamenta del piano di urbanizzazione.

Guardai in direzione di un viale di alberi nodosi. Fui spaventata dalla richiesta insistente di un Ariekeo vicino a noi che non faceva altro che domandare cosa stessimo facendo, e alzai la pistola. Tuttavia, la figura accanto a me gli spiegò di essere *yl | sib* e che noi eravamo... Disse qualcosa che non corrispondeva ai nostri nomi. «Sono con me. Stiamo andando a casa.» Poi pronunciò una parola, *koh taikoh | uresh*, enfatizzandola in modo da renderla ancora più personale. Disse che 'stava tornando a casa' e io mi chiesi se il fatto di rincasare non avesse un significato importante anche per quelle creature.

«Mi conoscono» spiegò Yl. «Di questi tempi ce ne sono alcuni che si sono bruciati il cervello a tal punto da non riconoscermi più, ma se ne incontro uno che mi si rivolge parlando, allora va tutto bene.» «In ogni caso,» aggiunse Sib «credo che siano state stipulate nuove alleanze. Alcuni di loro potrebbero avere...» «...dei motivi validi per bloccare il passaggio.»

Così alcune delle frasi nella Lingua che udimmo durante la gita acquisirono senso: sproloqui articolati da rottami parlanti senza neppure un sentimento di nostalgia per i vecchi significati. Infine, YlSib ci condusse a una radura sgombra. Sussultai: un uomo ci stava aspettando sotto una colonna metallica ricurva simile a un lampione. Sembrava essere stato catapultato direttamente da una fotografia di un'antica città terriana.

Annuirono, poi Yl, Sib e Bren mormorarono tra di loro, assicurandosi che io non sentissi. L'individuo sotto al palo mi era completamente sconosciuto. Aveva la carnagione scura, e indossava abiti vecchi insieme a un respiratore di cui non riconobbi il modello. Non avrei saputo dire nulla sul suo conto. Si allontanò insieme all'Ambasciatrice e Bren tornò da me.

«Chi cazzo è quello?» chiesi. «È uno spaccato anche lui?»

«No» rispose il mio compagno. Scosse le spalle. «Non credo. Potrebbe darsi che il suo gemello sia morto, ma non penso sia così. Non si piacciono molto.» Ormai sapevo dell'esistenza di un vero e proprio mondo parallelo popolato di esuli, uomini spaccati, ex membri dello Staff e Ambasciatori decaduti, ma constatarlo di persona mi sbalordì. Come avevano fatto a sopravvivere durante il collasso che aveva preceduto la venuta del Dio-Narcotico numero due?

«Sei ancora in contatto con qualcuna delle similitudini?» domandò Bren.

«Gesù» esclamai. «Non proprio. Perché me lo chiedi? È passata una vita dall'ultima volta che ho incrociato Darius al bar ed eravamo entrambi imbarazzati. Voglio dire, Embassytown è troppo piccola per evitare di incontrarli di tanto in tanto, ma, quando accade, diciamo che non amiamo chiacchierare.»

«Sai cosa stanno facendo?»

«Perché parli al plurale, Bren? Dopo quanto è accaduto sono tutti... be', ognuno per conto suo. Forse alcuni di loro si vedono ancora... ma il gruppo cui ti riferisci si è smembrato da un secolo. Dopo la storia di Hasser. Te lo immagini? A nessuno importa più di nessuno. Compresi i loro creatori. La Lingua...» risi «non è più quella di una volta.»

YlSib fu di ritorno, grattandosi via la polvere delle macerie dagli abiti. «È vero» rispose lui. «Tuttavia ti sbagli sul fatto che siano ognuno per conto suo. Non sai ancora dove siamo diretti, ma è stata richiesta la tua presenza.»

«Cosa?» Non avevo idea che questa spedizione mi riguardasse, né che facessi parte del piano. L'Ambasciatrice mi scortò fin dentro a un seminterrato. Mi trovai davanti all'aura luminosa di un Ariekeo. «Avice Benner Cho» disse YlSib. Le due metà pronunciarono il mio nome contemporaneamente, facendo sì che il tono duplice arrivasse come un'unica voce.

La stanza fu pervasa dal classico profumo di quegli esseri, mi accorsi quindi che erano in molti. Gli alieni rumoreggiarono, parlando e sussurrandosi l'un l'altro i propri pensieri. Uno di loro si avvicinò nella penombra e mi salutò. YlSib mi comunicò il suo nome. Gli osservai le ali.

«Cristo» mi sorpresi. «L'ho già visto.»

Mi resi conto di trovarmi davanti a uno dei migliori amici di Surl Tesh-echer, *surl | tesh echer*, il miglior Ospite-bugiardo della storia. Si trattava di Ballerina Spagnola. «Si ricorda...?»

«Certo che si ricorda, Avice» mi interruppe Bren. «Chi credi ti abbia convocata?»

I miei compagni diedero alle creature un pacco di registrazioni. In tutta risposta, questi le afferrarono con rapidità, mostrando segni di agitazione. «EzCal sa che lo state registrando?» osservai.

«Spero di no» fu la risposta di Bren. «Ti sei accorta, vero? Sta cercando di fare la stessa cosa fatta da Ez ai tempi di EzRa: vuole assicurarsi che non disponiamo di alcun tipo di traccia che possa rendere i suoi discorsi superflui.»

«Ma voi le avete.»

«Queste sono solo le sue trasmissioni pubbliche» chiarì. «Non possono impedire alla gente di registrare anche queste. E poi, perché dovrebbero? Pensano che, avendo già detto e trasmesso questi discorsi, ed essendo già stati sentiti dagli Ospiti, questi abbiano perso il suo effetto.»

Mi voltai a scrutare ognuno degli esseri presenti e, dai motivi sulle loro ali, mi resi conto di aver già visto molti di loro. «Molti di questi facevano parte del gruppo di Surl Tesh-echer» osservai rivolgendomi a Bren. «Erano suoi amici.»

«Sì. E sanno mentire» rispose. «Nessuno di loro è un virtuoso come il loro collega. Lui è stato...» scrollò le spalle «...il precursore di tutto. Si era spinto fino ai limiti dell'inarrivabile.»

«Tuo marito aveva ragione» sentenziò YlSib. «Aveva ragione a volerli fermare. Aveva dei buoni motivi. Imparare a mentire ha cambiato tutto.» Seguirono attimi di silenzio. «Gli Ospiti di fronte a te sono quelli che hanno portato avanti l'operato del loro amico, e non senza fatica. È un processo lento.» «Fanno ciò che possono.»

Ogni Ariekeo presente si appropriò di un file audio, sparpagliandosi in punti diversi della stanza e dispiegando le ali acustiche in maniera elegante per ascoltarlo. Le membrane si tesero. Barcollarono e poi si pietrificarono, facendo di quel seminterrato il luogo in cui assumere la propria dose. Assaporarono il suono della registrazione tenendo il volume al minimo, tremando e sobbalzando con spasmi estatici. Potei vedere le spie accese dei registratori attraverso quelle ali tese, mentre il tenue cinguettio dell'audio non accennava a fermarsi, trasmettendo lo spirito di EzCal, o il sembiante che erano riusciti a creare.

«Com'è possibile che funzionino ancora?» sussurrai. «È tutta roba già sentita.»

«Non da loro» puntualizzò Bren. «Questi sono più controllati. Hanno una forza di volontà davvero tenace. Non appena arriva il momento di trasmettere la voce del nostro nuovo Ambasciatore, loro ritraggono le ali. È una cosa che avevano già imparato a fare con EzRa. Sono capaci di trattenersi. Stanno cercando di resistere ogni volta un po' di più.»

Fu difficile entrare nell'ottica che quelle figure scosse dai tremiti rappresentassero un gruppo di ribelli schierati contro il regno del Dio-Narcotico. «Riescono a controllarsi ora perché lo facevano già da prima» disse Yl.

Lentamente, gli Ariekei si risollevarono uno dopo l'altro. Mi osservarono come fossi una strana reminiscenza e provammo a riprendere il discorso da dove lo avevamo interrotto. Ballerina Spagnola si avvicinò, mentre i suoi compagni mi circondarono: a turno, pronunciarono quei suoni nella Lingua che sapevo corrispondessero alla mia similitudine. Era passato molto tempo dall'ultima volta che avevo sentito parlare di me in quel modo.

All'inizio mi descrissero come un dato di fatto. «C'era una ragazza che fu ferita nell'oscurità e che mangiò ciò che le venne offerto.» Poi cominciarono a declinare la mia similitudine. «Quando assumiamo ciò che è contenuto nella voce del Dio-Narcotico,» disse Ballerina Spagnola «noi tutti siamo come la ragazza che fu ferita nell'oscurità e che mangiò ciò che le venne offerto.» Gli altri risposero.

***

«Devi sapere che Surl Tesh-echer era qualcosa di più che il bugiardo migliore della sua specie» disse Bren. «Fu un vero e proprio avanguardista. Non si è mai trattato soltanto di mentire. Perché mai dovrebbero essere tanto interessati a te, se non ci fosse dell'altro, A-vice? Cos'è che accomuna le bugie e le similitudini?»

«Tutto ciò che esiste al mondo» continuò un altro oratore «è come la ragazza che fu ferita nell'oscurità e che mangiò ciò che le venne offerto?»

«È stata dura» riprese Bren. «La guerra li aveva dispersi tutti quanti.» Si riferiva alla guerra causata dalla quantità insufficiente di droga a disposizione. Quella che aveva costretto Ez a uccidere Ra. La guerra che li aveva resi tutti dei morti viventi. «Ora, però, sono riusciti a ritrovarsi nel tentativo di continuare il lavoro del loro adorato leader. È diventato il loro simbolo.»

«Un profeta» aggiunse Yl, o Sib.

«Ma perché non parlarne con MagDa. Perfino Cal...» Non andai oltre, rendendomi conto che il gruppo in questione altro non era che una congiura riunitasi al fine di limitare il potere dell'Ambasciatore emergente. Cal avrebbe tentato di sabotare tutto. Io stessa non avrei voluto crederci, ma Bren annuì, intuendo i miei pensieri.

«Sì» disse. «Anche MagDa è cambiata ormai, così come la sua predisposizione a reagire. Desidera solo uscire da questa situazione e l'unico modo per farlo, a suo giudizio, è tenere duro. Non sarebbe disposta a correre alcun rischio. Potrebbe addirittura mandare in malora il nostro piano.»

«Quale piano? Cosa hai in mente?»

«Non io» precisò.

«Be', tutti voi allora. Tu, e anche tu...» Mi diressi verso YlSib «...e gli Ospiti. Cosa state cercando di fare?»

«Quella di MagDa non è una soluzione» ribadì Bren. «È solo un modo per prevenire un ulteriore collasso. Per questo motivo non tenterà mai di affrontare Cal. Per lei non ha senso agire in alcun modo finché la nave non arriva. Siamo noi a dover fare qualcosa.» Durante i suoi discorsi gli Ospiti continuarono a ondeggiare attorno a me come galleggianti in balìa della corrente e ad articolare le frasi che mi descrivevano per trasformarle in qualcos'altro: qualcosa di nuovo che era possibile affermare assomigliasse a me e al mio passato.

«EzCal non è il solo a cui dobbiamo prestare attenzione» osservò Bren. «Non devi far parola di questa faccenda con nessuno.» Ricordai le reazioni degli altri alieni in seguito all'attacco omicida di Hasser ai danni di *surl | tesh echer.*

«Sei preoccupato per il resto degli Ariekei» osservai.

«Questi bugiardi erano pericolosi, prima» disse Bren. «Scile aveva ragione, così come...» Strinse le spalle e scrollò la testa in modo da farmi capire che l'espressione che stava per usare fosse inesatta. «...la cerchia al potere. Non so dove siano ora, ma scommetto che EzCal lo sa. O almeno Cal deve averne un'idea. Fino a qualche tempo fa era lui a condurre le trattative. Perché credi che l'Ambasciatore sia così ansioso di entrare in città?»

Pensai che l'avidità di Cal fosse guidata da una sorta di fervore visionario, poi ricordai il Festival delle Bugie e il modo in cui lui e Pero mi guardarono. «Dio del faro.» Scile aveva fatto lo stesso. Allora era stato un cospiratore, e ora avrebbe di certo approvato il comportamento di EzCal, le cui priorità erano le stesse di CalVin: potere e sopravvivenza. Le priorità di mio marito invece erano la città e la sua capacità di non subire modifiche. Una volta queste due strade si erano incontrate, ma ora la storia aveva lasciato Scile indietro, abbandonandolo alla sua passeggiata solitaria.

«Cal potrebbe già aver incontrato i suoi vecchi amici» disse Bren. «Questo gruppetto...» indicò gli esseri nella stanza con noi «un tempo rappresentava una minaccia. Lo hai visto tu stessa. Ora...» Rise. «Be', è cambiato tutto, ma potrebbe continuare a non essere ben visto. Forse anche più di prima. Non sappiamo se Cal è a conoscenza che questo gruppo esiste ancora, magari non ha mai appreso della sua esistenza, ma gli Ariekei che lavorano con lui lo conoscono bene. Se Cal lo scopre, questo gruppetto farà meglio a restare zitto. E anche noi dovremo fare lo stesso.»

«Come è possibile che questi Ariekei rappresentino una minaccia?» chiesi. «Non ho mai capito perché fanno ciò che fanno.»

Il mio interlocutore fece uno sforzo. «È difficile da spiegare. Non saprei come dirtelo.»

«Non lo sai neanche tu» tagliai corto. Lui mosse la testa come a lasciare intendere un 'ni'.

«Com'è la tua Lingua, Avice?» domandò una delle due metà di YlSib. Erano intente a conversare con Ballerina Spagnola. Riuscivo a comprendere qualche frase, mentre l'Ambasciatrice mi traduceva ciò che non capivo.

«Non è bello essere così. Vorremmo essere diversi. Siamo come la ragazza che fu ferita nell'oscurità e che mangiò ciò che le venne offerto, perché siamo intrisi di ciò che EzCal ha offerto a noi.» Ci fu un lungo silenzio. «Al contrario, vogliamo essere come la ragazza che fu ferita nell'oscurità e che mangiò ciò che le venne offerto, perché vogliamo...» Ancora silenzio. Poi Ballerina Spagnola scosse i suoi arti.

«Ha provato a usare due volte la stessa similitudine, ma in modo contraddittorio» spiegò Sib. «Non è riuscito a gestirla.»

«Ora,» riprese a dire Ballerina Spagnola «è anche peggio. È qualcosa che non ci aspettavamo. Vivere nella tossicodipendenza e privi di speranza a causa delle parole del Dio-Narcotico è stato brutto, abbiamo perso di vista noi stessi. Ora, però, è diverso. È peggio. Adesso, quando il dio parla, noi siamo costretti a obbedire.» È vero, la maniera in cui modulò la frase non aveva alcun significato per me, ma non importava quale fosse la mappa mentale dell'Ariekeo o la propria percezione di sé, sapevo che doveva essere una sensazione orribile. Avevo visto con i miei occhi folle intere rispondere all'istante e senza avere scelta alle istruzioni impartite da EzCal. «Vogliamo essere noi a decidere cosa ascoltare, come vivere, cosa dire, con chi parlare, come comportarci e a chi obbedire. Vogliamo che la nostra lingua torni a essere nostra.»

Erano infastiditi dalla loro dipendenza alla nuova droga e dalla loro incapacità a disobbedire. Di sicuro, non era l'unico gruppo segreto ad avvertire un simile fastidio, ma questo combaciava con ciò che desideravano da sempre: sforzarsi di mentire era direttamente collegato al desiderio di dare alla Lingua qualunque significato volessero. Quell'antico bisogno sembrò spingerli a odiare la loro nuova condizione e in maniera ancora più violenta di qualsiasi altro alieno cosciente.

«Gli avevamo promesso che ti avremmo portata qui» mi spiegò Bren. «Ho parlato come un Ospite.» Scoppiò a ridere per il tono del suo giuramento. «Sono stati categorici nel richiedere la tua presenza. Tuttavia, è meglio se torniamo indietro, prima che si accorgano della tua assenza. YlSib, invece, continuerà il suo lavoro, in cerca di altre gocce nel mare. Questi qui non sono i soli Ariekei che tentano di trovare un altro modo per risolvere il problema.»

Fu un percorso davvero pericoloso, in mezzo ai nuclei di ribelli di quella città collassata ma che ora stava risorgendo. Ho sempre tenuto a sottolineare – così come era stato fatto con me – l'incredibile differenza tra il modo di pensare dei Terriani e quello degli Ariekei. Eppure, ripensai a chi me l'avesse fatto notare per la prima volta e per tutte quelle successive. Forse qualcuno dello Staff o degli Ambasciatori: erano loro a detenere il monopolio della comprensione. Provai un senso di vertigine al pensiero di comprendere appieno le ragioni di quelle creature aliene. Avevo parlato con un gruppo di dissidenti e appoggiato la loro causa.

Gli unici Ariekei con cui ero entrata in contatto erano quei ferventi bugiardi impegnati a cambiare la natura del proprio codice comunicativo. Bren e YlSib, invece, forse sarebbero passati a un altro gruppo, anche questo in lotta per sconfiggere la propria dipendenza e vivere così senza la Lingua. Da lì, forse, sarebbero arrivati a quelli che si sforzavano di disobbedire agli ordini di EzCal e poi magari sarebbero entrati in contatto con chi cercava di trovare una cura attraverso sostanze chimiche. Durante quella prima escursione non potei dire di aver partecipato davvero, ma la mia presenza era necessaria e Bren si fidava di me. Il suo non era stato un semplice atto di cameratismo: mi trovavo lì perché ero una similitudine e quei dissidenti avevano bisogno di me per riflettere sulle loro strategie, dandomi la stessa importanza di un processore informatico, un sintetizzato chimico o un esplosivo.

Nel mezzo della crisi, Embassytown traboccava di passione. Datemi tre giorni, pensai, e scoverò tutti gli umani che ritengono EzCal un messia, un diavolo oppure entrambe le cose, che gli Ambasciatori siano angeli o demoni e che lo siano anche gli Ariekei, e che l'unica speranza ragionevole sia quella di lasciare il pianeta più in fretta possibile oppure di non partire affatto. Farò lo stesso anche con gli alieni, riflettei, e fui pervasa da un senso di speranza alternata a depressione. La Lingua non era in grado di esprimere l'incertezza insita nei mostri e nelle divinità che per altri avrebbe rappresentato un concetto ordinario e, di colpo, mi convinsi che queste riunioni non fossero altro che il culto del cargo degli Ariekei. Avevo forse preso parte a una danza degli spiriti? Bren e YlSib ormai si erano abituati ai rapporti frequenti con queste figure improbabili, millenarie e disperate.

Ricordo lo sforzo con cui Ballerina Spagnola cercò di esprimere il mio atto linguistico tentando di attribuirgli delle implicazioni che non gli erano mai appartenute, così da plasmare la similitudine secondo altre forme. «Vogliamo essere come la ragazza che fu ferita nell'oscurità e che mangiò ciò che le venne offerto, perché vogliamo... Perché, come lei, anche noi siamo feriti...» Usò una perifrasi, mi fissò e tentò di spiegare in che modo mi somigliasse.

«Perché il piano di MagDa non dovrebbe funzionare?» insistetti. «Lo so, lo so, ma... vorrei solo mi spiegaste perché non possiamo tirare avanti fino all'arrivo della nave.»

Bren, Yl e Sib si guardarono a vicenda, quasi per decidere a chi di loro sarebbe toccato l'onere di parlare. «Hai visto come si comporta EzCal.» Era Sib a parlare. «Pensi sia sicuro per noi continuare così?»

«E poi, tra le altre cose,» intervenne Bren con un tono amareggiato «se anche dovesse funzionare, hai già visto cosa è successo agli Ariekei dopo la morte di EzRa. Una volta terminate le loro... dosi. Quindi, la nave arriva e poi? Noi abbandoniamo il pianeta?» Indicò Ballerina Spagnola. «E loro? Che fine faranno?»

21

Un altro dei nostri velivoli scomparve nel nulla dopo aver sorvolato le aziende agricole nei pressi della città, in seguito all'ordine impartitogli da EzCal di partire in cerca del materiale di cui avevamo bisogno e insistere perché ci venisse consegnato. Non sarebbe stato difficile smantellare gli altoparlanti, qualora le nostre richieste non fossero state accolte, e gli allevatori alieni lo sapevano. Alcune delle forze dell'ordine erano state deposte senza più essere ricostituite. La città era piena di VESPcam.

Alcune squadriglie sottomisero le ultime zone indipendenti ai piani più isolati dell'Ambasciata, dove gli abusivi e i loro capi avevano rifiutato l'amnistia offerta. Io mi trovavo all'esterno, di fronte a una barricata composta da mobili rotti, ciarpame, bizzarrie domestiche e macchinari dismessi, tenuti insieme non con il solito collante, ma con un polimero a presa rapida, una resina traslucida e dura come la pietra, versata direttamente sopra gli oggetti. Ogni detrito al suo interno era del tutto visibile, come un sacco di immondizia sospeso nel ghiaccio istantaneo. Non eravamo più in guerra e i nuovi macchinari stavano lavorando per scavare un corridoio percorribile a forma di V, un cuneo dalle pareti trasparenti, lisce e perfette, e imbottite di spazzatura. Di tanto in tanto, i bordi del passaggio apparivano picchiettati di sezioni di rottami.

Ricordo che Simmon era con me, entrambi intenti a osservare sul suo palmare le raffiche di immagini statiche provenienti dalle telecamere. «Cos'è quello?» chiesi. Notai i resti del corvide smarrito. Morto. La terra tutt'intorno alla sua carcassa era bruciacchiata e cosparsa di mucchietti simili a corpi umani.

Ci muovemmo in fretta e armati, attraversando i territori selvaggi e i sentieri creati dal passaggio degli Ariekei, dei loro animali, delle zelle, e forse di altri umani, banditi da Embassytown e confinati in fattorie straniere. Non riuscimmo a stabilire alcun contatto. Mi sorpresi nell'avvertire una sensazione di smarrimento breve ma intensa che, tra tutto il resto, parve avere effetto anche sul mio senso di barcamenante. Provai a convincermi del fatto che ciò che stavo facendo era la diretta conseguenza di quel 'seguire la corrente', ma era difficile imbrogliare me stessa.

Ci ritrovammo immersi in uno scenario terribile; i brandelli del mezzo di trasporto aereo erano sparsi al suolo. Alla fine, ci mettemmo all'opera: il membro del gruppo che più si avvicinava alla qualifica di investigatore raccolse dei campioni di quelli che sembravano essere segni di morsi e bruciature su tutti i cadaveri. I corpi erano disseminati ovunque.

«Oddio» invocò, riconoscendo la figura di Lo, una delle metà simbiotiche dell'Ambasciatore LoGan. La sua cassa toracica era lacerata e cauterizzata. «Non si tratta di una ferita causata dall'incidente. Non è stato lo schianto a provocarla.»

Rinvenimmo anche il corpo del consigliere Jaques e notammo che la sua ferita, là dove gli mancava il braccio, non presentava le tracce di un taglio netto né bruciature. Lo strappo ne aveva causato il dissanguamento, procurandogli una morte atroce. La postura suggerì che si fosse dimenato nel tentativo di recuperare l'arto volato via. I microbi all'interno del loro organismo avevano già avviato la decomposizione e, trovandosi a operare in territorio ariekeiano, produssero un'anomalia chimica: la putrefazione avveniva in modo diverso rispetto a Embassytown.

Non c'erano sopravvissuti. Nella spedizione era deceduto perfino un funzionario Kedis, un ermafrodito anziano che non conoscevo. «Oh, Gesù, ma è Gorrin» sentii esclamare. «I Kedis ne saranno...»

Passammo da un cadavere all'altro con lentezza, cercando di rimandare il più possibile la scoperta di chi fosse il corpo successivo. Nonostante il vento freddo, recuperammo i resti dei nostri amici.

Per quanto tentassimo di ricomporli, fu inevitabile far cadere alcune delle loro parti, mentre riuscimmo a impacchettarne altre per portarle a casa.

«Guardate.» Provammo a ricostruire l'accaduto ripercorrendo le tracce del disastro, decifrando i segni sul terreno e sui defunti come fossero geroglifici. «È stato abbattuto.» Notammo lo squarcio lasciato da un missile dentato sul fianco del corvide.

«Non esistono predatori del genere...» dichiarò qualcuno.

«Il mezzo è precipitato in maniera abbastanza lenta, tanto da permettere alle persone al suo interno di uscire.» Questa volta fui io a parlare. «Sono usciti dal volatile e poi sono stati... attaccati all'esterno.»

Trovammo i resti di alcune uova di biomacchina, frutto di un recente baratto: macchine macchiate di tuorlo e materiale fetale. L'equipaggio era sulla strada del ritorno. Ricordo che le nostre voci rimbombavano all'interno dei respiratori che indossavamo, facendoci sentire quasi isolati gli uni dagli altri. Durante il trasporto dei defunti volammo con le carronate pronte a fare fuoco, in cerca del ranch dove erano stati i nostri compagni. Il punto in questione venne annunciato da una colonna di fumo. Le abitazioni più lontane stavano cadendo a pezzi e le nursery erano scomparse. Notammo un unico recinto di biomacchine che era ancora in vita ma in preda a sofferenze; non avemmo idea di come concedergli il colpo di grazia, così dovemmo limitarci a passare oltre e ignorare il suo dolore.

Non avvistammo Ariekei morti e il recinto per il bestiame era vuoto. Più in là, scorgemmo degli animali color polvere allontanarsi di corsa. Il nostro arrivo fece volar via i saprofagi come dei brandelli di carta in uno stormo dalle movenze simili a una nuvola di fumo dotata di pensiero.

Udimmo uno sparo e ci catapultammo sul pavimento urlando. La pistola che aveva fatto fuoco, una vecchia arma di tecnologia banshee modificata per l'utilizzo da parte degli umani, era di un tesoriere di Embassytown che aveva mirato al nulla, spaventato dal movimento e dalla fuga della fauna tutt'intorno. C'imbattemmo in un giovane alieno abbandonato che si dimenava in un brodo mortifero composto dalle carcasse dei più anziani. Le orme dei loro zoccoli erano ovunque, così decidemmo di attivare le telecamere e seguirne le tracce.

Dalla fattoria fuoriuscivano delle spesse arterie organiche che si intrecciavano con il terreno e le tubature e superavano il terreno roccioso in direzione della città. Anche quell'impianto era bruciato, esploso in seguito a un sabotaggio che aveva lasciato il terreno circostante umido per via della dispersione del liquido amniotico presente al suo interno.

«Che è successo?»

Altri scarti organici si trovavano in un angolo: una struttura allargata a spina di pesce e con dei pezzetti di pelle attaccati ai suoi rebbi, in un labirinto intricato di ossa. Intuimmo essere gli scheletri di alcune ali a ventaglio. Raccogliemmo quei piccoli trofei. Udimmo l'ultimo sospiro dell'unico edificio ancora in vita alle nostre spalle.

All'interno della fattoria avevamo piazzato degli altoparlanti grazie ai quali potevamo comunicare, in modo che giungessero anche le trasmissioni della voce di EzCal a garantire gli scambi di cui avevamo bisogno e che, tempo addietro, si erano già rivelati problematici. Ora ne conoscevamo il motivo. Inviammo degli equipaggi muniti di telecamere lungo le linee delle tubature e trovarono ulteriori fratture. Perdemmo un altro velivolo, e poi gli ufficiali mandati a cercarlo.

L'Ambasciatore tenne il proprio discorso dal centro della città. Quel genere di parate rappresentavano l'atto più estremo che potessimo concederci allora. Fu fatta pressione sui membri del comitato, che continuavano a dirigere le azioni di Ez e Cal soltanto in apparenza, e sui carcerieri di Ez, affinché si presenziasse e ci si vestisse con abiti eleganti. Anche Wyatt venne con noi; era stato liberato come ricompensa per aver collaborato alla creazione di EzCal e, sebbene rimanesse sotto sorveglianza, ormai era parte del comitato. Era un esperto di crisi politiche e non era più un agente di Bremen, almeno per il momento. Qualunque cosa fosse successa, ci avremmo pensato in seguito.

«Se solo potesse disporre di un diavolo di baldacchino, lo userebbe» sussurrai a MagDa. Il Dio-Narcotico attraversò la città: Ez con il capo chino e l'espressione seria e Cal con la testa ancora rasata, secondo quello stile che ora era deciso a mantenere. I punti di sutura erano stati rimossi, ma lui aveva provveduto a tatuarsi lo scalpo con un motivo che li ricordasse. Di tanto in tanto, si voltava verso il suo compagno guardandolo con energia e odio. «Ancora meglio, preferirebbero che li portassimo sulle nostre fottute spalle.» MagDa rimase impassibile. Eravamo nel bel mezzo della passeggiata quotidiana, e camminavamo proprio dietro EzCal, circondate da una marea di esseri festanti e intenzionati a seguire le loro istruzioni. Mag e Da furono colpite dalla situazione. Aspetta, avrei voluto dir loro, è tutto a posto. Ce ne sono altri. Ci sono sia umani che Ariekei pronti a trovare una soluzione per uscire da tutto questo. Tuttavia, non avrei mai tradito Bren, e inoltre sapevo che aveva ragione: il rischio che l'Ambasciatrice al mio fianco non riuscisse a reggere la pressione di quei piani era troppo grande.

«Non so» mi disse. «Non so nemmeno cosa faremo...» «una volta che la nave sarà arrivata.»

«Dobbiamo proteggere le nostre risorse» affermò Cal dopo il suo discorso, osservando i filmati della devastazione nelle campagne. L'Ambasciatore insistette affinché le razioni di Embassytown fossero ridotte e diede ordine di formare delle squadre armate che presidiassero le piantagioni più vicine e i luoghi in cui si producevano i nutrimenti di prima necessità. Le incursioni divennero sempre più frequenti, e ogni squadra di ufficiali era costantemente accompagnata da un Ambasciatore, in modo da poter comunicare con i locali che era chiamata a proteggere.

«Andrà tutto bene» esclamò PorSha verso di me mentre ci preparavamo. «Non è certo la prima volta.» «Ci sono abituata ormai.» «Andiamo lì a contrattare come facevamo un tempo, no?» «Fuori dalla città.» «È la stessa cosa.»

Eppure, non era affatto lo stesso. Prima, quando Embassytown e l'intero mondo stavano collassando, lei, così come gli altri Ambasciatori più valorosi, ci tenne in vita con le proprie sporadiche iniziative commerciali. Ora, invece, eseguiva gli ordini. Inizialmente avevo pensato che Cal fosse deciso a fare il minimo indispensabile una volta diventato il Dio-Narcotico numero due. Come al solito mi ero sbagliata.

EzCal scovò Pero, il precedente leader della vecchia fazione ariekeiana al potere. Era probabile che Cal avesse dato il via a delle investigazioni private. Inoltre, non tutti gli abitanti esiliati dell'avamposto condividevano le prospettive offerte da Yl e Sib: l'Ambasciatrice ribelle aveva ancora dei nemici, alcuni dei quali forse erano agenti infiltrati inviati da EzCal.

Durante uno dei suoi comizi, l'Ambasciatore si trovò nel bel mezzo di un gruppetto di Ariekei che ritrassero e poi allungarono i propri occhi per puntarli su di lui, ma il funzionario non si scompose affatto. Uno dei membri di quella combriccola era Pero.

Da quel momento, Pero accompagnò EzCal durante tutte le u-scite successive e gli incontri cittadini; insieme a loro c'erano altri Ariekei – alcuni dei quali vicini a EzCal più di molti umani –, membri del personale e del comitato, e qualche Ambasciatore. La mia memoria non è molto affidabile, ma ricordo di aver visto dei filmati olografici durante i momenti in cui disertavo il lavoro, grazie ai quali riconobbi almeno un altro paio di cospiratori che avevano orchestrato con Hasser l'uccisione di *surl* | *tesh echer*. Trattenni il fiato, capendo di essermi schierata in una guerra segreta.

Quella volta, EzCal rimase a lungo in silenzio, limitando le parole. Quando cominciò a parlare, annunciò che *kora* | *saygiss*, Pero, era stato nominato capo del distretto e che quella zona era stata scelta tra tutte le aree in rovina della città per divenire il fulcro delle attività dell'Ambasciatore; il comando era stato affidato allo stesso Pero. Il Dio-Narcotico non poteva esprimersi se non attraverso i suoi discorsi tossici, provocando ogni volta attimi di convulsione. Questo, però, non fu uno dei soliti ordini momentanei in cui si chiedeva di sollevare le ali al cielo, ma un atto governativo: alla fine dell'orazione gli Ariekei rimasti in ascolto avevano compreso che sarebbero stati sotto il comando di *kora* | *saygiss*, il quale restò quieto e senza lamentarsi.

Sapevamo tutti che la creatura appena nominata sicuramente era già a capo dei grovigli di strade che era solita frequentare e che l'operato di EzCal non aveva portato niente di nuovo, a parte ufficializzare la cosa rendendola palese. Ora erano state istituite nuove alleanze e collaborazioni tra i cittadini di Embassytown e quelli del nuovo distretto. Io stessa compresi che il lavoro di Bren e di Yl e Sib si stava complicando.

Provai a non pensare a chi o cosa fossero davvero Cal e l'Ambasciatore di cui faceva parte. Che si trattasse di un piano, una presa in giro o pura fortuna politica, non ero affatto al sicuro.

***

Gli Ariekei che facevano parte del nuovo disegno cittadino lasciarono la città in compagnia di PorSha, KelSey e altri poliziotti. Era stato dato il via a delle operazioni congiunte. Delle due Ambasciatrici inviate, soltanto la seconda fece ritorno.

Ogni fattoria era stata dotata di telecamere e microfoni, così da segnalarci quando accadeva qualcosa che andava oltre gli algoritmi di previsione. Per questo motivo, ognuno dei membri del comitato venne contattato immediatamente e ricevette i filmati relativi all'attacco successivo direttamente nella propria stanza.

I corvidi decollarono. Non sarebbero arrivati in tempo, ma noi dovevamo continuare ad agire, anche se ogni tentativo era vano. Ero con Bren. Scorremmo le immagini caotiche avanti e indietro, assistendo a scene di tensione e di trattative con i proprietari terrieri. PorSha, una coppia di donne alte e diffidenti, esponeva agli Ariekei i nostri bisogni. I canali attraverso i quali venivano inviati beni a Embassytown si contorsero, espellendo delle tracce audio in anglo-ubiq che fecero sfarfallare il segnatempo. La memoria dati pervenuta era guasta. «Abbiamo bisogno di Ehrsul» esordì Bren. «Sai per caso...?» Scossi la testa. Vidi una poliziotta in piedi e ricoperta di fango, intenta a guardare con ansia un punto fisso alle nostre spalle, mentre tentava di fare rapporto.

«Sergente Tracer a...» disse. Poi ci fu un tonfo violento e la poliziotta si girò a guardare qualcosa oltre lo schermo. «Sotto attacco» continuò. «Gruppi di... Sono centinaia, migliaia di...»

La trasmissione cessò e l'immagine si dissolse, rimpiazzata dalla visuale della telecamera in allontanamento. Tracer giaceva di schiena tra i cadaveri umani. Si strappò via il suo respiratore in un ultimo spasmo inconscio prima di morire. L'immagine lampeggiò. Scorgemmo una moltitudine di Ariekei, le cui movenze non assomigliavano a quelle dei lavoratori agricoli. Questi galopparono a gran velocità facendo ondeggiare le proprie ali prensili e lasciandosi dietro una scia di sangue, di liquido caustico spruzzato dalle armi dell'equipaggio, e una nuvola di polvere. Nessuno di loro pronunciò una singola parola, limitandosi a urlare in modo sconclusionato, animati dalla furia dell'attacco. Non un accenno alla Lingua.

Decapitarono uno dei membri minori dello Staff che conoscevo a malapena. Tenni la bocca serrata. Uno degli assalitori lo scalciò via e lo afferrò con i suoi artigli, un altro fece roteare una lama composta di materia corallina. Gli aggressori indirizzarono le loro armi biomeccaniche verso le pareti della fattoria, uno di loro fece fuoco contro i nostri uomini e donne brandendo le carabine terriane con estrema precisione. Li vedemmo massacrare i nostri colleghi anche senza l'ausilio di alcun tipo di arma, trapassandoli con dei frammenti delle loro stesse ossa e privandoli delle loro maschere eoliche per soffocarli con l'aria malsana del pianeta.

Bren mandò avanti il video per arrivare alle riprese in diretta. Scoprimmo che la carneficina non era terminata e che le forze di polizia erano state sterminate quasi del tutto. Gli aggressori tentarono perfino di raggiungere il corvide, ma i nostri contrattaccarono. PorSha gli gridò qualcosa nella Lingua. «Aspettate. Aspettate. Tutto questo non ha alcun senso» disse. «Vi imploriamo di fermarvi. Per favore...» Poi il segnale fu disturbato ancora una volta e l'immagine successiva mostrò l'Ambasciatrice morta. Bren bestemmiò.

All'improvviso, tutti gli altoparlanti installati negli allevamenti cominciarono a strillare con la voce di EzCal. Il Dio-Narcotico riunì le sue due metà, lì a Embassytown, e prese a urlare in ogni direzione. «Fermatevi!» ordinò, e tutto parve pietrificarsi. Osservai la scena dallo schermo. Il massacro si arrestò e gli Ariekei rimasero immobili.

«Gesù» esclamai alla vista di tutto ciò. Poi sollevai le mani al cielo.

«Cosa sta facendo?» chiese Bren.

«Restate fermi dove siete» urlò ancora l'Ambasciatore a chilometri di distanza. «Venite avanti, ora, di fronte all'Ambasciatrice caduta.»

Regnò l'immobilità per un'altra manciata di secondi, poi, una di quelle creature si fece avanti con cautela verso la telecamera. Gli altri rimasero a guardare. Questi dispiegò le ali a ventaglio poste sulla sua schiena per ascoltare il suono dell'altoparlante in uno stato di semicoscienza.

Non vidi altre ali fare capolino tra la folla di assassini alle sue spalle.

«È l'allevatore» disse qualcuno. «Non è uno di loro.»

Una creatura dalla presenza massiccia percosse un paio dei compagni con le sue ali prensili e indicò il loro simile ipnotizzato, quindi si piegò, mostrando la ferita posteriore. EzCal continuò a parlare.

«L'hanno fatto per osservare il comportamento degli edifici e del fattore in ascolto» intuii. «Ecco perché si sono fermati. Non è stato per via dell'ordine.»

A quel punto, uno dopo l'altro, i membri dello sconfinato drappello di assalitori inarcarono la schiena sfoggiando i moncherini delle loro ali. Sentii Bren sospirare. «Mio dio.» Le creature mostrarono la loro ferita. Alcuni di loro si lasciarono andare a dei suoni che sembravano espressioni di trionfo.

«Sanno che possiamo vederli» dissi.

In seguito alle istruzioni mute impartite dai colpi d'ala del loro compagno più imponente, gli Ariekei automutilati si schierarono ai lati dell'agricoltore ammaliato e l'afferrarono. Neanche se ne accorse. «Smettetela subito e mollate la presa» furono le parole di EzCal. La voce parve venirgli meno. Il fattore sollevò e dispiegò le sue ali più e più volte, obbedendo a degli ordini che non erano indirizzati a lui, mentre quelli che avrebbero dovuto fare quanto detto li ignorarono, non li ascoltarono neppure, e rinsaldarono la morsa sulla loro preda.

Il capo della fazione strappò le ali a ventaglio del loro simile. Io trasalii. La vittima urlò con entrambe le sue voci, provando a fuggire senza riuscirci. Gli artigli del suo aguzzino si mossero come delle mani umane intente a sradicare l'erbaccia. L'ala a ventaglio era stata portata via, come se l'avessero svitata: tra le grinfie delle ali prensili dell'alieno vidi le radici cartilaginee e muscolari delle ali del malcapitato, separate dal suo corpo in un fiotto di sangue che lasciò fuoriuscire dalla schiena le fibre che vi erano ancora attaccate.

Le ali di quelle creature sono sensibili quanto l'occhio umano. L'Ariekeo, fresco di mutilazione, spalancò la bocca e cadde a terra sopraffatto dal dolore, quindi venne trascinato via. L'altro sollevò i suoi moncherini, simili a un gocciolante e grottesco bouquet, e lanciò un grido assordante e privo di parole, per sottolineare il suo senso di trionfo o di rabbia.

Notai che EzCal aveva ripreso a parlare e ordinare qualcosa che continuò a essere ignorata.

22

Fu l'inizio di una guerra aperta. Definimmo l'accaduto il Primo Massacro della Fattoria, nonostante fosse anche l'unico di cui eravamo a conoscenza: un'orribile intuizione. Tuttavia, impiegammo giorni a capire cosa stesse accadendo.

Quell'ultima mutilazione non era stata altro che una campagna di reclutamento e, se le vittime fossero sopravvissute allo shock e al dolore, i ranghi dei nostri nemici si sarebbero ingrossati, soldato dopo soldato. «Come fanno a ricevere ordini?» chiesi, ma nessuno seppe rispondermi. Era possibile che non ci fosse alcun ordine, soltanto rabbia spogliata della propria Lingua. «Sono ancora in grado di pensare? Pensano ancora, dato che non possono più parlare?» La Lingua degli Ariekei era, allo stesso tempo, pensieri e parole. «Non è così?»

Non sapevamo ancora se ritirare la nostra presenza dalle fattorie limitrofe o, al contrario, incrementarla, così provammo entrambe le soluzioni. Esplosero altre tubature che si trovavano più in profondità. La scena fu la stessa, soltanto il luogo era diverso: ora in un boschetto di alberi simili a degli organi, ora in una nuvola di polvere o in mezzo alla ghiaia. Ogni episodio si concludeva con una deflagrazione di brandelli di carne e spazzatura proveniente dai mezzi di trasporto. Le nostre riserve si esaurirono.

Gli impianti non furono le uniche costruzioni a essere attaccate. Dopo il Massacro della Fattoria, gli autolesionisti si scagliarono su un accampamento presidiato da Ariekei ancora capaci di udire: venne chiamato l'Incidente dello Strapiombo. In quel luogo erano presenti anche le nostre truppe, equipaggiate con tecnologia immeriana assai rara. Riuscirono a far fuoco contro un discreto numero di aggressori, ma la metà dei nostri ufficiali fu assassinata prima che quei predoni abbandonassero la scena, galvanizzati da qualche segnale per noi incomprensibile. Assomigliavano a uno stormo di uccelli riunito a formare un unico organismo, guidato da un'ondata empatica inaccessibile alle menti umane.

L'orrore dei filmati era sempre più sconvolgente, così, EzCal decise di riunire il comitato portando *kora | saygiss*, Pero, con sé. L'Ambasciatore ci comunicò che stavano per essere apportati dei cambiamenti al sistema amministrativo della città, come se la cosa fosse di qualche aiuto. Poi Cal prese la parola e propose di stipulare delle alleanze contro quelli che definì banditi. Provai ad ascoltare e a comprendere quale fosse lo stato della politica attuale, ma, dall'espressione sdegnata di Bren, intuii che nella città, qualora non vigessero l'anarchia o una reggenza segreta, ci si trovava di fronte a una strana compravendita di cariche, proprio come per il caso di *kora | saygiss*.

Dovemmo assistere alla creazione di pattuglie a dir poco ridicole. Per ordine del nostro leader, gli agenti di polizia si misero a presidiare i sobborghi cittadini accompagnati da gruppi di Ariekei istruiti secondo un protocollo militare. Assieme a loro sarebbe sempre stato presente un Ambasciatore che avrebbe trasmesso i comandi enunciati dall'autorità del Dio-Narcotico. La corsa agli armamenti coinvolse anche i burocrati più anziani.

Le missioni in questione si disgregarono e fallirono per l'incapacità degli alieni e dei Terriani di interpretare allo stesso modo gli ordini comunicati da dei confusi Ambasciatori. Per quanto avessi potuto constatare, gli Ariekei non ne furono affatto risentiti (di recente avevo appreso che anche queste creature potessero provare un sentimento simile al risentimento), ma solo frastornati. Delle pattuglie organizzate per questo scopo, tre non ottennero alcun risultato e la quarta fu vittima di un attacco. Quando arrivammo sul posto dell'aggressione per portare in salvo la squadra, trovammo i cadaveri dei Terriani e i resti delle brutali operazioni chirurgiche che avevano fatto sparire i nostri alleati, convertendoli in ribelli. L'evento segnò la fine dei pattugliamenti congiunti.

***

«E se, anche dopo esser stati privati delle loro ali, non volessero combattere? O, ancora, se invece decidessero di combattere contro i loro stessi aguzzini?» Io, la traditrice, ero tornata ancora una volta a una delle riunioni del club segreto dei bugiardi così da permettere ai compagni di Ballerina Spagnola di esaminarmi. Questi rifletterono con la stessa urgenza con cui Bren attraversò la città per riportarmi a casa. Ballerina Spagnola non era presente.

«Quelle ali non sono delle semplici orecchie» rispose Yl. Poi, lei e Sib mi guardarono negli occhi. «Be', sì, sono orecchie.» «Ma sono la porta di ingresso principale verso la mente degli alieni.» «Molto più importanti della vista.» «La loro psicologia è del tutto diversa dalla nostra.» «E, senza le ali a ventaglio, non riescono a sentire alcun suono.» «Non possono sentire neanche le loro stesse parole.» «Dunque, non sono più in grado di parlare.» «Nel caso specifico, di parlare nella Lingua.»

Era probabile che avessero perso completamente il senso della realtà e la capacità di pensiero. Quei ribelli rappresentavano una comunità in frantumi, incapace di esprimersi, sempre che di comunità si potesse parlare. Per gli Ariekei, la Lingua coincide con il mondo: senza di essa che cosa resta? Nient'altro che una massa di psicopatici asociali.

«Così, una volta privati delle loro ali,» osservai «anche quelli che non volevano prendere parte alla ribellione sono diventati...» «Pazzi.» «O qualcosa del genere.» «Magari alcuni di loro non partecipano alla ribellione.» «Forse iniziano a vagabondare e si perdono.» «Forse muoiono.» «Fatto sta che non sono più quelli di prima.» «Non c'è da meravigliarsi se molti di loro si uniscono alle fila nemiche.» «Ai banditi.» YlSib sorrise amaramente nel pronunciare il termine ridicolo utilizzato da EzCal.

«Non è possibile che siano stati tutti indotti a farlo con la forza» esclamai. Di sicuro, i personaggi chiave di quell'esercito erano coloro che avevano provveduto alla propria mutilazione. Un atto sovversivo così disperato e folle era stato probabilmente compiuto in maniera autonoma e da parte di centinaia di alieni. Poteva darsi che un gruppo si fosse messo d'accordo e avesse condiviso in massa un simile momento di agonia, tra uno e l'altro dei proclami sconclusionati di EzRa; infatti, avevamo notato che gli attacchi da parte di questi dissidenti erano cominciati già prima dell'arrivo del Dio-Narcotico numero due, ma, contrariamente a quanto fatto in precedenza, ora si erano organizzati in una vera e propria base operativa. Forse, da qualche parte, c'era una stanza piena delle ali di molti dei nostri nuovi nemici, il luogo dove si era generata questa moltitudine millenaria.

Ognuno di loro era intrappolato in sé stesso. Dio solo sapeva quanti ne erano, una squadriglia di soli e abbandonati. Come facevano a muoversi insieme? E come coordinavano i loro attacchi? Pensai di nuovo che fossero mossi dall'istinto e da una struttura grammaticale profonda che operasse nel caos. Non c'erano piani. Era possibile perfino pensare che ognuno di quei raid così accorti, in verità, non fosse altro che un'incursione casuale. Eppure, mi tornò in mente ciò che vidi in occasione del Primo Massacro della Fattoria e lo interpretai come un atto comunicativo vero e proprio. La cosa mi inquietò.

«Hanno cominciato a addentrarsi in squadre dentro la città» spiegò Sib. La nostra non era più una città, ma un'accozzaglia di tribù di tossici e di schiavi che sorgeva sulle macerie del vecchio insediamento urbano. «Un tempo uccidevano i loro simili.» «Ma ora hanno capito che basta spezzare il legame di dipendenza con il Dio-Narcotico...» «...di quelli che ritengono meno disgustosi di altri.» Avevano smesso di uccidere per cominciare a reclutare. YlSib mimò i gesti crudeli di quegli esseri fingendo di torcere delle ali immaginarie dai rispettivi punti a cui erano ancorate.

Io mi strinsi nelle spalle e scossi la testa chiedendo di vedere Ballerina Spagnola, il loro amico. Volevo capire quella strategia di emancipazione. L'Ambasciatrice fu contenta della cosa e mi condusse nella grotta orlata di stalattiti simili a dita acuminate in cui viveva l'Ariekeo. Sedemmo in silenzio per molto tempo.

Delle armi biomeccaniche alquanto potenti, sviluppate da un incrocio con razze biomeccaniche già esistenti, avevano abbattuto un piccolo borgo di case in periferia che si era gradualmente ricostruito. L'Ariekeo informatore al soldo di EzCal ci disse che stava per succedere qualcosa di terribile.

«Tutti gli abitanti della città e di Embassytown devono prendere parte alla lotta contro i nostri aggressori» fece il Dio-Narcotico, seguito da *kora | saygiss*. Non importava con quanta assiduità gli alieni sottomessi cercassero di obbedire, quelle parole restavano troppo fumose per giungergli in maniera chiara. L'Ambasciatore non pronunciò mai un ordine che con il suo potere intossicante avrebbe costretto tutti gli Ariekei a obbedire a *kora | saygiss*: temeva le conseguenze non richieste di un simile gesto.

Il mio costante desiderio era quello di tornare indietro dai bugiardi della città, intenti ancora a raccogliere la sfida linguistica di *surl | tesh echer*. Cercai di imparare la strada a memoria, compresi i vari cambi di direzione e le strategie da impiegare per raggiungere il luogo designato, ma purtroppo dovetti continuare a recarmi lì sempre e solo in compagnia di YlSib e Bren. Capii che gli ultimi avvenimenti avevano messo Ballerina Spagnola e i suoi compagni sotto tensione. Uno del gruppo li aveva lasciati.

YlSib ascoltò le loro spiegazioni. «Hanno avuto una discussione.» «Gli ha detto...» «Gli ha detto di vergognarsi.» Era stato già abbastanza brutto quando il Dio-Narcotico numero uno li aveva messi in quella situazione, ma ora era anche peggio, perché con l'avvento del secondo si erano trasformati in burattini privi di volontà. «Lui... Oh.» «Si è strappato le ali.»

«No» imprecai.

Non si trattava soltanto di aver perso un amico, quell'Ariekeo aveva ceduto alla barbarie tanto nella mente quanto nel corpo e ora non sarebbe più stato in grado di sentire o parlare. Questa scelta li aveva feriti. Il loro desiderio era quello di rappresentare una speranza, un'alternativa al suicidio rivoluzionario di coloro che, insieme alle ali, avevano preferito privarsi anche del loro spirito sociale, azzerandosi in un tentativo di vendetta nichilista. Tra i Senza Lingua esistevano ceti sociali? Gli autolesionisti costituivano forse un'aristocrazia che si poneva al di sopra di quelli che, invece, erano stati reclutati con la forza? Osservai gli occhi scuri di Ballerina Spagnola, il quale aveva assistito alla scena del suo compagno che strappava le proprie ali, consapevole degli anni di duro lavoro passati a organizzare quel progetto partito molto tempo prima che si scatenasse l'apocalisse.

Al di qua delle barricate, tra i vicoletti secondari dove, quasi senza subire restrizioni, era stato messo in piedi un commercio di beni riciclati, le persone ricominciarono a domandarsi quando sarebbe arrivata la prossima nave, dove le avrebbe condotte e che tipo di vita sarebbe spettata ai cittadini di Embassytown esiliati da Bremen.

Le nostre telecamere ora si erano inselvatichite e avevano preso a vivere nelle pianure; molti di queste si erano rotte o il loro segnale si era affievolito, ma alcune continuavano a inviarci filmati.

Altre si trovavano al di là dei condotti, nella campagna più remota, così distanti dalle fattorie da non riuscire neanche a metterle a fuoco. Mi giunsero delle voci riguardo a un certo filmato, che non avevo ancora avuto modo di visionare. Mi rifiutai di pensare che esistesse veramente e che mi era stato tenuto nascosto. Non ero, forse, anch'io un membro del comitato? Ma il tentativo era fallito e io avevo scoperto che si erano sforzati di lasciarmi all'oscuro. La cosa non avrebbe dovuto scioccarmi affatto. Esisteva una divisione interna, un distaccamento di vigliacchi e infidi collaboratori di EzCal che facevano rapporto soltanto a lui. Non c'era niente di ragionato in tutto questo, la segretezza era un riflesso incondizionato della burocrazia, eppure quei file cominciarono a circolare esattamente il giorno dopo che la città fu inondata dai pettegolezzi sulla loro esistenza, finendo perfino nelle nostre mani.

Un gruppo di noi li caricò nel sistema informatico del comitato. Bren sembrava agitato: mi stupii della sua impazienza e del fatto che non avesse la minima idea circa l'attendibilità o meno delle voci che ci erano arrivate. Ormai ero abituata a pensare a lui come a uno che sapesse più cose di quante me ne confidasse e lo sbeffeggiai al riguardo, con fare irritante. Osservammo insieme le registrazioni delle telecamere, le immagini erano catturate da grande distanza, ma difficilmente poteva trattarsi di un altro Paese. L'inquadratura si mosse attraverso dei passaggi angusti e io mi scansai per evitare le sporgenze che la stessa telecamera aveva schivato giorni addietro. Qualche idiota alle nostre spalle chiese qualcosa del tipo: 'Perché stiamo vedendo questa roba?'

La telecamera si infilò in un anfratto tra le rocce, sbucando in una vallata dalla terra color pomice, poi, vibrando come un uccello si librò sopra il pendio, sempre più in alto, mettendo a fuoco il punto in cui si intravedeva un fiume. Sussultammo. Qualcun altro imprecò.

Le immagini davanti ai nostri occhi erano quelle di un esercito che marciava verso di noi. Non centinaia, ma migliaia di migliaia di Ariekei.

«Gesù... Gesù Cristo» dissi, non riuscendo a trattenere il mio stupore: ora sapevamo perché la città si fosse svuotata in quel modo. «Oh, Pharotekton.»

Nonostante i microfoni facessero schifo riuscimmo lo stesso a sentire il frastuono prodotto dal loro incedere, il ritmo fuori tempo della loro marcia. Gli Ariekei monchi urlarono, ma non lo potevano sapere, non potevano sentire il loro richiamo costante. Le macchine tra le loro file procedevano al fianco dei proprietari, seguendo i loro muti rimproveri. Notammo la quantità delle loro armi. La folla proiettata su quegli schermi era l'unico esercito esistente sul pianeta e si stava muovendo verso di noi.

Le telecamere si avvicinarono, così da mostrarci la miriade di moncherini. Ognuna di quelle creature era un soldato incapace di obbedire agli ordini ma intrappolato in un solipsismo che lo isolava dalla società: non era più in grado di parlare, di ascoltare, di pensare, eppure si muoveva all'unisono come grazie a un incantesimo che spingeva tutti quegli individui a procedere secondo gli stessi propositi senza doverli comunicare. Sembrava impossibile, ma sapevamo che erano mossi tutti dallo stesso fine: noi.

23

Oltre a Senza Lingua e AL, acronimo per AutoLesionisti, in un primo momento chiamammo quell'esercito che stava marciando verso noi con il nome di Audiolesi. Gli umani non udenti di Embassytown protestarono contro quell'appellativo; avevano ragione a farlo e noi ci vergognammo di aver scelto un nome simile. In seguito, alcuni cominciarono a chiamare i nostri aggressori con un termine ripreso dalla lingua antica e che aveva lo stesso significato di quello precedente, Surdi. In questo modo ogni insulto parve diluirsi, anche a causa del moderno imbastardimento della lingua o di qualche fraintendimento, che portò la parola Surdi a trasformarsi in Assurdi. Fatto stava che gli Ospiti venivano a ucciderci per un peccato che avevamo commesso, se non altro, senza volerlo.

Più di ogni altra cosa era la loro disciplina a essere assurda, incomprensibile: senza poter pronunciare una sola parola, dal corpo principale di quella lenta armata si distaccarono dei piccoli gruppi più rapidi e si coordinarono in squadriglie in grado di dilaniare la campagna e fare a pezzi le nostre guardie, o di arruolare nuovi Ariekei strappando le loro ali. Di colpo, le trasmissioni furono interrotte e le telecamere precipitarono a terra a causa di guasti, raffiche di vento o impeti di rabbia nemica. A quel punto decidemmo di mandarne altre e dare inizio al piano.

Proseguendo con la nostra azione di spionaggio infrangemmo i vecchi trattati e la propensione all'isolamento. Le telecamere ci mostrarono le coste e la calma del mare tossico. Embassytown sorgeva dentro una città che, a sua volta, sorgeva all'interno di un paese. Non eravamo affatto abituati a pensarla in questo modo. Nell'immer spesso avevo utilizzato tecnologie cartografiche, ma mai cartine riguardanti il mio mondo. Intorno a noi c'era un intero continente e mi resi conto che non soltanto avrei trovato difficile tracciare i confini di Embassytown e della città, ma che non sarei stata capace neppure di riconoscere la forma del territorio in cui vivevamo e di cui non eravamo che un minuscolo puntino. Tuttavia, ora che era una necessità, non fu difficile rompere quei tabù e provvedere alla redazione delle mappe richieste. Da noi tali pratiche non erano vietate, come invece mi era capitato di constatare in alcune teocrazie dichiarate presenti nello spazio. Erano semplicemente giudicate inappropriate, e ora non c'era più tempo per le vecchie buone maniere. Le telecamere ci comunicarono le rotte così che potessimo tracciare il percorso degli Assurdi.

Sembrava che i pionieri di quell'orda avessero addirittura compreso anche la tecnica specifica con cui vittimizzare i propri simili al fine di renderli dei commilitoni privi di parola. Come era possibile? Si erano allontanati dalla città deserta, per affermare il proprio potere sugli agricoltori, e da lì proseguire oltre i grovigli degli impianti di rifornimento alla volta di aree più lontane così da fagocitare anche gli Ariekei dediti al nomadismo e che vivevano cacciando e raccogliendo fabbricati e oggetti tecnologici ormai superflui o che erano riusciti a scappare. Un giorno qualcuno scriverà la storia di quel lungo viaggio e della crociata messa in atto per reclutare un numero sempre maggiore di combattenti.

Non erano soltanto degli individui strappati alla campagna e guariti dalla loro dipendenza grazie a una cura brutale: immaginai queste figure folli riemergere dalle terre selvagge in qualità di profeti. Ariekei provenienti da luoghi remoti e già allarmati o adirati all'apprendere la condizione dei loro cugini di città, ridotti a zombie estatici, o magari un vile pronto a tutto, anche se lontano abbastanza da non aver contratto il morbo dell'assuefazione, soggetti come questi non avevano bisogno di coercizione per unirsi agli Assurdi.

Ci sarebbe voluto un po', forse, prima che l'esercito mostrasse la propria violenza in maniera regolare e sfrenata, quindi, in alcuni insediamenti, chi non era stato ancora reclutato continuò a tenere dibattiti su come rendere sordi: una sorta di ultime articolazioni oratorie prima della totale eradicazione della Lingua.

Chiesi a Bren di accompagnarmi in città. Sebbene in teoria i nostri confini fossero ancora presidiati, ormai era semplice uscire da Embassytown e trovare percorsi facili da imparare.

«Saranno qui nel giro di due settimane» esordii. Il mio compagno annuì.

«Hai notato che sono tutti nel pieno della loro evoluzione?» disse. «Hanno smesso di proteggere gli anziani e badare ai più giovani.»

Tuttavia, ben presto i più piccoli avrebbero provato gratitudine nei loro confronti. Erano stati, sì, abbandonati, ma alcuni giovani Ariekei sarebbero sopravvissuti e, una volta diventati adulti, nel pieno possesso della Lingua, avrebbero trovato ad attenderli una città purificata dalla nostra presenza. In un ambiente privo di Dèi-Narcotici. Gli Assurdi erano pronti al martirio in vista delle generazioni future, mostrandosi ostili verso qualsiasi tipo di compromesso o accordo.

Eravamo confinati in una delle sottoregioni cittadine più sicure, ma riuscii comunque a trovare il modo di raggiungere il luogo in cui Ballerina Spagnola e i suoi compagni facevano pratica con l'arte della menzogna (questa volta fui io a guidare Bren fin lì) per aiutarli a trovare altri modi per esprimere la mia similitudine.

«Stiamo mettendo in piedi un esercito» fece Cal. La nostra reazione fu di grande sdegno. «Radunatevi quanti più possibile al centro della piazza e tenetevi pronti alla battaglia» fu l'ordine che EzCal trasmise agli Ariekei, ordinando loro di trovare dei soldati. L'Ambasciatore richiese la partecipazione di un *qura | mashi* di volontari. Il termine in questione era l'unità di misura più grande dotata di un nome specifico e deittica di un qualsiasi quantitativo esistente che andasse oltre il *qura | spa*, un numero pari a 3072. In particolare, l'espressione utilizzata era traducibile con 'un'infinità'. La pretesa dell'Ambasciatore fu quella di ottenere l'assembramento più grande che gli Ariekei potessero fornire.

Cal fece un cenno con la mano. Alle sue spalle, Ez sembrava il pupazzo di un ventriloquo, che tornava a vivere solo quando parlava o qualcuno parlava attraverso di lui. Wyatt lo guardava come un genitore apprensivo. Mi domandai quanti soldati ariekeiani il Dio-Narcotico sarebbe riuscito a reclutare e se il processo di arruolamento sarebbe stato imposto. Gli abitanti dei piccoli villaggi rimasti in città, isole in mezzo a zone popolate da esseri moribondi ormai incapaci di ragionare, avrebbero provato a obbedire in vari modi, sapendo che l'armata degli Assurdi era alle porte. Quelli del posto governati da *kora | saygiss* – o meglio, affidatigli da EzCal – sarebbero stati di certo quelli che avrebbero procurato il maggior numero di soldati.

«...Una delle truppe principali di Ariekei servirà a proteggere la città, stazionando nei punti deboli insieme a un paio di... be', di squadre speciali ben addestrate» spiegò Cal durante la riunione del comitato. Non potei sopportare di sentire i suoi discorsi disperati mascherati da strategia, né riuscii a incrociare gli sguardi di nessun altro dei presenti in sala. Sapevo bene che non disponevamo di alcuna arma in grado di difenderci dall'orda in arrivo. Una volta finita la riunione, raccolsi tutta la mia roba con calma e, dopo un momento di distrazione, notai di essere rimasta sola con Ez e Cal. Non so come fosse potuto succedere, ormai non potevo scappare. Non riuscii a guardarli in faccia. Ero la loro nemica e conoscevo dei segreti che sarebbero stati bollati come atti di ammutinamento.

Intuii il livello di stanchezza di Cal dalla sua postura ricurva. Parve raggrinzirsi. Per un istante ebbi come l'illusione che la sedia fosse diventata gigante, il trono di un re bambino. Al contrario, Ez restò in piedi come un cortigiano scorbutico. Di sicuro stavano aspettando di esercitarsi nei loro inevitabili proclami.

«Ti manca mio fratello, Avice?» chiese Cal.

«Se mi...? Vin? Io... Sì.» Sotto certi aspetti era vero. «Qualche volta ne sento la mancanza. A te, invece?»

Il suo sguardo parve corrucciato.

«Sì. Ero arrabbiato con lui. Prima che morisse.» Fece una pausa. «Ero arrabbiato con lui prima che decidesse di togliersi la vita. Poi la situazione non è di certo migliorata. Tuttavia, mi manca.»

Cercai di capire se continuare a parlare con lui potesse portarmi qualche vantaggio, ma non mi venne in mente niente da dire. «Per favore» disse con tono irritato, anche se non nei miei riguardi. Ez sollevò lo sguardo.

«Io...» esordì il suo doppio, uscendo. Fu la prima parola di sua spontanea volontà che gli sentii pronunciare dopo giorni e giorni. Cal nemmeno lo guardò andar via.

«Anche Vin sentiva la tua mancanza» continuò.

«Davvero?»

Qualunque cosa fosse accaduta all'uomo con cui stavo parlando e qualsiasi cosa fosse diventato, ero sicura che lui continuasse a vedermi nel modo in cui lo vedevo io, attraverso una finestra di ricordi che includeva le mattine e i pomeriggi passati insieme, i nostri corpi nudi, e il sesso, che a volte era stato meraviglioso. Che avrei potuto fare se non ricordare l'ultimo sguardo che Vin mi aveva regalato? Lessi in lui quel bisogno cui, forse, aveva dato un altro nome, e che probabilmente Cal non sopportava. Cal credeva che l'affetto del fratello fosse del tutto assente, poiché ero stata io a rubarlo? Forse era perché non poteva darglielo di persona?

Fui tanto scioccata da sentirmi soffocare e avvertii il bisogno di chiudere gli occhi. Mi sentii stretta da un gigantesco senso di pena, indirizzato a Vin solo in parte. Ripensai ai mesi trascorsi come amante di CalVin e tentai di ricostruire nella mia mente i momenti in cui tutti e tre parevamo animati da un solo cuore. Non ci riuscii. Era mai successo che mi avessero toccato contemporaneamente, o quantomeno prima uno e poi l'altro, come avevo immaginato? Mi voltai verso il mio interlocutore. Aveva a malapena tollerato le pulsioni del suo doppio per tutto quel tempo?

Siamo mai stati insieme noi due?, pensai.

«Continuo a cercarlo quando mi sveglio. Non mi sono ancora abituato alla sua assenza» disse in maniera repentina. «Non era così che doveva andare. A dire il vero, ci sono momenti in cui non mi dispiace. Di tanto in tanto, il silenzio è un bene.» Guardai altrove per fuggire quel suo sorriso orribile.

«La verità, Avice, è che non sono in grado di dire se mi manchi o meno. In realtà, non è neanche questo. So che mi manca, ma non è una sensazione nitida come dovrebbe. Doversi dire tutto, come faccio... o facevo... be' è tanto un bene quanto un male. È controversa. Sono stato alla casa di riposo dove vengono tenuti gli uomini spaccati. Intendo quelli normali, non quelli come Bren, che creano problemi. Non lo so: è questo che sono diventato?»

Con il capo indicò la porta attraverso la quale Ez era uscito di scena. «Che bastardo, eh? A volte le cose possono finire in un modo davvero terribile. Come ti dicevo... Ho perso il filo. Devo fare ciò che va fatto.»

«E cosa sarebbe, Cal? Perché dovresti?» Le parole mi uscirono di bocca senza che io avessi intenzione di controbattere a quanto mi aveva detto, né immischiarmi nei suoi affari. «Ci abbiamo già provato, Cal. Hai già tentato di mettere in piedi un esercito ed è stato un disastro...»

«Avice, per favore.» Scosse la testa, poi esitò come sforzandosi di trovare il modo in cui comunicarmi qualcosa. «È stato l'accorpamento delle forze di polizia che non ha funzionato. Questo sarà diverso. Te ne accorgerai da sola. A ogni modo, cosa suggerisci? Non possiamo certo lasciarli entrare come se niente fosse... hai visto di cosa sono capaci, no?» Gesticolò ancora, sullo stile di Ez. «Posso fargli fare ciò che voglio.»

«Be'...»

«Be', tuttavia, non è questo il punto. La mia intenzione, la nostra, è quella di proteggere la città, ne abbiamo bisogno, ma non è tutto. Il punto fondamentale è che le squadre usciranno fuori dai confini. Ci ho pensato molto.» Si portò la mano alla gola: al luogo da cui la sua voce aveva origine. «So dove abbiamo sbagliato. La prima volta gli abbiamo ordinato soltanto di pattugliare le strade. Sono state delle disposizioni troppo vaghe. Il loro lavoro, invece, è diverso. È un compito specifico. Con un inizio e una fine.»

«Che tipo di compiti hai intenzione di assegnargli, EzCal?» chiesi. Lo scivolone di chiamare Cal in quel modo non era stato intenzionale.

«Lo vedrai. Credo che ne sarai impressionata. Non agisco affatto nel modo in cui pensi; so bene che opinione hai di me, Avice.»

Decisi di andare via, appesantita dal discorso.

Non assistetti all'ispezione delle truppe ariekeiane da parte di Cal ed Ez, considerandola una gigantesca pantomima. Venni a sapere che aveva nominato MagDa sua assistente e le aveva chiesto di fargli da portavoce. EzCal non poteva esprimersi o avrebbe creato una baraonda di soldati semplici in trance sopraffatti dal desiderio di obbedire a qualsiasi sua parola, che fosse un ordine o meno.

I suoi volontari raggiunsero davvero il *qura | mashi* richiesto, superando le migliaia. Fu un'adunata senza precedenti. Con l'aiuto dell'Ambasciatrice, Cal li suddivise in ranghi, squadroni e unità, attribuendo un comandante a ognuna di essi. Il dispiegamento delle difese non portò affatto al caos che avevo pensato.

Tuttavia, non erano sufficienti: il numero di soldati presenti tra le fila dell'esercito degli Assurdi era di gran lunga superiore. Non avevo ancora capito – o meglio, avevo ignorato Cal quando me l'aveva spiegato – che quell'artificio bellico e la relativa cerimonia terrificante non erano altro che una piccolissima parte del suo piano. Non mi accorsi neppure che MagDa era stata via per due giorni insieme agli altri, parte di quella squadra per la quale EzCal doveva aver scelto oculatamente un nome. Durante la loro assenza, non sapendo affatto dove potessero trovarsi, mi recai ancora una volta da Ballerina Spagnola insieme a YlSib, in attesa dell'arrivo dell'armata nemica. L'impressione che si avvertiva in città, al di fuori di Embassytown, era illusoria, come se l'esito del conflitto non fosse per nulla scontato.

Cal ci convocò tutti all'interno di una sala conferenze. Mi recai all'incontro avvertendo la solita sensazione, non troppo mendace, di essere una spia. I membri del comitato erano sparsi qua e là. Osservammo l'Ambasciatore al centro dell'aula dall'alto delle nostre file di panche. Presi posto tra Simmon e Southel. Accanto a EzCal si trovava MagDa, col volto solcato dalle ferite, e *kora | saygiss*. Negli angoli della stanza scorsi altri Ospiti.

«Vorremmo cominciare con un minuto di silenzio,» disse Cal «per ricordare gli ufficiali Bayley e Kotus, che hanno dato la vita per la loro missione e per il bene del nostro avamposto.» Restammo in attesa. «Facciamo in modo che questo sacrificio non sia stato vano. Portateli qui.»

Un senso di commozione ci pervase. Poi, tutti quanti sussultammo, imprecammo e facemmo un balzo all'indietro. Ciò che le guardie portarono davanti ai nostri occhi furono dei nemici. Una coppia di alieni Audiolesi, ammanettati. I loro occhi polipeschi ci videro e cominciarono a dimenare zampe e ali per via della costrizione, mettendo alla prova le catene con astuzia.

Li osservammo mentre Cal girò intorno ai prigionieri con una lunga bacchetta per indicare il punto in cui si notavano le loro ferite selvagge: i monconi delle ali strappate. Sembrava la fotografia di un antico docente universitario in uno di quei centri di apprendimento tipici del periodo ante diaspora. Nel vederlo muoversi alle loro spalle gli aggressori gemettero in modo incomprensibile, emettendo dei suoni simili a delle invocazioni divine. *kora | saygiss* e gli altri Ariekei presenti in sala li seguirono con il loro costante oscillare, contorsioni dettate da un'eco di disprezzo per gli sforzi dei nemici.

I nostri soldati erano riusciti a rintracciare un gruppo di Assurdi allontanatosi dal corpo principale dell'armata per saccheggiare un insediamento isolato. C'era stato uno scontro che aveva prodotto morti da ambo i lati. Alla fine, Cal disse che la cooperazione senza precedenti tra i Terriani e i nostri alleati ariekeiani era riuscita ed eravamo stati in grado di catturare vivi alcuni dei nostri nemici.

«Dobbiamo studiarli» aggiunse. «In questo modo riusciremo a batterli.»

Capimmo di essere lì per prendere appunti e comprendere il comportamento dei Senza Lingua. Al di là degli esperimenti condotti con sonde in laboratori ermetici e interazioni tra gli Assurdi e i nostri alleati, la coppia di prigionieri continuò a ignorare gli Ospiti presenti, così da impedire altri tentativi di comunicazione: nelle poche occasioni in cui gli stimoli linguistici trovarono risposta, fu in un modo e con delle reazioni che non eravamo comunque capaci di comprendere.

Il solipsismo di quegli autolesionisti parve impenetrabile. Era possibile che qualcuno del comitato avesse creduto alle affermazioni di Cal in merito al fatto che ci stessimo preparando a sconfiggerli, ma, vedendolo parlare attraverso MagDa – per evitare di produrre alcun effetto indesiderato – e persuadere *kora | saygiss* a tentare un approccio con gli Assurdi – cosa che non produsse alcun effetto – o chiedere all'Ambasciatrice di fare lo stesso, molti di noi, me compresa, capirono che la sua vera speranza era negoziare.

Gli esseri che ormai si erano preclusi ogni possibilità di interazione, scindendosi dalla Lingua e divenendo delle monadi omicide, erano migliaia e nessuna delle nostre conoscenze poteva fare la differenza. Con i resti dell'arsenale di Wyatt e l'esercito di Ariekei messo in piedi da Cal saremmo riusciti a ucciderne qualcuno, ma la città stava continuando a restringersi a vista d'occhio, assistendo alla morte o all'automutilazione dei propri abitanti, tutti intenti a precipitarsi presso gli altoparlanti degli insediamenti limitrofi per ascoltare la voce del Dio-Narcotico. Il numero di Assurdi che avrebbero preso parte al conflitto era troppo superiore a quello dei nostri commilitoni.

L'Ambasciatrice si espresse nella Lingua, per poi tornare a rivolgersi a noi con tono alterato, seguita dal ringhio dei prigionieri: «Non possono nemmeno sentirci.»

«Allora mostraglielo» la esortò Cal. «Fa' in modo che capiscano.» Gli scambi si prolungarono e mutarono, ma sempre nevrotici e privi di senso. Gli Ariekei ripeterono le loro parole e il resto degli Ambasciatori gesticolò. I nemici si avvicinarono strattonando le catene cui erano legati: osservarono i loro interlocutori focalizzandosi sulle azioni di questi ultimi e non sui loro approcci. Notai dei momenti improvvisi di attenzione condivisa in risposta alle stravaganze di *kora | saygiss* che non ero in grado di vedere.

Gli Assurdi si guardarono a vicenda, produssero rumori senza rendersene conto e catturarono l'attenzione reciproca grazie alle loro corna oculari, muovendosi per indicare qualcosa su cui concentrarsi. Per quanto limitati fossero, riuscirono a muoversi e prendere posizione, senza che Cal ed Ez smettessero di far scorrere delle immagini sugli schermi e di stimolarli con delle vibrazioni attraverso il pavimento. Questi camminarono, triangolarono, si allontanarono.

Evitai di dare giudizi affrettati, ma quando poi tentarono di attaccare una delle guardie aliene capii che già sapevo cosa sarebbe successo. Furono neutralizzati ancor prima di riuscire a fare alcunché con i loro corpi incatenati, muovendosi come dei goffi randelli, ma la sincronia delle loro movenze mi sorprese, e mi fece tornare in mente i libri di mio marito.

«Qual è la parola nella Lingua per 'quello'?» chiesi a Bren. «Come faccio a dire quello là» chiarii. «Del tipo, quale bicchiere vuoi? Quello là.»

«Dipende.» Scrutò il bicchiere sul tavolo. «Se mi riferissi a quello, potrei dire...»

«No. Non intendo niente di specifico, ma in generale. Quello» indicai. «O quell'altro.» Spostai la mano. «Il concetto, insomma.»

«Non c'è niente del genere.»

«No?»

«Certo che no.»

«Ero sicura ci fosse. Allora, come faccio a distinguere quel bicchiere da quello là o da quell'altro?» Puntai il dito.

«Diresti 'il bicchiere davanti alla mela', 'il bicchiere che ha una crepa sul fondo' e 'il bicchiere con un rimasuglio di vino'. Perché lo chiedi? Dovresti saperlo. Avrebbero dovuto insegnarti queste cose, no?»

«Sì» risposi. Restai in silenzio per un istante. «Anni fa.» Ero tornata a parlare in termini di anni e non in kilo/ore. «Ma, se tu volessi tradurre a me ciò che dice un Ariekeo, 'il bicchiere davanti alla mela' e 'il bicchiere con il vino' diventerebbero soltanto 'quello' e 'quell'altro'. Talvolta le traduzioni limitano la comprensione. La mia Lingua non è affatto scorrevole. È probabile che anche questo discorso mi sia di aiuto ora.»

«Le traduzioni sono sempre una limitazione» sentenziò. «A cosa stai pensando?»

«Quanto ci vorrà prima che arrivino?» chiesi. «Riusciresti a contattare YlSib? E gli altri? Chiunque tu possa, insomma.» Strinse gli occhi, ma annuì. «Dobbiamo andare. Trova YlSib o chiunque sappia come contattare Ballerina Spagnola e gli altri. Io...» Mi bloccai. «Non lo so» feci. «Non so se... posso dirlo a Cal.»

«Spiegami» disse Bren. «Pensavo avessi perso la speranza.»

«Lo pensavo anch'io.»

«Allora? Spiegami.»

Gli spiegai tutto, rovinandogli la sorpresa: voi, invece, dovrete attendere ancora.

Bren fece un cenno con la testa e ascoltò ciò che non poteva essere definito esattamente un piano – ma piuttosto una sensazione, una speranza – finché non ebbi finito, poi disse: «No. Non possiamo dirlo a Cal.» Mi accarezzò la guancia e mise il suo braccio attorno a me. Per un istante mi abbandonai a lui e fu bellissimo. «Non possiamo.»

«Ma stiamo cercando di sistemare a questa situazione» continuai. «Sai che EzCal non è stupido...»

«Non si tratta della sua idiozia» ribatté. «Riguarda chi è e cosa rappresenta. Forse riusciresti a far ragionare Cal. Forse. Eppure, non credo sarà così. E tu? Saresti davvero disposta a rischiare?»

«Se ci muoviamo, lo verrà a sapere.»

«Sì. Ti vedrà come una nemica. E avrà ragione. Non pensare che lui... che loro non troveranno il tempo per fermarci.»

«Bene allora» proseguii. «Sarò loro nemica.»

Mi sorrise. «Cos'altro dobbiamo fare, Avice?»

Ci voltammo sottobraccio a osservare lo schermo su cui erano proiettate le immagini dei prigionieri Senza Lingua, intenti a scalciare, da soli nella loro stanza, sorvegliati dalle telecamere. Il nostro allontanarci fu qualcosa di intimo, poiché eravamo pronti all'esilio autoinflitto. Vedemmo i due Ariekei alla mercé dei nostri leader muoversi in un modo che non poteva essere definito sconnesso. Parvero animati da qualcosa di preciso: non un piano, ma una consapevolezza reciproca, una sorta di comunione.

24

Destavo ancora qualche interesse culturale, e lo stesso valeva per BrenDan, l'uomo spaccato, piantagrane e dissidente patentato. Tuttavia, era possibile che ci stessero già sorvegliando e, se fossimo spariti insieme, l'avrebbero notato: fu questo il motivo per cui l'ultima volta mi recai in città da sola.

Le strade di Embassytown continuarono con la solita routine, mentre il comitato veniva smembrato e Cal acquisiva il potere che un tempo era stato nostro. Camminando per quelle vie raggrinzite, munita di respiratore eolico e provviste, mi sorpresi nel passare accanto a più di una festa all'aperto. Incontrai gli sguardi di alcuni turnogenitori alle prese con i propri bambini che giocavano e mi accorsi della loro commozione nel sapere che quello ero l'ultimo svago che potesse tenerli occupati, ma neppure un simile sentimento sottraeva piacere a un momento come quello.

I poliziotti in giro non erano molti e non sembravano animati da alcun slancio, non trasmettevano alcun senso di sicurezza ma solo di inesorabile attesa che la guerra bussasse alla porta. Non si erano preoccupati di sgombrare le strade dai predicatori shaker, quaccheri, creazionisti e fatalisti, ognuno con la sua teoria pronta a condannarci o salvarci tutti, a seconda dei casi, e nessuno di loro, neanche il più fervente, fu trattato alla stregua di un appestato, ma solo come un semplice intrattenitore. Le persone si divertivano a provocarli, mettendo alla prova la loro devozione accanita e imperturbabile.

Mi venne voglia di fermarmi e chiedere a qualcuno di unirsi a me in uno di quei caffè in cui distribuivano bevande gratuite o accettavano le piccole cambiali che gli porgevamo secondo le regole di quella garbata farsa. La risposta dei più pensierosi, quelli già orientati alla partenza, era sempre la stessa: magari, qualche volta si potrebbe fare. Il sentiero che scelsi per uscire da Embassytown era vicino al punto in cui io, Yohn, Simmon e gli altri eravamo soliti giocare a trattenere il respiro e dove, da bambina, io ero riuscita a spingermi fino a toccare il legamento. Uscii dall'avamposto attraversando, solitaria, i corridoi di una casa al confine.

Avevo annotato sulla mia mappa i punti in cui si trovavano le colonie cittadine ariekeiane, secondo le informazioni ottenute da Bren. 1: Centro città. *kora | saygiss*. Leali. Alla mia sinistra; 2: Indefinito; 3: Hanno contribuito alle truppe, ma sono in conflitto con *kora | saygiss*; 4: Comunitari? 5, e così via. Sapevo bene che i confini tracciati erano alquanto labili e, con l'avanzata degli Assurdi, queste piccole autonomie divennero sempre più delle isole separate da ideali politici e culturali divergenti e dalla devastazione delle aree intermedie. Non ero per niente al sicuro.

Per qualche centinaio di metri mi ero imbattuta ancora nella passeggiata di qualche altotasso, in compagnia degli insetti e del frullare d'ali degli uccelli nei paraggi, ora però ero entrata nel territorio della fauna locale dove ogni cosa era munita di due nomi diversi: uno nel nostro vernacolo e l'altro nella Lingua. Rimasi immobile di fronte a una bestia grande quanto un cane che noi definivamo cannone bruno, ma che gli alieni chiamavano *kosish | rua* o *ter | sethis*, a seconda di una differenza tassonomica che non eravamo mai stati in grado di capire; mi tagliò la strada con un'andatura spocchiosa. Sopra la mia testa vidi volare rottami e biomacchine, sia allo stato brado che con alcuni Ariekei a bordo.

Orientarmi nell'immer non era un problema per me, questa geografia invece mi mise davvero alla prova. In quella terra di nessuno i pericoli erano dietro ogni angolo, e in prossimità degli insediamenti alieni sarebbe stato ancora peggio. A farmi paura non era la furia imprevedibile degli esseri ormai senza ragione, ma la minaccia rappresentata dai guardiani al confine, che spesso si scontravano con gli abitanti delle nuove tribù. Infatti, fui costretta più di una volta ad accucciarmi tra le rovine di un edificio o tra i mucchi di spazzatura per assistere non vista alla loro violenza.

La paura mi mozzò il fiato. Procedendo a spirale mi accorsi del crescente ronzio diaframmatico dei miei vicini. Mi fermai di colpo, di fronte a due uomini.

Questi mi videro e imbracciarono i fucili. Le loro facce erano rese irriconoscibili dalle visiere delle maschere eoliche. L'assurdità della presenza terriana in quel punto mi pietrificò, esponendomi al pericolo per un istante, poi ripresi a muovermi, togliendomi di mezzo un attimo prima che facessero fuoco. Sentii i proiettili riecheggiare nei meandri del vicolo da cui ero passata. Fuggii, consapevole del fatto che mi stessero inseguendo, e decisi di infilarmi tra i lembi penduli di una costruzione. Mi persi. Sentii la mascella serrarsi e il cuore battere all'impazzata.

Non ero affatto spaventata, la mente era lucida. Al rumore seguente mi voltai di scatto e vidi una mano spuntare da un portone d'ingresso che assomigliava a delle branchie, pronta ad afferrarmi. Tentai di resistere, ma poi questi si portò l'indice all'altezza della maschera, *sssh*: mi fece segno di entrare. Lo seguii fino a una stanza, dove ci sedemmo in ascolto. Lo fissai con attenzione come per decifrarlo, ma non assomigliava a nessuno di mia conoscenza.

«Stai bene?» sussurrò.

«Sì.» Fui sul punto di chiedergli chi fosse e chi fossero i due di prima, ma scosse la testa. Rimanemmo di nuovo in attesa.

«Vieni con me» fece. Provai ancora una volta a domandargli quale fosse la sua identità ma non rispose, così conclusi che ritenesse di non dovermi alcun tipo di spiegazione, dopotutto. Continuai a seguirlo spaventata.

Al termine di quella lunghissima deviazione trovai Yl e Sib ad aspettarmi. Lo salutarono calorosamente, poi si misero a confabulare sottovoce in modo da non farmi udire alcunché. Alla fine, l'uomo si girò, mi strinse la mano e si dileguò in un batter d'occhio.

«Si chiama Shonas» rivelò Sib. «Un tempo era un consigliere, ma ormai è in città da otto anni.» Tornammo indietro facendo attenzione, seguendo la rotta che avevo inizialmente pensato di percorrere.

«Ha deciso di unirsi a noi dopo la rottura tra lui e un Ambasciatore» spiegò. «Si trattò di un piccolo scandalo. Poi scomparve. Credo sia successo durante il tuo periodo fuori, nello spazio.»

«Non puoi ricordarlo.» Come se fosse stato possibile. «Quanto all'altro, si trattava di DalTon.»

Non ricordo di essermi sorpresa nello scoprire che mi ero imbattuta in quell'affascinante dissidente che avevo creduto morto, spaccato o incarcerato in quella terribile infermeria. «È andato via.» «E ha perso la testa.» «Shonas era venuto qui per fermarlo, poi...» «...Be', lui è dalla nostra parte.» «Contro l'Ambasciatore DalTon.» «Non avevamo notizie di quel bastardo da molto tempo, questo finché tutto il caos che ci circonda non ha avuto inizio; non sappiamo a cosa stesse lavorando.» «È una situazione in cui sguazza.» «Sarà estasiato da quanto sta accadendo.» «Deve aver subodorato che anche noi stiamo organizzando qualcosa.»

Un'economia sommersa fatta di storie, di contromosse e di ritorsioni. «Come fa a sapere del piano che ho ideato?» chiesi.

«Le voci corrono.»

«Che cazzo vuol dire?»

«Andiamo. Dicerie.» «Magari sa soltanto che 'stai per venire in città'. E questo significa che hai un piano.» «E, di qualunque cosa si tratti, lui sa di doverla combattere.»

«È forse in combutta con Cal? O con EzCal?»

«Cosa? Solo perché ha provato a fermarti?» Mi scrutò. «Solo perché anche Cal cercherebbe di farlo?» «Non è proprio la stessa cosa.» «DalTon ha i suoi motivi per tutto ciò che fa.»

«Quali sono?» indagai.

«Oh, ce ne sono a bizzeffe, là fuori» tagliò corto YlSib, esausta. «Non si può certo tenerne il conto, no?» «Ne troverà uno.» «Non è tuo amico.» «Non credi?»

«No.»

«Lui è stanco di tutto questo.» «Ma tu no.» «Tu non ti dai per vinta.» «Come mai?»

Dal e Ton erano sempre stati dei nichilisti ancor prima che scoppiasse la crisi. La loro giustificazione risiedeva nel fatto che avessero pensato valesse la pena attaccarmi. Nel caso avessero chiesto a Cal se preferiva che Embassytown venisse distrutta o sopravvivesse senza di lui, avrebbe scelto di certo la seconda opzione. E ne sarebbe stato convinto. Tuttavia, non avrebbe esitato a morire e a condurre tutti alla tomba per impedirmi di realizzare il mio piano una volta scoperto, poiché avrebbe minato la sua autorità. DalTon, invece, avrebbe provato a fermarmi perché io intendevo salvare il mondo. Sono certa che per lui fosse una cosa del tutto coerente, anche per via del lungo e furioso esilio che si era imposto. C'erano kilo/ore di storia di cui non ero a conoscenza. DalTon era contro di me e contro Cal, e a sua volta Cal era contro di me; Shonas era dalla mia parte contro DalTon, ma a favore di Cal, e così via. Che si trattasse di Embassytown, dell'immer o dello spazio, non ero mai stata predisposta agli intrighi. Fino ad allora avevo sperato che bastasse la mia abilità nel barcamenarmi. Eppure, la politica trova sempre un modo per stanarti.

«Quanti sono?» chiesi. «Mi riferisco ai reietti della città.»

Yl e Sib tacquero. Il mio piano per salvare l'avamposto era rimasto invischiato in ciò che era successo tra DalTon e Shonas e così io mi ero trovata coinvolta nei tentativi di vendetta di uno nei confronti dell'altro. Fui grata a Shonas per avermi salvato la vita.

«Sta arrivando» fecero YlSib. «Com'è che lo chiami? Ballerina Spagnola.»

«So che non è molto educato da parte mia» ammisi. «Eviterò di continuare a chiamarlo in quel modo.»

«Perché mai?» «Non importa né a lui, né a noi.»

Entrammo in una stanzetta, ovviamente priva di finestre e illuminata da foglie luminescenti.

«Arriva ancora la corrente?» chiesi.

«No.» «Si tratta di un tipo di luce emessa dai necrofagi presenti nelle mura.»

«Andiamo» sussultai. Non potei far altro che ridere per il nervosismo nel trovarmi all'interno di una stanza illuminata grazie al processo di decadimento dello stesso edificio.

Le ripetei la domanda, sapendo che l'Ambasciatrice non mi avrebbe confidato il motivo della sua scelta di abbandonare l'avamposto centinaia di migliaia di ore addietro per finire a vivere in un esilio microculturale attaccata a un respiratore eolico. Restammo in attesa. «Altri Ospiti stanno andando via» osservò. «E la maggior parte di loro si unirà agli Assurdi.» «Non ne resteranno molti a disposizione dell'esercito di Embassytown, anche se saranno addestrati.»

«Non avranno scelta. Sarà EzCal a ordinarglielo.»

«Qual è il tuo piano?» «Cosa hai in mente?»

«Lo sai» ribattei. «Bren te lo ha già detto.» A dire il vero, ero io a non sapere come spiegarlo. All'arrivo di Ballerina Spagnola ripresi a parlare. «Guarda. Te lo mostrerò.»

Ripensai al modo in cui si erano mossi i Senza Lingua prigionieri. I nemici incalzavano e non avevamo tempo per aspettare Bren. Con l'aiuto di YlSib e delle sue capacità traduttive cominciammo, con molta lentezza. Contro ogni mia inclinazione più profonda, non potei esimermi dal prendere il controllo della situazione.

Non credo che l'urgenza sia un bacillo in grado di mescolarsi con gli altri esotipi, ma ebbi come l'impressione che gli Ariekei avessero intuito che qualcosa in me era cambiata. Entrammo in sintonia. Ricordo ancora quelli del Cravat e il fascino che avevano avvertito nei confronti miei e delle altre similitudini.

«Vuoi imparare a mentire» dissi rivolta a Ballerina Spagnola. Parlai con rapidità. «Mostrami ciò che sai fare. Quanto ci sei vicino? Riproviamoci.» Passai ore ad ascoltare lui e il suo gruppo tentare di articolare le loro mezze verità, prontamente tradotte da YlSib. Presi appunti e mi sforzai di ricordare la tecnica del loro illustre predecessore, pensando fosse il fulcro di tutto.

Ne parlai anche con Bren. Ripensai al fatto che spesso *surl | tesh echer* avesse giocato con le parole, erodendo determinate parti dell'enunciato fino a far emergere delle bugie improvvise. Per quanto utile, però, questo metodo non era niente di spettacolare. Sentii il fuoco teorico di *surl | tesh echer* ardere in me.

Questi aveva individuato in noi similitudini terriane – e non in dei tropi qualsiasi – la chiave di accesso capace di dischiudere le porte al mondo della falsità. Le sue bugie, ordite grazie a un trucco linguistico e pronunciate con fare da dandy, alludevano a quel cambiamento che nasceva per mezzo del contatto. 'Prima dell'arrivo degli umani non parlavamo molto di certe cose.' 'Prima dell'arrivo degli umani non parlavamo molto.' 'Prima dell'arrivo degli umani non parlavamo.'

Il suo manifesto politico trovava la propria spiegazione grazie a una dissimulazione fatta di frasi omesse. 'Prima dell'arrivo degli umani non parlavamo' implicava che 'in futuro potremo e dovremo parlare tramite loro'. In tal modo, la menzogna pronunciata dall'Ariekeo si era trasformata in una vera aspirazione, ed era stato lo stesso *surl | tesh echer* a renderla tale, imparando una bugia che recava in sé un che di veritiero.

«Dunque.» Mi rivolsi a Ballerina Spagnola e ai suoi compagni che lo avevano raggiunto. «Seguiamo l'esempio di Surl Tesh-echer.» YlSib mi fece da interprete. Le creature di fronte a noi reagirono. «Lui vi ha indicato la strada. E voi sapete chi sono. Sono la ragazza che fu ferita nell'oscurità e che mangiò ciò che le venne offerto. Pensate a cosa assomiglio, e arriveremo a dire ciò che sono.»

Avevo dato loro dei soprannomi: Ballerina Spagnola, Asciugatutto, Battista, Papero. Ero in grado di identificarli con facilità e pronunciare quei nomignoli sorridendo ai diretti interessati: non potevo avere la certezza di cosa fossero o meno in grado di capire. Durante le nostre esercitazioni notai le loro bestioline a batterie passeggiare avanti e indietro. Ognuno degli alieni presenti era in grado di mentire un minimo, in quanto seguaci del più grande bugiardo della storia. Li aiutai a omettere parti dei loro discorsi, sussurrando qualche frase contenente delle descrizioni volutamente errate.

«Prima dell'arrivo degli umani.» Chiesi a YlSib di ripetere l'incipit di *surl | tesh echer*. Gli Ariekei fallirono nell'articolare quelle falsità capaci di inceppare le loro menti. «Di che colore è?» domandai, riferendomi agli stracci o agli oggetti di plastica nella mia mano. Questi strabuzzarono gli occhi.

Dopo qualche ora, però, l'attenzione era come svanita. Papero prese a tremare e Asciugatutto a canticchiare a bocca chiusa emettendo un suono metallico. Allora capii. Non avevamo portato alcuna registrazione con noi e le creature dovettero uscire in strada per andarsi a posizionare in prossimità degli altoparlanti. Sebbene dentro quella stanza non si potesse sentire alcun suono proveniente dall'esterno, sentimmo l'edificio fremere: io, Yl e Sib ci guardammo a vicenda, tutte e tre immaginando i nostri studenti intenti a barcollare sotto il primo megafono o perfino a respingere gli attacchi dei loro simili privi di coscienza o a picchiarsi l'un l'altro a causa di quel bisogno costante della voce di EzCal.

«Come ti senti a partecipare?» chiesi a YlSib. «Voglio dire: se dovesse funzionare, le cose cambierebbero anche per te...»

«Cosa avrei da perdere?» «Qualche competenza, forse?» «Ma, invece, cosa c'è da guadagnare? Ognuno di noi ne ricaverebbe qualcosa?» «A che sono servite le nostre capacità fino a ora?» Abbassò gli occhi. Bren mi aveva confidato che aveva odiato parecchio il suo doppio. L'aspetto sfinito dell'Ambasciatrice di fronte a me, quel modo di evitare l'una lo sguardo dell'altra, mi portò a chiedermi se, in fondo, quella non fosse una condizione comune a tutti i funzionari di Embassytown.

Quando i nostri alleati tornarono, li vidi nuovamente calmi. «Continua» disse uno. Annuii in modo esagerato e acconsentii alla richiesta, poi ripetei il mio sì con più lentezza. Cercai una crepa, una breccia, un cambiamento tra il prima e il dopo. Un punto critico che, come tutto il resto, doveva essere un mistero.

«Cosa sembro? Esiste qualcosa che mi assomiglia?» YlSib traspose le mie domande e le relative risposte.

«Tu sei la ragazza che fu ferita nell'oscurità e che mangiò ciò che le venne offerto.» «I saprofagi venuti a cibarsi delle nostre case fatiscenti sono come la ragazza che stava mangiando ciò che le veniva offerto.»

«Incantevole.» Desideravo tanto un simile sforzo poetico. Chiusi gli occhi e rimasi in ascolto delle loro asserzioni retoriche senza fermarli. Dopo un po', le loro proposte si fecero via via più interessanti. Poi si spinsero troppo oltre, e la conversazione si riempì di similitudini abortite.

«Le rocce sono come la ragazza che fu ferita nell'oscurità, perché...»

«I morti sono come la ragazza che...»

«I giovani sono come la ragazza che fu ferita nell'oscurità e che mangiò...»

Infine, all'improvviso, Ballerina Spagnola parlò. «Stiamo cercando di cambiare le cose, e dopo aver speso una grande quantità di tempo e pazienza sapendo che sarebbe arrivato il momento di smettere, siamo diventati come la ragazza che mangiò ciò che le venne offerto» tradusse YlSib. «Quelli che non stanno provando a cambiare niente sono come la ragazza che non mangiava ciò che voleva ma ciò che le veniva offerto.»

Spalancai la bocca. L'alto Ariekeo si curvò su di me, tutti i suoi occhi erano sbarrati. «Oddio, ha capito» osservai. «Ha capito cosa sto cercando di fare. Lo hai sentito?»

«Sì.» «Sì.»

«Ha pensato a me in due modi diversi, contraddittori. Mi ha paragonata a entrambe le situazioni.»

«Sì.» La sua reazione fu più cauta della mia, ma io continuai a sorridere finché anche lei non fece lo stesso.

Proseguimmo a far pratica fino a tardi, finché i nostri allievi, troppo stanchi per andare avanti, non mostrarono di aver davvero bisogno di ascoltare il Dio-Narcotico, entrando in uno stato di astinenza che gli provocava tremiti. Dormii sul pavimento, finché non fui svegliata da Yl o Sib che mi prepararono una colazione alla buona. Dalla luce che filtrava attraverso le membrane della torre intuii che era di nuovo giorno. La classe era già lì e in forze, grazie alla dose mattutina.

L'Ambasciatrice mi rivelò che EzCal avevano scoperto la mia assenza e che delle squadre erano state mandate in città a cercarmi. «Ormai non sei più una che è uscita a farsi un giro.» «Sei una fuggiasca.» «E ti stai nascondendo.» Non ebbe bisogno di aggiungere 'sei una di noi'.

Lavorammo tutto il giorno per migliorare le similitudini degli Ariekei. Quando arrivò la sera, esausta e impaziente, sentii una ventata umida entrare nella stanza dalla porta, insieme a Bren. Lo abbracciai con passione e questi mi diede un bacio ma allo stesso tempo mi trattenne. Quando notai il compagno che aveva portato con sé mollai la presa di colpo. Era uno degli Assurdi.

«È stato un viaggio infernale» ironizzò.

La creatura era stata domata e indebolita con catene e pungolo elettrificati. Senza quegli strumenti, avrebbe di certo avuto il sopravvento, ma le ustioni costanti prodotte da quell'arma l'avevano ferita. Gli arti superiori erano immobilizzati e quelli inferiori azzoppati. Sapevo che faceva tutto parte del piano, ma non credevo che Bren ci sarebbe riuscito.

«Cristo» dissi. «Ma come hai fatto? Oh, Gesù, guardalo. È orribile: ti sei trasformato in un aguzzino.»

«Credo proprio di sì» rispose.

Ballerina Spagnola e i suoi amici lo circondarono e il prigioniero tentò invano di artigliarli. Il gruppo indietreggiò, poi avanzò di nuovo, apparentemente animato da una curiosità morbosa.

«Come vanno le cose a Embassytown?» domandai.

«Sono spaventati» rispose. «È probabile pensino che lavoriamo per il nemico, io e te. O stanno dicendo che sono loro a farlo.»

«Gli Assurdi?» ribattei. «Ma è...»

«Assurdo, lo so.»

«È una follia.»

«Sai come sono fatti» osservò. La gente ne avrebbe parlato autoconvincendosi che fosse così. Tuttavia, facevano bene ad aver paura. L'orda nemica era vicina.

«Come hai fatto a saperlo?»

«Puoi immaginarlo tu stessa» disse Bren. «Documenti falsi, corruzione, depistaggi, intimidazioni, fughe a mezzanotte, violenza e tutto il resto.»

«Dunque, ora abbiamo delle prove» affermai.

Bren estrasse alcune memorie dati dalla sua borsa. «Ecco qua» fece. «Questo gruppo di Ariekei è in grado di controllarsi e in questo modo non dipenderete più in tutto e per tutto dalle trasmissioni. Possiamo portarli via di qua.»

«Vorrei capire con esattezza il motivo per cui vi importa che imparino a mentire» disse Yl, o forse Sib. Io rimasi a fissarle. Non avevano affatto compreso la mia idea, ma ci si erano fiondate insieme al loro gruppo solo perché era stato l'unico piano proposto.

«Non riguarda alcuna bugia di per sé, ma il significato che c'è dietro» proseguì Bren. «Perché staremmo lasciando la città?» Le due metà si strinsero le spalle non sapendo cosa rispondere.

«Riguarda il modo in cui i simboli hanno effetto su di loro» osservai. «Non ho mai pensato che fosse qualcosa che potevamo stravolgere. Eppure, sapete che cosa mi ha fatto cambiare opinione? Ci sono degli Ariekei che hanno già operato un cambiamento.» Indicai il Senza Lingua. «Loro sono riusciti in ciò che Surl Tesh-echer, Ballerina Spagnola e i suoi compagni hanno tentato di realizzare per anni. Hanno modificato le proprie menti. E ora le stanno sfruttando per ucciderci.»

Era stata la strana precisione con cui gli Assurdi riuscivano a coordinare i loro attacchi a farmi pensare. Non esistevano spiegazioni plausibili dell'efficienza di quegli omicidi, se non il fatto che fossero in grado di comunicare. Nonostante fossero diventati un popolo senza Lingua, avvertivano ancora l'esigenza di riunirsi in una comunità e così avevano fatto, sebbene forse non con piena consapevolezza: poteva darsi che ognuno di quegli individui pensasse a sé stesso come intrappolato in una solitudine rancorosa, a dispetto delle brutalità di gruppo che erano soliti mettere in atto.

Avevo visto commando e comandanti gesticolare e indicare con le loro ali prensili. Gli Assurdi si erano inventati un modo per comunicare indicando e così erano arrivati al concetto di 'quello' di cui avevo parlato con Bren. Nell'atto di protendersi o estroflettere uno dei propri arti verso una determinata direzione, in un certo senso, avevano recuperato la possibilità di esprimersi in maniera deittica. Quella era la chiave di tutto, da cui era conseguita una serie di parole senza suono.

Quello. Quello? No, non quello: quello.

Nella Lingua, ogni parola aveva un solo significato e, pertanto, risultava impossibile trovarsi di fronte a casi di polisemia o ambiguità, così come era impraticabile l'utilizzo di molti tropi che rendono tali le lingue che li utilizzano. Quel tipo di deissi era applicabile a ogni cosa: un'equivalenza universale vuota e quindi flessibile. Questo tipo di dimostrativo significava sempre 'quello, e non quell'altro'. Attraverso il loro silenzio, gli Assurdi avevano dato vita a una rivoluzione semiotica, a una Lingua nuova.

Si trattava, allo stesso tempo, dell'infinito e del presente verbale. Questa parola originale e unica, in realtà, era duale: 'quello' e 'nonquell'altro'. Un esiguo e primitivo vocabolario da quale si originò un'antitesi prolissa di ulteriori concetti: io, tu, gli altri.

Il codice creato era molto diverso dai metodi esatti di mappatura a cui erano abituati. Tuttavia, l'anomalia riscontrata era rappresentata dalla Lingua stessa: quello scalpitare e agitare le dita con movenze rozze e omicide era ben lungi dal nostro modo di esprimerci, e niente di più che un linguaggio-cugino di quello impiegato dagli altri esseri senzienti che popolavano l'immer.

«Potremmo saremo mai in grado di imparare davvero la Lingua» spiegai. «Abbiamo sempre e solo finto. Al contrario, gli Assurdi hanno imparato a esprimersi come noi. Gli Ariekei in questa stanza vogliono che gli insegniamo a mentire e questo significa pensare al mondo secondo una prospettiva diversa. Nessun referente, ma soltanto significanti. Lo ritenevo impossibile.

Eppure, guarda.» Puntai il dito verso la creatura che voleva uccidermi. «Ecco cosa hanno fatto. Ogni volta che indicano, significano qualcosa. Seguendo una strada del genere lo scotto da pagare è davvero troppo alto, ma adesso sappiamo che questi alieni sono in grado di farlo. Insegnare loro tutto questo senza strappargli le ali equivale a insegnargli a mentire.»

«Le similitudini sono il punto di partenza per... trasgredire. Perché noi possiamo essere comparate a qualsiasi situazione, sebbene per questa Lingua tutto possieda un significato letterale. Ogni cosa è ciò che è, eppure io posso lo stesso essere come la morte, la vita, le stelle, un tavolo, un pesce e quant'altro. Surl Tesh-echer sapeva bene che la sua Lingua stava cercando di... evolversi e diventare qualcosa di diverso da sé. Cercava di significare.» Era questo il motivo per cui il soggetto in questione aveva iniziato, seppur con una strategia tanto strana, a mentire con il nostro ausilio. Non avevo i testi di Scile con me ma li avevo letti così tante volte da aver imparato e messo in discussione molte delle nozioni contenute, e adesso ne sapevo a sufficienza. «Perché la mia similitudine potesse essere messa in atto avevo bisogno di essere ferita e sfamata. Doveva essere vera. Ma ciò che dicono ora, invece... è vero perché così hanno deciso.

«Le similitudini sono una scappatoia. Una via d'uscita che parte da un referente e arriva a un significante. Solo questo. Eppure, sappiamo di poterli spingere a continuare, un passo alla volta, fino alla fine.» Io stessa mi chiarii le idee parlando. «Dobbiamo condurli dove il significato letterale diventa...» feci una pausa. «Qualcos'altro. Se noi similitudini funzioneremo al meglio, ci trasformeremo in qualcos'altro, poiché il miglior modo di cui disponiamo per rappresentare il vero passa attraverso la falsità.»

Avrei voluto spiegargli che non era affatto un paradosso, né un controsenso. «Non voglio più essere una similitudine» esclamai. «Voglio diventare una metafora.»

Parte ottava

Parlè

25

Sentimmo degli strani rumori e vedemmo decollare alcune navi, che si allontanavano da Embassytown e dalla città. La maggior parte dei mezzi di trasporto era composta da corvidi creati dall'incrocio tra biomacchine tecnologia inanimata. Tra di loro notai anche dei giganti spinosi della grandezza di una chiesa e più vecchi dell'avamposto stesso.

«Non posso credere che siano riusciti a trovare quei cosi» dissi.

«Non sono minacciosi quanto sembra» mi spiegò Bren. «Un tempo erano usate come imbarcazioni di pattugliamento. È tutta scena. Non dirlo a nessuno, ma anche con il dispiegamento dell'arsenale bremeniano, per noi non ci sono speranze.»

Sapevo che anni addietro aveva fatto parte di una cospirazione insieme al suo gemello. Chiamarono a rapporto spie e agenti doppio e triplo-giochisti. «Wyatt era un tipo intelligente» dissi. «Ha taciuto le cose giuste, e nel modo più opportuno, per far apparire le informazioni cui aveva accesso spaventose. Eppure, non si sono rivelate un granché.»

La flotta solcò i cieli con tutta la sua stazza, procedendo verso le rotte di allontanamento designate. Giunta all'interno della stanza sigillata da una bolla d'aria eolica in cui gli Ariekei mi stavano già aspettando, rimossi il mio respiratore, esausta, e chiusi gli occhi.

Il nostro viaggio non fu affatto facile: un gruppetto di quattro Terriani e una manciata di alieni alle prese con un prigioniero Assurdo da dover trascinare con la forza. Aveva la furia di un vichingo. Ci trovammo costretti a urlargli addosso i nostri ordini e pungolarne la ferita per scoraggiare ogni tentativo di resistenza.

«Liberiamolo» propose Yl.

«Non possiamo» ribatté Bren, assai più assiduo di noi nel provare a comunicare con l'essere durante le soste. Non poteva scappare. A sua volta l'ostaggio evitava lo sguardo del suo carceriere, preferendo concentrare la propria attenzione rabbiosa sugli Ariekei tossicodipendenti.

«Stanno scendendo in battaglia» riprese Bren dopo aver indicato il cielo. «Un gesto scellerato ma che rispetto, per quanto possibile. EzCal vuole combattere.» Ogni slancio di negoziazione era morto sul nascere e i nemici si avvicinavano. Embassytown era diventata la meta dei rifugiati terriani provenienti dagli avamposti dove era possibile coltivare. Il viaggio stremò molti di loro, e questi lasciarono che i propri corpi si decomponessero dall'interno con tanto di abiti addosso e biomacchine, fino a diventare pacciame che, però, non avrebbe concimato il terreno. «EzCal si chiede se sarà capace di lottare per fuggire da questa situazione.» Come se la tenacia potesse qualcosa contro la logica assoluta dei numeri.

«Lo consegnerò a lui» affermò Bren. «L'Ambasciatore parteciperà alla battaglia. È stato Ez a insistere. Il momento delle trattative è finito. Non si torna indietro.» Mancavo soltanto da una decina di ore, e già eravamo arrivati a quel punto. Povera Embassytown.

Cercammo di essere evasivi, ma alcuni di noi divennero molto più che riservati, costretti a fare i conti con il caos e l'adrenalina dilaganti ovunque. Strisciammo dentro tunnel di ossa, fermandoci e assistendo allo stupore del nostro prigioniero, scioccato alla vista delle pattuglie umane e aliene atte a ripulire le strade e a far fuoco contro gli alieni privi di senno.

Non fu affatto semplice scrutare attraverso l'altopiano epidermico, dove soldati terriani e ariekeiani imponevano un regime di brutale violenza. YlSib dovette ripetere più volte a Ballerina Spagnola e ai compagni di non fare rumore. Dal canto mio, agitai le braccia con irrequietezza per zittirli, ovviamente senza essere capita. Altri vascelli volarono sopra di noi e reputammo opportuno nasconderci per evitare di farci vedere dai reggimenti in marcia verso il fronte.

Non smettemmo di fare pratica con i nostri aspiranti bugiardi, proteggendoli dalle trasmissioni preregistrate degli altoparlanti ogniqualvolta udissimo la voce autoritaria di EzCal. In compenso, preferimmo rintanarci da qualche parte e avvalerci delle nostre memorie audio in grado di soddisfare i bisogni delle creature che erano con noi – fu un piccolo trionfo che fossero in grado loro stessi di somministrarsi la dose –, così da combattere la tirannia del ritmo scandito dal Dio-Narcotico, capace di assoggettare il resto dei loro concittadini. Non so come facessero a ricordarsi e distinguere quali fossero le tracce già sentite o somministrate a ognuno di loro.

Il nostro prigioniero non era più capace di capire il motivo di quelle azioni e, da come metteva alla prova le catene che lo immobilizzavano, pensai provasse disgusto nell'osservare i suoi simili incurvarsi e dispiegare le ali a ventaglio.

Presi a pretesto le parole di Ballerina Spagnola per dare inizio al nostro catechismo. Io sussurrai le mie osservazioni in anglo-ubiq a YlSib, che tradusse nella Lingua. Notai Bren mimare con la bocca le parole della mia similitudine, così come l'aveva pronunciata la prima volta molto tempo addietro.

«State provando a cambiare le cose» dissi. L'Ambasciatrice ripeté per gli Ariekei. «Volete cambiare come la ragazza che mangiò ciò che le venne offerto. Quindi, siete come me. Quelli che non stanno cercando di cambiare niente sono come la ragazza che non ha mangiato ciò che voleva ma ciò che le veniva offerto: loro sono come me. Voi siete come la ragazza che mangiò; voi siete la ragazza che mangiò. Voi siete come la ragazza; voi siete la ragazza. E questo vale anche per gli altri, che non sono simili a voi.»

La prima volta che la mia portavoce modificò l'enunciato dal 'come' al 'siete', portando alla nascita di una bugia succulenta scaturita da una verità che i nostri discepoli avevano già affermato in precedenza, li fece agitare in modo vistoso. Inoltre, anche la contraddizione secondo cui essi fossero simili a me tanto quanto i nemici provocò lo stesso effetto. Gli mostrammo che i ragionamenti che avevano formulato da soli li rendevano quasi dei bugiardi.

I veicoli assuefatti procedettero in direzione dei territori selvaggi passandoci accanto. In mattinata, YlSib ci condusse a una bisarca fatiscente e ammaccata, ma carica di ossigeno e, senza essere visti, seguimmo le tracce lasciate dalle truppe dell'esercito alleato a bordo di un cuscinetto invisibile di particelle aeree.

I sobborghi desolati erano disseminati di branchi di zelle, i propri padroni ariekeiani erano morti e loro cercavano invano una fonte di energia che potesse ricaricarle. Bren era alla guida del nostro mezzo di trasporto ibrido. Il mezzo non era veloce come il convoglio militare, ma ci permetteva di andare più spediti che se fossimo andati a piedi, puntando i suoi arti laterali per darsi lo slancio come i gondolieri con i remi. Osservai la città scomparire al di là degli oblò. All'inizio vidi alcuni abitanti della periferia e dei magazzini discendere in aree fangose, ma poi il mio sguardo si spostò all'orizzonte, dove il cielo ci veniva incontro ricongiungendosi alla terra.

Alzammo una nuvola di polvere. I cespugli di spine si scansarono lentamente al nostro passaggio, sgombrando così la strada che puntava in direzione dei campi fino al punto in cui, a metri di distanza, si intravedeva la frattura oltre la quale si estendevano tutte le diramazioni possibili. Gli animali da compagnia degli Ariekei mi scorrazzarono tra le gambe, mentre osservavo la vegetazione richiudersi alle nostre spalle. La città era diventata una fila di torri e cupole dalla forma di bulbi espiantati. Alla fine, scomparve.

Fissai lo sguardo a lungo, poi portai le mani attorno agli occhi come a usare un binocolo invisibile, ma non riuscii comunque a scorgere neanche il fumo o i palazzoni di Embassytown. Mi chiesi se anche tra le creature rimaste ci fossero dei viaggiatori e dove si trovassero le città – sempre che ne esistessero – da cui scappare o verso le quali dirigersi. Non riuscivo a credere di non averne la più pallida idea.

Le zelle parvero resistere più dei loro possessori, meno abili a combattere l'assuefazione. Nel giro di ore e per quanto la stazza glielo permettesse, gli Ariekei presero ad accovacciarsi stretti alle tubature e alle luci del veicolo, avvolgendo i dati audio con le proprie ali.

«Voi siete come la ragazza; voi siete la ragazza. Loro sono come la ragazza; loro sono la ragazza.»

«*qeshiq | malis inna*» li incalzò l'Ambasciatrice, 'dillo ancora'.

«Noi siamo la ragazza» esclamò l'alieno. «Voi siete la ragazza» proseguì a dire YlSib, facendoli fremere. Quell'eccitazione mi piacque. Non potevano ancora operare in autonomia, ma, nella loro mente aliena astratta, avevano compreso cosa stessimo cercando di fare. «La ragazza...» iniziò uno, poi altri proseguirono: «Noi...» oppure «Ci...» o ancora «È come...» Provai compassione sia per YlSib che per Ballerina, ma dovevo essere inflessibile.

«Cos'era?» Avvistai una scia qualche chilometro indietro, poi un altro mezzo in movimento, verso ovest. Ben presto un'altra piccola macchina volante passò sopra le nostre teste. Notammo un discreto numero di veicoli in avvicinamento: un carrello a più ruote e munito di sospensioni idrauliche; un camion di tecnologia terriana che trasportava armi biomeccaniche; centauri monoposto, veicoli dalla forma equina e con una campana eolica al posto della testa da cui faceva capolino un uomo o una donna al volante. Poi, ancora, un aliante termico. Bren si fermò e l'Ambasciatrice uscì all'avvicinamento della carovana.

Anche le altre vetture rallentarono e i rispettivi autisti e piloti si sporsero dai finestrini. L'Assurdo alle mie spalle, nascosto all'interno del nostro mezzo di trasporto, sibilò senza potersene rendere conto. I fuggiaschi erano tutti esuli provenienti dalla città, come YlSib. Immaginai fossero disertori dello Staff, anche quelli dal passato meno glorioso. Infine, anche l'aliante atterrò, rivelando la presenza di Shonas. Mi domandai dove fosse DalTon. I cittadini si mostrarono diffidenti, nonostante molti di loro si conoscessero l'un l'altro, poi si salutarono e si scambiarono qualche piccola informazione in merito agli Assurdi e all'esercito della difesa.

Quando ci rimettemmo in marcia, formammo una specie di entourage. Il velivolo si preoccupò di fornirci segnalazioni con le proprie ali e luci di posizione. «Di' a Ballerina Spagnola di venire qui» dissi a YlSib. «Ripetigli ciò che dico.» Indicai un punto al di fuori dell'oblò senza però che l'allievo si voltasse in quella direzione. «Guarda fuori, in alto, la macchina sopra di noi.» L'Ambasciatrice tradusse. Quando parlavo con un Ariekeo mi capitava spesso di emulare la precisione della Lingua in maniera inconscia anche nei miei enunciati in anglo-ubiq. «Il velivolo in cielo ci sta comunicando qualcosa solo con il suo movimento e con il colore delle ali. Sta parlando.»

Ballerina Spagnola osservò l'oggetto volante con alcuni dei suoi occhi, ma ne tenne altri fermi sulla traduttrice e uno fisso su di me.

Risposi al suo sguardo. È YlSib a dirti le cose, ma, in realtà, sai che sono io a parlare, vero?, pensai.

«Non ci siamo» rispose uno delle due metà. «Credo di riuscire a fargli capire che non sto mentendo, ma lui mi risponderà che l'aliante non sta affatto parlando.»

«Eppure è così.»

All'alba fummo costretti a virare per evitare di imbatterci nelle truppe di EzCal, aggirando l'accampamento.

«Andiamo, forza» ci incitò Bren: dovevamo assolutamente raggiungere gli Assurdi prima che lo facesse il nostro esercito. «Non hanno alcuna fretta» proseguì. «Li supereremo. Non hanno nessuna voglia di combattere: vanno lì per tentare di negoziare.»

«Il problema» ribattei «è che non possono farlo.»

Dal mio posto scorgevo ancora il velivolo, mentre le altre navi erano più indietro, ma comunque abbastanza vicine da poter fare cenni ai rispettivi conducenti. A mezzogiorno arrivammo a un altopiano disseminato di alberi che producevano gas, le loro chiome erano formate da sacche carnose delle dimensioni di una casa, ancorate al terreno e sospinte in aria dalla brezza. Uno a uno, i veicoli si staccarono dalla carovana dietro di noi. «Che succede?» esordii.

«Non possono attraversare questa zona» mi spiegò Bren. Gli unici a proseguire il viaggio insieme a noi furono i tre centauri. Le due metà dell'Ambasciatrice si guardarono a vicenda, nervose.

«Bren» disse una. «Le loro vetture sono piccole, ma la nostra no.» «Neanche noi riusciremo a passare di là.» «Almeno non senza attirare l'attenzione.» «Le nostre tracce...»

«Credevo fosse chiaro, no?» la interruppe. Poi strattonò i comandi e, in tutta risposta, accelerò. «Non abbiamo tempo. Dobbiamo fare in fretta. Ora, per favore, torna a lavoro. Faresti meglio a preoccuparti di insegnargli ciò che devi. Una volta arrivati, non è certo finita: a quel punto avremo un compito da portare a termine.»

Tuttavia, giunti nella foresta divenne impossibile concentrarsi. Alcuni degli alberi davanti a noi vennero sradicati senza opporre resistenza, ma con gli altri fu ben più dura. Cercai un sostegno a cui aggrapparmi. Le zampe sporgenti della nostra carrozza falciarono i fusti fibrosi e ne sollevarono di scatto degli altri, lasciando i loro filamenti a penzolare. Accelerando verso l'alto ci lasciammo dietro una scia bruna, come avessimo intenzione di radere la foresta. Mi affacciai dalla finestra e osservai i centauri avanzare con il loro mezzo lungo il sentiero spianato da noi: la maggior parte dei catorci che ci seguivano si era volatilizzata.

«Superata la vegetazione resta solo una manciata di chilometri» disse Bren. La sua voce sussultò insieme al veicolo. «È lì che si trova l'armata.»

Le chiome rigonfie degli alberi si agitarono l'una addosso all'altra creando attorno a noi un gioco di luci e ombre su più livelli. Improvvisamente pensai che lì in mezzo potesse nascondersi qualsiasi insidia: dalle rovine ariekeiane a qualcosa di impensabile. Lungo la scia che ci lasciavamo alle spalle si era aperto uno spiraglio di cielo in cui gli alberi sradicati aumentavano come fossero una formazione compatta, finché non raggiungevano le correnti e venivano sparpagliati di nuovo. Fu proprio attraverso quello squarcio nel bel mezzo della foresta che notai un aereo vorticare per aria eseguendo manovre da combattimento.

«Sta succedendo qualcosa» avvisai. Ci sporgemmo per vederlo curvare verso l'alto mentre le armi sotto il suo muso divamparono, alle prese con un secondo velivolo nemico.

«Dannato Pharotekton» sentii Bren imprecare.

Non potevamo nasconderci, perché, ovunque avessimo virato, avremmo annunciato la nostra presenza attraverso lo spostamento della vegetazione. Così decidemmo di provare ad aumentare la velocità; i centauri spararono con i loro fucili alle nostre spalle. Sentimmo il fragore delle detonazioni e vedemmo i tronchi e i loro resti fatti a brandelli essere scagliati via da sopra le nubi delle esplosioni, lasciandosi dietro una coda di fumo e altra vegetazione.

Dall'alto dell'aliante, anche Shonas fece fuoco. Per un istante, pensai fossimo inseguiti da DalTon, e che io non fossi altro che la vittima collaterale del dramma di qualcun altro, poi però dedussi che il nostro assalitore stesse compiendo degli avvitamenti che nessun essere umano sarebbe stato in grado di controllare. Era stato EzCal a inviare quella nave ariekeiana per impedirci di giungere a destinazione, dopo aver compreso le nostre intenzioni.

I centauri si sparpagliarono nel sottobosco vescicolare. Udii YlSib farfugliare nella Lingua e descrivere a Ballerina Spagnola cosa stesse accadendo.

«Forse potrei...» Bren esitò. Mi chiesi cosa avesse in mente. Il velivolo del nostro amico carambolò a terra ed deflagrò facendo schizzare via gli alberi. L'Ambasciatrice lanciò un grido luttuoso per la morte di Shonas.

Non potevo credere che EzCal si fosse preso la briga di sprecare uno dei suoi aerei per questo, per noi, in un momento simile. Urlai a mia volta quando sentii il terreno sotto il nostro veicolo esplodere.

Mi risvegliai in mezzo al frastuono, tossii, mi lamentai e incrociai lo sguardo con la miriade di occhi di un Ariekeo. Il telaio del veicolo era divelto e permetteva di vedere il cielo e la vegetazione che ondeggiava sopra la testa. Accanto a me notai il muso esanime di uno dei nostri compagni alieni. Era morto. Pensai per qualche secondo che anche a me sarebbe toccata la stessa sorte, poi rimisi a posto il respiratore, strattonata dalle ali prensili dell'Ariekeo ancora in vita, che mi tirò fuori dal veicolo ribaltato attraverso un grosso squarcio.

Compresi che ci eravamo rovesciati da poco. Inciampai finendo addosso a Ballerina. Eravamo dentro un cratere bordato da vegetazione che allungava le sue radici sfilacciate.

Era morto più di un Ariekeo, mentre i vivi stavano uscendo da quella cavità, trascinando con sé Bren, Yl e Sib. L'Assurdo barcollò disorientato: una delle creature, ferita, lo spintonò, spingendolo verso di noi, agitando le ali prensili nella nostra direzione. Sentimmo un singulto, alzammo la testa e, nel mezzo di quello scempio, vedemmo un albero dal quale pendeva il corpo di un uomo. Era uno dei centauri che era stato disarcionato dalla sua sella. Era riuscito ad aggrapparsi, ma si trovava troppo in alto e il suo sostegno era troppo sottile. Qualsiasi cosa lo trattenesse cedette di colpo e lui cadde. Non sentii alcun lamento, mentre la pianta ritornava nella sua posizione originaria. Nessuno di noi lo vide abbattersi al suolo, ma sapevamo che non poteva essere sopravvissuto.

Inciampai ancora in una biomacchina ormai fuori uso. Quando

l'aereo omicida tornò sul sito del bombardamento non trovò alcun segno di vita: rimanemmo a guardarlo a pochi metri da lì, in un nascondiglio nella foresta. Questi sorvolò l'area più volte, poi deviò altrove, puntando all'esercito dei Senza Lingua.

26

«Dovremo arrivarci a piedi» esordì Bren. «Ci vorranno un paio di giorni, credo. Passeremo per la foresta.» L'esercito di Embassytown era più veloce di noi, ma sapevamo che avrebbero indugiato ad attaccare e speravamo di riuscire a raggiungere l'obiettivo prima di loro. Dipendeva tutto dalla buona riuscita dell'addestramento degli Ariekei. Ogni paio di ore ci fermavamo, zoppicanti, maledicevamo la strada ancora da percorrere e ripetevamo loro la lezione precedente o ne iniziavamo una nuova. Pareva che né gli alieni, né i loro animaletti alimentati a batteria fossero stanchi. Perfino il nostro prigioniero continuò a incedere davanti a noi imperturbabile, rabbonito dall'ambiente, dai postumi dell'aggressione o chissà che altro.

Bren continuò a guidarci anche dopo che avevamo perso il veicolo, controllando la direzione da un palmare. Sapevo già quanto potesse essere buia la foresta, colorata solo dalle tinte livide della flora. Il legno degli alberi produceva ogni sorta di rumori, mentre delle presenze dalla forma radiale o a spirale si muovevano intorno. Rimanemmo stupiti dalla fauna, per la quale non eravamo né prede, né predatori: gli animali presenti non sembrarono affatto minacciarci o fuggire spaventati, ma, almeno quelli dotati di occhi, si limitarono a scrutarci in maniera enigmatica. Uno degli Ariekei del nostro gruppo accennò al fatto che fossimo vicini a qualcosa di pericoloso: una *kosteb* | *floranshi* grande quanto una stanza e intenta ad aprire e chiudere le sue fauci. Questa avrebbe di certo assalito gli Ariekei se fossero stati da soli, ma la confusione di quella moltitudine mandò in tilt il suo istinto e la pietrificò, permettendoci di sottrarre i nostri amici dal suo morso.

Gli alieni erano riusciti a salvare un pugno di file audio, non tutti. Li avrebbero custoditi con cura fino all'istante in cui, uno alla volta, si sarebbero concessi un momento di privacy, addentrandosi nella foresta per ascoltare la voce di EzCal con attenzione, salvo poi riunirsi a noi un po' più euforici del solito, ma con la mente lucida.

Camminammo fino a sera. La foresta divenne sempre meno fitta e, infine, giungemmo a una radura punteggiata da qualche albero e illuminata dal bagliore del Relitto. Decidemmo di concederci un po' di riposo, sebbene la mia priorità restasse quella di continuare a insegnare.

«Voi siete come la ragazza; voi siete la ragazza.»

«Dio mio» dissi. «Ditelo e facciamola finita.» Sono certa che la loro insistenza fosse grande almeno quanto la mia.

«YlSib» chiamai. «Chiediglielo. Sanno chi sono?» Seguì un enunciato nella Lingua. Gli Ariekei mormorarono. «Lei è la ragazza che...» Li interruppi. «Chi sono davvero, intendo. Cos'è una ragazza? Sanno che sono una similitudine, ma sanno anche che la 'ragazza' sono io? Cosa pensano che sei, YlSib? Quante siete?»

«Sai di cosa parla» intervenne Bren. «È il famoso 'mistero da risolvere'.» Gli alieni consideravano ogni Ambasciatore un unico individuo o una coppia? Lo Staff ci aveva sempre liquidato rispondendoci che fosse una domanda senza senso, intraducibile e maleducata.

«Mi spiace, ma ho bisogno che sappiano che voi siete due per poter essere certa che capiscano che io sono una. Devono capire che anche il rumore che produco io fa parte della Lingua. Devono sapere che gli sto parlando.» Questi osservarono l'involucro di carne davanti ai loro occhi emettere un rumore più concitato e forte del solito.

Dopo un attimo di silenzio, Bren riprese la parola. «Si tratta di qualcosa che gli Ambasciatori non erano propriamente felici di spiegare.»

«Fatelo» le esortai. «È tempo che comprendano che gli Ambasciatori non sono affatto delle entità concrete.»

Seppur forti del nostro gruppo all'avanguardia, non credo af fatto che avremmo potuto stravolgere in alcun modo il pensiero di intere generazioni ariekeiane senza prima farle entrare nell'ottica che ognuno di noi fosse un essere pensante. Sulle prime, Ballerina Spagnola e i suoi compagni reagirono come era scontato facessero. Poi, lentamente, le pressioni insistenti di YlSib passarono dal provocare fascino al creare in loro una sensazione di confusione o di ciò che parve rabbia o paura. Alla fine, quelle espressioni mutarono in qualcosa che sperai essere un'epifania.

«La ragazza che mangiò ciò che le venne offerto» ripeté l'Ambasciatrice «sta parlando. Esattamente come me.»

«Sì» feci io, in direzione dello sguardo fisso dell'Ariekeo. «È così.»

La Lingua era l'unità di misura della verità e del pensiero alieno e affermare la mia capacità cognitiva, come aveva fatto YlSib traducendo nella Lingua, era una potente rivendicazione.

«Faglielo dire» le dissi. «Devono dire che io sto parlando.»

Ballerina Spagnola tentò di eseguire il comando: «L'umana vestita di blu sta parlando.» Gli altri rimasero in ascolto. All'inizio parvero opporre resistenza, ma poi uno a uno fecero lo stesso.

«Ci credono» osservai. Quello fu il momento in cui tutto iniziò a cambiare.

Tornai a rivolgermi alle creature di fronte a me: «Voi mi conoscete.» Poi chiesi di nuovo a YlSib di tradurre. «Sono la ragazza che mangiò eccetera eccetera. Io sono come voi e voi siete come me. Io sono come voi; io sono voi.» Uno di loro lanciò un urlo. Stava accadendo qualcosa, e si stava diffondendo tra di loro. Ballerina mi fissò.

«Avice.» Bren mi chiamò con un tono di avvertimento nella sua voce.

«Ripeti loro ciò che dico» insistetti. Poi mi voltai verso l'alieno e incrociai quello che ritenni essere il suo sguardo con la stessa caparbietà che avrei mostrato nel rivolgermi a un altro umano. «Diglielo. Sono quella che si aspetta che le cose migliorino, Ballerina, quindi sono come te. Io sono te. Presi ciò che mi venne offerto, quindi sono come gli altri. Io sono loro.» Illuminai il mio viso con una torcia. «Faccio risplendere la mia faccia nella notte, sono come la luna. Io sono la luna.» Mi sedetti. «Sanno come dormiamo, vero? Quando sono stanca, mi sdraio come fossi morta. Sono come una morta. Sono così stanca che sono morta. Visto?»

Gli Ariekei vacillarono, frullando le proprie ali a ventaglio. Le aprirono, le chiusero, poi allungarono le ali prensili verso di me, facendo sussultare Bren, ma non mi toccarono. Pronunciarono un misto di parole e rumori.

«Che sta succedendo?» sentii domandare da Yl, o Sib.

«Non smettere di tradurre» esortai. «Non azzardarti a smettere.» Le creature urlarono in coro producendo un frastuono terribile, poi ritrassero gli occhi. «Non fermarti, sono la ragazza che mangiò, *bla bla bla*... Come avete usato la mia similitudine finora? Io sono ognuna delle cose a cui mi avete paragonato. Lo avete già fatto. Sono tutte cose che avete espresso con altri termini.» Mi piazzai di fronte a Ballerina Spagnola. «Digli il suo nome. Digli: tanto tempo fa c'erano degli umani che vestivano abiti rossi e neri come i segni sul suo corpo. Erano le ballerine spagnole.» Sentii YlSib lanciarsi in un neologismo: «*ballerina | spagnola.*» Quindi ripresi a parlare. «Non sono in grado pronunciare il tuo nome nella Lingua, quindi te ne ho dato uno nuovo. Ballerina Spagnola. Tu gli assomigli; tu sei una ballerina spagnola.»

Uno dopo l'altro, gli alieni presero a gridare. Poi ci fu silenzio. I loro occhi rimasero al proprio posto. Oscillarono. Nessuno parlò per molto tempo.

«Che cosa hai fatto?» sussurrò Sib. «Li hai fatti impazzire tutti.»

«Bene» dissi. «Per loro, noi siamo dei pazzi: ci serviamo delle menzogne per descrivere la verità.»

Vidi gli occhi di Ballerina Spagnola allungarsi e sbocciare come fossero i fotogrammi accelerati di una pellicola sul mondo vegetale, poi pronunciò un paio di enunciati frammentari e sconclusionati. Si fermò, attese, quindi ricominciò. Yl, Sib e Bren tradussero, ma non ce n'era bisogno. L'Ariekei parlò lentamente, come se ascoltasse con attenzione ogni singola parola pronunciata.

«Tu sei la ragazza che mangiò. Io sono *ballerina | spagnola.* Io sono come te e sono te.» I miei compagni trasalirono. Ballerina strabuzzò gli occhi e osservò le sue stesse ali, poi girò due dei suoi occhi per tornare a guardare me. «Io ho dei segni distintivi. Sono una ballerina spagnola.» Tenni lo sguardo fisso sul mio interlocutore. «Io sono come te: attendo un cambiamento. Ballerina Spagnola è la ragazza che fu ferita nell'oscurità.»

«Sì» bisbigliai, emulata da YlSib. «*shesh | qus*», 'sì'.

Anche gli altri Ariekei stavano parlando. «Noi siamo la ragazza che fu ferita.»

«Siamo come la ragazza...»

«Noi siamo la ragazza...»

«Digli i loro nomi.» Mi rivolsi ancora una volta all'Ambasciatrice. «Tu ti muovi come un uccello terriano: sei Papero. Tu grondi del liquido dalla bocca che pronuncia l'inciso, ti chiami Battista. YlSib, sei in grado di spiegarglielo? Diglielo. Digli che la città è un cuore pulsante...»

«Io sono come l'uomo che gronda liquido, io sono lui...»

Forzarono le similitudini con cui li avevo rinominati fino a ottenere delle bugie, guidati dal vivace stupore legato a una simile rivelazione. In questo modo, riuscirono a descrivere la verità come non avevano mai fatto prima. Parlarono per metafore.

«Mio dio» esclamò Yl.

«Oh, Gesù Cristo, dio del faro» disse a sua volta Bren.

«Mio dio» fece eco Sib.

Gli alieni presero a discorrere tra di loro. «Tu sei la ballerina spagnola.» Quasi non trattenni le lacrime.

«Dio santo, Avice, ce l'hai fatta.» Bren mi abbracciò a lungo. Anche YlSib mi abbracciò. Li tenni tutti stretti a me. «Ce l'hai fatta.» Ascoltammo le nostre creazioni parlare e chiamarsi a vicenda con delle formule fino a quel momento inesplorate.

Due poveri Ariekei, sconcertati, erano rimasti indietro senza riuscire nell'impresa, a prescindere da ciò che gli avessi detto, e presero a fissare i propri compagni senza comprenderli. Il resto del gruppo stava parlando in un modo nuovo. «Non sono più come sono stato finora» furono le parole di Ballerina Spagnola.

Ore più tardi, ancora all'interno del nostro accampamento, feci partire con cautela una registrazione, sapendo bene quanto tempo fosse passato dall'ultima dose. Era un discorso di EzCal in merito alla foggia dei loro abiti. Doppiatore e Tettoia, così avevo soprannominato i due che non erano riusciti a cambiare come tutti gli altri, risposero con il solito fervore tossicodipendente.

Tuttavia, nessuno degli altri mostrò lo stesso atteggiamento. Osservai gli Ariekei e questi ci guardarono a loro volta, poi fecero qualche passo lento in varie direzioni. «Non ho più quella sensazione...» confessò uno. «Io... io non sono più...»

«Faglielo sentire un'altra» suggerì Bren. Sentimmo ancora una volta la voce sottile dell'Ambasciatore riflettere su altre stupidaggini. Gli Ariekei ripresero a guardarsi a vicenda. «Ho smesso di...» disse un altro.

Presi l'ennesima registrazione. Questa volta parlava dell'importanza delle scorte di medicinali. Anche in questo caso, gli unici a reagire furono quei due, mentre gli altri alieni rimasero in ascolto per pura curiosità. Provai ancora. Doppiatore e Tettoia si irrigidirono, mentre gli Ariekei che erano riusciti a modificarsi si limitarono a emettere dei suoni interrogativi in riferimento alle osservazioni ridicole dell'oratore.

«Cosa è successo?» balbettò YlSib. «Qualcosa è cambiato.»

Sì. Si trattava di un nuovo tipo di linguaggio. Un nuovo modo di pensare. Le creature al nostro fianco stavano cominciando a indicare, a significare attraverso elisioni e omissioni nel rapporto tra la parola e il suo referente. Nelle loro menti ora c'era spazio per altri schemi concettuali.

Gli lanciai il resto delle memorie audio con una risata e questi si precipitarono ad ascoltarle. Le voci sovrapposte di Ez e Cal rimbombarono nella radura.

«Abbiamo cambiato la Lingua» affermai. Era stata una trasformazione repentina e ormai non si poteva tornare indietro. «Non c'è più niente che... possa intossicarli.» Fino ad allora era stato sempre e comunque impossibile produrre una frattura che scindesse il loro modo di concepire il mondo: erano delle contraddizioni viventi. Eppure, separando il mondo dal linguaggio utile a descriverlo, così come avevano appena fatto anche loro, non esisteva più neanche un briciolo né la più piccola fiammella di impossibilità. Nessun mistero. La Lingua era diventata un linguaggio performativo capace di significare attraverso i suoni.

Gli Ariekei scandagliarono ogni singola traccia. Penso fossero sbigottiti da quel nuovo modo di sentire. Ballerina Spagnola rimase piegato ad ascoltare, ma con gli occhi rivolti verso di me. Era probabile che ora sapesse che il rumore che fuoriusciva dalla mia bocca erano delle parole. Rimase in ascolto.

«Sì,» dissi «sì.» Seguì il cinguettio armonico della creatura: «*sì | sì.*»

27

Durante la notte, gli Ariekei si allontanarono uno dopo l'altro e iniziarono a emettere dei suoni orribili. Il trambusto mi turbò, non sapendo cosa fare per calmarli. Ballerina Spagnola, Battista, Papero e Asciugatutto entrarono in uno stato di agonia; tutti tranne Doppiatore e Tettoia, i quali rimasero a guardare senza la benché minima idea di cosa stesse accadendo. Non gemettero né urlarono, ma, ognuno a suo modo, parvero sul punto di morire.

YlSib divenne irrequieta, ma né io né Bren sembrammo sorpresi da ciò che ascoltammo: era il rumore della lingua antica, ferita, che si stava cicatrizzando. Nient'altro che gli ultimi spasmi di qualcosa che stava finendo e le prime contrazioni di qualcosa che stava venendo alla luce. Niente era più come prima: vissi quel momento in maniera intensa, pensando che, finalmente, vedevano le cose così com'erano.

All'inizio, ogni parola nella Lingua si presentò come un suono isomorfico orientato alla realtà: non era un pensiero – non propriamente –, ma solo un atto linguistico fine a sé stesso, un linguaggio che andava autodefinendosi attraverso le bocche dei suoi parlanti. La Lingua era sempre stata qualcosa di superfluo: non era altro che un corrispettivo del mondo. Adesso, però, gli Ariekei stavano imparando a parlare e a pensare. Era doloroso.

«Non dovremmo...?» Yl tentò di avanzare una proposta senza sapere come finire la sua domanda.

In quel modo le parole stesse erano diventate altro, qualcosa di diverso da sé. Quanto pronunciavano ora gli Ariekei non rappresentava più l'oggetto o un momento preciso, ma esprimeva il loro pensiero, divenendo una designazione. Perfino il loro senso non era più la piatta facciata dell'essenza di qualcosa; ogni significante era stato strappato via dal proprio significato. Una simile spirale di affermazione e abnegazione portò a una quidditas in grado di rendere quegli esseri consapevoli della propria identità. I guaiti che udimmo furono la diretta conseguenza della sensazione di nausea avvertita dai nostri allievi nei confronti del mondo. Ora, ogni cosa poteva essere qualcos'altro. Le loro menti divennero improvvisamente simili a dei mercanti: come il denaro, le metafore avevano un valore incommensurabile. Adesso potevano diventare dei mitologi, studiosi di una realtà un tempo priva di mostri ma ora affollata di chimere; ogni metafora era un collegamento. Spiegai agli Ariekei che la città era un cuore e che, al suo interno, questo conteneva un'altra città e un altro cuore, entrambi saldati insieme per dar vita a una terza entità: esistevano dei centri palpitanti, il cui tessuto urbano era intriso di vita e, di contro, questa vita era permeata dalla città stessa.

Non c'era da stupirsi che gli Ariekei fossero disgustati. Erano come dei vampiri, che ammassavano ricordi mentre prosciugavano vite. Non c'era cura. Poi, uno dopo l'altro tornarono a tacere, sebbene la loro crisi non fosse affatto terminata. Erano entrati in un mondo nuovo: il nostro.

«Devi mostrarlo anche agli altri» feci io, interrompendo la rinascita di Ballerina Spagnola. Avrebbe meritato un trattamento diverso, ma non avevamo tempo. Questi ascoltò con attenzione, confuso da un misto di vertigine e novità. «Ai sordi, intendo. Tu sei in grado di parlarci. Loro credono di essere ormai al di fuori del raggio d'azione del linguaggio, ma tu potresti mostrargli che cosa hanno fatto.» 'Il linguaggio è sempre stato qualcosa di impraticabile. Noi non abbiamo mai parlato con una voce sola.'

Scorgemmo delle figure sotto al sole a chilometri di distanza e capimmo fossero umani in lento avvicinamento. Vedemmo passare delle piccole navicelle sopra di noi: tornavano indietro, dirette verso la città. «Guardate» disse Bren. «Uno di loro è ferito.»

Una volta giunti in prossimità, notammo che non c'erano più di trenta o quaranta Terriani; trascinavano delle attrezzature oppure spingevano biomacchine dall'aspetto malconcio, dondolando all'interno delle vetture. Notammo che ci avevano visti e, per un attimo, sembrarono armare le proprie difese. Poi si acquietarono.

«Credo abbiano avvistato i nostri compagni di viaggio» osservò Bren, riferendosi agli Ariekei. «Avranno pensato a un attacco. Tuttavia, vedendo anche noi, penseranno che siamo una squadra di Embassytown. Deve essere una colonia.» Abitanti delle lande selvagge che avevano appena svuotato le loro proprietà e fattorie. Si trovavano lungo la rotta dei Senza Lingua: dovevano aver perso coraggio dopo che gli Assurdi erano arrivati nelle loro terre e avevano sterminato ogni umano si trovassero davanti, distruggendo le loro case e uccidendo o arruolando i contadini ariekeiani che vivevano insieme ai Terriani.

Il numero dei veicoli aumentò. Probabilmente non avrebbero guardato a lungo, tanto da avvistare gli alieni che erano con noi o da vedere che ci stavamo dirigendo dalla parte sbagliata. Non ci avrebbero notati affatto, troppo concentrati a tornare a casa. Mi accorsi che un gran numero di imbarcazioni stava sanguinando.

Ballerina Spagnola mormorò qualcosa, segnalando la presenza degli umani in modi che prima non avrebbe neanche potuto immaginare. Così come aveva fatto durante le ultime quattro ore, riprese a concentrarsi sul nostro prigioniero.

Aggirammo gli sfollati. «Dipende dal passo che tengono gli Assurdi,» spiegò Bren «ma dovremmo riuscire a raggiungere l'armata nemica tra domani o dopodomani. Più probabile la seconda: cos'è oggi, muhamdì, iodì?» Nessuno lo sapeva più.

«I cittadini di Embassytown, invece?»

«Li abbiamo evitati. Credo che li abbiamo superati. Saranno ancora accampati. Soprattutto...» Indicò il cielo. «Avete visto tutti le navicelle. I ricognitori sono stati feriti. EzCal sa bene che non possono vincere. I Terriani e gli Ariekei al fronte cercheranno di negoziare.»

«Sì, ma non hanno alcuna speranza» sentenziò Yl.

«Certo che no» ribatté Bren. «Come potrebbero? Loro la pensano in tutt'altra maniera.»

«Ballerina ha capito cosa dobbiamo fare» sottolineai. «Avete notato il suo atteggiamento nei confronti del nostro prigioniero? Sa che ora pensano allo stesso modo, che entrambi stanno pensando.»

* * *

Ci trovammo di fronte a un ecosistema completamente nuovo, con pochi alberi sparsi qua e là. Osservammo Ballerina Spagnola e i suoi compagni all'opera. Lì il predatore principale non era il *kosteb | silas*, con il suo corpo enorme e pressoché immobile e gli arti in grado di afferrare le proprie prede tra le piante con rapidità, anche in lontananza, ma il *delith | hi ki*, velocissimo cacciatore notturno. Imparentato alla lontana con gli stessi Ariekei, il bipede in questione aveva i due arti posteriori che erano delle armi feroci e in grado di afferrare, come, ma in un modo più malleabile, lo era il braccio che corrispondeva all'ala prensile degli Ariekei. Le ali a ventaglio del *delith | hi ki*, tuttavia, erano immobili. Riusciva a scrutare nel buio grazie a degli occhi in grado di leggere i movimenti. I *delith | hi ki* erano dei cacciatori sociali, operavano in gruppo al fine di chiudere ogni via di fuga alle loro prede, di solito non più grandi di un cane.

Eravamo troppo grandi perché decidessero di attaccarci, ma restarono in agguato. Le nostre torce misero in fuga dei volatili; degli animali scavatori, il cui nutrimento era costituito da marciume fosforescente, abituati a concentrarsi su un suolo luminoso, emersero e masticarono confusi quelle pozze di luce.

Continuammo a tenere prigioniero l'Assurdo, dal momento che non ci fidavamo né eravamo in grado di stabilire se fosse diventato affidabile. Con il passare dei giorni, la paura nei suoi confronti era diminuita sempre più. Gli ex Ospiti non smisero di tenerlo d'occhio e sussurrarsi a vicenda cose espresse con le stesse parole che avevano usato una miriade di volte, ma che ora avevano acquisito dei significati tutti nuovi. Il mattino seguente assistemmo a un ulteriore cambiamento. Gli Ariekei si erano disposti in cerchio attorno al prigioniero, il quale non emise alcun urlo né provò a balzargli addosso; non tentò di farlo neppure con me, Bren o YlSib: si limitò a guardare tutti.

28

Ballerina Spagnola e il prigioniero piroettarono, circondati da tutti gli altri. A intervalli di pochi secondi, uno dei due affondava le proprie ali prensili come fossero pugnali in cerca di un varco, disegnando con esse delle figure a mezz'aria. Seguiva una pausa dopo la quale anche l'altro faceva lo stesso. I ventagli di Ballerina si aprirono e chiusero, frullando. Il Senza Lingua fece tremare i suoi monconi.

Tali gesti rappresentavano delle informazioni, dei telegrammi cinestetici. Un discorso. Non riuscirono a comprendersi ma entrambi presero coscienza del fatto che ci fosse qualcosa da capire nell'altro. Fu una liberazione. Durante quella pratica comunicativa l'euforia, per quanto aliena, fu palpabile: Ballerina lanciò un bulbo soffice per poi indicare il punto in cui era atterrato in mezzo alla fauna selvatica che rumoreggiava e l'Assurdo lo raccolse. Fu una scena ridicola.

Ballerina Spagnola ora era capace di esprimersi a gesti. Tuttavia, la stranezza più grande doveva provarla il nostro prigioniero, ormai privo di nome. Questi doveva aver creduto che, senza parole, la Lingua non esistesse più. Anche i suoi compagni comunicavano tra di loro, ma senza saperlo, o, almeno, non attraverso l'abisso che li separava dai loro simili che non si erano automutilati. Inoltre, la maggior parte dei loro segni fu così priva di speranza da trasmettere solo la convinzione di non poter interagire.

Nella paura dell'attacco e nel bel mezzo della nostra fuga, Ballerina capì le istruzioni impartite attraverso i gesti, che servivano per riuscire a fuggire. Osservò me, Bren e YlSib parlare tra di noi, ascoltarci a vicenda e sottolineare ogni cosa con dei gesti chiarificatori. Per i membri dell'armata nemica non era stato necessario riflettere su simili comportamenti. Ballerina aveva ormai imparato che poteva esprimersi anche senza parole, l'Assurdo invece aveva appreso non solo di poter parlare, ma anche di ascoltare.

«Lo stavano strattonando da una parte all'altra» esordì Bren. «Non può non aver capito cosa intendessero: lo hanno urtato e hanno indicato il senso di marcia. Hanno fatto in modo di farsi obbedire. Può darsi che la loro Lingua abbia bisogno di un po' di fisicità per essere percepita.»

«Bren» lo richiamai. «Piantala. Tutti noi ci stiamo muovendo verso la stessa direzione. Stiamo tutti provando a scappare e siamo animati dalle medesime intenzioni. Ecco come ha capito cosa stavamo facendo.»

Scosse la testa e con fare sostenuto disse: «La Lingua è il proseguimento della coercizione mediante altri mezzi.»

«Stronzate. Si tratta di cooperazione.» Entrambe le teorie sembravano offrire una spiegazione plausibile dell'accaduto. Mi astenni dal far notare che quegli esseri non erano tanto contraddittori quanto potesse sembrare; sarebbe stata un'affermazione banale.

«Guarda.» Indicai l'orizzonte. Il cielo era ricoperto di nuvole di fumo.

«Non può essere» rispose Bren tra sé e sé. Ci muovemmo il più in fretta possibile. «Avrebbero aspettato» sbottò, e ripeté la frase più volte. Finché il fumo era ancora lontano, là dove si trovavano le vallate di licheni, fingemmo di credere che potesse trattarsi di un gran numero di cose, poi arrivammo abbastanza vicino al punto designato per accorgerci che era cosparso di cadaveri.

Abbassammo lo sguardo lungo il pendio dove si trovavano i resti di quello scontro. Si estendevano per chilometri e, nonostante la maschera eolica, il mio respiro si fece pesante per via dell'orrore percepito. Dal punto in cui ci trovavamo era difficile riconoscere la fazione di provenienza dei caduti. Provai a fare una stima dei Terriani e degli Assurdi, ma era un groviglio di corpi. A ogni modo, molte delle carcasse accanto a quelle umane appartenevano agli Ariekei dell'esercito di EzCal.

Continuammo a incitare il prigioniero a muoversi: aveva ancora il collare, ma avevamo smesso di pungolarlo da un bel pezzo. Ballerina Spagnola scalpitò, poi si voltò verso di me e aprì le sue bocche gesticolando in direzione del massacro. Le sue fauci si aprirono e chiusero a intermittenza come per articolare un pensiero.

«*troppotardi | troppotardi*.»

«Sì.»

«*troppotardi | troppotardi*.»

«Sì. Troppo tardi.» Non gli avevamo insegnato affatto quelle parole.

«*troppo.tardi | troppo.tardi*.»

Un senso di allerta pungente, artificiale, mi scosse la testa come fosse un narcotico, sembrava quasi che le cose viste e sentite avessero lasciato in me dei postumi. Perfino il mio respiratore, in un ultimo spasmo di vita biomeccanica, si corrucciò in maniera sgradevole all'odore della putrefazione. Ovunque, corpi di uomini e donne dilaniati. Gli Ariekei, con e senza ventagli, erano disseminati ovunque, le viscere sparse ai lati opposti dello spazio erano mescolate in una decomposizione composta. Qua e là scorgemmo fuochi fatui e mucchi di spazzatura.

Relitti. Il campo di battaglia era solcato da scie carbonizzate che culminavano nei crateri lasciati dallo schianto degli aerei. Bren esaminò minuziosamente tutto quel ciarpame, le mani avvolte in degli stracci. Anch'io feci lo stesso, e non fu così difficile come immaginato.

Probabilmente lo scontro era avvenuto un paio di giorni prima. Lo scenario che avevo di fronte ebbe il potere di rendermi fredda e attenta. Evitai di guardare troppo da vicino i volti dei defunti di Embassytown, certa di imbattermi in qualcuno che conoscevo, ma piuttosto raccolsi i resti fumanti dello scontro per cercare di ricostruire i fatti. Il numero di caduti degli abitanti di Embassytown e dei loro alleati ariekeiani superava quello degli Assurdi, e i combattenti giacevano in posa e con le armi ancora in mano o fra le ali prensili. Passammo in rassegna i corpi come fossero dei diorami che raccontavano la storia di come si erano generati.

«Hanno dei corvidi» notai. Gli Assurdi con le loro strategie mute erano forniti di veicoli biomeccanici da pilotare in battaglia. «Oh, Gesù» non riuscii a trattenermi. «Mio dio. Allora si tratta davvero di un'armata.»

Fui scioccata nel constatare che alcuni combattenti erano ancora vivi. Scorsi degli Ariekei feriti a morte dimenare le proprie zampe in aria e allungare gli occhi. Uno di questi emise dei gemiti nella Lingua per dirci che era ferito. Ballerina Spagnola ne toccò le ali prensili. Gli Assurdi moribondi erano troppo concentrati sulle proprie morti per notarci. Su altre creature scorsi dei rivoli di sangue fuoriuscire all'altezza del punto in cui le loro ali a ventaglio erano state strappate di recente e capii che nemmeno le nuove reclute si erano salvate.

Bloccata sotto un alieno c'era una donna ancora viva grazie all'ossigeno pompato a fatica dalla sua maschera eolica rotta. Io e Bren tentammo di calmarla e chiederle cosa fosse successo, ma lei non fece altro che continuare a fissarci terrificata o affamata di aria, così decidemmo di darle dell'acqua facendola rimanere sdraiata. Non potevamo muoverla e il suo respiratore non avrebbe retto a lungo. Trovammo altri due superstiti. Uno non riuscimmo a svegliarlo, mentre l'altro sembrava lucido abbastanza da rendersi conto che stesse morendo. L'unica informazione che potemmo estorcergli fu che erano stati attaccati dagli Assurdi.

Bren indicò l'uniforme strappata. «È del corpo degli specialisti.» Poi fece segno ai ruscelli accanto al campo di battaglia. «Non è... Non erano dei soldati in marcia. Questa truppa stava qui a fare la guardia a qualcosa che era arrivato prima.»

«I negoziatori» dissi. Lui annuì lentamente.

«Esatto. I negoziatori. Questo incontro doveva essere un fottuto parlè. Ci hanno provato. Mio dio.» Si voltò verso i resti dello scontro intorno a noi. «I Senza Lingua non hanno nemmeno accennato a rallentare.»

«E ora avanzano verso il resto dell'esercito.» Il loro obiettivo era il corpo principale della difesa terriano-ariekeiana.

Dovevamo tornare indietro. Ripulimmo un veicolo abbandonato e vi salimmo a bordo. Procedemmo a gran velocità seguendo le tracce di un'infinità di zoccoli. Mi ritrovai a viaggiare stretta spalla a spalla con gli Ariekei, mentre Ballerina Spagnola e Battista presero posto attorno all'Assurdo, continuando a tracciare delle figure a mezz'aria, emulati dal prigioniero (sempre che potessi ancora definirlo tale).

Dopo poco, avvistammo delle figure in processione. Bren si irrigidì. Sapevo quanto fosse debole il nostro piano, ma non avevamo scelta. «Va tutto bene» li rassicurai. «Sono Terriani.»

Ci trovammo di fronte a un cospicuo gruppo di derelitti, vestiti come dei penitenti, un'intera cittadina che camminava faticosamente. Tra di loro notammo anche dei bambini. Ci videro: attraverso i respiratori, i loro profili sembravano intensi come quelli dei monaci. Alcuni indietreggiarono mormorando tra sé e sé, mentre una manciata di comandanti provvisori si avvicinò a noi insieme a qualche soldato con indosso uniformi logore che li identificavano come profughi provenienti dal luogo dell'attacco.

Gli Ariekei rimasero indietro restando vicini al loro simile per mascherarne la menomazione. Gli umani ci spiegarono che stavano scappando dalle incursioni degli Assurdi a danno dei latifondi e allevamenti biomeccanici. Stavano tutti fuggendo e si erano riuniti in gruppo trovandosi per caso, insieme ai disertori e alle truppe provenienti da unità sconfitte. Ora si trovavano alle spalle dei loro aggressori e ne stavano seguendo le tracce fino in città, come quei pesciolini che si rifugiano nella scia dei propri predatori, senza avere un piano e con la sola convinzione che in questo modo sarebbero rimasti vivi ancora per qualche giorno. Seguire le orme dei nemici rappresentava una sorta di disperato tributo alla loro stessa sconfitta.

Uno dei militari ci disse: «Eravamo con gli Ariekei. Immagino fossero i leader più eloquenti che avessero. Eravamo lì per comunicare. Dovevamo proteggere i negoziatori e fare in modo che avessero lo spazio e il tempo di cui avevano bisogno per provare a...» I soldati erano stati istruiti a adottare tutte le misure necessarie per facilitare il compito degli oratori alieni, intenti a sforzarsi per farsi comprendere dal nemico. «Hanno provato a parlare.»

«Come?» chiesi.

«Niente come.» Non capii la sua risposta.

«Non sono riusciti a farlo in nessun modo» chiarì. «Siamo rimasti esterrefatti. Li abbiamo visti sopraggiungere a migliaia e tutti equipaggiati con armi, veicoli e aerei. Ci siamo chiesti quale fosse il loro piano. Cosa bollisse in pentola, insomma. È stato tutto così... Gesù, i nostri Ariekei avevano fatto il pieno di registrazioni di EzCal per darsi la carica. Nella nostra unità ci sono un paio di soldati in grado di capire la Lingua...» Fece una pausa, rendendosi conto che non era più il caso di parlare al presente. «...Mi hanno riferito le parole pronunciate da EzCal nelle registrazioni. 'Dovete costringerli a capirvi.' Le ascoltarono a ripetizione e in tutti i modi possibili. 'Dovete parlargli e fare in modo che vi comprendano.'» L'uomo scosse la testa. «Ecco con cosa si erano drogati e, una volta arrivati gli Assurdi, si sono messi a urlare verso di loro con i megafoni.»

«Ma sono sordi» ribattei. Questi si strinse nelle spalle e una folata di vento smosse una ciocca di capelli unti da sotto il suo elmetto ammaccato.

«Avevamo inviato qualcuno di loro in avanscoperta... per incontrare il nemico... da vicino. Devono averli... Be' li hanno massacrati. E poi è toccato a noi.» Non c'era alcun piano. Mi voltai verso Bren. Non esistevano strategie segrete, ma solo la consapevolezza di ciò che doveva accadere, senza sapere come sarebbe accaduto.

«Hanno cercato di rispettare gli ordini ufficiali» esordì Bren. L'Ambasciatore sperava che le sue istruzioni ottenessero un esito migliore. Che dio stupido.

«Oh, Gesù» esclamai. «Pensavate davvero che avrebbe funzionato?» Ci eravamo lasciati alle spalle un gran numero di morti. «Dov'è il resto della vostra armata?» insistetti. «Dov'è l'esercito di EzCal?»

Il soldato scosse la testa. «La maggior parte... di noi... non ha nemmeno provato a combattere» riferì. «Hanno preferito implorare di essere risparmiati, ma neanche questo ha funzionato. A che serviva scongiurarli se sono sordi? Stanno battendo in ritirata verso la città per andare a nascondersi al di là delle barricate.» Scosse il capo ancora una volta, piano. «Le fortificazioni non li fermeranno» continuò. Non c'era più niente in grado di tenere gli Assurdi lontano dalla città, o da Embassytown.

I rifugiati ci guardarono passare oltre, avvertendoci che stavamo procedendo nella direzione sbagliata, e rassegnati al fatto che li avessimo deliberatamente ignorati. Salutarono con la mano da lontano e ci augurarono buona fortuna con un'educazione che ormai non esisteva più, un tipo di cortesia alquanto strano. Ai margini di quella moltitudine, gli individui dall'aspetto monacale rimasero a guardarci ancora un po', con un'ostilità che, sono certa, la maggior parte di loro non sarebbe stata in grado neanche di spiegare.

Seguimmo le impronte degli zoccoli degli Assurdi braccandoli a vista, nascosti ora dal bosco, ora dalle alture. Cominciò a piovere. Ci insozzammo di fango. Quella notte non fece veramente buio, sembrava come se le stelle e il Relitto avessero preso a brillare in maniera innaturale; in questo modo riuscii ad avvicinarmi a Ballerina Spagnola e a osservarlo tracciare delle figure a mezz'aria con le sue ali prensili per interagire con l'Ariekeo ormai libero. Ebbi modo di osservare anche il grigio paesaggio che ci circondava.

All'alba, notammo delle telecamere vagare attorno procedendo a scatti: reclutatori intelligenti al soldo dell'esercito, ancora in grado di trasmettere. Erano stati i nostri suoni e rumori ad attirarli e ci affiancarono con dei guizzi luminosi. Fissai attentamente uno degli obiettivi e, in maniera indiretta, lo sguardo di un ipotetico osservatore a Embassytown.

Ora potevamo sentire il frastuono dell'esercito nemico, a dividerci era solo una porzione di terreno. Di colpo, le telecamere sciamarono via per sparire tra la flora e la geografia del luogo. Un corvide sorvolò vicino alle nostre teste, a causa di qualche urgente impegno bellico da assolvere, e noi sperammo di passare inosservati, così da non essere ostacolati proprio adesso che avevamo quasi raggiunto la meta.

Non esistevano vie segrete per assicurarci di essere scoperti soltanto da un piccolo gruppo di Assurdi, né di riuscire ad attirare l'attenzione di un distaccamento dal resto dell'armata. Ogni soldato pensava di essere un individuo isolato, nonostante noi sapessimo bene che non era così. All'interno di una massa simile, enorme e vendicativa, ciò che più si avvicinava alla figura dei generali era costituito da un'avanguardia incapace di esprimersi. Li affiancammo e superammo, nascosti dalle asperità del paesaggio, per raggiungere così il punto in cui avremmo dovuto incontrarli.

Infine, lerci e puzzolenti, abbandonammo il mezzo di trasporto.

Ero perfettamente consapevole di come dovessimo apparire. Nel gruppo c'erano solo quattro Terriani: io in testa, seguita da Bren, teso e pronto, e da Yl e Sib, rese distinguibili dai segni del viaggio. Le due metà dell'Ambasciatrice se ne stavano l'una accanto all'altra munite di armi pronte all'uso.

Gli Ariekei presero posto tutt'intorno a noi come fossero le ali a ventaglio del gruppo. Accanto a me si trovava Ballerina Spagnola, che mi guardava con molti dei suoi occhi.

Al centro del gruppo c'era il Senza Lingua, ormai privo di catene e intento a osservare i suoi compagni ariekeiani. Questi gesticolò con una delle sue ali prensili e subito, uno alla volta, quasi tutte le altre creature risposero in modo simile: fu una cosa che mi lasciò pressoché senza fiato.

Soltanto due individui rimasero impassibili. Doppiatore e Tettoia osservarono i movimenti dei loro simili senza capire cosa stesse accadendo.

Ballerina Spagnola mi disse: «*verranno e vedremo | verranno e parleremo.*» Lo fissai per un po', poi annuii. «Sì, voi sì» risposi. «Anche noi. E loro.»

«*permettimi | permettimi*» iniziò. Dalle sue bocche provennero due suoni che per me non ebbero alcun senso, quindi parlò nella Lingua in maniera repentina, e i suoi compagni, Yl, Sib e Bren sollevarono lo sguardo di colpo. *ballerina | spagnola* si rivolse a me e fece un altro tentativo. «*di ringraziarti | di non ringraziarti.*» Restai in silenzio. Che avrei potuto dire?

Poi il primo Assurdo si avvicinò. Dei velivoli sorvolarono la zona e sicuramente ci videro, ma forse ci reputarono troppo insignificanti anche solo per spazzarci via. In seguito vedemmo un distaccamento, una truppa di alieni vigorosi avanzare verso di noi. Ci preparammo. Qualcuno nel gruppo menzionò il piano.

La testa dell'armata, qualche chilometro più avanti del corpo principale, ci avvistò. Scalpitò sul selciato puntando verso di noi con le ali prensili, facendo in modo che alcuni dei loro distaccamenti ci raggiungessero e ci affiancassero, organizzati in formazioni a cuneo, frutto di una strategia muta che gli Assurdi ritenevano dettata da un mero sentimento di rabbia. Sentii il galoppare dei loro zoccoli, poi, pian piano, mentre sollevavano le armi, fui in grado di distinguere le sfumature di colore della loro pelle, le forme biforcute degli occhi e i monconi delle ali a ventaglio.

«Ora» sentii dire da qualcuno senza nemmeno riuscire a capire se fossi stata io a parlare.

Ballerina sussurrò qualcosa con un tono troppo basso perché io potessi sentire, sebbene avessi la sensazione che non stesse parlando nella Lingua, poi si fece avanti, accompagnato dagli altri leader del suo gruppo rivoluzionario e dall'Assurdo. Quest'ultimo avanzò, quindi sollevò le ali prensili e ciò che rimaneva di quelle a ventaglio e le agitò come fossero stendardi, così da rendere visibile la sua ferita e annunciare il suo stato: 'Sono uno di voi.' In questo modo, fece segno agli aggressori, suoi simili, di fermarsi. Tali gesti parvero dire 'aspettate, aspettate, aspettate'.

L'esercito nemico non rallentò affatto. Mi sentii male. «*Courage*» disse Bren in francese. Non sorrisi. L'incerto linguaggio dei segni dell'Ariekeo Audioleso venne scambiato per quello che era intento comune. Dai ranghi nemici partì un colpo.

«Gesù» esclamai. Ballerina Spagnola, o meglio, *ballerina | spagnola*, si rivolse ai suoi ex compagni giunti ad assassinarlo e deturparlo usando la sua voce e i suoi arti. Mi chiesi cosa ne sarebbe stato di lui se fosse stato reso sordo, ora che aveva imparato a vedere la Lingua da un'altra prospettiva. I movimenti dei nostri due alleati furono recepiti dalla fazione avversaria come cose di infima importanza, al pari delle piante scosse dal vento.

Non li stanno ignorando, pensai, loro non lo sanno. Mi resi conto che le creature che incalzavano non avevano idea del fatto che le menti dei nostri compagni non fossero affatto come quelle degli altri alieni che avevano massacrato o convertito. Come avrebbero potuto saperlo? Rovistai tra gli zaini.

«Mostrategli i ventagli!» urlai a Ballerina. «Fategli capire che siete in grado di sentire!» YlSib cominciò a tradurre le mie parole, ma Ballerina Spagnola aveva già dispiegato le ali emulato da tutti gli altri, eccetto che Doppiatore e Tettoia, i quali fecero lo stesso solo dopo che il nostro allievo migliore glielo ebbe ripetuto nella Lingua. Venne lanciato un secondo missile. «Dite a Doppiatore e Tettoia di piazzarsi sul davanti» esortai.

A quel punto feci partire una registrazione, e la voce sottile di

EzCal iniziò a dare ordini a destra e manca. Purtroppo, era un file che tutti gli Ariekei avevano già ascoltato e non sortì alcun effetto. Lo gettai via imprecando.

«Ah» fece Bren, capendo le mie intenzioni. Ripresi a scavare nelle borse, sentendo i canti di morte degli Assurdi farsi sempre più vicini. Estrassi una manciata di memorie audio e, infine, ne trovai una da poter riprodurre. In questa, le parole del Dio-Narcotico furono: «Adesso vi diremo cosa dovrete fare...»

Noi Terriani lo ascoltammo come un insieme di suoni, così come Ballerina Spagnola e i suoi compagni, i quali drizzarono le ali a ventaglio con fare interrogativo. Doppiatore e Tettoia, però, ne erano ancora assuefatti: schizzarono in piedi tesi e fremettero in modo inconscio, come se fosse la stessa forza di gravità ad attirarli verso la fonte di quel rumore. Parvero rapiti.

«Sì» disse Bren.

Gliene feci ascoltare un'altra. I due alieni ancora barcollanti e intenti a tornare in sé dopo la prima dose sobbalzarono frastornati alla seconda iniezione. Tettoia urlò alla descrizione degli alberi offerta dall'oratore.

Il nostro Assurdo continuò a far segno ai compagni, imitato da Ballerina e dagli altri, i quali non smisero di aprire e chiudere le ali a ventaglio. Doppiatore e Tettoia stavano in mezzo a loro, completamente fatti. Io continuai a trasmettere. «*stop | stop*» ripeté Ballerina Spagnola, e immaginai quanto dovesse essere orribile per lui assistere a quell'ondeggiare impotente, ricordare quello che anche lui era stato, costretto a osservare i suoi amici soffrire per via della propria compulsione, ma non potei smettere.

Gli Assurdi, in numero sempre crescente, scalarono la nostra altura armi in pugno per raggiungerci, ma poi, uno dopo l'altro, esitarono. Diedi il via a un'altra traccia e sentii Bren ripetere ancora il suo sì.

Ogni esercito ha un soldato in prima linea. Un Ariekeo imponente spalancò contemporaneamente la bocca dell'inciso e quella dell'eco come volesse gridare, quindi sollevò le zampe per scagliare il suo attacco e io impugnai una registrazione come se bastasse a fermarlo. L'essere distese gli occhi in ogni direzione per tenere sotto controllo ognuno di noi, scrutando Ballerina Spagnola e il prigioniero liberato agitare gli arti nello stesso modo usato dagli Assurdi, mentre Doppiatore e Tettoia incespicavano. L'unica cosa a cui riuscii a pensare fu qualche preghiera. Era vicinissimo.

Poi di colpo il soldato si fermò, abbassò la mazza ferrata crepitante, ritrasse gli occhi, li strabuzzò e prese a guardarci. La registrazione stava ancora andando. Mi accorsi che non era il solo ad aver sospeso il proprio attacco e così, spietata come non mai, lasciai che i due EzCal-dipendenti proseguissero con la loro danza estatica. Gli aggressori si afferrarono l'uno l'altro, gesticolarono o rimasero immobili a osservare la scena.

«Non fermarti» esortò Bren.

«*stop | stop*» chiese Ballerina Spagnola, ma Bren disse ancora una volta: «No.»

«Che...?» domandò Sib.

«Che succede?» concluse Yl.

L'armata di quegli esseri rabbiosi e senza speranza era stata spinta al massacro dai ricordi della propria assuefazione e dalla vista dei loro stessi compatrioti, resi dei vigliacchi dalle parole di una specie intrusa. Un degrado simile rappresentava il punto focale della loro disperazione. Avevo fatto in modo di metterli davanti alle movenze che, tempo addietro, anch'essi avevano prodotto in risposta al suono della voce del Dio-Narcotico – una tarantella inconfondibile –, ma anche al comportamento degli altri Ariekei, rimasti inalterati, seppure in ascolto con le proprie ali a ventaglio ben distese.

Non credevamo affatto che le menti dei nostri aggressori potessero cadere preda di un qualche tipo di incertezza, tuttavia, fu proprio qualcosa del genere a fermarli. Il nostro ex prigioniero agitò le ali prensili e i moncherini. 'Stop' era ciò che cercava di dire loro: molti degli esseri venuti a sterminarci rimasero stupiti di aver intuito il significato di quei suoi gesti.

Provai compassione per le nostre due cavie. Sbattei le palpebre in seguito al polverone sollevato dalle creature attorno a me. Era stato un bene che quei due non avessero mai imparato a mentire, perché avevamo bisogno di un paio di veri tossicodipendenti, così da provare la guarigione degli altri e mostrare agli Assurdi che la loro rabbia di prima era stata mal indirizzata. Decisi di continuare a fare in modo che la coppia di alieni non smettesse di agitarsi, fino a farli stare male a causa di quella voce velenosa. Ballerina Spagnola rimase a guardarli sventolando le proprie ali. Urlai.

Tra i nostri nemici le notizie circolavano con estrema lentezza, perché perfino i loro pensatori più veloci mostravano una certa reticenza all'idea di essere davvero in grado di trasmettere qualsiasi informazione. Ciò che si dissero l'un l'altro, in un primo momento, scuotendo e sollevando gli arti fu un semplice 'interrompete l'attacco', che, in seguito, prese la forma di un comunicato del tipo: 'Sta succedendo qualcosa.'

L'informazione venne distorta man mano che fu comunicata alla restante parte dell'esercito. L'avanguardia mimò dei segnali per dire 'sono in grado di ascoltare senza esserne afflitti' mentre i ranghi più indietro si videro comunicare un ben più succinto 'alt'.

«*stop | stop*» ribadì Ballerina, avanzando in direzione dell'armata accanto all'Audioleso presente nel nostro gruppo. Sotto gli occhi dei generali Assurdi, i due presero a interagire in modo ostentato ricorrendo a dei segnali fatti con le ali e disegnando sul terreno degli ideogrammi che mi lasciarono allibita.

Ci vollero molte ore, due giorni e due notti di frustrazione e silenzi. L'esercito rimase in attesa. Esitò. Altri individui provenienti dalle retrovie avanzarono incuriositi per capire cosa stesse accadendo. Ogni Assurdo che venne a vedere rimase esterrefatto: Ariekei non assuefatti; Terriani che aspettavano con educazione; il lento processo di interazione tra normoudenti e Audiolesi (secondo le etichette che ci ostinavamo a utilizzare); e scarabocchi nel fango.

Quelli un po' più informati degli altri contribuirono a infondere pazienza. Percepimmo la loro influenza, che si avvaleva di una gestualità persuasiva, quando, alla fine del secondo giorno, profughi umani raggiunsero l'armata e questa non li attaccò, sebbene fosse stato facilissimo ucciderli.

I Terriani compresero che l'assalto degli Assurdi si era fermato. Si chiesero il motivo di tutto questo e cercarono di raggiungerne la fonte aggirandosi liberamente tra i Senza Lingua. Allestirono un campo a distanza di sicurezza da noi e anche loro rimasero a guardare.

Ci volle altro tempo prima che gli ostacoli alla comprensione tra il gruppo di *ballerina | spagnola* – i Nuovi Udenti – e la fazione avversaria fossero superati, ma non tanto quanto mi aspettavo. Non stavamo insegnando agli Audiolesi a comunicare, ma gli stavamo mostrando che sapevano già farlo e che lo stavano facendo. Non fu affatto un ampliamento delle loro capacità: fu una rivelazione. Capii che, per quanto arduo fosse pervenire a una simile consapevolezza, una volta raggiunta, essa diventava virale.

«Bisogna far venire qui EzCal» dissi.

«Non lo farà mai se viene a sapere cosa sta succedendo» osservò Bren. «Dovrebbe fare i conti con la propria sconfitta.»

Nemmeno se tutto questo significasse la fine delle ostilità?, pensai, sapendo che Bren aveva ragione. «Bene, allora non possiamo raccontargli la verità. Dovremo distruggere ogni singola VESPcam che vediamo. In questo modo non potrà più essere informato di niente.»

Battista e Asciugatutto compresero la missione che gli affidammo e che, solo un paio di giorni prima, non avrebbero mai accettato di svolgere. Tornarono in città a bordo di un velivolo e in compagnia dell'Assurdo.

«Sanno cosa fare?» domandai a Ballerina Spagnola.

«*sì | sì.*» Il piano prevedeva che si infiltrassero all'interno della nave assalita, sotto le spoglie di soldati lealisti tossicodipendenti, per diffondere la notizia di una svolta. Avrebbero riferito a EzCal che i nemici avevano smesso di attaccare e che ora era giunto il momento per il Dio-Narcotico e il suo entourage di presentarsi. Contavamo sul fatto che l'Ambasciatore non si sarebbe accorto che si trattasse di una bugia. D'altronde, come avrebbe potuto? Avrebbero appreso tutto questo da degli Ariekei, in quella che avrebbero creduto essere la Lingua. Si sarebbero comportati come dei perfetti Ospiti.

«Sanno cosa fare quando sentiranno la voce di EzCal?»

«*sì | sì.*» Sapevano come simulare l'estasi dell'ascolto.

«Sanno anche di dover fingere di agognare quei discorsi se passa troppo tempo tra un'orazione e l'altra?»

«*sì | sì.*» Conoscevano con precisione la mimica dettata dall'assuefazione: sapevano cosa fare.

Le due tribù di Ariekei dell'era post Lingua continuarono a interagire mediante l'uso di simboli. I profughi non provarono ad avvicinarsi.

«Siamo stati noi a farlo?» chiesi.

Circondato dalla semiosi dei suoi compagni, anche Doppiatore alla fine sobbalzò in modo violento per raggiungere quello stesso traguardo, poi si ritrasse e, senza un motivo apparente, cominciò a sussultare, quindi parlò nuovamente. Le altre creature assistettero all'evento inaspettato per capire se si trattasse di un'ascesa o di una caduta. Tettoia, al contrario, non diede segni di mutamento, dosando con cura gli ultimi file audio rimasti e rimanendo l'unico alieno ancora avvelenato del gruppo.

Non conoscevo i parametri ariekeiani di amicizia, ma ritenni che dovessero sentirsi tutti tristi per lui. Tettoia – *sagg | leav veth*, per usare il suo nome originale – doveva sentirsi solo. Osservò le conversazioni fatte di graffi a terra e gesti, e pensai che essere circondati da quella moltitudine di creature diverse doveva farlo sentire come in un piccolo inferno. Ci hai salvati, pensai. Senza di te saremmo morti. Come se la cosa potesse essergli di conforto.

Ballerina mi raccontava ogni giorno dei progressi fatti. Mi ritrovai a considerare gli eventi accaduti e le mete raggiunte dagli Assurdi e dai Nuovi Udenti, pensando fosse avvenuto tutto in un batter d'occhio. Non ricordavo affatto da quanto tempo fossimo già accampati lì a presenziare alle loro discussioni silenziose quando notai la presenza delle telecamere che vorticavano in aria. Dovevamo essere lì da un bel pezzo.

«Cristo.» Le indicai a Bren. «Cristo Pharotekton.» Mi ritrovai sotto le telecamere, gesticolando nella loro direzione come uno qualsiasi dei nuovi Ariekei, e attirando il loro interesse.

Si trattava di spie in avanscoperta provenienti da una nave di EzCal. Sapevamo che non era lontano: era arrivato, proprio secondo le istruzioni e le promesse dei nostri due infiltrati. Alcune delle VESPcam parvero tenersi in disparte, altre invece misero a fuoco la scena. Ormai il Dio-Narcotico era troppo vicino per poter tornare indietro come se nulla fosse, bloccare le trasmissioni e fingere di ignorare la cosa, perfino se avesse capito ciò che le immagini gli stavano mostrando. I filmati ripresi da quelle lenti, infatti, non erano visti soltanto dalla nave che si stava avvicinando, ma, in contemporanea, anche da migliaia di cittadini di Embassytown. «Ascoltate» urlai. Una moltitudine di occhi alieni si voltò verso di me. Gli obiettivi solcarono il cielo, e si abbassarono un po', come moscerini ansiosi. «Ascoltate» ripetei, serrando i denti. «Ascoltatemi.»

«Devono essersi chiesti il motivo di un tale ritardo» sottolineò Bren. «Vorranno sapere cosa sta trattenendo gli Assurdi dall'attacco. Da quanto tempo stavano aspettando? Nascosti, in attesa della morte, domandandosi il perché di un simile intoppo.»

«Ascoltate» ribadii. «Portateli qui. Portate qui EzCal.» Puntai il dito verso Ballerina Spagnola e gli esseri privi di ali ai quali stava parlando. Prima Ballerina, poi, uno alla volta, gli Assurdi emularono quel gesto indicandomi. Le telecamere vibrarono, cambiarono posizione, e io tenni lo sguardo fisso in un punto, quasi come se quello sciame costituisse un'entità unica e dotata di occhi. «Portateli subito qui. EzCal... riesci a vedermi, EzCal?» Scossi la mano. «Cal, vieni immediatamente qui e porta con te quel bastardo del tuo compare.»

«Se vuoi vivere, diffondi la notizia. Cittadini di Embassytown, mi sentite? Sopravviverete tutti. Ma, EzCal, faresti meglio a venire qui per scoprire cosa devi fare. Ci sono delle condizioni da rispettare.»

29

Dovevo riconoscergli una cosa: quando EzCal non parlava, quando restava a scrutare dall'alto del promontorio i chilometri di territorio che si estendevano e l'accampamento nemico, in quei momenti sembrava avere un aspetto epico. Tuttavia, non meritava quel tipo di gloria.

Il suo atteggiamento barocco, forse, poteva essere di conforto a qualche abitante di Embassytown. Gli abiti di Cal erano ornati di punti luce e la sua maschera eolica abbellita con un cimiero. Anche Ez era vestito di porpora.

In silenzio, i loro difetti erano stati trasformati o, tutt'al più, mascherati. Il ghigno di Cal passava per essere qualcosa di regale, il broncio di Ez un ragionato contegno. Si presentarono seguiti da un piccolo corteo, persone che fino a poco tempo prima erano stati miei colleghi. Quando il loro aereo atterrò, alcuni accennarono perfino un saluto in direzione mia e di Bren. Simmon mi strinse la mano. Non fui in grado di descrivere le espressioni di Southel e MagDa, sbarcate con gli altri e in compagnia di Wyatt, apparentemente ancora sotto scorta, ma con gli incarichi di consulente, esperto di comunicazione e prigioniero-consigliere. Quest'ultimo evitò il mio sguardo. Infine, di ritorno dalla cittadella, Battista e Asciugatutto discesero dal velivolo per venire a salutare i compagni e me. L'intera scena venne trasmessa anche sugli schermi di Embassytown, provocando, a mio parere, un grande clamore, perché il viaggio in questione non era andato affatto come avevano immaginato.

Le forze dell'ordine riunite erano armate. So bene che se la situazione fosse stata un po' diversa, l'Ambasciatore avrebbe tentato di togliermi di mezzo così come aveva già fatto in precedenza mentre eravamo in viaggio. In quello scenario, però, nessuno tra i membri rimanenti dello Staff al suo seguito, gli ufficiali e perfino JasMin glielo avrebbe permesso. A quel punto, l'intera Embassytown aveva visto l'esercito invasore e le mie trasmissioni, e tutti ormai sapevano che eravamo stati noi a fermarli. A Cal, dunque, non restava altro che la messa in scena di essere lui a comandare ancora per qualche ora.

Col passare dei giorni, anche i profughi terriani si avvicinarono all'accampamento per unirsi al gruppo, sebbene la maggior parte di loro lo aveva fatto per osservare il nostro modo di comunicare con quegli esseri. Ez alzò gli occhi al cielo per poi voltarsi verso Embassytown.

In seguito, venni a sapere di alcuni aneddoti riguardanti il suo operato durante la mia assenza, di come avesse continuato a mettere alla prova la pazienza di Cal e dei suoi piani per organizzare un golpe, sventato poi, più per sdegno che per rabbia, dal compagno. Quando ci adocchiò, mi accorsi subito che stava macchinando qualcosa. Mio dio, ma non ti stanchi mai?, pensai. Non mi importava nulla di quelle storielle: per i miei concittadini e per il popolo dei Senza Lingua i litigi tra Ez e Cal contavano meno del fatto che loro fossero EzCal.

Presi posto insieme ai delegati degli Assurdi, una manciata di venti o trenta alieni rigurgitati dai propri ranghi. «Quindi è con te che devo discutere, Avice Benner Cho?» fece Cal con tono freddo. «Parli in nome dei...» Indicò la creatura più vicina a me, il nostro ex prigioniero.

«Theuth» dissi. «È noto come Theuth.»

«Che intendi?» chiese il mio interlocutore. «Sapete bene di non poterlo chiamare in alcun modo...»

«Noi lo chiamiamo così» ribadii. «È il suo nome. Se vuoi, ti mostro come si scrive. Anzi, meglio ancora: sarà Theuth stesso a farlo.»

'È brutto essere sconfitti, non è vero? Anche adesso stai tentando di farci fuori, Cal: me, Bren e tutti gli altri. E tutto perché il modo in cui abbiamo salvato Embassytown significa la fine del tuo regno.

Il tuo potere è già crollato. A pensarci bene, quel dannato protettorato che hai messo in piedi, di per sé, è sorto con la consapevolezza di essere destinato a collassare in preda alla disperazione, e tu preferiresti perderlo ma alle tue condizioni, piuttosto che salvarlo alle nostre.' Avrei tanto voluto fargli un discorso del genere.

Gli Assurdi insieme a Theuth e a Ballerina erano i più abili a generare la scrittura ideogrammatica che stavano inventando e i più intuitivi nel leggere e nel parlare con i gesti. Si trattava di un gruppo consolidato. In seguito, dalla città giunsero altri Ariekei coraggiosi – ancora assuefatti e ricaricati da una scorta di registrazioni sgraffignate qua e là – solo per assistere di persona all'accordo storico che avrebbe cambiato ogni cosa. Anche Tettoia era lì triste, intento ad ascoltare i propri file in solitudine. Gli umani si intrufolarono su dei piani sopraelevati colorati dalle variopinte forme ariekeiane e osservarono la negoziazione. Andavano e venivano a loro piacimento.

Cal, e con tutta probabilità anche Ez, tentò di far passare quella scena come una discussione estenuante, ma in realtà non fu altro che un lento susseguirsi di fatti spiegati e di ordini ricevuti, il tutto espresso in un nuovo sistema di scrittura. Ci vollero giorni per assicurarsi che gli Assurdi avessero capito ciò che gli venne comunicato e, di contro, per capire cosa volevano da noi al riguardo.

Avrei potuto far presente all'Ambasciatore che non godeva più di alcuna autorità e che la sua era una dichiarazione di resa. 'Forse avresti gradito una delle tue solite parate, Cal, così da poter invocare, negli anni, i fantasmi della fine del tuo impero, ma devi ricordarti che sei qui solo perché sono stata io a far sapere agli Assurdi che eri la persona a cui dovevano dire cosa fare. Gli umani davanti agli schermi, i profughi accigliati nascosti dietro i propri cappucci e tutti gli altri ricorderanno per sempre la tua incapacità di gestire questa situazione. Non stai facendo altro che girare intorno alla questione, in un momento di svolta epocale, perché ora tu sei solo un inutile dettaglio.'

Il cielo fu invaso da telecamere: alcune erano fatte in casa, altre sequestrate o che avevano preso a fare di testa propria, tutte pronte a caricare i propri filmati sulle frequenze più disparate. Dall'altro lato degli schermi, i cittadini dell'avamposto osservavano ogni sviluppo.

La notte chiedemmo alle creature di radunarsi attorno al nostro gruppo: non ero ancora del tutto certa che EzCal non avrebbe tentato di vendicarsi.

«Che altro succederà?» domandò MagDa, guardandomi con un'espressione cauta e rispettosa.

«Sarà diverso da prima,» spiegai «ma continueremo a stare qui. Ora sanno di poter essere curati, e questo cambia tutto. Come vanno le cose in città? E a Embassytown?»

Panico e speranza. Anche tra gli Ariekei il sentimento dominante era la confusione. Infine, le fazioni entrarono in conflitto e quelli che all'inizio parvero uniti sotto l'egida di *kora | saygiss*, nel rispetto degli ordini di EzCal, si trovarono a combattere per dei principi che, improvvisamente, non avevano più senso.

«Noi... Loro... faranno tutto il possibile per diffondere la cosa» dissi. «Non ci sarà più bisogno delle dosi di droga. Dovremo collaborare. Theuth è, in un certo senso, il portavoce dei Senza Lingua, così come Ballerina Spagnola è il nostro, ovviamente sempre passando attraverso la mediazione di YlSib. Eppure, lui è in grado di...» Mi venne in mente che MagDa non sapeva nulla delle sere passate con l'alieno a parlare in maniera stentata. «Devo dirti una cosa» le dissi con voce bassa. «Ho sentito il modo in cui la gente descrive questa situazione, si sbagliano. Non esiste una cura. Ballerina e i suoi amici... non saranno più assuefatti, ma non sono stati curati: sono cambiati. Ecco cosa è successo. So che potrebbe sembrarti la stessa di sempre, ma capisci che non possono più parlare la Lingua di un tempo, MagDa? Non è più la Lingua che conosci.»

Fu una mattinata con un cielo davvero limpido. I bassipiani intorno a me, ricoperti del sottobosco tipico del pianeta, brulicavano di esseri che si preoccupavano di diffondere tra gli Assurdi quel nuovo sistema di scrittura, il suo concetto. Cominciavano già a circolare delle forme di comunicazione alternative a quelle suggerite dai pionieri di questo tipo inedito di interazione, differenti interpretazioni degli ideogrammi, e un vocabolario specializzato creato ad hoc dalla semiogenesi di quel graffiare e indicare.

Non ci sarebbe voluto molto tempo prima che gli Ariekei in grado di leggere riproducessero la scrittura tracciata sul terreno, su qualsiasi supporto potessero passarsi a vicenda, invece che tentare di ricordare e replicare i segni. Pensai che, forse, saremmo stati addirittura noi umani a mostrargli come fare, immaginando già le loro ali brandire una penna.

La squadra principale degli Assurdi restò immobile. L'entourage cittadino cercò di sfruttare le circostanze a proprio vantaggio quanto più possibile. Molti dei profughi umani ripresero a guardare. Theuth e Ballerina si piazzarono accanto a me a scrutare le telecamere.

Ballerina Spagnola attirò la mia attenzione con gli arti prensili. «*sei pronta?* | *sei pronta?*» Si rivolse a me con un tono pacato, quindi, notando la mia esitazione, ripeté: «*sei.pronta?* | *lo.sei.*»

EzCal mi venne incontro per un faccia a faccia. Sembrava di nuovo un re. Il viso di Ez era completamente spento, mentre quello di Cal apparve gonfio di rabbia.

«Ascolta. Riesci a capire?» La mia voce poteva essere sentita da tutti gli abitanti di Embassytown, ma era a EzCal che mi stavo rivolgendo. «Capisci cosa succederà ora?

«Gli Assurdi torneranno in città, e anche noi. Sistemeremo insieme le cose. Avranno delle idee in testa. Se fossi nel tuo piccolo collaboratore, Kora-Saygiss, starei molto attento. Sei stato furbo a non portarlo qui con te. Dovremo discutere i dettagli della nuova situazione. Staremo a Embassytown.»

Fino al prossimo cambio. Pensai che, da allora, niente sarebbe stato più come prima. Adocchiai i miei appunti. «Volevano ucciderci perché eravamo i responsabili della creazione del Dio-Narcotico. Sapevano che per loro era troppo tardi e che ormai erano persi, ma erano intenzionati a dar vita a una nuova generazione sana, una volta risolto il problema. Una volta sterminatici. Riuscite a capire quanto fossero altruisti? Non era nel loro interesse, ma in quello dei loro figli. Questa generazione, invece, sarebbe diventata sorda, morta o moribonda per l'astinenza.

«Ora, però, sanno che la loro dipendenza può essere curata.» Ignorai lo sguardo fisso di MagDa e indicai Ballerina, il quale mi restituì il gesto. «Se loro possono essere curati, noi non siamo più rilevanti. Ecco perché siamo ancora in vita. Capisci? Tuttavia, la condizione per la nostra sopravvivenza consiste proprio nel fatto che *siano* curati. Non fosse così, rimarremmo una piaga da debellare. La guarigione degli Oratees non è un processo rapido.» Gesticolai in direzione di Tettoia, ancora ignaro del concetto di metafora. Tutti lo guardarono, e lui restituì lo sguardo. «Ce ne sono molti come lui. Il tuo lavoro, EzCal, sarà quello di tenerli in vita per tutta la durata necessaria, finché non avranno più bisogno di te. Senza la dose della tua voce comincerebbero a morire senza che si faccia in tempo a curarli, e neppure a renderli sordi. Sarai tu a doverli tenere in vita.»

«è.amore | è.amore» disse Ballerina. Gli umani sussultarono, non avendo mai sentito alcun Ariekeo parlare in anglo-ubiq. La creatura stava cercando di spiegarci nuovamente il motivo per cui gli Audiolesi avevano iniziato ad assassinarci o a strappare le ali ai propri compatrioti, e la motivazione per cui ora, invece, ci avrebbero lasciato vivere. Si trattava di un gesto di amore tra simili. L'amore era il sentimento umano che più si avvicinava all'emozione che aveva mosso gli Ariekei: non era una corrispondenza perfetta, ma il compromesso inevitabile della traduzione. Era un'affermazione tanto vera quanto falsa. I Nuovi Udenti e gli Assurdi amavano i loro fratelli drogati e avrebbero fatto di tutto per depurarli in un modo o nell'altro.

«Non sei più un Ambasciatore da parecchio tempo» osservai. «In nome di chi parlavi, se non in tuo? Ora non sei più né un dio, né una dose di droga, né un funzionario. EzCal, non sei altro che una fabbrica: gli Ariekei hanno un bisogno e tu lo soddisfi. E, credimi, da adesso in poi il contenuto di ogni enunciato verrà sottoposto a controllo.» Il volto di Ez rimase impassibile, mentre quello di Cal si contorse. Non c'era più alcuna possibilità di dare degli ordini che non potessero essere disobbediti. «La città sarà piena di Assurdi. Se solo tenti di mescolare o nascondere delle istruzioni all'interno dei tuoi discorsi, o se dovessi perfino riuscire a riaccendere la guerra, ti fermeranno. Se dovessimo creargli problemi non esiteranno a toglierci di mezzo. Ora che c'è un'alternativa, non hanno più intenzione di strappare le ali a tutti gli alieni assuefatti e rendere sordo ogni Ariekeo adulto della propria generazione, ma, se non ci fosse altra scelta, puoi star certo che lo faranno. Ci siamo capiti?»

Questo è il tuo unico compito, pensai. Non hai scelta. Gli ufficiali che hai portato con te ti punteranno le pistole alla testa per costringerti a parlare nella Lingua, se sarà necessario. E io con loro. Ballerina e gli Assurdi diffonderanno le due cure. Il ricorso al bisturi non era la catastrofe esistenziale avvertita da tutti i presenti che avevano pensato mettesse fine al pensiero. Non era una cosa che veniva fatta con piacere, ma bisognava tenerla in considerazione per coloro che non riuscivano a disintossicarsi.

Per amore verso i propri compagni ancora assuefatti, ogni giorno gli Ariekei si sarebbe assicurati di far parlare EzCal. Per quanto temporanea, questa situazione rappresentava una necessità di fatto. Cal sembrava talmente affranto che quasi provai un senso di pietà nei suoi confronti. Non sarà così terribile, pensai. C'erano vari modi per sopravvivere fino all'arrivo della nave.

«Capisci la situazione?» ribadii a entrambe le metà dell'Ambasciatore, ma anche a ogni altra persona in ascolto dentro i confini di Embassytown. Mi piaceva il suono della mia voce, quel giorno. «Capisci perché non ci hanno sterminati? C'è un lavoro da svolgere.»

«*come.me | saranno.tutti.come.me*» esordì Ballerina Spagnola. Da qualche parte sentii degli umani sussultare e qualcuno rispose: «No.»

L'alieno distese i suoi bulbi oculari. Ez alzò lo sguardo. Cal si voltò.

Notammo una figura vestita con un mantello scuro discendere verso di noi dall'alto di una collina, seguita da un gruppetto irrequieto di rifugiati che stavano urlando. La cappa svolazzò lambita dal vento. Gli Assurdi, incuriositi, si fecero da parte per far passare la figura e per osservare cosa stesse facendo. Urlai un no a mia volta, ma, ovviamente, non mi sentirono. Tentai di gesticolare per fargli segno di serrare i ranghi, ma i movimenti terriani erano qualcosa di nuovo per loro e io non ebbi tempo di farmi capire da loro.

L'uomo estrasse un'arma. Osservai il volto al di là della vecchia maschera eolica ormai logora e riconobbi Scile.

Mio marito agitò una grossa pistola verso di me. Fummo tutti troppo lenti per fermarlo.

Nel vederlo avvicinarsi rimasi a fissarlo e a pensare a come neutralizzarlo. Tuttavia, una parte di me stava cercando di capire dove fosse stato, come, cosa e perché stesse facendo questo proprio ora. Osservai la bocca da fuoco della pistola ostile.

Cambiò la mira una volta fattosi più vicino, e puntò l'arma in direzione di Bren e di Ballerina Spagnola. Tentai di spingere via l'Ariekeo, ma l'aggressore mutò nuovamente la direzione della sua pistola, prima indirizzandola verso Ez, poi verso Cal. Quest'ultimo si stava girando a guardarmi. Scile fece fuoco. Si alzò un frastuono di urla terriane e ariekeiane, quando, con un fiotto denso di sangue proveniente dal punto in cui l'energia sparata aveva centrato il bersaglio, Cal cadde a terra senza distogliere lo sguardo da me, e morì.

Parte nona

Il cambio

30

Questo è ciò che disse *ballerina | spagnola*.

Prese posto in uno slargo in città, una grossa piazza resa ancora più ampia dopo aver convinto gli edifici a fargli spazio. È un ricordo nitido. Bren mi rimase accanto per tradurre il discorso, ma fui in grado di capire quasi tutto da sola.

Ricordo il tempo, le case, l'aria e la folla di Ariekei presenti. Erano migliaia, e gli alieni ancora intossicati si piazzarono ai margini dell'apertura spintonandosi. Probabilmente alcuni di loro si aspettavano che fosse EzCal a parlare, bramando l'ennesima dose elargita dal Dio-Narcotico. Ecco le parole di Ballerina Spagnola:

Prima dell'arrivo degli umani non parlavamo molto di certe cose. Abbiamo dovuto migliorare la nostra Lingua. Nell'arco della nostra storia abbiamo creato una città e delle macchine, e abbiamo dato loro dei nomi. Non parlavamo molto di certe cose. Era la Lingua a parlare per noi. Le parole che pretesero di designare la città e le macchine uscirono da sole dalle nostre bocche e vennero alla luce.

Quando gli umani arrivarono non avevano un nome, così inventammo delle parole nuove per permettere loro di avere un posto nel nostro mondo. Non si comportarono come le altre cose. Parlammo di loro attraverso la Lingua, finché questa non li assimilò. Eravamo come dei predatori. Come le piante che si nutrono di luce. Gli umani costruirono la loro città all'interno della nostra, come una stella inscritta in un cerchio. Come un filamento all'interno di un fiore. Noi pronunciavamo il nome di quel luogo sapendo che si chiamava in un altro modo. Si trovava nella nostra città, come un organo si trova all'interno del corpo. Come la lingua all'interno della bocca.

Prima dell'arrivo degli umani non parlavamo molto perché eravamo come lei, la ragazza che, anni fa, fu ferita nell'oscurità e mangiò ciò che le venne offerto. Eravamo come lei. Decidete voi perché le assomigliavamo e perché no. Decidete voi perché lei somiglia a sé stessa e perché no. Siamo stati simili a ogni cosa. Poi abbiamo lasciato la città durante l'epoca del Dio-Narcotico, e ora parliamo più di prima.

Prima dell'arrivo degli umani non parlavamo. Siamo stati simili a un'infinità di cose, siamo stati simili a tutto: siamo stati simili anche agli animali di Embassytown verso i quali sto puntando le mie ali prensili, e questo è un linguaggio che presto imparerete a comprendere. Non parlavamo, eravamo muti: per menzionare una pietra dovevamo farla cadere, così come dovevamo far volare via gli uccelli per descriverne il volo. Eravamo dei vettori, degli esseri animati da un istinto meccanico. Eravamo come la ragazza nell'oscurità, e lo abbiamo capito solo quando non lo siamo più stati.

Ora parliamo. O meglio, io lo faccio, e anche altri lo fanno. Voi, invece, non avete mai parlato prima d'ora. Ma lo farete. Riuscirete a dire che la città è come una fossa, una collina, un simbolo, un animale in cerca di cibo, una nave che naviga sul mare, un oceano, e che voi siete i pesci che vi nuotano dentro. Ma non come l'uomo che nuota con i pesci ogni settimana, ma proprio come i pesci che nuotano con lui, l'acqua, la piscina. Vi amo. Voi siete il mio faro, mi riscaldate: siete i miei soli.

E non avete ancora mai parlato.

Questo fu il discorso di Ballerina Spagnola al suo popolo. Disse anche qualcos'altro, e lo fece in un modo di gran lunga meno goffo di quanto non avessi fatto io quando avevo tentato di cambiarlo: il mio discepolo comprendeva molto bene la psiche delle menti che voleva modificare e usò le sue parole con una precisione chirurgica.

All'inizio, ogni creatura presente in piazza stette ad ascoltare senza rendersene conto, ma poi, man mano che i suoi enunciati divennero più stravaganti e improbabili, si levarono ragli di sconforto. Erano suoni rauchi, come quelli che accompagnavano le bugie di ogni virtuoso, ma erano anche qualcosa di più. Si propagò un sentimento di isteria dettato dall'ammirazione e dall'interesse.

L'orazione produsse una serie di urla a dir poco esterrefatte. Il fragore della crisi. Ricordai che lo stesso episodio si era verificato anche quando avevo insegnato a Ballerina a mentire: era il suono di una miriade di menti che si stavano riconfigurando e della morte dei vecchi schemi cognitivi. Le ali prensili e quelle a ventaglio si sollevarono al cielo in estasi; estasi nella vecchia accezione del termine, non senza una sensazione di paura, dolore e allucinazione. Seguì il silenzio, sintomo della rinascita ariekeiana.

In quella prima ondata non ci furono molte trasformazioni. Dopo aver intravisto qualcosa, la maggior parte degli ascoltatori alieni era caduta preda del terrore, scossa dai tremiti. Una volta calmati, qualcuno, ancora offuscato dal bisogno, riprese a reclamare l'intervento di EzCal.

Eppure, alcuni di loro erano cambiati, erano diventati qualcosa di nuovo, avevano imparato il linguaggio, secondo le parole di Ballerina Spagnola. Compresi quasi tutto quello che disse.

A volte, quando parlo con Ballerina in anglo-ubiq, usa un termine diverso da quello di *metafora | metafora*, parla piuttosto di *falsa.verità | falsa.verità* o *bugia | veritiera*. Credo sappia che è una cosa che mi rende contenta. È una sorta di regalo.

31

Povero Scile.
Come potrei spiegarmi?

Salgo sulla collina di Lilypad Hill quasi tutte le mattine a discutere del piano con i miei aiutanti. «Niente di nuovo?» domando, e ogni giorno, dopo la mia domanda, loro controllano i documenti, scuotono la testa e rispondono con un «No. Niente» cui segue subito il mio: «Bene. Arriverà. Tenetevi pronti.»

Posso davvero permettermi di lasciarmi andare a quel 'Povero Scile', dopo quanto è successo? La risposta è sì. Le sue azioni mi hanno disgustata: alcuni dei miei amici sarebbero ancora vivi se non fosse stato per lui. Eppure, come potrei non provare pena?

È rinchiuso all'interno della prigione che abbiamo ricavato dall'infermeria e i suoi vicini sono quegli Ambasciatori falliti che erano ancora troppo instabili per uscire di lì una volta aperte le porte. Nonostante i crimini commessi, Scile sa bene di essere ancora vivo perché non ha fatto nulla di tanto grave e imperdonabile da giustificare un'esecuzione. Nel nostro sistema giudiziario avevamo deciso che il semplice omicidio non fosse sufficiente a condannare a morte qualcuno.

Qualche volta, mi capita di andare a trovarlo. Le persone capiscono il motivo per cui lo faccio: si tratta di compassione, interesse e curiosità, oltre che un poco di affetto. Neanche lui riesce a credere a cosa sia successo; non riesce a credere di aver fallito.

Quando ha ucciso Cal si è scatenato il pandemonio, e il fatto che mio marito non sia stato colpito a sua volta mi ha sorpresa. Non mi sembra vero che sia stato possibile catturarlo vivo.

«Tu non farai un bel niente» mi aveva detto, mentre il corpo del mezzo Ambasciatore stava ancora contorcendosi a terra. Poi, puntò la pistola contro Ballerina Spagnola e disse: «Loro non saranno mai come te.» Riuscimmo a bloccarlo giusto un attimo prima che facesse fuoco ancora. L'Ariekeo lo disarmò scagliando via la sua arma, lo afferrò per la camicia e chiese: «*perché | perché?*» A quella domanda, Scile si coprì le orecchie con le mani e inveì contro Ballerina Spagnola chiamandolo diavolo.

La sua non era stata una passeggiata suicida, ma un pellegrinaggio messo in atto per raggiungere gli Assurdi – cosa erano ai suoi occhi, una fiamma purificatrice, i santi vendicatori che avrebbero preferito mutilarsi piuttosto che cedere alla tentazione di mentire? – e seguire la loro armata, in qualità di testimone e apostolo, per assistere all'epurazione che avrebbero messo in atto ai danni degli Ariekei assuefatti, preparando così il mondo, rendendolo una culla in cui accudire i futuri neonati generati nella purezza della Lingua.

Era brutale, ma rimaneva pur sempre la sua speranza. Non so come avesse fatto a saperlo, ma le voci girano e, ovunque si trovasse, sono certa che Scile avesse saputo della creazione di EzCal. Doveva aver immaginato che l'Ambasciatore e i suoi Oratees non avrebbero avuto alcuna possibilità contro gli Assurdi, ma non aveva fatto i conti con me, Bren e Ballerina Spagnola. Credo abbia provato orrore nel vedere cosa avevamo fatto nell'accampamento, accanto all'esercito. Aveva pazientato fino all'arrivo del Dio-Narcotico, aspettando di poter portare a compimento la sua sacra missione.

Quel sacrificio, pensava, era per il bene degli Assurdi. Probabilmente aveva immaginato un piccolo Ariekeo che, un giorno, si sarebbe trovato a vagare all'interno di una Embassytown deserta chiedendosi, nella Lingua, cosa fossero quelle rovine. Mio marito era pronto a ucciderci tutti.

Devo ammettere che non aveva tutti i torti: una caduta c'era stata davvero. Gli Ariekei sono cambiati e il fatto che abbiano imparato a mentire è vero.

Lo ripeto ancora una volta: povero Scile. Deve aver creduto di essere precipitato in una fossa di demoni.

**

Di recente sulla collina è arrivato un miab, ma noi non siamo più il popolo al quale era stato spedito. Credo fosse questo il motivo per cui il pensiero di aprirlo mi aveva trasmesso un forte senso di colpa. Avvertii quella che era la debole patina umida dell'immer tutt'intorno alla capsula. Poi come dei bambini impertinenti ne abbiamo tirato fuori le varie delizie: vino, cibo, medicinali, beni di lusso. Non c'era alcuna sorpresa. Abbiamo aperto i nostri ordini insieme alle istruzioni sigillate destinate a Wyatt, mentre quest'ultimo non ha tentato nemmeno di fermarci. Neanche lì abbiamo trovato alcunché di sorprendente.

I nuovi Ariekei sono in grado di parlare con gli automi e comprenderne le risposte.

«Non voglio entrarci» dissi.

«Va tutto bene, è solo...» Bren annuì.

Lui e Ballerina Spagnola ci misero più di quanto immaginassi, mentre io attendevo in strada, osservando i cartelloni pubblicitari muoversi. I prodotti reclamizzati non erano più in commercio.

Alla fine, tornarono da me. «Lei è lì dentro» spiegò Bren.

«E?»

«*ci.abbiamo.parlato | ci.abbiamo.parlato.*»

«E...?» insistetti. «Vi ha risposto?» chiesi a Ballerina. I due si guardarono a vicenda.

«*non.lo.so | non.lo.so.*»

Alzai lo sguardo verso l'edificio in cui si trovava. Dovevano esserci delle telecamere anche lì, come in ogni altro luogo, e la mia amica era sempre rimasta nel suo quartiere. Non accennai a muovermi.

«Ballerina Spagnola ha detto: 'Ehrsul, so che riesci a capire ciò che dico'» mi riportò Bren. «In anglo. Ma lei non si è nemmeno voltata e ha continuato a dire: 'No, tu non puoi parlare con me. Gli Ariekei non sono in grado di capirmi.' Poi, Ballerina ha aggiunto: 'Avice vorrebbe sapere come stai. Che cosa stai facendo.' Allora lei ha esclamato: 'Avice! Come sta? Smettila di parlare con me. Tu non puoi capirmi, puoi parlare soltanto nella Lingua.'»

Superammo un viale pieno zeppo di vecchi ologrammi e un mercato popolare; io continuavo a non spiccicare parola e Bren non insistette. Il sistema economico che governa la nostra ricostruzione ci fornisce i beni di prima necessità, mentre per quelli di lusso e per gli extra bisogna ricorrere a quel tipo di baratto. Mi fanno pensare ai mercati visti in altre città, in altri luoghi.

Le barricate sono state abbattute e alcuni degli abitanti hanno proposto che, dato che gli alieni possono respirare la nostra aria ma noi non possiamo sopravvivere alla loro, la sacca atmosferica di Embassytown debba essere estesa su tutto il tessuto urbano. Nei punti in cui si sta cercando di rimettere in sesto la città, gli edifici ariekeiani hanno assunto delle forme diverse da quelle classiche: spirali, finestre angolari e contrafforti che sembrano familiari. Sembra quasi che la topografia terriana sia diventata di colpo più affascinante.

Non riusciamo a trovare né *kora | saygiss* né DalTon. E, pur sapendo dove si trovino, nessun umano o indigeno ce lo riferirebbe. La loro scomparsa mi fa sospettare dell'esistenza di una sorta di club dei giustizieri, ma ho una valida rete da cui attingere informazioni, come quella di chiunque altro, e, se esiste davvero qualcosa del genere, è qualcosa di poca importanza. Ma questo non è un modo per *encourager les autres*. Tra le varie ipotesi, ho pensato perfino che fossero tra coloro che erano stati spazzati via dalla guerra, o che, magari, uno dei due o entrambi si stiano nascondendo – e, di certo, non in città – in attesa di chissà cosa. Credo sarà meglio stare allerta.

Dal mio punto di vista, DalTon è una cosa a sé, mentre, per quanto riguarda *kora | saygiss*, non credo che i nuovi Ariekei siano minimamente interessati a un linciaggio né ad alcun tipo di vendetta, anche se hanno affermato di aver vissuto sotto la sua egida. Nessuna delle creature che conosco è stata capace di darmi una risposta su com'era prima, se ricordasse qual era il loro modo di pensare. Tutte domande riferite alla Lingua. Il primo discorso di Ballerina Spagnola riguardo al cambiamento era stato più un contagio che un'esposizione. Non dico che gli Ariekei non se lo ricordano, ma piuttosto che non sappiano come descriverlo.

Nessuno sa perché alcuni di questi esseri siano immuni alle metafore. La cura di Ballerina e del suo seguito crescente di deputati e predicatori, che continuano ad alterare la mente dei propri ascoltatori con cautela per mezzo di sermoni infetti e ostentatamente ricolmi di bugie, fa presa su tutti loro. Ogni incontro si conclude con un discreto successo e alcuni astanti cominciano a lottare per abbandonare la Lingua in favore di linguaggio e semantica, mentre altri ci si avvicinano a poco a poco, sapendo che il loro turno arriverà la volta successiva o quella dopo ancora. Tuttavia, esistono delle creature che rifiutano del tutto la cosa, o che, come il nostro amico Tettoia, ne sono nauseati a tal punto da non poter mutare affatto. Questi alieni non riescono a parlare con me, ma solo con gli Ambasciatori, condannati a comprendere soltanto la loro Lingua originale e ormai morente. Al momento disponiamo di voci, droghe in grado di tenerli in vita, ma non esistono più dèi.

Ho sentito uno degli Oratees confidare a YlSib che EzSey è il suo preferito, perché il tremore provocato dalla sua voce è così... Ha detto un aggettivo estraneo sia al mio che al suo vocabolario. Altri hanno detto di preferire EzLott o EzBel, a seconda dello sballo che erano in grado di procurargli.

Scile era un individuo molto più intelligente di quanto non suggerisse il suo ultimo omicidio. Sapeva come avevamo fatto a creare EzCal e doveva aver capito che avremmo potuto farlo di nuovo. Estraemmo il congegno ancora intatto dalla testa di Cal, consapevoli del fatto che, se anche non fosse stato integro, comunque non avremmo dovuto affrontare un'altra apocalisse.

«Credo di avere ciò che serve» disse MagDa. «Southel ha lavorato a una serie di prototipi per settimane.» «Degli amplificatori.» «Inoltre, abbiamo dei volontari. Siamo pronti a partire.»

Noi avevamo messo in atto il nostro piano e quello era il loro. Una scorta segreta da poter impiegare per contrastare Cal e EzCal, la cui potenza era rappresentata dalla propria unicità. Le macchinazioni mie e di Bren combaciavano alla perfezione con i tradimenti dell'Ambasciatrice. Le azioni di Scile non avevano portato a nessun epilogo: aveva ucciso Cal e questo aveva cambiato poco o niente.

All'inizio furono i volontari orfani del proprio inciso a provare:

si rasarono la testa e si fecero impiantare delle prese, alle quali provarono ad applicare gli amplificatori a mo' di tiara, agganciandoli ai collegamenti e facendo in modo che la lingua biforcuta di Ez, l'agente Rukowsi, entrasse in sintonia con loro, così da parlare all'unisono. La prima a riuscire nell'impresa fu Lott, nonostante la sua gemella, Char, fosse ancora viva.

Sebbene alcuni abbiano paura a farlo, molti Ambasciatori hanno già disattivato i propri collegamenti, smesso di uniformarsi e rinunciato alla Lingua. Non c'è più molta richiesta. Non credo affatto che si odino: Bren afferma il contrario, ma ogni volta gli spiego che dovrebbe smetterla di basarsi sulle sue vicende personali, per quanto sia comprensibile.

Continuiamo a tenere al sicuro Joel Rukowsi soltanto perché abbiamo ancora bisogno della sua maledetta mente empatica, ma credo che alla fine anche questa cosa cambierà. Prima o poi riusciremo a trovarne altri come lui, nel frattempo ci limitiamo a farlo lavorare sodo e ad accumulare altre ore di narco-discorsi. Ne abbiamo abbastanza da poterci permettere di essere generosi con gli esodati.

Al momento esistono due città che si intersecano in maniera pacifica: una popolata dagli alieni ancora assuefatti e l'altra da quelli privi di qualsiasi forma di dipendenza. Gli Assurdi e i Nuovi udenti hanno più cose in comune di quante entrambi non ne abbiano con gli Oratees. Il suono non conta: i primi due gruppi convivono poiché hanno imparato a pensare allo stesso modo.

Ballerina non fa altro che salutare e scambiarsi convenevoli con ogni Ariekeo e umano che incontri per strada e anche con gli audiolesi, grazie a una tavoletta tattile di tecnologia terriana che portano sempre con sé. Anch'io sto imparando a leggere e scrivere i loro scarabocchi in evoluzione, come un qualsiasi altro giovane alieno. Adesso, non appena si risvegliano nel loro terzo stadio evolutivo, come per uno strano rituale primordiale, sono istruiti a privarsi dei propri istinti. Qui le tracce liminali della Lingua pura, per la quale le parole corrispondono a dei referenti e le bugie sono espressioni innaturali, perdurano soltanto qualche giorno, mantenendo i soggetti in uno stadio intermedio tra il selvaggio e il cosciente. In seguito, i giovani nuovi Ariekei apprendono che la loro città non è sempre stata così, pur non potendola immaginare altrimenti.

Tra quelli incapaci di dimenticare la Lingua ci sono molte creature che scelgono di automutilarsi, sapendo che anche questa è una cura, e non significa diventare incapaci di parlare e di pensare, come credevano in precedenza. Altri ancora, come Tettoia, si preparano a partire. Non visiteremo mai le loro comunità autarchiche e loro non accetteranno mai di collegarle alla città attraverso i vecchi sistemi di tubature, ma ci limiteremo a fornirgli un quantitativo di file audio sufficiente a resistere per molto, molto tempo. Questi esiliati vivranno all'insegna della propria assuefazione e daranno vita a nuove generazioni, alle quali non permetteranno mai di ascoltare alcuna registrazione. Un giorno anche i loro figli impareranno a parlare la Lingua, ma saranno liberi e privi di qualsiasi tipo di intossicazione. Gli umani saranno banditi per sempre come fossero tabù, in quanto portatori della loro assuefazione; perfino la città dove adesso si sta imparando a esprimersi in modo diverso sarà descritta come un luogo proibito. Nell'immediato futuro, non saranno più gli uomini a svolgere il ruolo di Ambasciatori, ma i nuovi Ariekei, capaci di mediare senza difficoltà tra la città e gli insediamenti in questione.

Eppure, so bene come andrà a finire. Queste nuove figure cominceranno a recarsi lì per commerciare e cominceranno a parlare, mettendo a confronto Lingua e linguaggio e pensando invano di intendersi. Alcuni dei giovani saranno attratti da questi bizzarri stranieri, finché alcuni tra i più avventurosi si incammineranno verso le porte della città. Andrà così. Non c'è dubbio che qui troveranno ancora degli esseri infetti – reietti, predicatori e quant'altro – dai quali i nuovi avventori ascolteranno le registrazioni incriminate, cadendo preda della stessa assuefazione.

Va da sé che l'equipaggio della nave sarà armato: ogni individuo giungerà qui provvisto di armi bremeniane ben più avanzate delle nostre. Tuttavia, noi saremo in tanti e loro in pochi (non intendiamo far loro del male). Saranno la nostra guardia d'onore.

«Salve, capitano» saranno le mie parole non appena le porte della nave si dischiuderanno al mondo ariekeiano. «Venite con noi, prego.» Seguendomi, diventeranno al contempo nostri ospiti e prigionieri.

È tendenzioso, lo so. Saranno prigionieri, ma li tratteremo come ospiti di riguardo.

Secondo le istruzioni di Wyatt, è previsto che il prossimo cambio faccia sbarcare a Embassytown una serie di nuovi Ambasciatori della stessa pasta di EzRa. Quest'ultimo era solo un esperimento e ora hanno capito come migliorare la tecnica empatica: il prossimo funzionario sarà mandato qui per attuare il golpe di Bremen.

Ma sarà troppo tardi. Il nostro colpo di Stato è già avvenuto e, per loro, l'unico incarico da svolgere sarà quello di spacciare droga agli alieni intossicati.

«*salve capitano* | *salve capitano*» saranno le parole di Ballerina Spagnola. Poi gesticolerà in maniera educata con le sue ali prensili in direzione degli abitanti di Embassytown, che staranno ad aspettare, armati.

«*venite con noi prego* | *venite con noi prego.*»

I nuovi Ariekei sono stupiti dal fatto che su Terre esista più di una lingua. Per dimostrarglielo, ho fatto partire un file audio in francese. «Io, *je*. Io sono, *je suis*.» Ballerina Spagnola è rimasto deliziato dalla cosa, quindi si è rivolto a me dicendo: «*je.voudrais.venir. avec.vous* | *vorrei.venire.con.voi.*»

E non è la sola innovazione. Qui gli alieni non parlano angloubiq, ma anglo-ariekeiano, e io stessa sto studiando questa nuova lingua e le sue sfumature. Quando ho chiesto a Ballerina Spagnola se si era pentito di aver imparato a mentire, questi ha fatto una pausa e poi ha detto: «*non.mi.pento.di.niente* | *mi.pento.*» È probabile che si tratti solo di esigenze espressive, ma gli invidio una tale precisione.

Mi chiedo se Ballerina Spagnola si sia mai compianto. Se mi lasciasse leggere ciò che sta scrivendo, e sono certa che si tratti della cronaca del conflitto, sono sicura che riuscirei a scoprirlo.

La storia che mi ha raccontato è un'altra, però. Quando Battista e Asciugatutto sono tornati a Embassytown sotto le mentite spoglie di Oratees per persuadere EzCal a addentrarsi nelle terre selvagge in cui lo stavamo aspettando, il Dio-Narcotico non si era accorto di niente. Al contrario, l'Ambasciatore gli ha ordinato di riferire la notizia a uno degli Ariekei del suo entourage, che tuttavia li aveva riconosciuti come seguaci del controverso *surl* | *tesh echer*.

Sapeva che c'era qualcosa che non andava: sapeva che avrebbero potuto fallire. Per loro stessa ammissione, in un impeto di temerarietà, le nostre due spie aliene avevano deciso di rivelare al loro contatto la verità: che stavano arrivando dei tempi migliori, una situazione mai vista prima, ma questo solo se EzCal fosse stato deposto.

Pur sapendo che, come il loro mentore, anche loro potevano essere dei bugiardi, aveva scelto di continuare a dargli fiducia. Per la prima volta dopo molto tempo, a quel funzionario era stata donata la speranza, così si recò da EzCal per riferirgli con precisione cosa gli era stato detto da Battista e Asciugatutto. Tuttavia, mentre gli Ariekei da noi inviati erano degli esseri nuovi, il loro confidente non lo era affatto, conosceva la verità e non aveva mai mentito prima. Questi si era trovato costretto a dover dissimulare in Lingua con uno sforzo erculeo e una buona dose di fortuna, producendo delle parole che suonarono come dei grugniti alle sue orecchie. Per Ballerina Spagnola, quello è stato il vero eroe della guerra, un ignoto Ariekeo alle prese con l'unica bugia della sua vita.

Bremen non ci metterebbe molto a distruggerci, ma credo potremmo dimostrargli che non ne varrebbe la pena. Gli scontri interspaziali non sono affatto economici. Dobbiamo renderci utili e sappiamo bene quale possa essere il nostro utilizzo. Basta guardarci: siamo qui, nell'oscurità, ai confini dell'immer!

Dovrà diventare il porto che desideravano entro un decennio locale. Sarà l'avamposto più lontano che esista, proprio nel rispetto del ruolo assegnatoci da sempre. Finalmente l'abbiamo capito. Potrà anche non essere la metropoli che avevamo in mente, ma potremo comunque governarla da soli.

Benvenuti a Embassytown, il confine dell'universo. Le storie si diffonderanno in fretta. Sono un'immergente: le ho già sentite tutte. La gente dirà che, nell'immer, al di là del nostro pianeta, esiste una sorta di El Dorado, oppure un posto in cui le navi abbandonate vagano da tempo alla deriva, oppure un'altra Terra, o magari un dio. Tutto quello che vuoi.

So già che tipo di avventurieri vorranno approdare qui: pirati. Sono consapevole della possibilità che Embassytown diventi un bassofondo: o marciamo e moriamo o, se giudicati inutili, verremo rasi al suolo da una shivabomba bremeniana. Nella sua stupidità visionaria, nel tentativo di salvare gli Ariekei, Scile li avrebbe condannati tutti: se ci avessero ucciso, una volta giunta la nave bremeniana questa non avrebbe esitato a vendicarsi attuando un secondo genocidio. Quando ripenso agli errori di giudizio di mio marito mi viene sempre in mente che lui non proviene da una colonia.

In un certo senso, siamo destinati a essere devastati dalla speculazione e dagli avventurieri in cerca di emozioni. Diventeremo una regione selvaggia. Mi è già capitato di visitare pianeti desertici e città di pionieri, e devo dire che perfino quei posti hanno una loro ragion d'essere. Dovremo semplicemente aprire i nostri spazi aerei e attrezzarci per il commercio delle conoscenze che abbiamo da offrire. Forniremo delle mappe uniche e dettagliate perfino di quelle stradine secondarie che soltanto i locali come noi sono in grado di scovare. Dovremo stabilire delle credenziali come fossimo un'*esplorocrazia*, in quanto ci troveremo costretti a esplorare il nostro stesso mondo pur di sopravvivere e continuare ad autogovernarci.

Ben presto, la nostra piccola flotta potrà godere anche di una nave immeriana e di almeno un capitano. Quando la prossima delegazione da Bremen giungerà qui per decidere cosa fare di noi, gli mostreremo di avere qualcosa da offrire.

L'immersione non è affatto una pratica sicura. In questo punto, nel luogo in cui ci troviamo, è come se fossimo tornati indietro ai pericolosi giorni di gloria dell'Homo diaspora. Non ho alcuna esitazione. Ho viaggiato molto, sono tornata a casa, e ora è tempo di partire di nuovo e seguire delle rotte che mi permetteranno di spingermi dove nessun immergente è mai arrivato prima. Nel giro di kilo/ore potrei perfino imbattermi in una specie esoterriana sconosciuta ed essere la prima umana a entrarci in contatto, e lavorare così a un qualche supporto linguistico nel tentativo di interagirvi. Mi aspetta un'infinità di cose ancora da scoprire.

Ho iniziato a studiare navigazione e immerologia, discipline che io, da barcamenante, ho sempre evitato. Quando ne ho parlato con Bren, lui mi ha rimproverato con un secco: «Non ti sei mai barcamenata in tutta la tua vita.» Ho iniziato a immaginare quale possa essere l'aspetto di Embassytown visto dalla nave. È questo il motivo per cui vado ogni giorno a Lilypad Hill, sono impaziente.

«Buongiorno, capitano. Venga con noi.» Quindi, io e il mio equipaggio prenderemo il natante dirigendoci verso l'orbita, verso l'imbarcazione.

«Pronti» esordirò mollando gli ormeggi e puntando verso l'ignoto o, forse, concederò al mio vice di farlo al mio posto. Ho già avvisato i miei compagni del fatto che non sappiamo ancora quale sarà l'effetto prodotto da questa traversata su un simile equipaggio. Tuttavia, continuano a essere risoluti.

Forse sarà il luogotenente Ballerina Spagnola a dare il via a questo viaggio straordinario, dallo spazio quotidiano verso l'infinito. Penetreremo l'immer per addentrarci nei meandri del cosmo.

Sarebbe folle fingere di sapere cosa accadrà. Tutto dipende dalla piega che prenderà Embassytown.

E con Embassytown intendo la città. Perfino i nuovi Ariekei hanno cominciato a chiamare la città con quel nome, *embassytown | embassytown*, talvolta variandolo con *ambasciata | città* o *città | ambasciata*.

Ringraziamenti

Sono molto grato a Mark Bould, Mic Cheetham, Julie Crisp, Andrea Gibbons, Chloe Hearly, Deanna Hoak, Simon Kavanagh, Peter Lavery, Amy Lines, Farah Mendlesohn, Davis Moench, Tom Penn, Max Schaefer, Chris Schluep, Jesse Soodalter, Karen Traviss, Jeremy Trevathan, e tutti i collaboratori di Macmillan e Del Rey.

Dal catalogo Fanucci Editore

Il collasso dell'impero di John Scalzi
Autonomous di Annalee Newitz
Straniero in terra straniera di Robert A. Heinlein
New York 2140 di Kim Stanley Robinson
The long way – Il lungo viaggio di Becky Chambers
Persepolis Rising – La rinascita di James S.A. Corey
I figli del tempo – Children of Time vol. 1 di Adrian Tchaikovsky
I figli dell'Eden di Joey Graceffa
3001: Odissea finale di Arthur C. Clarke
I burattinai di Larry Niven
Il segreto dei costruttori di Ringworld di Larry Niven
Il trono di Ringworld di Larry Niven
I figli di Ringworld di Larry Niven
La fine di tutte le cose di China Miéville
Luna rossa di Kim Stanley Robinson
Il destino della Legione di Kameron Hurley
Lo stallo dell'impero di John Scalzi
I sei cloni di Mur Lafferty
Pianeta di ghiaccio di Andrea Scavongelli
I figli della caduta – Children of Time vol. 2 di Adrian Tchaikovsky
Knightfall – L'abisso infinito di David B. Coe
Focolai di guerra di Gareth L. Powell
L'Enigma del Führer di Stefano Mancini
Tiamat's Wrath – L'ira di Tiamat di James S.A. Corey
Il Club dei cantanti morti di Susanna Raule
A closed and a common orbit – L'orbita ordinaria di Becky Chambers
I marziani di Kim Stanley Robinson
Recursion – Falsa memoria di Blake Crouch
I cacciatori di Dune di Brian Herbert e Kevin J. Anderson
Sherlock Holmes e la minaccia di Chtulhu di Lois H. Gresh
Koko – Trilogia della Rosa Blu vol. 1 di Peter Straub
Navi in guerra di Gareth L. Powell
La caduta all'inferno di Neal Stephenson
I vermi della sabbia di Dune di Brian Herbert e Kevin J. Anderson
Il futuro di un altro tempo di Annalee Newitz
Un mondo di donne di Lauren Beukes
Sherlock Holmes e l'orrore di Chtulhu di Lois H. Gresh
Le porte dell'Eden di Adrian Tchaikovsky
Mr. X di Peter Straub
Sherlock Holmes e il terrore di Chtulhu di Lois H. Gresh
L'ultima imperatrice di John Scalzi
Universi in guerra di Gareth L. Powell
La brigata di luce di Kameron Hurley
I figli della discordia di Tochi Onyebuchi
Il detective fantasma di Vanessa S. Riley
La città nera di Shi Heng Wu
L'Enigma di Majorana di Stefano Mancini
Il canto di Swan di Robert McCammon
La fabbrica degli orrori di Iain Banks
Il codice di Dean Koontz
Mystery – Trilogia della Rosa Blu vol. 2 di Peter Straub
Shining Girls – Ragazze eccellenti di Lauren Beukes
Il Grande Libro della Fantascienza Mondiale a cura di Lavie Tidhar
La torre di cristallo di Robert Silverberg

Libri di Sangue voll. 1-3 di Clive Barker
Leviathan Falls – Scontro finale di James S.A. Corey
Frammenti della Terra di Adrian Tchaikovsky
La Cacciatrice di Luce di Peter F. Hamilton e Gareth L. Powell
Il ministero per il Futuro di Kim Stanley Robinson
L'Enigma di Tesla di Stefano Mancini
Memory's Legion – Tutti i racconti di S.A. Corey
I vagabondi di Chuck Wendig
The Kaiju Preservation Society – Gli ultimi di una razza di John Scalzi
La città degli specchi – The Passage vol. 3 di Justin Cronin
L'Era del Diamante di Neal Stephenson
La trilogia della Bestia di Robert Stallman
I figli del Nuovo Mondo di Alexander Weinstein
I racconti di Dune di Frank Herbert, Brian Herbert e Kevin J. Anderson
Ghost Story di Peter Straub
Wool – La trilogia del silo vol. 1 di Hugh Howey
Shift – La trilogia del silo vol. 2 di Hugh Howey
Dust – La trilogia del silo vol. 3 di Hugh Howey
I fantasmi di Ashburn House di Darcy Coates
Gli occhi del vuoto di Adrian Tchaikovsky
Libri di Sangue voll. 4-6 di Clive Barker
Broken Monsters di Lauren Beukes
Upgrade di Blake Crouch
La vita di un ragazzo di Robert McCammon
Sand – Il tesoro delle dune di Hugh Howey
La principessa di Dune di Brian Herbert e Kevin J. Anderson
L'alibi perfetto di Jayne Cowie
Illuminations – I racconti fantastici di Alan Moore
Cyberpunk 2077: No Coincidence di Rafal Kosik
The Book of Accidents – Il Libro delle cose sconosciute di Chuck Wendig
Termination Shock – Soluzione estrema di Neal Stephenson
Canzone per un nuovo giorno di Sarah Pinsker
Il traghettatore di Justin Cronin
Embassytown di China Miéville

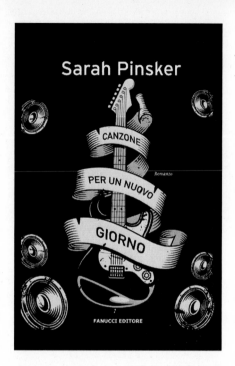

Sarah Pinsker
Canzone per un nuovo giorno

368 pagine • 16,00 euro

Nel Prima, Luce Cannon era al vertice della sua carriera musicale. Ora, nel Dopo, gli attacchi terroristici e i virus letali hanno indotto il governo a vietare i concerti. Così il legame che Luce aveva con il mondo – la sua musica, il suo scopo nella vita – le viene precluso per sempre. Finisce quindi a esibirsi in concerti illegali per una piccola ma appassionata comunità.

Rosemary Laws ricorda a malapena i tempi del Prima. Trascorre le sue giornate nel Cappuccio virtuale lavorando per il Servizio clienti della multinazionale Superwally, senza alcun tipo di contatto reale. Per caso, trova un nuovo lavoro e una nuova vocazione: scoprire musicisti straordinari e portare i loro concerti a tutti tramite la realtà virtuale. Ma per riuscirci, dovrà fare una cosa totalmente nuova: uscire in mezzo alla gente e frequentare i concerti illegali. Quando si accorge di come potrebbe veramente essere il mondo, ciò che ha sempre conosciuto fino a quel momento non le basterà più.

IN LIBRERIA

Neal Stephenson
Termination Shock – Soluzione estrema

704 pagine • 24,00 euro

Neal Stephenson trasporta i lettori in un mondo in cui l'effetto serra ha generato una troposfera tormentata da supertempeste, l'innalzamento dei mari, inondazioni, ondate di calore insopportabili e pandemie. Ma a qualcuno viene una "grande idea" per contrastare il riscaldamento globale. Funzionerà? E, cosa altrettanto importante, quali saranno le conseguenze per il pianeta e l'intera umanità se venisse realizzata? Spaziando dal cuore del Texas al palazzo reale olandese dell'Aia, dalle cime innevate dell'Himalaya all'assolato deserto di Chihuahua, *Termination Shock – Soluzione estrema* riunisce un gruppo eterogeneo di personaggi provenienti da culture e continenti diversi che si confrontano con le ripercussioni reali del cambiamento climatico. In definitiva, la domanda su cui siamo chiamati a riflettere è: può la cura essere peggiore della malattia?

Di portata epica ma con una prospettiva umana e straziante, Stephenson lancia l'allarme sulla crisi climatica, riflette sulle possibili soluzioni e sui rischi più terribili, e racchiude tutto in un'avventura speculativa coinvolgente, spiritosa e illuminante.

IN LIBRERIA

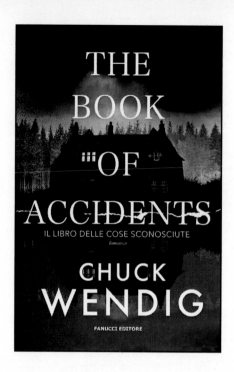

Chuck Wendig
The Book of Accidents – Il libro delle cose sconosciute
512 pagine • 20,00 euro

Tempo prima, Nate viveva in campagna con il padre violento. Con la sua famiglia non ha mai fatto parola di ciò che successe in quella casa. Tempo prima, Maddie era una bambina che costruiva bambole nella sua cameretta, quando vide qualcosa che non avrebbe dovuto vedere. Tempo prima, qualcosa di sinistro, di famelico, si aggirava per i boschi e le rocce della zona. Ora Nate e Maddie Graves sono sposati, e insieme al figlio Oliver sono tornati dove tutto ebbe inizio. E ciò che avvenne tanto tempo prima sta accadendo di nuovo... e sta accadendo a Oliver, il quale diventa il migliore amico di uno strano ragazzo custode di oscuri segreti e con un debole per la magia nera. Oliver però deve stare attento, perché la loro amicizia li trascinerà al centro di una battaglia tra il bene e il male. Solo che Nate e Maddie hanno un'arma segreta che nessuno potrà mai sottrargli: l'amore che li lega e li rende più forti.

La famiglia di Nate torna nella sua casa d'infanzia – e all'oscuro passato che ancora la funesta – in questo capolavoro horror dell'autore di *I vagabondi*.

IN LIBRERIA

Rafal Kosik
Cyberpunk 2077: no coincidence

368 pagine • 17,00 euro

A Night City, un gruppo di sconosciuti ha appena messo a segno un audace colpo su un convoglio Militech che trasporta un misterioso container. Cos'hanno in comune i membri della banda? Sono tutti sotto ricatto, e non possono esimersi dall'eseguire gli ordini. Costretti dunque a portare avanti il lavoro, non hanno idea di quanto sia esteso il raggio d'azione del loro mandante, né quale misterioso oggetto custodisca il container. I componenti devono superare la diffidenza e lavorare insieme per evitare che i loro segreti vengano alla luce prima di poter mettere a segno il prossimo colpo decisivo.

Questo elettrizzante romanzo ambientato nel mondo di *Cyberpunk 2077* si concentra su un gruppo di estranei intenti a scoprire che a Night City i pericoli sono fin troppo reali.

IN LIBRERIA

Alan Moore
Illuminations – I racconti fantastici
464 pagine • 17,00 euro

Dalla fantascienza all'horror, passando per il fantastico e la satira pungente, Alan Moore si destreggia sapientemente tra generi, stili e registri diversi, per dipingere quadri rischiarati da illuminazioni folgoranti, squarci di una realtà solo apparentemente inverosimile, che spesso riesce a superare anche le fantasie più sfrenate. Così due amanti improbabili si innamorano con conseguenze terribili in un lupanare frequentato da stregoni; il racconto dell'origine dell'universo rivela un esito catastrofico; gli spiriti esigono vendetta e i personaggi dei fumetti tormentano gli uomini in carne e ossa che li hanno creati, disegnati e resi celebri in ogni parte del pianeta.

In questa sua prima serie di racconti, che abbraccia quarant'anni di lavoro e contiene numerosi inediti, Alan Moore presenta nove storie piene di meraviglia e stranezze, ognuna delle quali ci inabissa nei risvolti fantastici della realtà, con personaggi indimenticabili alla scoperta dei lati inesplorati dell'esistenza.

IN LIBRERIA

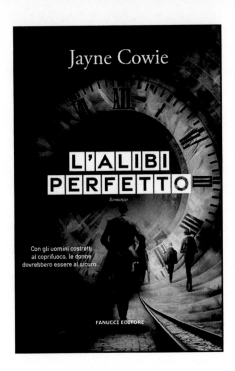

Jayne Cowie
L'alibi perfetto

288 pagine • 16,00 euro

In una futura versione della Gran Bretagna, le donne hanno un ruolo dominante nella società, il divario salariale tra i sessi non esiste più e la maternità apre le porte invece di chiuderle. Inoltre, le donne non temono più di tornare a casa da sole perché tutti gli uomini sono schedati elettronicamente e non possono uscire dopo le sette di sera. Ma questo sistema non ha reso la vita più semplice a tutti.

Sarah è una madre single il cui marito, incarcerato per aver violato il Coprifuoco, sta per essere rilasciato. Cass, la figlia adolescente, odia vivere in un mondo che limita la libertà dei ragazzi, come quella del suo migliore amico Billy. Helen, invece, desidera tanto una bambina. Ecco perché ha richiesto un certificato di convivenza con il suo ragazzo ed è terrorizzata all'idea di non ottenerlo: l'ultima cosa che vuole è crescere una figlia da sola. Una di queste tre donne sta per essere brutalmente assassinata, a tarda notte, e dagli indizi sembrerebbe che la vittima conoscesse il suo aggressore. Ma con il coprifuoco attivo, il colpevole non può di certo essere un uomo. Oppure sì?

IN LIBRERIA

Brian Herbert & Kevin J. Anderson
La Principessa di Dune
480 pagine • 20,00 euro

Cresciuta alla corte imperiale, Irulan è stata addestrata fin dalla tenera età come Sorella Bene Gesserit. Ora in età da matrimonio, la Principessa Irulan vede le macchinazioni dee numerose fazioni in lizza per il potere: la Sorellanza Bene Gesserit, la Gilda Spaziale, il trono e una spietata ribellione nell'esercito imperiale. La giovane donna è saggia e indipendente ed è determinata a diventare molto più di una semplice pedina da muovere sulla scacchiera di chicchessia. Su Arrakis, Chani viene addestrata alle vie mistiche Fremen da un'antica Reverenda Madre. Cresciuta credendo nel sogno ecologico del padre di vedere un Arrakis pieno di vegetazione, lo segue nelle stazioni di sperimentazione imperiali, sopravvivendo ai numerosi rischi del deserto. Chani impara presto a conoscere l'amaro prezzo dei sogni e degli obblighi dei Fremen sotto il tallone oppressivo dell'occupazione Harkonnen.
Ambientato due anni prima di *Dune*, *La Principessa di Dune* è la storia mai raccontata di due donne chiave nella vita di Paul Muad'Dib: la Principessa Irulan, sua moglie solo di nome, e il vero amore di Paul, la Fremen Chani.

IN LIBRERIA

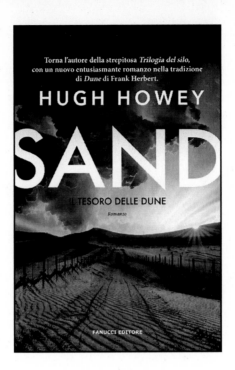

Hugh Howey
Sand – Il tesoro delle dune

312 pagine • 16,90 euro

Il vecchio mondo è ormai sepolto. Uno nuovo è stato costruito sopra le dune in costante movimento. In questa terra dominata dall'ululato del vento e dalla sabbia infernale, quattro fratelli finiscono per essere separati e dispersi. Il padre era un sommozzatore della sabbia, uno dei pochi privilegiati in grado di immergersi nelle profondità, ben al di sotto dello strato desertico, per recuperare le reliquie che mantengono in vita il loro popolo. Ma anche il padre se ne è andato. E il mondo che si è lasciato alle spalle è destinato a fare la sua stessa fine.

Benvenuti nell'universo di *Sand – Il tesoro delle dune*, un romanzo dell'autore bestseller Hugh Howey. È un'esplorazione del concetto di anarchia applicato alla realtà, la storia di una terra dimenticata e di un popolo abbandonato a sé stesso. Tirate quindi su il vostro ker e fate un ultimo, profondo respiro prima di tuffarvi in questo nuovo e fantastico mondo.

IN LIBRERIA

Per consultare il nostro catalogo
visita il sito www.fanucci.it
e iscriviti alla newsletter
per essere continuamente aggiornato
sulle nostre pubblicazioni.
Seguici su:

Finito di stampare nel gennaio 2024 presso
VELA WEB S.r.l.
Via N. Copernico 8, Binasco 20082 Milano
PI 09004520152 – Tel. (+39) 02 90092766
Printed in Italy